GERMAINE GREER

(SEXE ET DESTINÉE)

Traduit de l'anglais par
Anne Damour

BERNARD GRASSET

PARIS

L'édition originale de cet ouvrage a été publiée par Martin Secker & Warburg
Limited, Londres, en 1984, sous le titre :

SEX AND DESTINY

A mes filleuls
Baal Krishna et Purushottam,

Remerciements de l'auteur

Je veux d'abord remercier tous ceux dont j'ai toujours ignoré les noms et ceux que je préfère ne pas citer ici car je me suis servie de leur vie privée pour former mon opinion et tirer mes propres conclusions. Je n'oublierai jamais les gens qui m'ont aidée au risque de compromettre leur carrière ou la sécurité de leur emploi. Qu'ils sachent combien j'ai apprécié leur courage et leur sincérité.

Cet ouvrage n'aurait jamais été écrit sans l'aide de Penny Kane et de Graham Peck, de l'IPPF International Office à Londres, tous deux convaincus qu'il n'est pas nécessaire de censurer une erreur pour la rectifier. Ils ne sont bien sûr pas responsables de l'utilisation que j'ai faite de la masse d'informations qu'ils ont mise à ma disposition.

Les responsables de la bibliothèque de l'université de Bombay, de la London Library, des bibliothèques universitaires de Cambridge, du Service d'information du planning familial (Londres) et de la British Library m'ont apporté tout au long de mon travail une aide patiente et inlassable.

Les associations pour le planning familial en Inde, sous la direction éclairée de Mme Avabai Wadia, mirent leur personnel, leurs voitures et leurs bibliothèques à ma disposition ; je souhaite n'avoir pas trahi la réalité qu'elles m'ont montrée. Le Dr Seshagiri Rao, directeur des programmes à l'administration centrale de Bombay, et M. Sreenath à Bangalore ont tous deux fait confiance à mon discernement, et j'espère ne pas les avoir déçus. Je remercie également le Dr Indumati Parikh de la Streehitikarini Clinic à Bombay, le Dr Rajnikant Arole du Rural Health Project à Jamkhed, le Dr M.N. Shete du Primary Health Centre à Dehu, et les Drs Sangle, Gune et Godbole du Waghole P H C. Mes remerciements particuliers à Gita Mehta et à Ajit Singh qui ont résolu mes problèmes d'intendance, à Mira Savara du Feminist Resource Centre et à M. Shankar Menon. Mme Rashida Mutalib et ses confrères au Soudan, et Clorinda Zea de Morales en Colombie m'ont aidée à m'approcher du cœur du sujet. Ron

Hall et William Shawcross m'ont tous deux fourni des matériaux précieux. Les Drs R.D. Catterall, R.C. Ravenholt et Herbert Reiss ont tous accepté les enquêtes maladroites d'un amateur. Tarzie Vittachi, Elizabeth Reid et Susan Kedgeley ont fait preuve de compréhension et m'ont encouragée lorsque j'en avais le plus besoin. Mon agent, Gillon Aitken, nous a aidés moi et mon livre à passer à travers les douleurs de l'enfantement de l'édition. S'il se trouve des maladresses dans le texte, ce ne sera pas la faute de John Byrne, qui a passé un été éprouvant à vérifier chaque virgule.

Avant-propos

C'est une croyance répandue, surtout chez les gens qui lisent peu, que les livres devraient inciter à l'action. « Que voulez-vous que je fasse ? » demandent-ils à l'auteur. « Comment dois-je m'y prendre ? » Et l'auteur se voit obligé soit de jeter la lettre, qui est simplement la preuve que sa lectrice ou son lecteur a déjà commencé à réfléchir, soit de répondre avec honnêteté : « Chère lectrice (lecteur), pourquoi feriez-vous ce que j'aimerais que vous fassiez ? Faites ce qui vous semble bon lorsque vous aurez examiné mes arguments. » Chose étonnante, des gens écrivent encore à d'infortunés auteurs, les créditant d'exploits surhumains. « Votre livre a changé ma vie. — Non, répond l'auteur en désespoir de cause. Vous seul(e) avez changé votre vie. Personne ne peut ni ne veut le faire à votre place. »

Certains livres incitent à l'action, mais là n'est pas la fonction principale des écrits, même polémiques ; leur rôle est de stimuler la pensée, la pensée créatrice en particulier. Ce qui signifie susciter le doute, bousculer les idées, les remanier pour leur donner une nouvelle cohérence. L'opération peut être brutale, car les certitudes établies résistent à l'usure et on ne les attaque qu'au vitriol. Rétrécies, encroûtées, il faut les brûler pour qu'elles germent à nouveau sous une forme nouvelle.

Vous penserez peut-être, chère lectrice (lecteur), que j'ai été trop loin. Il est vrai que l'attaque formulée contre ma propre culture peut sembler extrême, mais le poids des habitudes est aussi lourd que la vie et leurs défenses redoutables. Le cœur de ceux qui me liront est peut-être plus sensible que je ne le crois, et mon offensive dépassera alors sa cible sans l'atteindre ou laissera une blessure dont il restera toujours une trace.

Certains diront non sans raison que j'aurais fait un meilleur travail si je m'étais sentie moins impliquée, mais je n'écris pas aujourd'hui pour me distraire ou gagner de l'argent. J'ai écrit ce livre parce que je devais le faire. Si j'avais attaché moins d'importance au sujet, je ne l'aurais pas écrit, je me serais moins plongée dans les arcanes de la littérature technique, je ne

serais pas venue à bout des arguments du planning familial, je n'aurais pas
été me promener dans des hôpitaux aux fenêtres sans vitres et aux lits
couverts de draps souillés, dans des cimetières remplis de tombes récentes
de quatre-vingt-dix centimètres de long.

Pourquoi ce texte est-il si pompeusement intitulé *Sexe et Destinée* ? Il
aurait tout aussi bien pu s'intituler *le Destin de la Terre* ou *Réquisitoire
contre la civilisation*, ou encore *Amants et Fils*. En fait, ce livre est une
plaidoirie pour un nouvel ordre intellectuel, écrit sans ignorer que celui-ci
a moins de chances de voir le jour que n'en a l'avènement d'un nouvel ordre
économique. Les valeurs culturelles de la société de consommation se sont
développées en fonction des changements qui ont eu lieu dans la structure
économique et politique : elles ne sont pas absolues. Roulées dans les
remous du progrès économique au point de chavirer, les sociétés traditionnelles sont en même temps assaillies par la culture occidentale que leur
transmettent des agents aux pouvoirs de pénétration et de persuasion
inégalés. Le progrès économique est un leurre, mais le choc culturel est
réel et irrésistible.

Les notions mêmes de pays développés, sous-développés ou en voie de
développement témoignent d'une suffisance aveugle. Ce sont des concepts
qui reposent sur une idée d'inégalité, intolérable même aux yeux des
régimes féodaux les plus tyranniques. Nulle part cette condescendance
n'est plus apparente que dans les desseins et mises en œuvre de nos
programmes d'aide à l'étranger, même si le meilleur de notre intelligence et
de notre bienveillance peut leur donner vie. Le dilemme de ce livre est le
dilemme de tous ceux qui ont longtemps soupçonné que le système qu'ils
représentent est fondamentalement inhumain et ne peut ni changer ni
cesser ses méfaits. Le dilemme est réel. Un livre tel que celui-ci ne le
résoudra pas. Il ne cherche pas à donner une formule pour résoudre le
dilemme, mais à égratigner un peu le lecteur.

Quelle est cette civilisation dont nous devrions si allégrement répandre
les griefs ? Comment pouvons-nous enseigner les soins à donner aux
enfants lorsque nous ne savons même pas nous occuper des nôtres ?
Pourquoi devrions-nous ériger le sexe en symbole du divertissement sur les
places publiques du monde entier ? Qui sommes-nous pour envahir la
couche nuptiale des femmes voilées ? Oserions-nous vraiment éliminer le
matriarcat, exterminer les paysans ? Pourquoi faut-il que nous nous achar-
nions à augmenter l'espérance de vie alors que nous n'avons plus ni temps
ni activité à offrir aux vieux ? Pourquoi nous soucions-nous plus de refréner
l'accroissement du nombre des pauvres qu'ils ne s'en soucient eux-mêmes ?
Qui sommes-nous donc pour décider du destin du monde ?

Telles sont quelques-unes des questions posées. Je ne prétends pas y
avoir répondu, mais seulement avoir su les poser avec assez de véhémence
pour qu'on ne puisse plus jamais ni les ignorer ni les oublier.

1

Un bébé est né

« Après le premier, je n'en ai plus jamais voulu d'autre, c'était trop de souffrance pour rien. Enfermée dans un hôpital, rasée, les mains attachées, ils ne vous laissent pas regarder, ils ne vous laissent pas comprendre, ils veulent que vous sachiez que c'est leur pouvoir, non le vôtre. Ils vous enfoncent des aiguilles dans le corps pour vous empêcher d'entendre ; vous pourriez aussi bien être un cochon mort ; ils vous soulèvent les jambes dans des appareils en métal et ils se penchent sur vous, les techniciens, les mécaniciens, les bouchers, les étudiants qui se font la main sur votre corps, maladroits ou ricaneurs, et ils sortent le bébé avec une pince, comme on sort un cornichon d'un bocal. Ensuite, ils vous remplissent les veines de plastique rouge, je l'ai vu couler dans le tube. Je ne les laisserai plus jamais me faire ça. »
MARGARET ATWOOD, *Surfacing*.

La Conférence mondiale sur la population se tint à Bucarest. Le choix pouvait sembler malheureux, car l'origine de ce rassemblement était la crainte de l'explosion démographique et le lancement de programmes de contrôle des naissances. Or, l'année précédente, le gouvernement roumain avait proscrit l'avortement et interdit la vente de contraceptifs, considérant la baisse de la natalité et le vieillissement croissant de la population comme une menace pour l'avenir économique du pays. Au cours d'une conférence de presse, les journalistes demandèrent au ministre des Affaires étrangères si des mesures aussi draconiennes n'équivalaient pas à rendre les naissances obligatoires. Le ministre parut ne pas comprendre la question, qui lui fut reposée une seconde fois : « Cela ne signifie-t-il pas que des enfants non désirés vont naître en Roumanie ? — Bien sûr que non ! » s'indigna le ministre. La question était fondée sur l'hypothèse propre à l'Occident

selon laquelle les gens qui désirent des enfants sont ceux qui les conçoivent.
La réponse du ministre aurait pu découler d'une prémisse différente, à
savoir qu'un enfant désiré par quelqu'un, dans le cas précis par le gouvernement roumain, ne pouvait en aucun cas être considéré comme un enfant
non désiré. D'autre part, il aurait pu faire remarquer qu'après le baby-
boom au cours duquel le pays manqua cruellement de couches et d'aliments
pour bébés le taux de natalité était revenu à son niveau initial insatisfai-
sant[1].

Le cas de la Roumanie, parmi bien d'autres, montre que même les
gouvernements totalitaires ne peuvent s'opposer au fait que la société
occidentale, en particulier les groupes qui montent dans l'échelle sociale,
désire de moins en moins d'enfants. Les gouvernements prétendront qu'ils
sont favorables aux enfants ; en réalité, ils ne s'intéressent pas aux enfants
en eux-mêmes, mais à recruter la population active du futur. Les mesures
qu'ils peuvent adopter sont extrêmement limitées car il ne saurait être
question de parler de naissance forcée, même dans des régimes aussi
visiblement totalitaires que la Roumanie. Chaque enfant est un enfant
désiré, dit le slogan. Mais le nouveau-né dans l'Occident moderne est
désiré par moins de gens que ceux qui naquirent au cours de notre longue
histoire — non seulement il est désiré par moins de parents, mais par des
groupes plus restreints.

Traditionnellement, les bébés ont toujours été des enrichissements pour
la société ; les parents tiraient prestige, joie et satisfaction de leur présence
et la venue au monde des enfants était ressentie comme une amélioration
de la qualité de leur vie et non comme une dégradation. Relativement
jeunes dans la hiérarchie sociale, les parents n'avaient aucun besoin de se
torturer pour savoir si oui ou non ils étaient préparés à l'expérience, car ils
étaient entourés de gens qui observaient leur activité de reproduction avec
le plus grand intérêt, qui se préparaient à les aider au travers des angoisses
de la naissance et prenaient une part de responsabilité dans l'éducation de
l'enfant. De tout temps, les sociétés humaines se sont montrées favorables
aux enfants ; la société moderne est unique dans le fait qu'elle leur est
profondément hostile. Nous, Occidentaux, ne limitons pas les naissances
par crainte d'une explosion démographique ou par crainte de ne pouvoir
assurer la subsistance de nos enfants, nous les refrénons parce que nous
n'aimons pas les enfants.

De tels propos peuvent paraître choquants. Les parents se récrieront
qu'ils ne battent, n'affament ni ne terrorisent leurs enfants, mais qu'ils font
tout pour les nourrir, les loger, les vêtir et les éduquer du mieux qu'ils
peuvent. La plupart d'entre nous prétendront qu'ils préconisent à ceux qui
ne peuvent nourrir, loger, vêtir et éduquer leurs enfants correctement de ne
pas les mettre au monde par souci des enfants eux-mêmes. Notre insistance
à dénoncer le rôle de parasite de l'enfant dans la famille cache la conviction
qu'il faut bannir les enfants de la société. Les bébés ne devraient pas naître
avant qu'une pièce ne leur soit réservée dans la maison : dès leur naissance,
ils doivent se conformer à un calendrier antisocial. L'accès au monde adulte

est sévèrement limité en matière de temps, et l'enfant ne pénètre pas dans la réalité adulte mais dans une sorte de no man's land social. Les mères profondément attachées au développement de l'intelligence et de la personnalité du nouveau-né sont en droit d'estimer qu'une telle généralisation est injuste, mais il leur faut savoir alors qu'elles sont frappées du même ostracisme que l'enfant. De nos jours, personne n'a envie d'écouter le récit des prouesses d'un bébé. La mère se rendra vite compte qu'on la trouve aussi assommante que son rejeton. Amener un nouveau-né ou un petit enfant à une réunion entre adultes est devenu pratiquement inconcevable ; et, comme d'habitude, le malaise et le désagrément passeront pour une forme de souci pour le bien de l'enfant. On peut exhiber un bébé pendant un moment, mais il doit ensuite disparaître, sinon les gens bien intentionnés feront gentiment remarquer qu'il est l'heure d'aller au lit ; plus bébé gazouille, rit et tire sur tous les colliers et pendants d'oreilles à sa portée, plus on le plaindra. Restaurants, cinémas, bureaux, supermarchés ne sont pas des endroits pour les enfants. Certains restaurants en Angleterre recommandent même fortement aux parents de laisser « les moins de quatorze ans et les chiens à la maison », espérant ainsi accroître leur clientèle[2]. Mettre les enfants dans la même catégorie que les chiens est osé, mais qui s'en indignera ?

Les adultes ne savent ni se détendre, ni se divertir en présence des enfants ; boire et flirter étant les principales manifestations de nos festivités, il faut d'abord coucher les « petits ». A la longue, notre tapage les réveille et ils épient nos activités derrière la rampe de l'escalier, apprenant à nous mépriser. Au lieu de leur montrer le monde réel dans lequel nous vivons, nous leur offrons un monde imaginaire, celui du jouet. A chaque crise dans la famille nucléaire, les parents tentent de colmater les fissures en se livrant à une cour lamentable auprès de leur progéniture. Les enfants vivent dans un monde qui n'est pas plus à leur échelle qu'à leur rythme ; ils n'ont pas la permission de traîner dans les rues, mais doivent franchir de terribles obstacles pour atteindre l'endroit principal de leur ségrégation, l'école. Ils ne peuvent ouvrir les portes et les fenêtres, ne peuvent voir le dessus des tables, sont étouffés et bousculés par la foule, priés de se taire en présence d'étrangers, et ils couvrent de confusion leurs mères condamnées à partager leur mise en quarantaine.

Comme nous le verrons, le souhait de l'Etat d'accroître la natalité est sans pouvoir contre l'antagonisme du mode de vie occidental à l'égard des enfants. La société industrialisée est gérontomorphique. La vie est devenue si compliquée que l'insertion dans le monde adulte demande plusieurs années et isole l'adulte installé dans la société de l'enfant qui ne l'est pas. Il existe si peu d'interpénétration entre le monde de l'enfant et celui de l'adulte qu'il y a des départements commerciaux entiers où nous ne verrons jamais aucun enfant. L'adulte qui choisit de consacrer du temps à un enfant doit voler ce temps à ses intérêts immédiats au prix d'un effort spécial. La communication est difficile, artificielle, souvent illusoire, et les enfants sont moins souvent dupes de cette situation que leurs remarquables parents. La tendance à séparer les enfants des parents, qui a toujours caractérisé l'Europe occidentale du Nord, s'est intensifiée avec le développement de la société de consommation. Les classes privilégiées dans l'Europe protestante ont traditionnellement consacré le moins de temps possible à leurs enfants, et les classes moyennes ont épousé les traits des couches sociales les plus élevées. Le nouveau-né a sa propre chambre, il est mis au lit éveillé et y reste un temps déterminé suivant les règles d'une routine selon laquelle il ne faut pas le « gâter ». L'enfant va à l'école où on lui enseigne à se « débrouiller tout seul ». Il apprend à montrer envers les adultes, qui pour la plupart ont avec lui des relations d'autorité parentale, une déférence hypocrite et n'a de contacts spontanés qu'avec ses pairs. Le monde de l'enfant est d'autant plus séparé de celui de l'adulte qu'on a créé un âge tampon, l'adolescence, tandis que la vieillesse est absurde, solitaire, répugnante, et si peu familière qu'elle sert de cible aux jeunes voyous.

S'il est vrai qu'en Occident nous n'aimons pas les enfants, il est tout aussi vrai que nos enfants ne nous aiment pas. Il serait sacrilège de nier que les parents chérissent leurs enfants (quoi que cela puisse signifier), mais il est néanmoins vrai que les adultes n'aiment pas les enfants. Les générations différentes ne se lient généralement pas sur la base d'une préférence et lorsqu'une certaine intimité se crée entre un enfant et une personne âgée, nous sommes immédiatement portés à douter des motifs de cette dernière. La plupart des groupes sociaux ont plutôt tendance à comprendre des individus de même tranche d'âge et de caractéristiques socio-culturelles identiques ; même à l'intérieur de la famille, parents et enfants passent très peu de temps ensemble. La famille qui s'assoit à la même table le soir en semaine est devenue une exception dans la plupart des villes occidentales. Les campagnes publicitaires nous apprennent comment préparer des plats individuels surgelés pour chaque membre de la famille. Père, mère et enfants avaient autrefois l'habitude de se retrouver autour du repas du soir. Aujourd'hui, la règle la plus courante est de faire dîner les enfants plus tôt et de leur donner une nourriture différente de celle des adultes.

Nous nous efforcerons d'expliquer que nous avons adopté ce système de séparation en vue du propre bien de nos enfants ; ils ne doivent pas travailler mais apprendre et sont ainsi des subordonnés passifs dans la structure familiale. Aucun sujet sérieux n'est abordé en leur présence, de peur de les troubler ou de les inquiéter ; on entretient avec eux une sorte de conversation banale et édulcorée. Les propos méchants et licencieux, qui font la base de notre passe-temps, nous obligent à censurer même le badinage le plus enjoué face à la jeune génération. Les enfants se soumettent à cette règle et se divertissent en cachette, attendant que leurs parents soient partis aux Bahamas pour organiser leur émancipation.

Cette incapacité à profiter de la compagnie des enfants engendre chez de nombreux adultes un sentiment de culpabilité. Parce qu'il passe la plupart de son temps avec ses semblables, l'enfant ne sait pas participer avec intelligence à une conversation entre adultes. Coupé d'eux dès la petite enfance, il reste en leur présence souvent silencieux et timide, ou bien déverse un torrent de platitudes dénuées de la moindre spontanéité. Si admettre que nos propres enfants nous ennuient n'est pas concevable, qu'ils puissent ennuyer autrui est parfaitement reconnu, et il est hors de question d'accepter des enfants des autres ce que nous acceptons des nôtres.

L'abîme qui existe entre la société adulte et le monde des enfants dans l'Occident anglo-saxon n'est en rien universel. Il est des sociétés où adultes et enfants rient aux mêmes plaisanteries, où les adultes ne concevraient pas de prendre leurs repas du soir sans leurs enfants et où ils ne s'interdisent pas d'aborder des sujets sérieux en leur présence. A la vérité, ces sociétés sont plus peuplées que les nôtres. Elles possèdent des villes pratiquement régies par des enfants qui font vivre leurs parents et leurs familles grâce à leur savoir-faire et à leur esprit d'initiative ; des villes ou enfants et adultes cohabitent dans le même monde cruel et survivent en s'entraidant. Mais ce sont les sociétés dont nous pensons que les enfants ne devraient pas être mis au monde.

Le désir institutionnalisé de l'Etat est manifestement de mettre au monde des adultes productifs plutôt que des enfants. Cette pression s'exprime à travers d'autres institutions directement liées à la production de ces humains de qualité supérieure, et qui luttent constamment pour améliorer le produit grâce à une plus ample sophistication de la technologie. Le plus extraordinaire aboutissement de ce processus irait jusqu'à contourner le rôle de la mère. Lorsqu'on lui demanda au cours d'une émission de télévision s'il pensait que les ventres artificiels représentaient une possibilité, le Pr Joseph Fletcher répondit :

> Oui, oui. C'est une éventualité que j'approuve entièrement... Si j'étais embryologiste, j'aurais hâte que vienne le jour où je pourrais véritablement voir, par exemple à travers un récipient en verre, un concept se développer à partir de la fécondation jusqu'à son terme... Ce que l'on connaît dans le domaine de la gestation artificielle... à travers un récipient non utérin est pour moi la chose la plus souhaitable au monde... une grande chose... j'espère qu'elle adviendra bientôt. Je le crois.

Invité à la même émission, le Dr Helleger risqua un point de vue différent :

> Pour ma part, j'estime inquiétante ce que je nommerais l'objectivisation croissante des enfants... des enfants considérés comme produits artificiels. Je crois qu'il est déjà terriblement difficile pour un enfant américain aujourd'hui de rentrer chez lui avec un C — plutôt qu'avec un A, et j'ai des doutes très sérieux sur l'intolérance à l'égard de ces faiblesses[3].

L'« objectivisation » ou réification dont parlait le Dr Helleger est déjà très avancée. Helleger n'irait pas jusqu'à tenter d'éliminer les enfants de Q.I. inférieur *in utero*, mais se porterait à l'encontre de l'opinion générale s'il n'acceptait pas l'avortement « thérapeutique » dans certains cas, y compris peut-être dans les cas relativement secondaires du syndrome de Down. Il approuverait presque sûrement l'offensive en faveur de la perfectibilité qui consiste à corriger des malformations mineures et à redresser les dents. Ceux qui ne peuvent payer les honoraires exorbitants des orthodontistes feraient mieux de ne pas avoir d'enfants. La reproduction dans les pays développés est devenue une sorte de fabrication de produits manufacturés ; les médecins veulent mettre au monde des enfants meilleurs, exactement comme on souhaite fabriquer des tomates plus grosses, plus brillantes, plus rondes, sans défauts (et sans goût). Un tel souhait n'encourage pas une femme à attendre un enfant ; il agit plutôt comme un défi et une source d'anxiété.

Si nous continuons à chercher qui, s'il existe quelqu'un, désire avoir des enfants, nous arrivons au groupe parental de l'enfant. C'est aujourd'hui un truisme aux yeux des féministes que les femmes ont été poussées à la maternité pour répondre aux attentes de leurs parents et de leurs beaux-parents. D'après l'auteur de ces lignes, les formes de pression et de persuasion qui peuvent naître du milieu familial ont peu de poids comparées aux effets décourageants créés par le contexte social dans lequel vit la mère en puissance. On peut faire peu de cas d'une mère absente ou d'une belle-mère qui attend avec impatience la bonne nouvelle. Elles ont très rarement un pouvoir économique capable de contraindre la naissance d'un petit enfant, et il y a peu de chances qu'elles soient activement mêlées à l'éducation de l'enfant en question, spécialement dans les classes montantes de la société qui caractérisent le rêve américain (et la C.E.E.). Pour nous, une génération n'a pas de droit sur les enfants de la génération suivante, non seulement parce qu'elle n'apporte aucune aide à l'éducation de ces enfants, mais parce que nous estimons que l'exercice d'un tel privilège représenterait une intrusion insupportable dans les droits de l'individu. Seules deux personnes ont la qualité requise pour désirer un enfant — le père et la mère — et même alors le père ne peut *a priori* exiger un enfant d'une femme qui n'y consent pas.

Si nous croyons si fermement que les seules personnes à avoir le droit de vouloir un enfant sont ses parents, c'est que pour nous le fait de porter et d'élever un enfant constitue une épreuve. Les individus que nous avons laborieusement introduits dans une société sans enfants, entièrement centrée sur la réussite et la satisfaction, doivent maintenant briser ce schéma. Le sacrifice est énorme, et ils n'en obtiendront ni récompense ni compensation. Si l'organisation de la maternité dans notre société avait eu pour but de porter le stress à son maximum, elle n'aurait pu mieux réussir. Les femmes enceintes s'embarquent seules dans leur lutte ; le reste d'entre nous s'en lave les mains.

A partir du jour de la conception, la grossesse est considérée comme un état anormal, que les femmes ont tout droit de trouver extrêmement pénible. Une telle attitude provient non seulement de ce que les femmes en Occident sont très rarement enceintes, mais aussi qu'on n'y regarde pas la grossesse comme une condition naturelle, mais comme une maladie qui nécessite de se soumettre à la sagesse des praticiens et à un contrôle permanent, comme si le fœtus était un saboteur caché dans le corps de sa mère. Si certaines femmes avouent volontiers qu'elles se sentent plus en forme enceintes que lorsqu'il leur faut supporter des cycles mensuels de dépression, de tension, de douleurs pelviennes et de menstruation, elles risquent fort de se retrouver de moins en moins nombreuses ; la plupart s'attendent en effet à se sentir mal fichues et plus laides que jamais. Les désagréments soigneusement mis en évidence — nausées matinales, caries, envies, incontinence, toxémie, thrombose, rétention de l'eau, éruptions, hémorroïdes, insomnie, varicosités — varient de l'humiliant à l'insupportable. Ironie suprême, parmi les traitements palliatifs des inconvénients de la grossesse, dont la plupart résultent d'habitudes culturelles et non de l'état lui-même, il n'existe pratiquement pas un seul médicament qui ne soit pas préjudiciable au développement du fœtus[4]. La femme enceinte s'aperçoit également qu'il lui faut renoncer aux drogues devenues indispensables à notre société, l'alcool, la caféine et la nicotine.

Plus difficile à supporter que les désagréments physiques, il y a celui de se sentir peu attrayante. Sentiment qui est moins lié au comportement du compagnon de la femme qu'à une esthétique reconnue de l'apparence féminine. Les sociétés où l'on fait grand cas de la maternité favorisent des styles de vêtements féminins qui ne refusent ni les seins ni les ventres, et leur permettent d'arrondir peu à peu le sari ou le salwar ou encore les longues robes à taille haute de l'ancienne paysannerie européenne. Le critère des femmes occidentales en matière de silhouette, hanches étroites et petites poitrines, séduit en partie parce qu'il est la négation de la fécondité. Même les quelques femmes qui se sentent à l'aise dans leurs corps amples et généreux sont mises à rude épreuve dès qu'il s'agit de se vêtir. Celles qui désirent nourrir leur enfant constateront que peu de vêtements sont conçus de façon à libérer la poitrine et, paradoxalement, elles se verront contraintes de faire étalage de ce que la plupart des gens préféreraient ne pas voir. Parce qu'il est peu probable que la femme enceinte ait pu voir dans son entourage familial immédiat en quoi consiste la grossesse, elle est mal préparée aux changements qui vont transformer son corps (gonflements des seins, mamelons plus sombres, engorgement des veines) dès les premiers mois jusqu'à l'ampleur déployée des dernières semaines, et elle peut en arriver à les estimer effrayants et repoussants.

Il est à espérer que peu d'hommes réagissent aussi violemment que Maurice Utrillo devant les manifestations physiques de la grossesse ; à la vue d'une femme enceinte dans la rue, « il avait envie de la pourchasser, de lui tirer les cheveux et de la frapper au ventre[5] ». Malheureusement ce comportement extrême n'est pas aussi rare qu'on aimerait le croire. Le Dr Anson Shupe du Centre for Social Research et le Dr William Stacey du Centre on Domestic Violence de l'université du Texas d'Arlington ont établi que sur les 2 638 femmes qui se présentaient dans les foyers pour femmes battues à Dallas et à Denton ou qui utilisaient le téléphone SOS

Femmes battues, environ 42 % avaient été attaquées alors qu'elles étaient enceintes[6]. Le rôle d'objet sexuel, tel qu'il est stéréotypé dans notre culture, et celui de mère tel qu'il est biologiquement déterminé sont antagonistes. Si les hommes peuvent devenir fous furieux à la vue de leur compagne en train de se métamorphoser en parturiente monstrueuse, les femmes sont encore plus déconcertées par le double rôle que l'on exige d'elles. Doivent-elles ou non avoir des rapports sexuels pendant la grossesse ? Refuser consiste à laisser « l'enfant se mettre entre nous » ; il n'existe aucune règle pratique permettant de savoir si un père doit nourrir le fœtus de sa semence, ou s'il doit le protéger en pratiquant la méthode du self-control. Si son mari ne se contrôle plus, la femme enceinte se devra de l'apaiser ; si elle a envie de faire l'amour, elle se heurtera au risque d'être rejetée.

La femme enceinte n'a nul besoin qu'on la protège de la fatigue, car comme la plupart d'entre nous, elle souffre plutôt du manque d'exercice ; elle doit par contre être protégée de l'anxiété. Trop d'aspects de la naissance échappent à notre connaissance pour qu'une mère en ignore le risque, même si l'obstétrique moderne est la dernière à pouvoir offrir une véritable psychoprophylaxie. Nombre de femmes occidentales affrontent seules leur grossesse. Elles entrent seules dans la ronde infernale des visites à l'obstétricien, à la clinique, à l'hôpital, abandonnant leur milieu pour découvrir une suite de décors peu familiers dans une attitude de soumission. Les femmes qui ont quitté leur emploi pour avoir un enfant se retrouvent confrontées à la solitude et à l'introspection dans une maison vide à un moment où ni la solitude ni l'introspection ne leur sont favorables. Celles qui redoutent les effets de la solitude et des idées noires se débattent pour garder une activité professionnelle qu'elles sont en parfait état de poursuivre et vont jusqu'à dissimuler leur grossesse le plus longtemps possible. Dès que la grossesse est reconnue, la future mère est bombardée de conseils contradictoires, non seulement par des amateurs bien intentionnés, mais par tout le corps médical. Certains médecins prescrivent des diurétiques, d'autres y sont opposés. Certains ont une telle hantise des gros bébés qu'ils imposent à la future mère un régime draconien, augmentant ainsi les risques de toxémie. Les uns recommandent une amniocentèse, d'autres non.

La naissance dans notre société ne se déroule pas de façon méthodique, mais en partie empirique. C'est une affaire de bouche-à-oreille, qui change périodiquement selon les engouements et les modes du monde médical, apportant richesse et renommée à leurs promoteurs. Chaque engouement est présenté comme la découverte médicale la plus récente, le résultat de recherches approfondies dans le domaine de la technologie, et l'anxiété de la femme lui garantit un accueil favorable. Durant les années de maternité d'une seule femme, nous avons assisté à l'utilisation du diéthylstilbestrol pour obtenir des bébés plus gros et en meilleure santé, des caissons de décompression pour faciliter le travail et avoir des bébés intelligents, de la thalidomide et autres remèdes aux conséquences dramatiques, de la méthode Lamaze, de toutes sortes d'anesthésie et de déclenchement du travail, sans parler de la bataille entre forceps et césariennes. Les femmes qui sont passées par là chercheront naturellement à convertir leurs semblables aux méthodes qu'elles ont utilisées afin d'apaiser leur propre anxiété. Celles auxquelles ces expériences n'ont apporté que rage et amertume sont censées tenir leur langue. Heureusement peut-être, une fois dissipé l'intérêt immédiat pour l'organisation de la naissance, très peu de femmes se donneront la peine de lire les tristes informations concernant les méthodes qu'elles ont choisies. Après tout, elles ne peuvent plus rien faire pour remédier aux conséquences du déclenchement du travail, pour effacer de la mémoire de leurs enfants ces premiers jours passés dans un brouillard narcotique ou pour restaurer des cellules du cerveau mortes pendant que les techniciens ne parvenaient pas à se mettre d'accord[7]. Les futures femmes enceintes ne profiteront pas de l'expérience collective ; elles s'avanceront dans un terrain quadrillé de directions différentes et contradictoires où seul le hasard guidera leurs pas.

Les aspects fortuits de l'organisation de la naissance contrastent étrangement avec la manière délibérée dont les futurs parents doivent aborder le projet de la maternité, le choix précis du moment, l'assurance d'en avoir les moyens financiers. Dès le début, la maternité représente un investissement, de la garde-robe de la future mère à la layette du nouveau-né, en passant par les honoraires des médecins, le coût de l'hospitalisation, etc. L'une des mes étudiantes aux Etats-Unis a même entendu son médecin exiger d'être payé à l'avance avant d'accepter de superviser l'accouchement. Tout est prévu pour l'arrivée de l'enfant désiré ; tout excepté la manière dont sa mère et lui seront traités. Si notre société accueillait les enfants avec joie, si chaque femme enceinte était entourée de personnes qui désirent son enfant au moins autant qu'elle, elle se sentirait moins douloureusement responsable et impuissante. Si notre société avait des règles collectives de conduite pour les parents, ceux-ci ne porteraient plus la responsabilité écrasante des malheurs qui surviennent à leurs enfants, ils seraient sûrs d'avoir agi pour le mieux. Lorsque l'attente n'est pas partagée, le sentiment d'avoir fait ce qu'il fallait n'existe pas. Les mères occidentales abordent scrupuleusement la naissance — du moins lorsqu'elles en ont l'énergie — et s'efforcent de la mener avec conscience, attention et intelligence ; pourtant même cela leur est reproché. Ceux qui exploitent leurs scrupules pour accroître leur influence — et leurs revenus — seront les premiers à leur dire que leur manque de naturel est l'une des causes d'une grossesse pénible, d'une naissance difficile, de leur difficulté à allaiter ou de leur incapacité à caresser comme il faut leur bébé.

La gestation chez les humains ne dure que neuf mois, période insuffisante pour permettre à une femme d'acquérir une connaissance complète des concepts de l'organisation de la grossesse et de sa propre place dans cette organisation. Les décisions que prend chaque mère sont en partie rationnelles et réfléchies et en partie irrationnelles et émotionnelles. Elle aimerait croire qu'elle agit instinctivement dans certains domaines, mais en réalité l'intelligence et l'émotion jouent un rôle plus important que l'instinct dans les soins maternels. Le comportement maternel est acquis, mais dans notre société il n'est pas acquis par la coutume ni par l'exemple. Chaque mère doit en quelque sorte réinventer la maternité : elle est entrée dans la compétition pour le bébé le plus gros, le plus beau, le plus intelligent. Sur le principe que la condition de parents est trop importante pour être laissée à des amateurs, le gouvernement suédois a institué un plan national destiné à apprendre à ses citoyens ce qu'ils doivent faire, bien qu'on ne s'accorde pas plus en Suède sur la conduite à tenir que partout ailleurs dans le monde protestant.

Toutes les contraintes plus ou moins incompatibles qui lui sont imposées créent chez une femme enceinte intelligente et équilibrée une tension psychologique plus perturbante que les symptômes physiques liés à son état. A cette tension s'ajoute que la femme, contrainte par principe de porter l'entière responsabilité du résultat de l'extraordinaire dilemme qu'elle s'est imposé, n'a pas une totale liberté de choix en la matière. Son médecin de famille saura, lui, comment elle doit organiser sa grossesse ; après tout, il a plus d'expérience qu'elle. Le premier obstacle sera donc de découvrir quelles sont les idées arrêtées de son médecin et si elles lui conviennent ou non. Il peut accepter d'en parler librement avec elle, mais il essaiera plus vraisemblablement d'extorquer sa confiance en minimisant les désaccords qui existent au sein de sa profession. Plus son expérience est grande, plus il exigera une patiente docile, surtout si elle est trop instruite pour se laisser berner par des explications simplistes. Il a aussi l'avantage considérable de savoir exactement ce qu'il veut, alors que « sa patiente » hésite encore sur le choix à faire. En tant qu'expert et professionnel, il prendra des décisions qu'elle aura — et non lui — à endosser par la suite. Le médecin qui conseille à une femme une méthode d'accouchement dont les conséquences seront néfastes pour elle et son enfant peut le faire en toute impunité. La femme qui lui a fait confiance ne pourra s'en prendre qu'à elle-même, car il ne se trouvera personne pour partager la responsabilité avec elle. Plus les procès en responsabilité médicale se multiplient, plus les procédures choisies par les médecins sont prudentes ; c'est probablement ce qui explique la proportion grandissante de césariennes pratiquées aux Etats-Unis. Les bébés que l'on sort du ventre ouvert de leurs mères échappent aux dangers du passage à travers la filière pelvi-génitale, mais ils naissent sous anesthésie et leurs mères ont été privées de l'expérience de la naissance. Les premiers jours de la vie sont envenimés.

La femme qui exige le droit de prendre ses propres décisions se trouvera entraînée dans une lutte sans merci avec le corps médical. Il existe de bonnes raisons, par exemple, pour vouloir accoucher à la maison, pourtant une femme qui fait ce choix peut s'attendre à être abandonnée par ceux qui devraient l'aider. Dans certaines régions d'Amérique du Nord, elle enfreint la loi ; si elle trouve une sage-femme pour l'accoucher, cette dernière risque de se retrouver en prison[8]. D'autre part, elle court un danger accru du fait que la seule personne qui acceptera de l'aider manquera d'expérience. Les obstétriciens peuvent refuser d'accoucher une femme chez elle par peur des suites d'une éventuelle faute professionnelle. La maison représente un milieu moins pathogène sur le plan bactériologique et un environnement moins stressant que l'hôpital, mais, pour un nombre croissant de femmes, l'accouchement à domicile ne constitue pas une éventualité réaliste[9]. Une primipare s'entendra dire qu'en accouchant chez elle, elle porte l'entière responsabilité des conséquences, si bien que les effets bénéfiques de la naissance à la maison sont immédiatement annulés par un apport d'anxiété. Le système britannique de l'accouchement à domicile est peu à peu en train de disparaître ; les équipes volantes chargées d'assister en cas de difficultés les femmes qui accouchent chez elles n'existent plus. La politique officielle est d'imposer l'accouchement à l'hôpital, comme c'est le cas en Suède, qui a un très faible taux de complications périnatales et de mortalité à la naissance, et aux Etats-Unis, où les conséquences sont moins frappantes[10].

On a beaucoup écrit que l'hôpital n'était pas un lieu adapté à la naissance des enfants, mais la façon dont les soins y sont dispensés aujourd'hui ne fait qu'accroître l'atmosphère de crise et de maladie qui entoure les naissances. Sans parler de l'induction et de la césarienne pratiquées sans réelle justification et avec des conséquences consternantes pour la mère et pour l'enfant, l'accouchement à l'hôpital a lieu au milieu d'étrangers et obéit à leur routine. Aucune place n'est prévue pour permettre à la famille de fêter un des points culminants dans le cycle de la vie. Le seul membre de la famille autorisé à être présent est le mari ou l'amant de la mère, ou quiconque se prétendant tel ; la seule présence du partenaire sexuel de la mère sur le lieu de la naissance est une situation inhabituelle en termes traditionnels, et elle amplifie le fait que l'élément essentiel de la société de consommation n'est pas la famille, mais le couple.

Paradoxalement, parce que les hôpitaux sont équipés pour faire face à des situations de crise, une naissance ne présentant aucune complication peut être plus mal assistée dans un hôpital qu'elle ne l'aurait été à domicile. La plainte le plus souvent exprimée par les femmes qui ont accouché à l'hôpital en Grande-Bretagne à partir de 1947 fut d'avoir été laissées seules pendant le travail[11]. Comme son nom l'indique, le travail demande une dépense d'énergie très forte. Une femme en travail a besoin d'aide, de soutien et de réconfort. La laisser se tordre de douleur comme une baleine échouée sur un chariot au beau milieu d'un couloir n'est pas la meilleure façon de l'assister. Même lorsque les hôpitaux se chargent de donner aux femmes des cours spéciaux concernant la préparation à l'accouchement, il n'est pas rare d'entendre les membres du personnel hospitalier déclarer à une « patiente » parfaitement informée, consciente que la deuxième phase du travail a commencé et que la dilatation est avancée, qu'il lui reste des heures à attendre et qu'elle est priée de ne pas se montrer aussi exigeante. Néanmoins, celle qui peut s'accommoder de la situation s'en tirera mieux que celle qui a été prise en main par des médecins et qui lutte pour rester consciente au milieu d'un univers de médicaments et d'interventions chirurgicales, impuissante dans sa ridicule position gynécologique, les idées brouillées, mystifiée, humiliée.

Pourtant les femmes persistent à vouloir mettre au monde des enfants. Elles diront peut-être qu'elles ont envie de connaître l'expérience de la naissance. Ce qu'elles veulent exprimer par là, alors qu'on ne peut dire si l'agressivité des méthodes de l'accouchement leur permettra de connaître cette expérience ou si le tout ne se réduira pas à une épreuve terrifiante et douloureuse, n'est pas parfaitement clair. Trop de femmes n'ont pas connu l'expérience de la naissance, mais seulement celle de l'anesthésie. D'autres gardent un souvenir confus, plus lié aux narcotiques qu'à un événement naturel ; d'autres encore ont connu la peur, la solitude et la colère, l'humiliation et l'échec, la douleur naturelle et provoquée. Certaines parlent d'une expérience extraordinaire, d'un plaisir immense, comparable à un orgasme du corps tout entier. Avoir eu un enfant ne permet pas de savoir ce qu'il en sera la prochaine fois ; il est probablement exact que deux naissances ne se ressemblent jamais, encore que le degré de contraste entre un accouchement et le suivant dans la carrière maternelle de la femme occidentale soit déconcertant et imprévisible. Les femmes qui désirent faire l'expérience de la naissance se retrouvent dans l'étrange situation de quelqu'un qui est attiré par l'inconnu.

Si les seules personnes à souffrir du chaos qui entoure la naissance étaient les mères, le stoïcisme féminin pourrait comme toujours l'emporter sur l'instinct de conservation, dans l'intérêt des bébés. Mais un nombre croissant de voix s'élèvent pour insister sur l'importance de l'expérience de la naissance dans le développement futur de l'enfant, ses capacités relationnelles, affectives, orgasmiques, sociales, etc. A nouveau, nous nous retrouvons face à la combinaison de responsabilité et d'impuissance qui caractérise le parent occidental du vingtième siècle. Le risque de nuire à l'avenir de l'enfant inquiète plus les femmes que la perspective de souffrir ou de s'enlaidir. Celles qui prennent leurs responsabilités le plus au sérieux à cet égard sont celles qui connaîtront les tensions les plus fortes en s'en acquittant. Les partisans du contrôle des naissances aiment à souligner que le taux de natalité chute en fonction de l'élévation du niveau culturel, y voyant le signe que l'intelligence instruite et investigatrice conduit à des choix bien informés et à une plus grande capacité de contrôle.

On peut interpréter autrement le phénomène : plus les femmes en savent sur la naissance, plus elles peuvent refuser d'en faire l'expérience. Bien plus, les femmes instruites se heurteront sans doute davantage aux services de santé perfectionnés et réglementés, si bien que la réalité de l'expérience n'offrira pas grand-chose en sa faveur. Lorsque les eugénistes se plaignent que les femmes les plus intelligentes se refusent à procréer, nous pourrions leur suggérer de s'attacher à rendre la naissance un peu moins éprouvante.

A mesure que la femme s'approche du statut économique et social de l'homme, la naissance devient un facteur perturbateur. Dans sa compétition avec les hommes, la femme occidentale est entrée dans la hiérarchie masculine, adoptant un sens masculin du moi. Enceinte, elle va devoir se retirer de la compétition et s'enfermer dans l'équivalent psychologique de la tente où se retirent les Indiennes pour accoucher. Cela peut avoir des effets traumatisants sur ce qu'elle commençait à croire stable, à savoir sa personnalité. A la place de cette image bien définie d'elle-même, elle sent son corps poursuivre inexorablement sa tâche. On nomme souvent « quatrième trimestre » la période qui suit la naissance d'un enfant ; mère et enfant restent liés comme par un invisible cordon ombilical[12]. Une mère n'est plus indépendante, mais à la merci de l'amour et de l'égoïsme invincibles de l'enfant. La nature drastique du processus psychologique n'a jamais été expliquée, mais un ensemble croissant de preuves démontrent que mettre un enfant au monde crée un lien qui ne peut être rompu sans provoquer une angoisse permanente chez la mère. On contrôle beaucoup moins bien les séquelles émotionnelles provoquées par l'adoption à la naissance que celles provenant de l'avortement[13]. La fausse couche et la mise au monde d'un enfant mort-né sont également vécues comme des drames, bien que la société les ignore sans pitié[14]. La femme, en devenant mère, accroît considérablement sa vulnérabilité. Dorénavant, son attention sera partagée. Si elle reprend son travail et emmène son bébé au bureau, le conflit est manifeste. Elle s'attirera peut-être la sympathie de certains lorsqu'elle allaitera son enfant dans une salle de conférence, mais sera aussi jugée ridicule. Si elle retrouve sa situation professionnelle après deux années de congé de maternité (à supposer qu'elle jouisse de ce privilège), elle ne travaillera plus comme la femme qu'elle était avant de partir mettre au monde un enfant. Lui demander de continuer comme si rien ne s'était passé est absurde. Vu à travers la relation d'exception mère-enfant, le monde des affaires peut paraître cruel et stupide, et la poursuite effrénée d'une carrière une bien piètre récompense. Entre-temps, le développement de l'enfant est pris en main par des professionnels ; et la mère commence sa longue lutte avec le sentiment de culpabilité.

La femme qui devient mère voit diminuer brutalement son statut social. En tant que « patiente », elle se trouvait au dernier échelon de la hiérarchie sociale du corps médical. A la maison, elle se retrouve au rang de domestique solitaire. Elle peut de moins en moins compter sur l'aide et le réconfort d'un membre de sa famille pendant son isolement, et encore moins sur le soutien de ses voisins. Les habitations modernes sont conçues de telle façon que les femmes à la maison se livrent à des tâches identiques sans jamais communiquer entre elles, dans des banlieues désertées pendant la journée. La mère qui possède une voiture pourra interrompre sa solitude sans trop de mal ; elle pourra par la même occasion allaiter son bébé autre part que dans les toilettes publiques. Si elle doit compter sur les transports en commun, se rendre en ville représentera une épreuve effrayante. Voir les mères se débattre entre sacs, bébés et landaus dans les bus londoniens est un spectacle peu édifiant. Voir les hôtesses de l'air ignorer les femmes accompagnées d'enfants et se montrer aux petits soins pour les hommes d'affaires n'est pas plus édifiant, d'autant plus qu'il fut un temps où les mères avec des nouveau-nés avaient droit à une attention particulière. On accuse souvent les féministes de vouloir rabaisser la maternité. C'est une accusation ridicule : la maternité a atteint le fin fond de la dégradation bien avant que la vague féministe ait éclaté. La vague elle-même fut portée par un mouvement de fond.

Une fois mère, la jeune femme qui évoluait librement dans l'environnement varié et stimulant du monde du travail est mise à l'écart et maintenue dans l'inactivité. L'effondrement de la qualité de sa vie sera expié par son nouveau-né qui va devoir affronter le débordement de son entière attention. La meilleure mère du monde ne peut supporter longtemps un régime quotidien de tâches monotones ajouté à l'exigence insatiable d'un enfant en bas âge. Pour ne pas souffrir de graves carences psychiques, elle doit être encouragée et aidée par ses semblables. Le caractère de nouveauté des soins maternels contribue à augmenter l'anxiété ; viennent s'y ajouter la solitude et la fatigue. Les femmes qui ont planifié la naissance de leurs bébés et par conséquent croient sincèrement qu'elles désiraient cette naissance voient s'écrouler toutes leurs illusions. Elles ignoraient que la maternité ressemblait à cette épreuve. Comment l'auraient-elles su ? Elles écrivent alors des livres virulents sur le leurre de l'amour maternel.

Les sociétés humaines qui ont précédé la nôtre ont toujours su que l'amour maternel ne jaillit pas spontanément chez les femmes au point de leur faire supporter l'insupportable. La mère qui aimera son enfant doit pouvoir prendre plaisir à le faire. Le caresser, le prendre dans ses bras sont des comportements qui doivent être encouragés, non forcés. Le bébé qui apporte à sa mère un prestige nouveau, des loisirs nouveaux, de plus beaux vêtements et une meilleure nutrition sera beaucoup plus aimé que celui qu'accompagnent la solitude, les corvées et l'anxiété. Si les soins maternels ne sont pas positivement encouragés, les femmes cesseront de les donner, que la contraception et l'avortement soient légaux ou non, faciles ou dangereux. Dans notre passé récent, les soins maternels ont été prodigués de façon négative à cause des sévères restrictions de choix imposées aux femmes ; avec notre ethnocentrisme méprisant, nous avons considéré la popularité de la maternité dans les autres cultures comme le simple reflet du manque de choix. Si une femme occidentale trouve logique et raisonnable de vouloir éviter de mettre au monde un enfant, elle a tort de juger des femmes dans des circonstances différentes et d'affirmer que la grossesse est également déraisonnable et sans intérêt pour elles.

Les Blancs évolués représentent un pourcentage décroissant de toute l'espèce humaine, pour des raisons qui paraissent évidentes. Ceux pour qui la grossesse est une condition normale et rassurante sont beaucoup plus nombreux que nous et menacent de s'accroître encore davantage. Dans leurs sociétés, le corps de femme le plus admiré n'est pas le plus mince. Même en Toscane, comparativement évoluée, une femme avec des cuisses maigres est traitée de *secca*, desséchée, terme également utilisé pour désigner les plantes mortes[15]. La société de consommation est la seule à aimer le type filiforme, en partie à cause de sa rareté. Les Africaines du

Nord nous prennent en pitié, craignant que nos maris ne se lassent de nous. L'époque est révolue où l'on engraissait les futures mariées, mais les stars du cinéma indien et les danseuses du ventre égyptiennes sont grosses pour des standards occidentaux. Visiblement, dans des pays où la population vit à un niveau minimal de subsistance ou au-dessous, l'embonpoint est signe de réussite et de santé. Mais l'esthétique a des racines encore plus profondes. La notion prédominante de la beauté est celle de la fécondité.

Pour les nations démunies, la grossesse est un état habituel. Les femmes vêtues de *cortes* ou de *huipiles*, de saris, de djellabas, de *salwar kameez*, ou de tout autre costume ample, peuvent grossir et mincir à volonté à l'intérieur de leurs vêtements. Les femmes qui portent des châles ou des voiles peuvent allaiter n'importe où sans attirer les regards, gardant leur bébé à l'abri de la poussière et des insectes. Dans la plupart des sociétés non occidentales, le costume et les parures des femmes célèbrent la fonction maternelle. Notre société la nie. Hélas, l'esthétique occidentale de la poitrine virginale se répand, le soutien-gorge et les aliments pour bébé envahissent le monde. Dans les sociétés où les femmes deviennent mères dès qu'elles ont atteint l'âge de la maternité, les changements dus à la grossesse sont moins bouleversants qu'ils ne le sont pour les femmes occidentales dont les normes esthétiques sont établies (sans doute improprement). Parce que les mères sont plus jeunes, les transformations causées par la grossesse laisseront moins de traces disgracieuses et permanentes comme les vergetures. Ces mères considéreront probablement la grossesse comme l'apogée de leur développement et non comme la ruine d'un corps en pleine maturité. Ce sont elles qui féliciteront la jeune future maman d'avoir atteint l'apogée de la beauté féminine.

Les règles qui régissent la naissance dans les sociétés traditionnelles sont nombreuses et variées ; leur utilité découle directement du fait qu'elles s'accordent aux cultures et aux communautés ; ainsi la mère n'a pas à se soucier de les réinventer[16]. Même si le risque d'événements dramatiques reste présent dans la mémoire de sa communauté et si l'indice d'anxiété est élevé, l'approche rituelle de la naissance, en entourant la femme enceinte de ses tabous et de ses interdits, l'aide à supporter l'anxiété. Une femme qui observe toutes les interdictions, respecte toutes les traditions, saura tenir l'inconnu en échec. Elle aura d'autres soutiens, car l'observance des rites de la grossesse suppose la participation des autres, en premier lieu son mari, puis sa famille et ensuite les autres membres de sa communauté. Certains de ces comportements seront fondés sur la sagesse et l'utilité, d'autres sur le surnaturel, mais tous renforceront son sentiment de sécurité et la conviction que c'est elle qui est maîtresse de sa grossesse et non le contraire.

On retrouve parfois des vestiges de cette forme de prophylaxie dans notre mode de vie hyperrationnel. J'ai connu une étudiante qui abordait sa grossesse comme s'il s'agissait de son sujet de thèse, notant méticuleusement chaque phase du développement, faisant sa gymnastique prénatale comme si elle observait une forme de rite, exécutant quotidiennement chaque exercice dans un silence profond et un recueillement total. De même restait-elle attachée à la vieille superstition qui veut que l'achat des affaires destinées au bébé avant sa naissance porte malheur ; ce qui valut à l'une de mes filleules de venir au monde sans berceau ni couche. Tout avait été mis en œuvre pour permettre à la mère de profiter de la naissance de son bébé ; pourtant, bien qu'elle se fût entraînée pendant des mois à accoucher naturellement, personne à l'hôpital ne voulut croire que la seconde phase du travail commençait avant de voir apparaître la tête du bébé, ce qui valut à mon étudiante une belle déchirure du vagin. Le personnel de l'hôpital se montra si peu coopératif quant à l'allaitement que la mère et la fille s'en allèrent au bout de deux jours.

Cette naissance se déroula pratiquement sans assistance. Dans les sociétés non technocratiques, à quelques exceptions près, la naissance est toujours assistée. Le plus couramment, la future mère s'assied ou s'accroupit, le dos arrondi, soutenue par une personne, tandis qu'une autre « attrape le bébé », comme on dit dans tous les dialectes du monde entier. En fait, dans la masse de littérature anthropologique, il existe peu de comptes-rendus sur l'organisation de la naissance. Les anthropologues sont généralement de sexe masculin, et si ce sont des femmes, on ne leur fait pas plus confiance. Aux quatre coins du monde, les femmes couvrent la face de leur bébé à l'apparition de l'intrus, car la présence de ce dernier peut altérer une situation potentiellement dangereuse[17]. Aucun endroit n'est plus difficile à approcher pour un étranger que celui où se déroule l'accouchement, excepté bien sûr l'hôpital occidental. Alors que la naissance dans les sociétés traditionnelles est toujours assistée par un groupe strictement déterminé — sage-femme, parents de l'accouchée, femmes qui ont l'expérience de l'accouchement — la naissance à l'hôpital est semi-publique ; elle s'accomplit au milieu d'inconnus et de passants, professionnels ou non du corps médical. Dans le village égyptien où grandit Hamed Ammar, la naissance était un événement social, mais non public :

> Dès les premières contractions, les parentes de la future mère sont prévenues, et aussitôt la maison s'emplit d'autres femmes venues offrir leur aide… Pour accoucher, la femme enceinte est installée sur trois pierres… La mère lui soutient généralement le dos, tandis que deux femmes lui tiennent chacune une jambe et que deux autres lui maintiennent les bras écartés[18]…

L'Occidentale dira peut-être qu'elle préfère que seuls des étrangers la voient traverser cette épreuve, car ainsi son comportement ne laissera aucun souvenir. L'Egyptienne sait que la douleur existe (ce que l'obstétricien ne sait pas par expérience) et elle sait aussi que c'est une douleur passagère. Brigitte Jordan fait un récit pertinent et sans étalage de sentiment du soutien apporté par les autres femmes au cours d'une naissance difficile au Yucatan. Il est pourtant manifeste qu'elle a assisté à une expérience profondément émouvante :

Lorsqu'une femme a besoin d'encouragement pour reprendre des forces, les femmes qui l'assistent — les assistantes — répondent à son attente avec ce que nous avons appelé « la mélopée natale ». A chaque contraction, la conversation s'arrête. Du chœur des assistantes jaillit un flot rythmé de mots dont l'intensité s'accorde à la force et à la durée de la contraction. « *Ence, ence, mama* », « *jala, jala, jala* », « *tuuchila* », « *ko'osh, ko'osh* ». Le chant s'élève autour du hamac. Placée derrière elle, l'assistante principale soutient la femme en travail tout en épousant chacune de ses contractions.

Lorsque la mère est placée sur la chaise, la participation physique de l'assistante principale atteint son maximum. Tout le poids de la parturiente repose pratiquement sur elle. Quand arrive une contraction et que la femme commence à pousser, le même effort tend le corps de l'assistante qui couvre le nez et la bouche de la femme en travail de ses mains, retient sa propre respiration et pousse avec elle...

La participation intense physique et émotionnelle des assistantes au cours d'une naissance longue et difficile se reflète dans l'effort peint sur leurs visages et dans les signes de fatigue qui apparaissent aussi bien chez elles que chez la mère[19]...

Dès le début du travail, la mère a fait l'objet de toute l'attention ; personne ne l'a bousculée ; au contraire, les personnes qui l'assistent se sont assises autour d'elle, se réjouissant d'être ensemble. Comme il donne lieu à une interruption du travail manuel, le déroulement de l'enfantement est une fête, et la femme qui accouche en est le centre. Elle peut être assistée par sa mère, mais également par son mari, ou par les deux à des phases différentes du travail. Leur présence et leur participation à ses efforts établissent que son bébé est le fruit d'un effort collectif et qu'il est désiré par une volonté collective.

L'étude sur le terrain de Brigitte Jordan dans le Yucatan s'appuyait sur les indications exposées par Margaret Mead et Niles Newton en 1967 dans un article sur la « Structuration culturelle du comportement prénatal », d'où il découlait que l'information sur la naissance en tant qu'événement social était rare et fallacieuse, en ce qu'elle était soit orientée d'un point de vue médical, soit strictement anthropologique[20]. Actuellement, personne dans ce domaine ne se permettrait le genre de conclusions sur les méthodes pratiquées en Occident qu'en tirerait un polémiste, mais il semble exister des preuves disponibles pour tous ceux qui soupçonnent que les pratiques occidentales tendent à dégoûter les femmes de la naissance et à renforcer le modèle de production technologique. Inciter une femme à quitter son milieu familial pour l'environnement étranger de l'hôpital a un effet perturbateur, accru par le fait de la trimballer ensuite de place en place une fois le travail commencé. Au lieu d'être soutenue par des personnes de son entourage qui ont pour unique souci et occupation de l'assister, elle se bat pour obtenir des professionnels une attention qu'ils ne lui donneront pleinement qu'en cas d'urgence médicale. Les hôpitaux n'encouragent pas la compétence en matière d'accouchement. La routine hospitalière est calculée pour diminuer l'efficacité de la femme, à commencer par la passivité de la position gynécologique[21].

De tels procédés se justifient parce qu'ils sont censés réduire le taux de mortalité infantile, mais cela reste encore à prouver. Les contractions sont plus efficaces, la douleur moindre, le travail moins long et l'irrigation sanguine du placenta meilleure, si la mère est accroupie ou à quatre pattes au lieu d'être étalée sur le dos. Ralentir le travail et diminuer l'irrigation sanguine du placenta augmentent les risques pour l'enfant. Administrer des médicaments à la mère (et par conséquent à l'enfant) peut nuire à la naissance d'un bébé éveillé et en bonne santé. Les arguments en faveur des différentes méthodes d'obstétrique sont contradictoires, mais les contradictions ne sont pas considérées comme significatives. La motivation de ces méthodes n'est ni rationnelle ni scientifique, elle est superstitieuse. A travers nos mandataires, les membres de la profession médicale, de nos jours seuls prêtres ou chamans reconnus par l'*Homo occidentalis*, nous tentons de maîtriser le mystère et le danger de la mise au monde de nouveaux êtres humains. L'hôpital contrôlera la pollution, de même qu'il cherche à venir à bout de la mort. La frontière si indistincte entre une vie et la suivante, entre le sang et les matières fécales, entre l'état sain et la mutilation sera rognée par le bistouri du chirurgien. L'épisiotomie pratiquée systématiquement par les obstétriciens américains est une mutilation rituelle plutôt qu'une nécessité médicale : c'est le signe que la femme est incapable de donner naissance par elle-même.

Il serait absurde de prétendre que la naissance traditionnelle permet de maintenir le taux de mortalité périnatale à un niveau plus bas que les techniques de l'obstétrique. Certaines pratiques sembleraient plutôt avoir pour but d'éliminer le nouveau-né, par exemple celles qui consistent à sectionner le cordon ombilical avec une faucille pleine de terre ou à marquer le nouveau-né au fer. Ceux qui ont un niveau de subsistance minimal ou au-dessous du minimum savent qu'il est des sorts pires que la mort ; mourir de faim est plus douloureux que s'éteindre au seuil de la vie. Les sociétés traditionnelles ont de la souffrance une expérience bien plus étendue que nous, les privilégiés de l'Occident. Au moment où l'enfant fait face aux dangers de la naissance, tout est mis en œuvre pour que rien ne vienne menacer la lactation et l'allaitement. Ainsi, le nouveau-né n'est pas séparé de sa mère, il n'est pas « mis sous surveillance » pendant vingt-quatre heures pour s'assurer que tous ses systèmes fonctionnent correctement et ne nécessitent aucune intervention. Si une telle intervention est en fait nécessaire, le nouveau-né mourra.

Ayant donné d'elle-même une telle illusion de contrôle, montré un tel pouvoir d'intervention, la médecine occidentale est confrontée à une série de dilemmes qui sont résolus avant que les praticiens traditionnels n'en prennent conscience. A l'hôpital Johns Hopkins de Baltimore, une infirmière mit au monde un enfant mongolien qui souffrait d'une atrésie intestinale. Privilège peut-être dû à sa profession, on lui demanda si elle acceptait que l'on procédât à la correction de l'atrésie, intervention à laquelle elle pouvait légalement s'opposer. Elle et son mari prirent le risque ; l'enfant mourut de faim au bout de quinze jours dans un coin de la nurserie où des infirmières se consacrent nuit et jour à sauver les vies des bébés prématurés. Le chaos moral de notre société pseudo-rationnelle est brillamment illustré par cet exemple. Aucune loi n'a été enfreinte, mais tout le monde a mal agi[22]. Personne n'a eu le courage de donner de la morphine au nouveau-né ou de lui mettre la tête sous l'oreiller, et personne n'a su traiter ses intestins pour qu'il puisse vivre. Si l'enfant était né dans une pauvre hutte de quelque pays primitif, il se serait mis à téter sa mère et il serait mort en buvant du lait.

On ne peut nier que la mortalité de la mère et de l'enfant est plus élevée au cours de la naissance traditionnelle, mais dans notre souci d'éviter la mort, nous avons peut-être détruit la signification de l'expérience pour la grande majorité de ceux qui vivent.

> Personne ne niera que la mort du nouveau-né et plus encore la mort de la mère sont une tragédie que l'on doit éviter à tout prix, ni que l'obstétrique moderne a été en partie responsable de la diminution spectaculaire de la mortalité maternelle et périnatale au cours de la seconde moitié du siècle dernier. Mais il n'est pas nécessairement mauvais de se demander si notre priorité actuelle devrait être d'atteindre un niveau minimal de mortalité périnatale à n'importe quel prix lorsque cela comporte l'abandon de ce que les humains ont souvent jugé plus important que leur propre survie — la faculté de vivre leur vie comme ils le désirent et de le faire en accord avec leur propre sens des valeurs[23].

Evénement personnel et social, la naissance a été transformée en phénomène médical. Epreuve héroïque, elle est devenue dénuée de sens et chaotique ; la souffrance physique que nous savions supporter est maintenant devenue une épreuve psychique à laquelle nous sommes moins adaptés. La grossesse, l'enfantement et l'éducation de l'enfant étaient les modes d'expression principaux des femmes dans le cadre de la famille et de la société, ce cadre lui-même étant l'un des éléments de cohésion essentiel et le ferment nécessaire à l'esprit de compétition et de hiérarchie des hommes. L'institutionnalisation de la production de l'enfant a détruit cette structure alternative. C'est en grande partie par une réaction inconsciente à la diminution de leur rôle que les femmes se donnent tant de mal pour entrer dans la hiérarchie masculine. Ces femmes, qui possèdent les avantages inestimables de la culture et de la capacité d'expression, verront sans doute dans le rôle de celles dont la vie se déroule au sein de la fécondité et de la continuité une inanité et une confusion qu'elles ressentiraient si elles remplissaient ce rôle dans une société qui n'y attache aucun prix. Les femmes qui font partie des organisations internationales affirmeront sans doute que personne n'endurerait de son plein gré l'épreuve de la naissance plus d'une fois ou deux dans sa vie, et à un âge relativement avancé ; celles qui rédigent les études « Connaissance-Attitude-Pratique », chères aux associations du planning familial, soulignant la corrélation entre le niveau culturel et le déclin de la fécondité, sont sans doute convaincues que les valeurs de « leur société » sont partout et toujours justes. Il est possible que les femmes qu'elles cherchent à aider les aient plus en pitié qu'elles ne l'imaginent. La majorité de la population féminine mondiale ne se sent pas prise au piège de la maternité : dans des sociétés qui n'ont pas subi de transition démographique, où les enfants constituent une ressource inestimable, le rôle de la mère n'est pas un rôle marginal, mais un rôle essentiel à la vie et à l'organisation sociale.

Nombreuses sont les sociétés où les femmes quittent la maison maternelle au moment du mariage pour vivre avec une belle-mère et les épouses des frères de leur mari. C'est un truisme en matière d'anthropologie que ces femmes ne deviennent membres de leur nouvelle famille qu'après avoir donné naissance à un enfant. Si nous considérons que dans de telles sociétés le mariage était très probablement arrangé d'avance, il est compréhensible que la jeune mariée désire ardemment l'enfant qui lui procurera un lien d'intimité identique à celui qu'elle avait avec sa mère. L'Occident estime ces coutumes arriérées, cruelles et déplorables, prétendant que les relations sexuelles entre époux sont basées sur l'exploitation et que toutes les belles-mères sont injustes et vindicatives. A une conférence organisée pour la Journée internationale de la femme au Secrétariat des Nations unies en 1981, deux membres d'une organisation appelée Amnesty for Women ont brossé un tableau du mariage traditionnel musulman qui ne fut rien de moins qu'une grossière attaque ethnocentrique. La seule femme musulmane parmi les intervenants, et sans doute la seule musulmane présente à cette conférence, parut stupéfaite en entendant la vie domestique de son pays décrite dans les termes les plus sordides, mais elle préféra se taire. La tendance de ces femmes qui vivent encore à l'intérieur de sociétés féminines à rester dans une opposition silencieuse, lorsqu'elles participent à des tribunes internationales menées dans des langues qu'elle ne pratiquent pas couramment, représente l'une des difficultés majeures rencontrées par les féministes désirant s'instruire auprès d'elles. Des représentantes de l'administration soudanaise m'ont avoué avoir renoncé à participer à des conférences internationales, malgré l'attrait du voyage, parce qu'elles étaient excédées d'entendre parler d'elles sans être jamais consultées.

En Occident, nous trouverions révoltant qu'une femme pût perdre son nom et n'être ensuite reconnue qu'en tant que mère de son premier enfant, une fois ce dernier mis au monde. Pourtant, la plupart d'entre nous renoncent sans mot dire à leur lignée féminine le jour où elles prennent le nom de leur mari. Dans bien des sociétés traditionnelles, la relation entre la mère et l'enfant est plus forte que la relation entre mari et femme ; dans certaines, la relation de l'enfant avec le reste de sa famille est aussi importante et même plus que tout autre lien.

... un certain nombre de coutumes sociales soulignent la relation de l'enfant avec son groupe parental aux dépens de sa relation avec ses parents. En public, ses tantes et oncles peuvent se permettre avec lui une plus grande intimité physique que son père ou sa mère. Dans de nombreuses sociétés traditionnelles en Afrique et en Inde, la famille biologique est volontairement affaiblie, que ce soit par l'abstinence forcée ou par la séparation réelle des parents, dans le but de consolider l'extension de la famille. Les enfants ne naissent pas suivant le caprice des parents, mais pour répondre à une pression de l'ensemble du groupe[24].

Chez les farouches Rajputs, un jeune marié qui s'apprête à aller rejoindre son épouse tète le sein de sa mère, signifiant par ce geste que le plus grand devoir d'un Rajput est de respecter le lait maternel[25].

La femme qui répond aux aspirations de ses semblables en mettant au monde l'enfant qu'elles sont toutes désireuses de voir est fêtée d'une façon qui donne tout son mérite à sa réussite. Parmi les rares témoignages directs, voici celui d'une jeune Sylheti :

Si une fille a de la chance, et si ses parents sont en vie, elle va dans la maison de sa mère pendant les deux derniers mois de sa grossesse et les trois premiers mois de la vie du bébé. Là, elle est l'objet de soins et d'amour. « Que désires-tu manger ? Qu'est-ce qui te ferait plaisir ? » lui demande-t-on. On s'occupe d'elle. Tout ce qui concerne sa grossesse est matière à réjouissances. La naissance du bébé est une joie pour toute la famille. La cérémonie de l'attribution du nom est charmante. Elle a lieu lorsque le bébé a sept jours. On achète un vêtement neuf pour l'enfant et un nouveau sari pour la mère. Tout le monde chante et festoie durant la nuit entière. Des guirlandes d'ail et de safran sont tendues pour détourner les mauvais esprits... La même cérémonie a lieu pour la naissance d'un garçon ou d'une fille. Bien sûr, il est mieux d'avoir un garçon, mais la naissance d'une fille est célébrée avec une joie identique par les femmes de la famille. Nous nous asseyons ensemble pour manger le *pan* et chanter. Certaines d'entre nous sont des jeunes filles, d'autres des femmes de quarante ou cinquante ans. Il y a beaucoup de rires, de plaisanteries. Les hommes participent peu à la fête. Ils peuvent venir jeter un coup d'œil au bébé, mais les chants, la fête qui dure toute la nuit... c'est le fait des femmes. Les chants sont simples et rarement transcrits. Ils parlent de la vie quotidienne des femmes du Bengale[26].

Pour la récompenser d'avoir mis au monde un enfant, cette femme a eu le droit de rendre visite à sa mère et à ses sœurs ; le ton nostalgique de son récit, visiblement teinté de rose, tient peut-être au contraste qu'elle découvre ensuite en Angleterre. L'une des femmes asiatiques qui s'exprime également dans l'ouvrage d'Amrit Wilson nous donne une image non moins attrayante de l'éducation d'un enfant au Bangladesh :

Au Bangladesh, les enfants de moins de cinq ou six ans sont gardés par toute la famille. Tous les enfants de la famille sont élevés ensemble. Une belle-sœur ira les baigner dans la mare. Ils entreront ensuite dans la maison pour le repas qu'aura préparé une autre belle-sœur. Les enfants jouent dehors avec des objets qu'ils trouvent dans la nature. Les gens d'ici disent que les enfants asiatiques n'ont pas de jouets. Au Bangladesh, ils n'ont pas besoin de jouets. Ils fabriquent ce dont ils ont envie... L'après-midi, ils adorent écouter des contes. S'il y a une tante préférée, c'est elle qui les racontera. Mais le soir, ils vont tous rejoindre leur mère et ils s'endorment dans ses bras. Les autres femmes de la maison ont des rapports si forts avec l'enfant qu'elles sont souvent surnommées « grande mama » ou « petite mama[27] »...

Le système ne fonctionne pas toujours aussi bien que dans le récit de Hashmat Ara Begum, mais il est l'idéal que l'on perçoit derrière l'image habituelle dans le sous-continent de l'enfant qui porte son petit frère sur son dos. Dans l'explication qu'elle donne du fait que les enfants asiatiques n'ont pas de jouets se perçoivent les contraintes de la confrontation avec le mode de vie des pays industrialisés ; privés du monde réel dans lequel ils vivaient au Bangladesh, les enfants sont amenés à développer un goût pour les objets coûteux que nous donnons à nos enfants pour remplacer le manque de contact humain. Le mode de vie asiatique paraît austère aux yeux d'une société où le consommateur est roi ; pour les immigrés, le mode de vie britannique semble inhumain. Transplantées de leurs villages dans les banlieues les plus déshéritées des villes industrialisées, ces femmes souffrent beaucoup, même si elles ont plus de chances de mettre au monde des enfants en bonne santé. Leur détresse n'a pas pour unique cause leur ignorance de la langue ou l'hostilité raciste à peine déguisée qu'elles rencontrent. Tout leur système de soutien moral a disparu ; elles qui n'étaient jamais seules se retrouvent dans un isolement total que leur confort matériel relatif ne peut compenser. L'atmosphère de crise propre à la naissance occidentale, qui ne comporte aucune aide psychologique et heurte la pudeur de la femme musulmane, est fréquemment cause d'états dépressifs graves. L'attitude vis-à-vis de ces femmes du personnel médical qui ignore leurs peurs et leurs détresses est un facteur d'angoisse supplémentaire. Amrit Wilson est allée rendre visite à l'une d'entre elles, totalement dépendante sur le plan affectif d'un mari qui travaillait dur pour donner à sa famille la vie agréable qu'ils étaient venus chercher en Angleterre.

Tard, tard dans la nuit, mon mari rentre. Il aime les bébés. C'est un bon mari, mais que peut-il faire ? Et que puis-je faire ? Comment puis-je vivre, ma sœur, comment puis-je vivre[28] ?

Les enfants dans ces conditions représentent un fardeau bien plus lourd pour ces femmes qu'ils ne le sont dans leur pays d'origine ; non seulement elles sont seules à s'occuper d'eux, mais ils manifestent plus d'exigences que dans une société non consommatrice. Dans le village égyptien, par exemple :

> au moins deux femmes adultes sont chargées du développement de l'enfant. Nouveau-né, et même ensuite, l'enfant n'a pas de berceau particulier, de moïse ou de lit. Il dort toujours près de sa mère ou sur ses genoux[29].

Le bébé égyptien n'est pas préparé à se comporter en consommateur, pas plus que l'enfant du Bangladesh. Durant les cent dernières années, les habitudes de consommation des bébés occidentaux ont progressé par bonds successifs[30]. La voiture d'enfant, invention relativement moderne, est l'article le plus coûteux et, détail significatif, celui que l'on affiche en public ; à cela s'ajoutent la layette, le berceau, le moïse, les couches et le reste, le tout destiné à l'usage du bébé, par conséquent immédiatement hors d'usage. Certains de ces accessoires, comme les chaussons ou le talc, n'ont pas la moindre utilité ; mais la plupart sont destinés à garder le bébé au sec, propre et hors de portée de la main, tenu à l'écart du monde réel par les montants du berceau, la capote du landau ou, plus étrange encore, par les barreaux de son parc. L'enfant qui n'a ni landau ni berceau et encore moins une chambre à lui ne peut être mis à l'écart, surtout s'il est impossible de le poser par terre parce que le sol est en terre battue ou parce que l'eau est trop précieuse pour le laver régulièrement. Il ne sera jamais isolé et devra s'insérer dans le lieu du travail et dans le lieu du sommeil dont les plans seront modifiés pour l'accueillir. Souvent le travail éloigne l'adulte de l'enfant, mais la séparation est alors considérée comme une triste conséquence supplémentaire de la pauvreté.

La socialisation de l'enfant s'effectuera au sein de son groupe familial ; une assistance professionnelle s'introduit difficilement dans les familles traditionnelles. Il n'y a nul besoin d'organiser un groupe de jeu, puisque celui-ci existe déjà, et nul besoin dans ce cas d'une école maternelle. Le bruit des enfants accompagne la vie quotidienne, probablement beaucoup moins éprouvant pour les nerfs que la cacophonie de la société de consommation. Les mères ne se sentent pas seules responsables et sont par conséquent moins vulnérables aux colères enfantines. Récompenses et punitions sont distribuées suivant la coutume familiale ; il est inutile de se ruer sur les livres du Dr Spock pour apprendre à affronter une manifestation particulièrement antisociale. L'ethos de la famille prévaut, comme il le fait depuis des générations, sans examen de conscience douloureux. Cela ne signifie pas qu'il soit toujours humain ou juste, mais seulement qu'il n'est pas une source de tension intériorisée. La famille élargie est par bien des côtés un environnement ennuyeux et pesant, mais elle donne un sens et un contexte à la maternité que deux pièces en banlieue ne peuvent lui offrir. Les enfants sont peut-être sales, moins bien nourris que les petits Occidentaux mais ils ont un sens inné du groupe auquel ils appartiennent et de leur rôle à l'intérieur de ce groupe. Ils ne réclameront pas à grands cris tout l'étalage du supermarché jusqu'à ce que leurs mères excédées les giflent pour les gaver l'instant d'après de bonbons afin de se faire pardonner.

L'intimité des rapports entre adultes et enfants dans les sociétés traditionnelles est en partie liée à l'exclusion des femmes de la vie publique et à leur degré d'instruction généralement bas, mais ces barrières sont en partie compensées par le rassemblement de la famille dans la vie de tous les jours. Les distractions publiques ou commerciales existent peu ; les divertissements et les fêtes se déroulent au sein de la famille et les enfants y participent. Si les hommes se rendent au café ou au *mudhif*, cette liberté ne leur est pas enviée, car les femmes et les enfants ont la possibilité de se distraire de leur côté. La différence fondamentale entre la maternité dans les sociétés traditionnelles et celle que nous connaissons dans nos sociétés est que le rôle de la mère traditionnelle s'accroît en complexité et en importance à mesure qu'elle vieillit. Si elle a eu suffisamment de chance et d'habileté pour garder ses fils et leurs femmes dans sa maison, elle profitera de leur compagnie et de leur dévouement en vieillissant. Elle aura le temps de jouer avec ses petits-enfants ; son pas moins assuré s'accordera à leurs premiers pas. Si elle devient infirme, ses belles-filles se chargeront de ses responsabilités et prendront soin d'elle jusqu'à la fin. Cette situation idéale n'est pas universelle, bien des vieilles femmes mendient ou meurent dans les rues en Inde ; mais elle peut se rencontrer. Le rôle de la femme qui exerce une autorité matriarcale avec intelligence et détermination est un rôle positif. Maltraiter ses belles-filles ne servira pas ses intérêts car des épouses mécontentes sont la source principale de friction dans la famille élargie. Parce que le foyer est une unité essentielle dans la production de biens et de services, le rôle de la mère traditionnelle à la tête de la maison est un défi auprès duquel celui de la ménagère occidentale paraît totalement inconsistant. Même ses filles absentes, dont le départ pour la maison de leurs maris lui a causé un réel chagrin, restent proches d'elle en pensée. Les Irakiennes que rencontra Elizabeth Warnock Fernea lorsqu'elle vécut en tant que femme voilée d'un anthropologue américain dans un village irakien étaient convaincues qu'elle était aussi attachée à sa mère qu'elles l'étaient elles-mêmes.

> « Où est ta mère ? » demanda Kulthum. Je lui répondis qu'elle était en Amérique... Elle eut un petit cri de compassion. « Pauvre petite, dirent-elles en chœur, pauvre petite... » « Quand tu auras des enfants, ta mère te manquera moins », prédit Kulthum.

Lorsqu'elle annonça son retour imminent en Amérique, les femmes ne virent qu'une raison à son départ.

> « Demande à M. Bob de faire venir ta mère, et tu n'auras pas besoin de nous quitter pour retourner en Amérique[31]. »

Mme Fernea préféra ne pas révéler la vérité sur la condition des mères dans la société occidentale. Les femmes irakiennes finirent par l'interroger à ce sujet :

« Est-il vrai, demanda Basima, qu'en Amérique on met toutes les vieilles femmes dans des maisons, seules, loin de leurs familles ? »
J'admis que c'était parfois le cas et j'essayai d'en donner l'explication, mais mes paroles furent noyées dans un murmure général de désapprobation.
« Ça doit être un endroit épouvantable !
— Affreux !
— Et leurs enfants les laissent partir ? »
... Je n'y avais jamais songé auparavant, mais l'idée même de ces maisons de retraite devait paraître particulièrement condamnable à ces femmes dont le monde reposait sur l'unité de la famille et dont l'existence de labeur et de maternité trouvait sa récompense dans leur vieillesse, lorsqu'elles jouissaient du repos et du respect dans la maison de leurs enfants[32].

Cet exposé de la différence qui existe entre le rôle de la mère dans les communautés administratives industrialisées et dans les communautés traditionnelles agricoles ne veut pas être l'apologie d'un monde en voie de disparition, mais simplement indiquer dans quel contexte le taux de natalité du monde développé a décru. Il y a peu de raisons de plaindre les mères occidentales, le plus souvent aussi désireuses d'être débarrassées de leurs enfants que ceux-ci ont envie de les quitter. Les occupants des maisons de retraite ne passent pas leur temps à se plaindre de leur sort, bien qu'ils étalent à l'envi la modicité des preuves d'affection de leurs enfants. Plus la récession est forte, plus le chômage augmente et plus les enfants adultes sont amenés à dépendre de leurs parents, qui se lamentent bruyamment, regrettant de s'être mis dans une situation aussi ingrate que la leur. Dénoncer ces contrastes a pour seul but de mettre en garde les peuples les plus développés, avec leur puissance écrasante, contre la tentation d'empêcher le monde en voie de développement d'avoir des enfants. Ce n'est pas parce que la maternité n'a virtuellement aucune signification dans notre société que la fonction maternelle qui définit les femmes dans d'autres sociétés est simplement un signe de leur oppression. Il nous faut au moins envisager qu'une femme dans la société matriarcale peut plaindre les féministes occidentales de s'être laissé entraîner dans une vaine compétition avec les hommes au lieu de jouir de la compagnie et de l'affection des enfants et des autres femmes.

On ne reviendra pas à un monde centré sur la famille. Des groupes d'individus peuvent tenter de vivre à l'âge électronique suivant les valeurs de temps révolus : ils peuvent retourner à la terre, vivre dans des communautés familiales artificielles et accoucher à la maison d'après les rituels décrits dans des ouvrages d'anthropologie ou suivant les méthodes de Lamaze et de Leboyer, ils ont la possibilité de le faire uniquement grâce à la richesse créée par des travailleurs qui vivent au sein de ces familles nucléaires mobiles tant décriées par les membres des communautés.

S'ils n'accèdent pas au mode de vie qu'ils ont choisi, le filet de la société de consommation les récupérera ; si l'accouchement à domicile de leurs femmes tourne mal, ils peuvent toujours se précipiter en voiture à l'hôpital le plus proche. Les femmes qui mettent un enfant au monde dans les villages les plus reculés de l'Afrique ou de l'Asie ne peuvent pas téléphoner à l'équipe des urgences de leur venir en aide, à supposer qu'il existe une route praticable à grande vitesse. Malgré tout, il est probable que les femmes dans les sociétés traditionnelles resteront attachées à leurs méthodes, car elles font partie de pratiques qui permettent aux peuples de se définir. Une planification humaine et intelligente pourrait imaginer les moyens de faire décroître la mortalité périnatale sans détruire le caractère et la portée de l'expérience, mais l'aide internationale est loin d'agir dans ce sens. L'impact de notre technologie médicale sur les soins maternels traditionnels a été désastreux, au point de se demander si nous n'avons pas inconsciemment nourri l'intention de décourager le désir d'avoir des enfants chez les autres encore plus efficacement que nous ne l'avons fait chez nous.

S'il existe peu de comptes-rendus des méthodes traditionnelles d'accouchement, il y en a encore moins sur l'accouchement traditionnel transplanté à l'hôpital. Une de ces expériences a été racontée par Ian Young, qui pratiqua l'obstétrique en Kabylie dans le cadre de ses études de médecine. Il a intitulé son livre *The Private Life of Islam*, bien que ce ne soit en rien le sujet de l'ouvrage ; pendant toute la période où il travaillait en Algérie, Young ne mentionne pas une seule naissance normale, celles-ci se déroulant toujours hors de sa présence. Il vit uniquement des femmes qui avaient accouché d'enfants mort-nés, des femmes qui avaient fait l'expérience de la médecine traditionnelle et qui, désespérées, avaient entrepris un long et pénible voyage dans des camions poussiéreux sur des routes à peine existantes. Il vit des femmes avec des fœtus morts *in utero* depuis longtemps, des fausses couches incomplètes, des rétentions de placenta ; des femmes qui avaient saigné à mort avant que les médecins d'Europe de l'Est ne puissent commencer à les soigner, brutalement, dans des conditions de saleté répugnante, privés de l'équipement le plus élémentaire, administrant des médicaments depuis longtemps périmés. La rage de Young se porte principalement contre l'islam et l'ignorance ; il ne met jamais en doute la supériorité du système que lui-même, médecin formé en Angleterre, représentait. Il s'emporte à la vue de ces femmes qui arrivent dans leurs vêtements sales, couverts de sang et de matières fécales, insiste pour les laver lui-même, enjoint brutalement à leurs maris de ne pas les forcer à reprendre leurs tâches dans les fermes de la montagne, sans comprendre que pour eux c'est une question de survie pour tout le groupe[33]. Il ne signale pas que des soins prodigués au sein de la famille auraient sans doute été supérieurs aux conditions de crasse, d'angoisse (et de danger) de l'hôpital. Il n'a pas vu que la passivité des femmes qui souffraient et mouraient en silence entre les mains de ses confrères endurcis exprimait leur certitude que le malheur était déjà arrivé, qu'être touchées, examinées au plus profond de leur chair par ces hommes était une humiliation à côté de laquelle le supplice des interventions sans analgésique importait peu. C'est à la souffrance qu'elles avaient appris à faire face, non à la destruction de leur intégrité. Young les considéra comme des vaches hébétées, sans comprendre qu'il voyait un islam en désarroi, brisé par la guerre civile. Peut-être aurait-il aimé apprendre que le nombre de femmes qui risquent leur vie en accouchant dans des endroits isolés diminue parce que les pauvres sont de plus en plus contraints de vivre dans des bidonvilles où la vie offre moins de possibilités, mais présente aussi moins de dangers.

Même dans des pays où prédominent des systèmes de parenté traditionnels, les gouvernements continuent d'équiper des cliniques et des hôpitaux dans le but d'institutionnaliser la naissance. En 1961, E.R. Leach releva que la plupart des femmes enceintes dans le village cinghalais de Pul Eliya « font régulièrement un trajet de dix kilomètres pour atteindre la clinique prénatale publique de Medwachiya ». Il n'explique pas une chose : pourquoi la clinique ne se déplacerait-elle pas vers les femmes ? Alors que l'hospitalisation a considérablement réduit la mortalité périnatale, Leach note un léger inconvénient, significatif de cette situation.

> A présent que toutes les femmes mettent leurs bébés au monde à l'hôpital, la fonction rituelle de la blanchisseuse devient inutile... Autrefois, les services qu'elle rendait lors de la naissance constituaient la plus régulière et la plus lucrative des fonctions de la caste des blanchisseuses[34]...

Dans l'orchestration délicate des rapports entre les différentes castes d'un village et à l'intérieur d'un système parental extrêmement complexe, la suppression de la blanchisseuse peut avoir une répercussion bien plus significative que la perte de ses fonctions et de son gagne-pain. C'est un signe supplémentaire que les processus si patiemment notés par Leach il y a vingt ans étaient sur le point de disparaître. L'institutionnalisation de la naissance n'est pas uniquement entreprise pour venir en aide aux populations rurales déshéritées ; un système qui immobilise le peuple et réduit l'économie à la simple acquisition du minimum vital est incompatible avec les buts d'un Etat moderne. L'hospitalisation de la totalité des naissances est hors de portée de la plupart des gouvernements du tiers monde, mais de même que la plus grande partie des dirigeants des ex-colonies ont adopté le système de valeur impérialiste sous lequel ils sont arrivés au pouvoir, de même les méthodes sanitaires occidentales sont considérées comme la norme. Les installations hospitalières dans ces pays se développent généralement au petit bonheur : une aide étrangère construit des hôpitaux étincelants et coûteusement équipés qui restent déserts parce que personne ne peut quitter les champs pendant les jours entiers qui sont nécessaires pour se rendre à l'hôpital à pied ou dans une charrette à bœuf. Exaspérés, les étrangers déplorent la corruption et la stupidité des services officiels locaux, le manque de fournitures essentielles, le matériel détérioré qui n'est pas réparé. A mesure qu'ils ouvrent les yeux, les responsables des programmes d'aide entrevoient la possibilité de substituer la charrette à bœuf à la Rolls en matière de soins médicaux... sans toutefois renoncer à l'illusion du contrôle.

La méthode la plus humaine pour abaisser la mortalité tout en respectant l'accouchement traditionnel aurait été de consulter les femmes concernées par la question et d'accepter leur définition des points faibles de leurs propres méthodes. Au lieu de cela, les gouvernements forment à moitié des jeunes femmes qu'ils chargent d'aller remplacer la sage-femme auprès des paysans. Les _auxiliary nurse midwives_, ou quel que soit le nom qu'on leur attribue, ne sont généralement pas aptes à pratiquer des interventions chirurgicales, ne disposent souvent pas des médicaments nécessaires, et il leur manque le savoir-faire de la médecine traditionnelle. Brigitte Jordan a souvent vu la sage-femme du Yucatan avec laquelle elle travaillait pratiquer une version du fœtus _in utero_ par massages, dans le but d'éviter un accouchement par le siège[35]. Oscar Lewis, dont le récit détaillé des méthodes d'accouchement à Tepoztlan part sans doute d'une information recueillie par ses assistantes, écrit : « Les sages-femmes affirment pouvoir inverser si nécessaire la position du fœtus au moyen de massages[36]. » De tout son récit se dégagent le scepticisme et le dégoût ; la plupart des méthodes qu'il décrit semblent n'avoir ni queue ni tête, peut-être parce que l'information fut recueillie par interrogation et non par observation. Les paysans ont souvent du mal à expliquer ce qu'ils font et pourquoi ils le font. En fait, Lewis et Redfield, qui a étudié Tepoztlan avant lui, recueillirent des informations différentes sans doute parce qu'ils posèrent des questions différentes[37].

Scepticisme et mépris à l'égard des sages-femmes traditionnelles sont monnaie courante de la part des membres du personnel médical hospitalier, même lorsqu'ils les ont sous leur responsabilité. J'ai demandé un jour à une femme médecin à Karnataka, chargée de former des sages-femmes, si elle leur avait jamais demandé ce qu'elles avaient l'habitude de faire et pourquoi. « Faire, mais elles ne font rien ! » ricana-t-elle en s'enroulant dans son palu rose avant de quitter les lieux. Ces femmes avaient parcouru des kilomètres à pied par une chaleur torride pour se rendre à ces cours et se ravitailler en savon au phénol et autres pauvres fournitures. Elles avaient eu droit à un verre d'eau ; puis, accroupies sur le sol de la minuscule salle de cours, elles avaient attendu pendant des heures que la doctoresse fît son entrée, brandissant son affreux moule en plastique d'organes génitaux qu'elles semblèrent à peine reconnaître. Etant donné qu'il était d'un rose brillant, assorti au palu en mousseline du docteur, elles pensèrent probablement qu'il s'agissait de quelque accessoire ésotérique porté par la caste la plus élevée des brahmanes[38].

Les assistantes envoyées par le gouvernement pour remplacer ces femmes laborieuses qui partageaient la vie difficile des communautés dans lesquelles elles vivaient se retrouvèrent elles-même dans une situation très difficile ; obligées de vivre comme des paysannes, de boire de l'eau polluée, et de s'installer là où il y avait de la place, elles s'exposèrent à la curiosité et à la méfiance des villageois qui n'avaient jamais vu de femmes sans famille[39]. Les femmes du village redoutaient que leur présence ne semât le trouble, ce en quoi elles n'avaient pas toujours tort. Dans le village que j'ai mentionné, le fils du sarpanch était tombé amoureux de l'ANM qui avait été renvoyée ; le jeune homme ayant fui pour la rejoindre, la famille s'était vue finalement obligée d'accepter le mariage. Scandales et malheurs s'abattirent sur ces malheureuses ANM en Inde, et les femmes continuèrent à préférer les soins de leurs sages-femmes traditionnelles qui respectaient leur pudeur et participaient aux tâches du foyer pendant la période de l'accouchement. Aujourd'hui, les gouvernements se rendent compte qu'ils ne peuvent plus ignorer la sage-femme traditionnelle, mais ils lui donnent une formation théorique qui a pour seul résultat de la désorienter[40]. L'hostilité accumulée par des générations de lutte entre modernes et traditionnels n'est pas réellement neutralisée ; bien des programmes de formation des sages-femmes sont aussi superficiels que celui que j'ai décrit.

Les sages-femmes formées par le gouvernement étaient également censées recruter des patientes pour l'hôpital ; représentantes de l'Administration, elles durent faire face à la méfiance de gens pour qui l'Etat a pour unique fonction de prélever des impôts ou d'ordonner des lois ineptes qui empêchent les travailleurs de gagner leur vie. Loin de leur famille, soumises au climat de tension de l'hôpital, les femmes acceptent par force qu'on leur dicte ce qui leur convient le mieux. Les hôpitaux n'accueillent pas les enfants des pauvres, mais ils encouragent la stérilisation, surtout si le gouvernement leur a imposé un quota. On a trop souvent débattu sur l'efficacité des offres de la stérilisation pendant et après la naissance pour que nous en ignorions la signification. Si l'angoisse de la naissance pousse les femmes à accepter la stérilisation, particulièrement dans les premiers jours de la période postnatale, pourquoi la réduire ? Pourquoi ne pas l'augmenter, en fait ? L'Administration a embrassé l'idée d'un bien commun et dans la foulée l'idée qu'il y a trop d'enfants sur la planète ; essentiellement trop d'enfants pauvres. Je n'ai jamais rencontré un médecin qui soit consciemment partisan d'un génocide, mais des milliers d'entre eux croient sincèrement que la stérilité est un avantage pour les gens, qu'ils le veuillent ou non... Plus ils sont bienveillants, humains et qualifiés, plus grand est leur pouvoir.

Tout changement technologique entraîne des problèmes sociaux ; l'impact de la médecine occidentale dans les sociétés traditionnelles est l'un des aspects les plus problématiques de la modernisation. Le prestige de la blouse blanche est immense, le respect pour ses seringues miraculeuses total. La force de l'espoir compense des méthodes dramatiques et agressives, même lorsque l'état de santé des patientes ne les permet pas. La médecine allopathique dans des communautés agricoles est tributaire de médicaments coûteux, d'installations de luxe et d'un équipement électrique lourd qui ne sont généralement pas disponibles. Une fois que l'aide étrangère a construit ce temple de notre religion, l'hôpital, elle fait ensuite un étalage rituel de son pouvoir avec d'horribles conséquences : Sheila

Kitzinger a visité un gigantesque hôpital moderne pour les « malades bantous » en Afrique du Sud, et voici ce qu'elle y a vu :

> La salle d'accouchement était pleine de femmes qui se tordaient de douleur en gémissant — la majorité étaient en travail, seules. L'ocytocine en goutte à goutte et les pompes fonctionnaient vingt-quatre heures sur vingt-quatre. C'était le lieu de rencontre de la vieille Afrique et de la nouvelle technologie occidentale. Des mares de sang s'étalaient par terre, comme des épanchements sacrificatoires, et les infirmières bantoues les y laissaient, s'affairant de leur côté avec des appareils modernes et sophistiqués, ignorant les prières des femmes en travail dont elles ne parlaient même pas la langue... Ici, l'accouchement n'avait plus rien à voir avec la naissance naturelle ; il ressemblait à ce que j'avais vu dans les hôpitaux américains des ghettos urbains noirs : une obstétrique à la chaîne accompagnée d'une pléthore d'innovations techniques et de machines[41].

Si nous faisons de l'expérience de la naissance un désastre sur le plan personnel, il importe peu que le résultat soit un enfant en vie ou non. Les femmes cesseront un jour de s'offrir, corps et âme, à tant de brutalité, surtout s'il n'y a personne à la maison pour accueillir l'enfant, récompenser la mère de son courage et l'aider à en avoir davantage. En fait, les communautés agricoles sont plus sceptiques envers nous et nos méthodes que nous ne l'imaginons et elles ont bien plus résisté à l'intrusion de notre brillante technologie que nous ne voulons le penser. Elles savent que la mort survient trop fréquemment sur les lieux de la naissance traditionnelle, mais elles savent aussi qu'il existe pires destins que la mort. Néanmoins, seule la pauvreté nous empêche de pénétrer dans chaque cabane, dans chaque masure : l'hégémonie culturelle de la technologie occidentale est totale.

Les cris d'alarme jetés par quelques femmes ne peuvent couvrir le bourdonnement et le martèlement de nos machines. C'est probablement aussi bien, car si nous parvenions à écraser toute la fierté et toute la dignité de la maternité, la population mondiale se régulerait d'elle-même.

2
L'importance de la fécondité

> « Les pouvoirs perturbateurs d'une fécondité natio-
> nale excessive peuvent avoir joué un plus grand rôle dans
> l'éclatement des règles imposées par la convention que
> le pouvoir des idées ou les erreurs de l'autocratie. »
>
> JOHN MAYNARD KEYNES

En février 1980, à Orléans, un inspecteur de police fut condamné à sept ans de prison pour le meurtre d'un homme non armé, nommé Paul Laurent, qu'il avait tué d'une balle de revolver en présence de trois témoins. La sentence peut paraître légère, mais la majorité des gens l'estimèrent sévère. Le meurtrier, Louis Castalas, s'était engagé dans la Résistance à l'âge de 17 ans en 1941 ; fait prisonnier, soumis à la torture et à des expériences médicales à Buchenwald, il fut décoré de la Légion d'honneur, de la croix de guerre et, plus tard en Indochine, de la médaille militaire. Conséquence des expériences des médecins nazis, il était stérile.

« C'est pourquoi ses deux premières femmes divorcèrent », conclut David Raymond, correspondant à Paris du *Sunday Express*. Il en épousa une troisième, âgée seulement de 26 ans (il en avait 43), et lorsqu'elle lui donna un fils, Hervé, il fit de sa femme et de son fils le centre de toute son existence. L'homme qu'il assassina était le véritable père de l'enfant. Castalas se livra lui-même à la police et ne revit plus jamais Hervé. Du jour de son arrestation au jour du procès, il ne demanda jamais à voir le garçon qu'il avait appelé son fils pendant plus de sept ans[1].

Dans quelle mesure les tortionnaires nazis de Castalas ont-ils été responsables de ce qui suivit ? Ses deux premières épouses l'ont-elles abandonné uniquement parce qu'il ne pouvait pas leur donner d'enfant ? Victimes de sa stérilité, il se peut qu'elles aient cherché à être fécondées par un autre. Obsédé par le problème de sa stérilité, peut-être avait-il un comportement difficile. Ou alors, à mi-chemin entre ces deux éventualités, il ne leur aurait pas permis d'être fécondées par l'insémination artificielle. Il est significatif qu'il ait préféré tuer l'homme qui avait transmis ses gènes à sa femme, un homme auquel aucun lien particulier ne le rattachait, et non la femme qui avait mis à mal sa fierté ou l'enfant qui avait profité de son amour et de son dévouement, ou encore lui-même, jobard naïf depuis des années. Malgré l'absurdité de sa conduite — il tua la personne la moins coupable, celle qui n'avait ni réclamé son fils ni volé la femme de Castalas, qui n'avait tiré aucun avantage de la tromperie à part l'imperceptible satisfaction de transmettre ses gènes —, on ne lui infligea que sept ans de prison.

Cette sentence illustre la survivance des notions archaïques de honte et de vengeance de l'honneur. La femme n'a pas été tuée parce qu'elle n'était pas sur un pied d'égalité. Castalas était un guerrier, qui avait quitté l'armée pour son substitut, la police. Il avait mené une vie de ségrégation traditionnelle, uniquement marquée par des affaires d'hommes, pour qui les femmes ne sont que des objets sexuels ou des réceptacles de leur postérité ; et ce facteur fut probablement plus décisif dans ses deux divorces précédents que sa stérilité. Pour les Français qui assistèrent au procès d'Orléans, la stérilité de Castalas semblait justifier sa conduite antisociale. Dans ce système moral, les femmes n'ont pas d'honneur à sauver, car l'honneur est lié au potentiel de la paternité. La communauté mâle doit défendre son honneur contre la duplicité et l'immoralité des femmes. L'hypocrisie qui leur est attribuée découle directement du fait qu'elles ne peuvent être abusées comme le fut Castalas. Contrairement aux hommes, elles sont toujours sûres que leurs enfants sont à elles. Les hommes, eux, doivent *faire confiance,* jusqu'au jour où l'on pourra faire la preuve de la paternité. En même temps, en termes de moralité génétique, les femmes ont toutes les raisons de multiplier leurs partenaires, car elles augmentent ainsi leur chance de procréer avec le spécimen le plus vigoureux et le plus viril.

Du temps où prévalaient les systèmes dont la moralité de Castalas n'est qu'un témoin dénaturé, les membres de sa famille l'auraient aidé à se venger de l'usurpateur, de même que le système légal vise à punir sévèrement tout homme impliqué dans un viol pour des raisons qui n'ont aucun rapport avec le tort porté à la femme. Il n'y aurait pas eu de condamnation en tant que telle ; si l'homme adultère était un membre du groupe, son meurtre aurait été considéré comme normal, parce que sa conduite mettait en danger la communauté ; s'il n'appartenait pas au groupe, il aurait été vengé par les membres de son propre groupe. Peu importe la façon dont est défini le groupe : les nazis ont détruit la fertilité de Castalas dans l'intérêt de leur groupe, la race des seigneurs, qu'on la nomme germanique ou NSDAP, dont les ennemis étaient les Français et en particulier les Résistants. Le pauvre Castalas n'avait pas de groupe pour le défendre lorsqu'il détruisit l'intrus et renia l'enfant qui n'était pas de lui. Son minuscule groupe nucléaire, lui-même ultime fragment de groupes anéantis, n'avait jamais existé.

Néanmoins, la foule dans la salle du tribunal d'Orléans estima que l'on aurait dû relaxer Castalas. Condamné pour meurtre, il fut dépouillé de ses décorations, geste qui fut également jugé injuste à l'égard d'un homme si durement éprouvé. Comme si sa castration avait été reproduite en public par ses propres concitoyens, gênés de leur complicité involontaire. Le juge ne céda pas. La logique du cas était claire : l'homme avait avoué être un meurtrier, et les meurtriers ne peuvent pas porter la Légion d'honneur. Ironie suprême, si vous aviez demandé à Castalas pourquoi il avait tué Laurent, il vous aurait répondu que son honneur l'exigeait, tout comme il avait exigé qu'il résistât aux tortures des nazis et à l'envahisseur.

Il existe un autre mot pour *honneur,* un mot que les anthropologues lui ont associé, c'est *intégrité* ou *intégralité.* On dit des animaux non châtrés qu'ils sont entiers. Des systèmes complets de classe, de priorité et de protection sont basés sur un concept de l'honneur qui ne se rapporte pas uniquement à l'activité sexuelle, mais dans les sociétés méditerranéennes (et au-delà) à toute interaction. Cette notion est fondamentalement basée sur la virilité.

> L'idéal de l'homme honorable s'exprime par le mot *hombría*, « virilité »… c'est un terme que l'on entend constamment dans le *pueblo*, et le concept représente la quintessence sexuelle physique du mâle *(cojones)*. Le contraire est transmis par l'adjectif *manso*, qui signifie à la fois soumis et castré[2].

Julian Pitt-Rivers décrit ici une petite ville dans la Sierra de Cadix ; l'observation pourrait toutefois s'appliquer à la plupart des sociétés méditerranéennes[3]. Il se peut que Castalas soit d'origine espagnole, mais la compassion que suscite sa situation s'étend d'Orléans à l'Angleterre. Que la virilité ou *andrismos* soit démontrée par l'acte sexuel ou par son absence, il n'en reste pas moins qu'elle est incompatible avec la castration, même si cette dernière n'entraîne pas l'impuissance, car elle a un rapport direct avec la descendance paternelle et avec le patrimoine.

> L'homme d'honneur accomplit la vengeance et lave l'affront subi au mépris des sentiments, recevant pour cela l'approbation entière du groupe.
>
> Le *nif* est donc la fidélité à l'honneur gentilice, à la *hurma* au sens de respectabilité et de considération, au nom des ancêtres et au renom qui lui est attaché, à la lignée qui doit demeurer pure de toute souillure, qui doit être tenue à l'abri de l'offense comme de la mésalliance. Vertu cardinale, fondement de tout le système patrilinéaire, le *nif* est en effet essentiellement le respect du lignage dont on entend être digne[4].

Dans de nombreuses sociétés, la notion de la responsabilité de l'homme envers sa postérité est le cœur de tout le système moral. Le groupe peut progresser par la participation de chacun en termes matériels, en termes spirituels et en termes d'accroissement de sa dimension et de sa puissance, qu'il s'agisse de la famille, de la tribu ou de la nation. Ce n'est pas un hasard si le courage est la valeur centrale du système, et s'il est intimement lié à la virilité, car la famille, la tribu ou la nation survivront si nécessaire aux

dépens des autres groupes. Soit elle se protégera du métissage par l'endo-
gamie, soit elle agrandira son empire par l'exogamie, mais elle ne progres-
sera pas s'il n'y a pas d'enfants.

L'exemple extrême d'une action en faveur de la tribu consiste à tuer
l'ennemi et à enlever ses femmes et ses enfants, afin d'augmenter la
possibilité de reproduction des vainqueurs et la domination du groupe à la
fois numériquement et génétiquement. Toutes les sociétés polygénistes
récompensent les mâles valeureux en augmentant leur possibilité de se
reproduire et, dans la mesure où « réussir » signifie « être mieux adapté »
en terme d'évolution, ce système est aussi valable que l'est celui fondé sur
la domination des mâles prouvée dans le combat. Dans la plupart des
sociétés de ce type, il est admis que les hommes sont féconds, à moins
d'avoir été castrés, et leur fécondité porte des qualificatifs divers, tels que
« sang », « énergie », « mana », ou « baraka ». Si la stérilité masculine est
rarement avouée, c'est précisément parce que la reconnaître frapperait au
cœur même de la morale. Ordre et cohérence seraient mis en danger. Dans
les sociétés où la morale est fondée sur ce concept, il n'est pas rare de
trouver des interdictions strictes à l'égard de la fornication et de l'adultère,
mais non à l'égard de la polygamie, ainsi qu'une certaine dose de puritanisme dans les règles qui gouvernent les stimuli excessifs auxquels sont
exposés les deux sexes à travers les mass media et dans l'activité sociale. Le
principe du plaisir est dissimulé par les exigences de la fécondité, même à
l'intérieur d'une relation établie et dûment consacrée.

L'organisation de la fécondité est une des fonctions les plus importantes
de l'âge adulte : dans les sociétés traditionnelles, les rites de la puberté
consacrent cette nouvelle responsabilité. Souvent l'initiation met fin à
l'expérimentation sexuelle qui n'a pas été découragée au cours de l'adolescence. Après le rituel, le sexe n'est plus une forme d'amusement enfantin.
De nos jours, les anthropologues se désintéressent de l'importance psychologique et morale de la fécondité. C'est regrettable, car maintenant plus
que jamais, nous avons besoin d'en savoir davantage sur le comportement
reproducteur et de connaître les conséquences probables qu'il y a à tenter
de le manipuler. Les anthropologues sont notoirement peu désireux de
s'impliquer dans les aspects émotifs d'un sujet : à l'époque où l'on pensait
que la haine raciale allait plonger les Etats-Unis dans la guerre civile, le
thème racial, qui avait fasciné les éthologistes et les anthropologues pendant une centaine d'années, n'était plus étudié par personne.

On pourrait se réjouir de ce qu'aucune théorie farfelue de la fécondité ne
submerge le globe avec la caution d'experts en guise de connaissance, mais
il est néanmoins curieux de trouver des anthropologues plongés dans des
études statistiques du mariage et de la parenté sans manifester la moindre
curiosité pour les concepts prédominants de la fécondité. On parle peut-
être du statut relatif des sexes, de la transmission du pouvoir, de la répartition du travail, mais nulle part n'est abordée l'importance spirituelle de la
progéniture. Ce manque de curiosité est en partie une conséquence de la
méthode scientifique que les anthropologues croient devoir adopter s'ils ne

veulent pas se laisser emporter par une vague d'impressions subjectives. Les explications orales que donnent les gens de leur comportement ne sont que rationalisation, idéologie et feintes destinées à occuper agréablement l'intrus ; ce qu'ils font, par contre, peut être observé et enregistré. Dans la mesure où le comportement sexuel échappe à l'observation, il ne peut être enregistré et les fantasmes sexuels, composante principale de l'activité pour beaucoup, ne sont en aucun cas soumis à l'observation. N'en déplaise à Nancy Friday qui a recueilli des données auprès d'individus pour qui un enregistrement n'était pas une barrière aux fantasmes, bien qu'aucun d'entre eux n'ait jamais fantasmé à propos de la grossesse et de la fécondation[5].

Avant la sortie du *Rameau d'or,* qui a entraîné le déclin des bébés, des berceaux et du reste, les anthropologues s'étaient particulièrement intéressés au culte de la fécondité. Pour Frazer, « l'instinct sexuel avait façonné la conscience religieuse ».

> Son ouvrage constitue un tableau de l'époque, un miroir d'idées, d'observations, de croyances et d'images essentielles. Dans *le Rameau d'or* et à l'époque où il fut publié, les mouvements d'idées étaient déterminés par une boussole dont les points cardinaux étaient les concepts de rationalité, fécondité, irrationalité et stérilité. Les matières explorées étaient le sexe, la superstition et la survivance des coutumes[6].

Les anthropologues d'aujourd'hui ne nient pas l'importance de son ouvrage.

> Il a démontré combien était universelle l'importance de la religion sur la fécondité des hommes, celle de leurs troupeaux et de leurs terres ; et sa théorie de l'« envoûtement » attira l'attention sur le symbolisme des rites magiques, lesquels imitent l'effet qu'ils sont censés produire[7].

Frazer lui-même ne douta pas que son ouvrage fût d'une importance universelle et durable.

> Pour eux (les peuples anciens), le principe de la vie et de la fertilité, qu'il fût animal ou végétal, était un et indivisible. Vivre et produire la vie, se nourrir et procréer furent les besoins fondamentaux des hommes dans le passé, et ils le resteront dans le futur tant que le monde durera. D'autres éléments viendront peut-être enrichir et embellir la vie humaine, mais si ces besoins ne sont pas d'abord satisfaits, l'humanité elle-même cessera d'exister. Se nourrir et avoir des enfants, voilà donc ce que les hommes cherchaient au premier chef à obtenir dans l'accomplissement de rites magiques pour la régulation des saisons[8].

Compatible avec les idées de Freud, la théorie de Frazer n'en fut que mieux acceptée. Westermarck, Crawley, Hartland, Malinowski et Briffault cherchèrent tous à en développer la notion fondamentale, mais plus ils travaillèrent sur le terrain, plus ils s'aperçurent que l'érudition en chambre de Frazer ne suffisait pas pour les diversités de l'expérience humaine. La spécialisation austère qu'est devenue aujourd'hui l'anthropologie traitée par ordinateur est en partie une réaction à l'arrogance des anthropologues académiques et à leurs spéculations qui en disaient plus sur eux-mêmes que sur des gens dont la vie n'était qu'une goutte d'eau apportée à leur moulin.

L'influence de Frazer s'exerça moins dans le domaine de la pseudo-science qu'il avait découverte que dans celui de la littérature du vingtième siècle. Le lien sémantique entre création, procréation, renaissance et immortalité a toujours été essentiel à notre langue. Lorsque Shakespeare écrivait à l'inspirateur de ses sonnets :

> Alors ne laisse pas la main décharnée de l'hiver défigurer l'été en toi avant que tu sois distillé ; fais quelque doux cordial ; thésaurise en quelque lieu secret ton trésor, avant qu'il soit tué ;
>
> Cet usage n'est pas usure défendue, et réjouit celui qui paie prix volontaire. Pour toi-même, c'est engendrer l'autre toi-même, or dix fois plus heureux, dix le sont plus qu'un seul.
>
> Dix fois toi-même seront plus heureux que tu n'es, si dix êtres de toi dix fois se reproduisent, et que pourra la mort te faisant disparaître en te laissant vivant dans la postérité ?
>
> Ne sois point obstiné, beaucoup trop beau tu es — pour être la proie de la mort et faire ton héritier les vers.

(VI)

il célébrait la relation entre le déroulement de la vie humaine et des saisons, si cher à Frazer, et suppliait M. W. H. (ou qui que ce fût) de s'acquitter de sa dette envers la nature avec un intérêt généreux. Tout au long du sonnet, il s'attribue la fonction de conférer l'immortalité et de vaincre la mort, dans une sorte de transfert qu'aurait apprécié Jung, comme si lui, Shakespeare, était le sein dans lequel M. W. H. devait concevoir des poèmes immortels.

> La libido est une énergie naturelle et sert d'abord et avant tout les buts de la vie, mais une certaine quantité excédant les besoins des fins instinctuelles peut être changée en travail et utilisée à des fins culturelles. Cette orientation de l'énergie devient possible à partir du moment où on la transfère sur un analogue de l'object instinctuel... Après une période de gestation dans l'inconscient, un symbole est produit, pouvant attirer la libido et servir aussi de canal pour dévier son flux naturel[9].

La permanence des images pelviennes dans cette description, rationnelle seulement en apparence, en est la meilleure démonstration. Que cette forme de pensée soit dans les faits intelligible ou non, les contemporains de Jung crurent la comprendre, et la course aux mythes producteurs de l'âge industriel fut lancée. On exalta la fécondité de l'esprit et du corps comme la triomphatrice de l'entropie ; les images oniriques du ventre et de la fécondation jaillirent sur la page écrite :

> *Chevauchant le dauphin, être de boue et de sang,*
> *Arrivent esprit après esprit ! Les forges arrêtent cette marée,*
> *Ces forges où se martèle l'or impérial !*
> *Les marbres du sol où l'on danse,*
> *Arrêtent les furies dévorantes de l'humaine complexité,*
> *Images qui cependant*
> *Engendrent d'autres images,*
> *Mer sillonnée par les dauphins, mer démontée par le gong*[10].

En écrivant *la Terre désolée*, qui allait devenir le poème le plus lu de langue anglaise durant trente ans, T. S. Eliot développait ce même système moral qu'il avait appris de Yeats et de Lawrence et de leur lecture de Frazer, dans lequel la plus haute valeur, interprétée par F. R. Leavis comme « la vie », était la fécondité. La fécondité, principe fondamental dont la productivité et la créativité étaient les métaphores. La société industrielle était décrite comme un univers stérile, peuplé d'« hommes vides », créatures impuissantes, accomplissant des tâches dénuées de signification avec le souvenir lointain d'une époque virile où ils combattaient aux portes de l'enfer. Des écrivains aussi différents que Joyce, Conrad, E. M. Forster, Edith Sitwell, Arnold Toynbee, Jessie L. Weston, Gilbert Murray et Robert Graves ont tous considéré la notion de fertilité comme l'élément moteur dans leur imaginaire : tous les symboles étaient phalliques ou vaginaux et tous les artifices imitaient la fécondation. Le riz lancé aux jeunes mariés n'était pas du simple riz, pas plus qu'il n'était symbole des richesses que l'union pouvait apporter, il représentait la semence qui féconderait la mariée. Le Christ sur la Croix était autant le Fils de Dieu qu'un roi mourant sur un arbre sacré, une effigie prête à renaître à Pâques.

> Du grain aujourd'hui la pampe verte jaillit
> De la terre noire où il fut longtemps enfoui
> L'amour qui fut avec les morts revit
> L'amour renaît comme le blé qui verdit

chantaient les néopaïens en 1928[11].

Ce genre de croyance se retrouve encore parfois dans l'enseignement des humanités à Cambridge, du moins dans l'école anglaise. En février 1980 encore, Clive James eut ces mots pour parler de Jane Austen :

> A cette époque, les femmes devaient choisir entre le sexe et l'art. Elle choisit l'art et y mit toute son énergie productrice... Les forces qu'elle applique à ses desseins symétriques sont l'image de la vitalité qui a peuplé le monde[12].

Le concept central de la théorie de Frazer est en réalité très mystérieux. Indifféremment dénommé l'« instinct sexuel », le « principe de la vie et de la fertilité » ou « besoin primitif... de donner la vie... d'engendrer des enfants », c'était le produit d'une réflexion aussi vague et arbitraire que celle qui a fait naître l'envoûtement dans les temps reculés. L'utilisation du terme *instinct* aurait dû intéresser ceux qui avaient déjà observé que les femelles du genre humain sont réceptives lorsqu'elles ne sont pas fécondes, et même lorsqu'elles sont enceintes — n'en déplaise à Jonathan Swift — car cela révélait que la race humaine est plus encline aux plaisirs amoureux que la race animale. La recherche de la satisfaction orgastique est beaucoup plus évidente qu'un besoin primitif d'engendrer des enfants. Dans le jargon de la sexologie moderne :

> nous pensons qu'il existe une pulsion psychologique, une stimulation interne, qui entraîne un état de tension naturellement soulagée par les transformations physiologiques et psychologiques que provoque l'acte sexuel et spécialement l'orgasme[13].

Cette « pulsion » n'a d'autre objectif que l'orgasme ; quiconque n'a qu'une pulsion sexuelle par semaine n'est pas supposé infertile ; il a simplement besoin d'une activité orgastique peu fréquente. Pour Wilhelm Reich, l'orgasme était d'une importance psychologique essentielle en ce qu'il libérait une tension qui aurait été cause de comportements aberrants ou de névroses ; dans la mesure où la crainte de la grossesse était un facteur d'inhibition, la fécondité devenait un obstacle à l'orgasme. Bien que la position prise par Reich dans *la Fonction de l'orgasme* rencontre peu d'adeptes, l'essentiel de son raisonnement est aujourd'hui largement accepté. La plupart des gens estiment qu'une activité sexuelle orgastique régulière est nécessaire à la santé mentale, certains considérant même que les perversions sexuelles sont justifiées par la recherche de l'orgasme salutaire.

Dans un ouvrage de titan qui rassemble toutes les recherches sur les rapports de la pulsion sexuelle et de la reproduction chez des centaines d'espèces, établissant que le désir subsistait indépendamment de la fécondité et que la fécondité existait en l'absence de l'orgasme, Frank Beach en est venu à la conclusion suivante :

> La différenciation entre les aspects psychiques et sécréteurs de l'orgasme nous conduit directement à considérer que libido, virilité sexuelle et fécondité sont trois fonctions indépendantes, et que chacune d'entre elles peut exister en l'absence des deux autres[14].

De nos jours, le sexe doit être séparé de sa fonction reproductrice primitive dont l'exercice répété est antisocial, et par ailleurs exploité pour ses autres fonctions, certaines considérées par Desmond Morris comme positives — formation et maintien du couple, apaisement physiologique, exploration et gratification de soi-même. D'autres fonctions, par exemple la compensation d'une frustration sensorielle, le mécanisme de déplacement, la commercialisation (par la prostitution) ou la recherche et l'expression du statut du mâle, sont jugées négatives. Si la séparation du sexe de sa fonction procréatrice semble à Morris à la fois nécessaire et favorable, il est consterné devant l'abondance de cœurs brisés que suscite la séparation du sexe de sa fonction dans les liens du couple. Les êtres humains, constate-t-il, sont incapables de relations érotiques ou de promiscuité sexuelle accidentelles. La preuve de cette affirmation qui propose comme situation idéale le couple uni et pratiquement stérile est loin d'être scientifique.

> L'animal humain est fondamentalement et biologiquement une espèce fondée sur le couple. La fonction sexuelle dans la formation du couple est si importante pour notre espèce que nulle part en dehors de la phase d'accouplement l'activité sexuelle n'atteint régulièrement une plus grande intensité... C'est seulement lorsque les liens du couple ont été altérés ou rompus chez chaque partenaire que la copulation peut avoir lieu sans risque réel[15].

Morris explique la diminution de l'importance des rapports sexuels chez les couples établis par le fait qu'après avoir été lié par l'expérience intense de la phase initiale le couple est ensuite consolidé par une forme plus contrôlable d'interaction. Malheureusement pour Morris, la littérature occidentale abonde en exemples d'activité sexuelle extrêmement intense en dehors du couple établi, à tel point que la passion est essentiellement associée à l'adultère. Morris dirait qu'il s'agit de situations où le lien du couple a été altéré par un mariage de convenance ou par un autre défaut initial, mais il reste encore à expliquer le fait que le couple marié est en danger constant face à l'intensité de la relation adultère. Les couples qu'il a observés, qu'ils soient de l'espèce des goélands argentés ou des renards, ne sont pas soumis à cette menace et par conséquent ne représentent pas un schéma typique de la monogamie. Le danger de sa théorie est parfaitement démontré par l'argument scandaleux *ad hominem* qu'il utilisa pour s'opposer à l'avance à quiconque contesterait ses affirmations :

> Les individus chez lesquels le mécanisme de formation du couple s'est heurté à des difficultés ont parfois trouvé commode de prétendre qu'il n'y a pas d'instinct biologique de la formation du couple dans l'espèce humaine[16].

La possessivité et la jalousie ont une place prédominante dans le comportement des êtres humains, mais qu'elles puissent être justifiées par un besoin biologique est autre chose. La détresse que provoque le rejet après les rapports sexuels a bien d'autres causes que la simple frustration d'une pulsion biologique. Le plus paradoxal dans la théorie avancée par Morris, c'est qu'en restant convaincu que les êtres humains sont programmés pour vivre en couple comme de nombreuses autres espèces, dont très peu sont des primates, il affirme d'une manière tout aussi décisive qu'ils ne sont pas programmés pour la reproduction, sans pouvoir produire un seul exemple d'espèces où le couple survit à la stérilité.

Sans nul doute, les êtres humains, dans la mesure où ils sont une espèce animale, sont soumis à des besoins biologiques, mais leur statut en tant que déterminant du comportement est extrêmement difficile à évaluer parce qu'à leur programmation biologique simple se superpose un schéma culturel extraordinairement complexe. Bien que les réflexes conduisent à des actions involontaires parfois appelées instinctives, il n'existe pas de comportement instinctif en soi. Chaque créature peut être détournée de son schéma instinctif par des stimuli supranormaux et ces stimuli font partie de l'environnement normal de l'individu. Alors que les hypothèses extrêmes d'Ardrey et de Morris ne sont d'aucune aide pour décider ce qu'est un comportement humain raisonnable, et sont peut-être même erronées (par exemple dans l'affirmation que l'homme est de nature carnivore), l'observation plus modeste de Niko Tinbergen, dont dépend pour beaucoup l'éthologie humaine actuelle, doit être prise en considération :

> La motivation du comportement humain est matière à discussions. Ici encore, l'introspection est un obstacle à la compréhension : elle nous révèle seulement les phénomènes conscients subjectifs, alors que nous savons depuis Freud que des phénomènes non conscients d'une nature tout à fait différente interviennent également... L'accouplement chez l'homme, non pas sous la forme de l'accomplissement de l'acte, mais dans la phase préparatoire des rapports sexuels, prouve d'un point de vue éthologique qu'il dépend fondamentalement des hormones sexuelles et de stimuli externes, et c'est sur ces agents que notre capacité de rationalisation exerce une influence régulatrice[17].

Ce que nous avons appris de Freud n'était pas ce que les éthologistes voulaient que nous apprenions d'eux. Alors que Freud rejetait les explications verbales du comportement en tant que rationalisations, il explorait l'esprit, cherchant à expliquer la causalité des symptômes et des actions qu'il observait. L'éthologiste va au-delà de l'inconscient et du subconscient pour déterminer sa propre version du *Rassensinn* de Jung. L'axiome central de l'éthologie est que « le comportement caractéristique de l'espèce peut être observé de façon plus constructive dans une perspective d'évolution ». La programmation génétique résulte de l'expérience de toutes les générations passées, condensée et transmise à l'individu sous la forme de *motivations* occultes — le mot *instinct* ayant été rejeté comme trop général pour décrire le comportement d'une manière autre que tautologique[18].

> D'un point de vue téléologique, il ne suffit pas à un animal de se souvenir de toute son expérience passée. Le progrès dans l'adaptation que rend possible un comportement programmé génétiquement résulte d'un comportement acquis plus finement ajusté aux changements anticipés de l'expé-

rience de l'individu, tandis que celui qui est transmis génétiquement n'est que le résumé de millions d'années d'expérience de l'espèce... Il est probable que nous sommes génétiquement dotés d'un système qui permet d'évaluer l'expérience présente en fonction de sa valeur de survie[19].

La survie est donc une de ces motivations occultes et lorsque nos hormones se répandent en réaction à des stimuli externes que leur présence rend plus efficaces, l'antique désir de l'espèce s'accomplit, car le point ultime de l'inadaptation à la survie est « l'incapacité ou l'absence de désir de procréer[20] ». Les arguments dérivés des modèles informatiques sont plus sophistiqués que le vieux discours sur l'« instinct de reproduction », et leurs prémisses sont les composantes qui poussent le corps humain dans des voies dont nous sommes totalement inconscients, dans des directions que nous nous expliquons ensuite à nous-mêmes par des considérations plus ou moins hors du sujet. Lorsque nous sommes malgré nous attirés par quelqu'un à cause de son odeur, nous cherchons à nous convaincre que c'est la personne qu'il nous faut. « Il reste des caractéristiques des mammifères dans la sexualité humaine, et nous les sous-estimons peut-être[21]. »

Tinbergen croit, et il ne manque pas de preuves pour étayer son hypothèse, que l'homme est à présent dans une phase de désadaptation et de perte de viabilité, provoquées en partie parce qu'il n'a pas su modifier son comportement reproducteur pour compenser l'ingérence dont il a fait preuve dans le cours des choses en gardant les moins adaptés en vie. Cette ambivalence se ressent très fortement lorsqu'il décrit nos exploits :

> Les technologies médicales ont pleinement réussi à réduire à un minimum la suppression massive des cas d'inadaptation qui se rencontrent à chaque génération d'animal ou de plante, et *qui seule a permis une adéquation permanente*, c'est-à-dire la viabilité[22].

Les pressions morales conjuguées de notre époque l'obligent à donner son soutien au contrôle de la population comme traitement symptomatique de nos maux, même s'il reste conscient qu'il s'agit d'une ingérence encore plus grande dans le processus de la sélection naturelle. Il nie l'évidence pour faire entendre son postulat :

> L'éthologie est bien placée pour jouer un rôle dans le remaniement de notre environnement et de notre société, car après une phase dans laquelle elle mettait surtout l'accent sur l'aspect génétique de la programmation du comportement, elle atteint maintenant un stade où elle commence à déterminer l'interaction entre notre projet génétique et la flexibilité phénotypique, et à repérer les tensions qui distendent cette exceptionnelle flexibilité[23].

Permettons-nous d'abord, ainsi que le feraient les éthologistes, d'attaquer un « problème de comportement sous l'angle des séquences de la survie de l'espèce[24] ». Comme le disent les statisticiens, « les attitudes en matière de contraception ne se reflètent pas dans la pratique[25] ». Les gens ont tendance à avoir plus d'enfants qu'ils ne déclarent en vouloir. Le rapport national du Comité pour l'étude de la population en 1967-68 a découvert que 17 % de toutes les grossesses pour l'ensemble des mariages entre 1941-45 et 1961-65 étaient accidentelles, la proportion augmentant généralement avec le nombre des grossesses[26]. Le contraceptif idéal, nous a-t-on dit, ne doit avoir « aucun rapport temporel avec les relations sexuelles », car on ne peut compter sur la constance et la cohérence de la motivation. Chaque année, 780 000 adolescentes sont enceintes prémaritalement aux Etats-Unis, 680 000 de moins que si aucune contraception n'était utilisée ; mais si toutes les adolescentes ne désirant pas d'enfant avaient utilisé la contraception avec cohérence, on n'aurait compté qu'environ 467 000 grossesses[27]. Voilà qui pourrait être la preuve de l'interaction entre notre projet génétique et la flexibilité phénotypique. Il n'est alors pas surprenant d'apprendre que « l'ambivalence... et la contradiction sont les thèmes qui reviennent sans cesse dans la littérature des psychologues sur la contraception ». Les conséquences sont la peur, l'humiliation, le désespoir et la souffrance. Pour les psychologues traditionnels, les mauvaises utilisatrices de la contraception sont « immatures », « névrosées », « dépendantes », et « elles ont peu d'estime d'elles-mêmes ». Il serait peut-être plus profitable de se référer aux éthologues et de dire à ces jeunes filles, et aux femmes plus âgées dans le même désarroi, que leur programmation génétique présente un risque réel qui requiert toute leur vigilence.

Les freudiens traditionnels n'ont aucun besoin de l'interprétation éthologique de la programmation génétique pour expliquer l'échec de la contraception : le sentiment de culpabilité suffira à expliquer la violence du châtiment qu'on s'impose à soi-même en avortant, ou bien le masochisme (mais n'oublions pas que le masochisme féminin est en lui-même considéré comme une conséquence du rôle de la femme mise au service de l'espèce). Ce peut être une autre forme de suicide manqué destiné à attirer l'attention, une façon de blesser les autres ou de les influencer[28]. Les freudiens approuveraient les éthologistes sur un seul aspect du problème : dans ce domaine, il n'y a pas d'accident, et, comme Tinbergen, ils rejetteraient l'explication introspective.

Il y a vingt ans, un singulier gynécologue entreprit d'étudier soixante et un cas de femmes intelligentes, motivées, habituées aux méthodes contraceptives, qui vinrent le consulter après s'être exposées à la grossesse. Quarante d'entre elles étaient réellement enceintes, dix-sept seulement mirent leur bébé au monde à terme ; il y eut vingt-trois avortements, dont vingt provoqués (avec un taux de complications de 50 %). Après information, il découvrit que :

> Au moins vingt femmes, ou leurs partenaires, étaient en état de stress suscité par l'infidélité conjugale, une maladie grave, un décès, la peur de la stérilité, la panique de la préménopause, des fiançailles prolongées, un

désaccord religieux avec la contraception, la peur de rester célib
l'immaturité de l'un ou des deux partenaires[29].

La fonction de la grossesse dans de telles circonstances semblait évidente, aussi créa-t-il le terme « exposition intentionnelle à la grossesse non désirée » pour expliquer ce que les femmes lui présentaient comme un accident inexplicable. En acceptant d'avorter, elles prouvaient qu'elles ne désiraient pas, même dans leur subconscient, avoir un enfant, mais qu'il leur importait d'affirmer leur fécondité face aux forces négatives auxquelles elles étaient soumises. L'analyse freudienne pourrait expliquer ce phénomène sauf un point. A en croire les notes incomplètes de Lehfeldt, étant donné qu'il ne s'agissait pas d'une expérience contrôlée, un grand nombre de ces femmes avaient auparavant signalé un retard significatif de leurs règles ; quelques-unes prétendirent (et on les crut) qu'elles avaient oublié une seule fois d'utiliser leur diaphragme ; pourtant, même après un traitement hormonal, les deux tiers de ces femmes restèrent enceintes. Il n'existe pas de période ovulatoire chez la femme correspondant à celle que l'on observe chez les animaux. Les femmes qui veulent devenir enceintes doivent s'efforcer d'avoir des rapports sexuels aux jours dits, et se débrouiller avec le thermomètre et les examens de la glaire, mais deux sur trois des sujets étudiés par Lehfeldt sont tombés pile. Il nous reste à nous demander combien des 113 000 adolescentes américaines qui utilisèrent la contraception d'une manière incohérente en 1967 pourraient avoir suivi le même schéma, c'est-à-dire utiliser la contraception lorsqu'elles étaient infertiles, et avoir des relations sexuelles lorsqu'elles étaient fécondes. Certes, ma propre expérience m'a permis de constater que c'était un schéma classique. « A la minute où il a éjaculé, je me suis dit zut... mon diaphragme était resté sur la table de nuit. » Le syndrome est courant. Ce qu'il faut, c'est un examen objectif de l'échec de la contraception : la réaction biologique qui met en échec le planning familial serait peut-être moins puissante si nous savions qu'elle existe, mais ce pourrait également être le contraire.

Si nous acceptons qu'il reste en nous certaines caractéristiques des mammifères dans notre approche de la régulation de la fécondité, on peut également supposer leur présence dans d'autres contextes, spécialement lorsqu'il s'agit de contrôler la fécondité des autres. Irenaus Eibl-Eibesfeldt a déclaré : « Les cultures se comportent comme les espèces et peuvent être comparées comme telles[30]. » Sans aller aussi loin, nous devrions peut-être considérer que nous sommes en concurrence avec d'autres groupes pour transmettre nos gènes. Ce que nous redoutons en fait face à l'explosion des populations dans le monde, c'est que soit mise en danger la supériorité de notre sous-groupe et que notre survie en tant que groupe le plus fort, le plus riche, le plus avide et le plus nombreux sur la terre soit compromise. Certes, c'est ainsi que la minorité des races négroïdes pourrait considérer 1 757 000 000 individus de race caucasienne par contraste avec ses propres 217 000 000. Si nous avons montré fort peu de scrupules à provoquer la

stérilité dans notre propre groupe, nous nous sommes montrés franchement désinvoltes dans notre manière de traiter les minorités raciales chez
elles ainsi que les populations immigrées. Il fut choquant, sinon surprenant,
d'apprendre que les médecins qui faisaient des injections de Depo-Provera
en post-partum dans les hôpitaux londoniens opéraient exclusivement sur
des femmes asiatiques, sans leur consentement. On pourrait rapprocher
leurs explications des justifications données à l'échec de la contraception.

Si nous ne sommes, comme le suggère Wilson dans sa *Sociobiology*, que
le véhicule de nos gènes pour produire davantage de gènes,

> des mélanges conçus non pour encourager le bonheur et la survie de
> l'individu, mais pour favoriser la transmission maximale des gènes détermi-
> nants[31].

alors l'altruisme à l'égard de notre propre groupe génétique et l'égoïsme
envers les autres entrent en jeu. Si, comme le dit Eibl-Eibesfeldt, les
cultures dans la sphère humaine se relient les unes aux autres comme les
espèces dans le monde animal, les groupes humains seront en compétition
évolutive les uns avec les autres. Dans les sociétés tribales, chaque tribu
répugne à accepter la planification familiale de crainte d'être supplantée
par un autre groupe. Faire appel au bien commun pour venir à bout de leur
résistance est vain. La notion de bien commun universel est beaucoup trop
vague et implique un altruisme hors de portée du groupe protégé par
l'identité génétique, qui ne peut pas dépasser, semble-t-il, la famille, la
tribu, la race et occasionnellement la nation. L'observation montre que les
êtres humains contrôleront spontanément leur fécondité au service de la
survie de groupes déterminés auxquels ils ont le sentiment d'appartenir ;
mais si le groupe devient plus conceptuel que réel, la motivation faiblit. A
l'intérieur de cultures uniques, différentes classes peuvent mettre en question le droit de survie de chacun, parce que ce sont des « imbéciles notoires », des « bons à rien » ou des « profiteurs de la Sécurité sociale ».

Il paraît évident que la régulation de la fécondation ne peut être encouragée que par les membres d'une culture incitée à l'adopter. Elle doit
satisfaire ce groupe, augmenter sa capacité de survie, et se rapporter à des
résultats visibles plutôt qu'aux planifications des démographes. Tant que
l'action du planning familial consiste à faire pression pour encourager la
stérilité ou limiter la fécondité et qu'elle est menée par des étrangers, elle
restera suspecte ; et pas seulement dans les sociétés tribales qui ont un
passé d'antagonisme mutuel. En réalité, la promulgation du contrôle de la
fécondité par des étrangers pourrait désorganiser la régulation de la fécondité endogène et même être néfaste à la limitation de la famille uniquement
parce qu'elle vient de l'extérieur.

Plus attristant encore, l'analyse éthologique du comportement humain
semble impliquer que l'antagonisme racial est un élément indestructible.
Quand les politiciens africains et asiatiques accusent les apôtres du planning
familial d'intentions génocides, on les considère comme des charlatans sans

scrupule, insensibles à la détresse de leurs populations croissantes prises dans un cercle vicieux de malnutrition, d'instruction insuffisante et de chômage. Leur peu d'enthousiasme à donner suite aux programmes mis en place par les associations internationales et à accepter le contrôle démographique soulève l'indignation ; mais il faut aussi se souvenir que toutes les petites nations qui luttent pour survivre ont un idéal de croissance et d'expansion que le groupe le plus riche et jusqu'à présent le plus expansionniste dans le monde ne peut rejeter. Teilhard de Chardin, l'un des penseurs les plus subtils et les plus originaux de notre époque, considérait que l'homme est un phénomène caractérisé par l'accroissement et l'expansion :

> Depuis le paléolithique, et surtout le néolithique, l'homme avait toujours vécu en régime d'expansion : croître et se multiplier étaient pour lui une même chose[32].

Ne nous étonnons pas si les races minoritaires ont le désir de s'élargir au-delà des limites que la majorité voudrait leur imposer : elles peuvent même prendre notre remarquable réussite pour modèle.

Les partisans des idées de Wilson doivent en conclure, comme l'indique Tinbergen, que la race dominante est intervenue dans le processus de la sélection naturelle au point de compromettre gravement sa viabilité. En gardant les inadaptés en vie et en les laissant se reproduire dans la même proportion que ceux qui ont une bonne constitution, nous avons entravé la possibilité d'une amélioration génétique et institué à la place une sorte de stase biologique. Parce que notre accroissement exponentiel a été stoppé momentanément, pour des raisons inhérentes à nos modes de vie et non par suite d'un altruisme général, nous manifestons un besoin urgent d'imposer un ralentissement aux autres groupes chez lesquels les mêmes considérations ne sont pas déterminantes. En fait, nous sommes à la merci de groupes philoprogénistes dont nous ne pouvons que menacer l'expansionnisme notoire avec notre technologie meurtrière. Il n'est pas impossible qu'ils relèvent notre défi.

Le déclin de notre fécondité, la fréquence de comportements aberrants comme la « déviation compulsive » du comportement sexuel « vers des voies non reproductrices et apparemment inappropriées[33] » et l'augmentation du stress qui découle de notre mode de vie urbain hyperactif pourraient être considérés, disons par un éthologiste musulman, comme une inadaptation fatale à notre survie. Ce qui nous paraît de l'irréalisme moyenâgeux dans la politique économique de l'ayatollah Khomeini peut au contraire être un programme de survie génétique. Le puritanisme (dans la proscription de tous les stimuli anormaux), le ruralisme et le philoprogénisme codifiés par le *djihad,* aussi détestables qu'ils puissent nous sembler, prennent une signification d'un point de vue éthologique. Que la plupart d'entre nous préfèrent mourir que vivre sous un semblable régime ne fait que confirmer cet argument.

Considérer que tout comportement humain fondé sur des principes n'est que pure hypocrisie masquant des impératifs génétiques est évidemment absurde ; les êtres humains ne sont pas simplement des transmetteurs d'information génétique de génération en génération, et le ralentissement est propre aux groupes humains. Les hommes se sont toujours efforcés de trouver un équilibre entre eux-mêmes et leur environnement ; la difficulté à notre époque consiste à former un concept clair d'un environnement qui change si rapidement, et d'orchestrer ensuite les réactions humaines en accord avec lui. Nous ne formons pas une société uniquement composée de sédentaires mangeurs de protéines et de féculents, coincés entre le stress et l'obésité, pas plus que nous ne sommes tous des jouisseurs pour qui le sexe n'est qu'un divertissement. La famille universelle réduite à deux enfants ne sera jamais une réalité, entre autres parce que l'infécondité augmente, démontrant que les forces de la sélection naturelle restent encore en jeu. L'obésité et le stress ont un effet désastreux sur la fécondité.

Nous pouvons tirer des leçons de nos erreurs, et c'est pourquoi les éthologistes prennent la peine d'exprimer leurs préoccupations. L'importance attachée à la reproduction a basculé en faveur d'une limitation sévère des naissances durant les vingt dernières années, mais notre vénération pour la fécondité demeure. Même si nous avons fait de la maternité une condition profondément déshéritée et conflictuelle, les femmes n'ont pas cessé de l'accepter. Celles qui apprécient sa récompense suprême surpassent en nombre celles qui la dénigrent. Alors que nous affichons notre indifférence devant la stérilité involontaire des autres peuples, probablement fondée sur l'égoïsme génétique, nous mettons tous nos efforts à lutter contre la stérilité involontaire qui apparaît dans notre propre société, pourtant plus difficile à traiter que dans des sociétés moins évoluées.

La vitalité du désir de se reproduire, même dans les sociétés industrielles, est démontrée par le refus de se résigner à la stérilité involontaire. Un nombre toujours croissant de médecins se spécialisent dans le traitement de la stérilité, accomplissant toutes sortes d'interventions délicates sur des malformations utérines, souvent dans des circonstances contre-indiquées aux yeux des pédiatres. Les spécialistes de la fécondité tirent leurs critères du bilan de leurs patientes, mais face au désespoir d'une femme, ces critères sont souvent négligés. Le cynisme nous ferait dire que les médecins ne tentent pas aussi sérieusement qu'ils le devraient de détourner leurs patientes d'interventions coûteuses et sophistiquées, mais ce n'est pas la raison principale. Les médecins eux-mêmes veulent participer au triomphe sur la stérilité, et tant qu'on n'en sait pas plus sur le passé médical des femmes qui ont recours à ces interventions, un médecin qui a déconseillé à une femme de subir une intervention longue, compliquée et ne lui laissant qu'une petite chance de concevoir, a toutes les chances de se voir remplacé par un confrère plus encourageant. Il n'en reste pas moins que les nullipares âgées subissent volontairement une chirurgie tubaire de quatre ou cinq heures et une myomectomie — alors qu'une hystérectomie aurait mieux convenu à leur cas et à leur âge — pour accroître des chances de concevoir, de toute façon faibles. Il n'est pas inhabituel d'entendre un chirurgien raconter qu'une de ses patientes, enfin enceinte après des années de traitement, a avorté.

Ces méthodes sophistiquées ne sont en fait que la version élaborée des rites de la fécondité en usage depuis des temps immémoriaux chez les femmes dans le monde entier. En Inde, les femmes d'un niveau culturel élevé, qui ont eu des enfants et pratiquent peut-être la contraception, portent encore un anneau de fer enroulé autour du second orteil de chaque pied, d'après la tradition directement relié à l'utérus. Oter l'anneau consisterait à mettre en péril les probabilités de descendance par un acte choquant susceptible d'attirer le pire des mauvais sorts. Des millions d'Indiennes portent un mangal sutra pour désigner leur statut de femme mariée : le collier est aussi un symbole priapique. S'il se rompait, la femme devrait s'aliter jusqu'à ce qu'il soit réparé, coutume qui est de moins en moins honorée. Les nombreux rituels attachés au mariage contiennent tous des images de fécondité : noix de coco placées sous le palu de la mariée, palmes de bananier suspendues au-dessus de la porte d'entrée, aspersions d'eau, etc[34]. Avant de condamner de telles pratiques, il faudrait nous demander pourquoi les jeunes mariées occidentales portent encore des fleurs pour se rendre à la mairie.

Si les hommes acceptent difficilement la vasectomie et les femmes la stérilisation irréversible, il faut peut-être y voir un rapport avec l'importance de la fécondité nationale, même pour ceux qui ne veulent pas d'enfants. Lorsque l'on demande à des femmes qui ne veulent pas d'enfants pourquoi elles ne se font pas stériliser au lieu de se débattre avec diverses méthodes de contraception, elles ont ce genre de réponse évasive, « on ne sait jamais », qui de la part de celles ayant plus de quarante ans paraît pour le moins étrange. Comme si leur fécondité leur offrait une prise sur l'avenir, une chance de vaincre la dissolution et la déchéance, même en théorie. Toutefois, dire que l'attachement de l'homme à la notion de fécondité est irrationnel consiste à laisser entendre qu'il pourrait être névrotique ; s'il est également biologique, il est probable qu'il persistera en dépit de toutes les incitations à ne pas avoir d'enfants. Il n'est pas incompatible avec l'avortement, car la grossesse remplit la fonction essentielle de confirmer la fécondité ; la décision de mener une grossesse à terme dépend de facteurs plus complexes. On pourrait considérer que la fréquence élevée de grossesses non désirées chez les adolescentes n'est pas sans relation avec un désir inconscient de vérifier la fécondité avant de prendre les mesures nécessaires pour la supprimer.

Margaret Mead considérait que le pouvoir d'engendrer était plus fort chez les femmes que chez les hommes, mais elle parlait du pouvoir de mettre au monde et d'élever des enfants, ce qui n'est pas la même chose. La sexualité masculine semble « à l'origine, n'être axée que sur la seule éjaculation » :

> C'est dans l'enfance que les hommes doivent apprendre à vouloir engendrer, aimer et nourrir des enfants, maintenir une société où ils ne sont pas

seulement défendus contre l'ennemi, mais où leurs besoins sont satisfaits. Les femmes, de leur côté, doivent apprendre à ne vouloir des enfants que dans les conditions prescrites par la société... Les filles peuvent certainement apprendre à ne pas vouloir d'enfants mais c'est toujours, semble-t-il, sous l'influence de la société[35].

Si nous acceptons la description en trois parties de la sexualité telle que la présente Beach, libido, virilité et fécondité, il faudrait plutôt considérer la sexualité des hommes centrée sur la libido et la virilité, et celle des femmes sur la fécondité, si ce n'est que les hommes acceptent moins facilement que les femmes l'éventualité de leur stérilité. Les hommes semblent plutôt partagés entre le désir d'engendrer des enfants et la volonté de prendre part à la responsabilité de leur éducation. On pourrait par conséquent dire que les hommes ont renoncé à la satisfaction antisociale de voir combien d'enfants ils sont capables de procréer, pour afficher le désir d'être activement mêlés à l'éducation du peu qu'ils engendrent. Ce que dit Margaret Mead des filles est aussi valable pour les garçons.

> ... nous ne sommes pas en mesure d'affirmer que ces activités où la femme a trouvé satisfaction, en dehors de la maternité, sont des activités qui subliment le désir de la maternité. Nous ne savons pas encore jusqu'à quel point une petite fille ou un ensemble de petites filles données peuvent apprendre à *ne pas* désirer d'enfants[36].

Le groupe le plus menacé dans les sociétés humaines, comme dans les sociétés animales, est le mâle célibataire : le célibataire a plus de chances de se retrouver en prison, à l'asile ou mort que son homologue marié[37]. Il a moins de chances d'obtenir de l'avancement et on le considérera plus facilement comme un risque bancaire. On pourrait supposer que sa fragilité est la conséquence d'une frustration sexuelle, mais en réalité il est peu probable qu'il en souffre et elle sera apparemment bien supportée par la plupart de ceux qui adoptent consciemment ce mode de vie. Pour le mâle célibataire qui n'a pas la possibilité de se reproduire — et qui en est conscient — il est possible que cela crée une situation plus perturbante. Un médecin anglais, découvrant qu'il était azoosperme, se crut capable de l'accepter aisément, mais il ne put en fait affronter la réalité et sombra dans la dépression.

Nous ne sommes pas en mesure d'évaluer l'importance de la fécondité dans un milieu socioculturel très élevé, où la notion de vie sexuelle saine est liée au plaisir, affranchie des désirs sadomasochistes et de la culpabilité, et concentrée sur la tendresse et la satisfaction. Il semble pourtant que le rapport existe. Extrapolant à partir de nos comportements, nous affirmons volontiers que les paysans sont avant tout désireux de prendre du bon temps au lit et que leur nombreuse progéniture est un effet secondaire de leurs ébats ; mais pour de nombreuses sociétés agraires, le concept de fécondité est beaucoup plus important que le plaisir sexuel. Dans les sociétés où les femmes sont choisies par la famille du mari, où l'amour tient peu de place et où joue une ségrégation rigoureuse, le but de la cohabitation n'est pas le plaisir, mais la fécondation.

Pour les Etoros en Nouvelle-Guinée,

> ... une copulation excessive et des relations sexuelles qui n'engendrent pas d'enfant épuisent un homme pour rien. Une femme qui encourage, séduit ou entraîne son mari dans une copulation inutile — dont lui seul souffrira — joue le rôle nuisible de la sorcière. Elle assouvit égoïstement son appétit sexuel, sachant qu'elle fait du tort, peut-être même avec une mauvaise intention[38].

Margaret Mead conclut ainsi son étude sur la reproduction humaine :

> ... pour prévoir et discipliner les possibilités amoureuses, pour établir un compromis entre le nombre d'enfants qu'on a appris à désirer et le nombre qu'on peut se permettre d'avoir, de façon qu'aucune couche de la population ne subisse de pression psychologique qui l'incite à ne pas avoir d'enfants, pour qu'aucune vie à son début ne finisse sous les pieds des dieux aveugles, il faut plus de savoir et un code de relations humaines plus subtil et plus élaboré que tout ce que l'humanité a conçu jusqu'à ce jour[39].

Margaret Mead écrivait ces lignes en 1948, avant que la panique créée par l'accroissement mondial de la population n'ait poussé des gens bien intentionnés à suggérer que l'on pratique la stérilisation forcée, ou que l'on délivre des autorisations pour la reproduction. Le critère de la maturité a toujours été la capacité de mettre des enfants au monde, l'autorité est reliée au fait de les avoir mis au monde ou d'agir en tant que parent. La lutte pour réglementer le pouvoir des parents a été l'un des moyens pour les nations de développer et d'exercer leur sens moral, de prendre des décisions vitales et d'adopter des lignes de conduite qui pesèrent très lourd tant en souffrances physiques que morales. Imposer des institutions qui obligent l'individu à suivre les prérogatives morales des autres consiste à nier son libre arbitre et à dégrader l'être humain plus encore que ne le faisaient ceux qui jetaient les nouveau-nés de sexe féminin sous les sabots des buffles.

On ne peut établir l'importance de la fécondité dans une étude aussi brève, mais il en ressort quelques idées. La première est que la notion de fécondité est le fondement de nombreux systèmes moraux humains, y compris le nôtre, bien que dans une forme fragmentaire et résiduelle. L'organisation de la fécondité est un aspect essentiel de la maturité et c'est l'expression principale de notre altruisme envers nos propres groupes : si une telle organisation, qui est faillible et doit le rester tant que les êtres humains continueront à exercer leur libre arbitre, est prise en charge par un pouvoir officiel, il en résultera l'infantilisation et la dégradation de notre espèce.

Si nous devons survivre à ce seul prix, il vaudrait peut-être mieux ne pas survivre. Il en ressort également que nous sommes intervenus dans le comportement reproducteur de groupes étrangers pour des motifs contestables et, plus encore, que les impératifs biologiques cachés qui inspirent notre hostilité envers l'accroissement des autres inspirent également notre propre échec à nous contrôler. Si nous laissons les radiations, la pollution chimique, des maladies vénériennes non traitées, des interventions chirurgicales effectuées au nom du bien commun détruire la fécondation des autres peuples, nous n'avons pas le droit de plaider l'innocence. Il s'agira d'un péché par omission du fait que nous sommes simplement inattentifs aux manifestations de leur angoisse, ou d'un péché par commission du fait que nous encourageons activement les programmes dont ils sont victimes, surtout si nous les finançons. L'existence réelle d'un état d'urgence ne justifierait pas de détruire le pouvoir de l'individu de se reproduire s'il ne l'a pas véritablement voulu ; croire qu'un tel état existe ne permet évidemment pas d'exploiter la pauvreté et l'ignorance en persuadant les déshérités d'accepter la destruction de leur fécondité. Une telle destruction peut être la conséquence de l'ignorance, de la négligence ou de la maladresse, mais rien ne peut en aucun cas la justifier.

3
La malédiction de la stérilité

> O vent de Tizoula, O vent d'Amsoud !
> Souffle sur les plaines et sur la mer,
> Porte, oh ! porte mes pensées
> Vers lui qui est si loin, si loin,
> Et qui m'a laissé sans un petit enfant.
> O vent ! Rappelle-lui que je n'ai pas d'enfant !
>
> O vent de Tizoula, O vent d'Amsoud !
> Souffle au loin ce désir de richesse
> Qui fait partir nos jeunes hommes
> En oubliant les filles qu'ils ont épousées, leurs mères
> Et les vieux restés au village.
> O vent ! Rappelle-lui que je n'ai pas d'enfant !
>
> *Chant berbère*[1].

« Donne-moi des fils ! dit Rachel à Jacob. Donne-moi des fils ou je meurs[2]. » Jacob a travaillé quatorze ans pour Rachel, et il l'a toujours aimée plus tendrement que sa sœur aînée qui lui a donné quatre fils, mais cet amour ne peut consoler Rachel de son échec. Elle se sent étrangère dans sa maison.

Des millions de femmes en Asie et en Afrique se trouvent dans une situation bien pire que celle de Rachel. Etrangères chez leur mari, elles s'installent dans une maison dirigée par leur belle-mère, déchirées entre le désir d'être acceptées comme un membre de leur nouvelle famille et l'attachement qu'elles portent à leur propre mère et à la maison où elles ont grandi. Les mères regardent partir leur fille en pleurant ; elles s'arrachent les cheveux, prient Dieu qu'elles soient bien traitées, que leurs grossesses soient faciles et ne se suivent pas de trop près. Le pire des malheurs serait qu'une fille ne puisse concevoir, car cela amènerait son mari à prendre une autre femme ou à divorcer, et elle-même à revenir vivre en qualité de servante dans la maison de sa mère, ou à trouver un autre homme moins riche[3]. La stérilité est pour beaucoup de peuples liée au péché, et particulièrement au péché sexuel. Si les enfants sont le don de Dieu, ne pas avoir d'enfants est un châtiment de Dieu.

De nombreuses sociétés associent la débauche sexuelle à la stérilité, avec quelques raisons, comme nous le verrons plus tard. C'est un syndrome que l'on observe chez les Hamadshas, par exemple, qui manifestent le plus grand dégoût pour les femmes dont le vagin est humide, sans doute parce qu'ils confondent les signes du désir féminin avec ceux de l'infection, cause fréquente de stérilité lorsqu'elle n'est pas soignée.

> Certaines femmes en *jidba* (transe) sont contraintes d'imiter les cochons. Elles poussent des cris, grognent, se vautrent dans la boue... Hommes et femmes dans l'assistance la regardent avec dégoût. On dit qu'elle est *marja* (littéralement, marécageux ou détrempé), qu'elle a un vagin humide... Il est impossible de déterminer si l'humidité en question est due à la sécrétion humorale du vagin durant les rapports sexuels ou à une condition pathologique. Etant donné que la plupart de mes informateurs mâles préféraient éjaculer le plus rapidement possible après la pénétration, sans se préoccuper de l'orgasme de leur partenaire, peut-être faisaient-ils allusion à la lubrification vaginale d'une femme en état d'excitation[4].

Il est plus probable que chez les Hamadshas, trop extrêmes pour être représentatifs de nombreux groupes arabes, la présence de la maladie ait eu une influence sur le développement d'attitudes puritaines à l'égard des rapports sexuels ; la gonococcie, par exemple, serait « provoquée par la remontée du sperme dans les reins si l'homme oublie d'uriner après avoir fait l'amour » (si l'on peut appeler ainsi leurs rapports sexuels), ce qui semble indiquer la miction comme une prophylaxie grossière et facile. Dans les sociétés qui pratiquent la ségrégation sexuelle, où les femmes sont des intruses et où des rapports affectueux s'expriment essentiellement au cours de relations charnelles plus ou moins homosexuelles, les maris ne prennent une femme que pour assurer leur progéniture. Si une femme ne peut pas concevoir, ses liens avec son mari et avec la famille de son mari ne seront jamais consolidés ; tandis que si elle est enceinte, elle pourra revenir dans la maison de sa mère pour la naissance, et donc profiter du meilleur des deux familles.

Lorsque la luxure est associée à la stérilité, la virginité et la pudeur sont liées à la fécondité. Les femmes qui affichent leur sexualité, entraînant les hommes à gaspiller leur précieuse semence dans des ventres stériles, personnifient la mort, la maladie et le diable dans le monde entier. Pour les Balinais,

> la beauté des femmes stériles peut se charger de tant de signification pour tout un peuple que la sorcière est définie comme une femme dont la fille n'a

pas trouvé à se marier... et qui, pour se venger, entraîne de belles petites filles asexuées à semer la mort[5].

La détresse de la femme sans enfant dans la plupart des sociétés préindustrielles est à peine exagérée. Peu de mots suffisent à Hamed Ammar, lorsqu'il décrit le village égyptien de Siloua dans la province d'Assouan, pour donner une image d'une infinie tristesse :

> ... il y avait dix femmes sans enfants dans le village et tout le monde les connaissait... deux d'entre elles vivaient avec leurs maris qui avaient pris une seconde femme.

La beauté des femmes infertiles était considérée comme un mauvais présage. Les villageois disaient :

> Une femme sans enfant ressemble à une chamelle infertile qui engraisse et rajeunit chaque jour ; mais stérile, elle ne sera jamais la fierté de son mari. Elle est la honte de sa famille[6].

En Inde, « une femme sans enfant est une invitée néfaste à un mariage ou à la cérémonie du *chauk* (baptême) ».

Rien de ce que fera une femme sans enfant ne pourra compenser qu'elle a échoué dans son rôle principal. Elizabeth Warnock Fernea fut frappée par la détresse de Fadhila :

> Fadhila était vigoureuse et séduisante, avec ses bras robustes, ses yeux brillants et un rire éclatant qui gagnait même les vieilles femmes les plus sévères... Son drame était de ne pas avoir d'enfant... en dépit de son énergie et de sa santé, Fadhila était inapte en tant que femme et en tant qu'épouse[7].

Au kraya des femmes, le jour du ramadan, la femme mollah humilia volontairement Fadhila en lui demandant si elle était enceinte.

> « Pourquoi ne l'es-tu pas ? » demanda la mollah.
> Fadhila, visiblement bouleversée, murmura : « Seul Dieu le sait. »
> La question me parut cruelle, car Fadhila avait été mariée pendant sept ans et tout le monde au village savait qu'elle était stérile.
> Lorsque l'Américaine partit, Fadhila la supplia : « Envoie-moi un sortilège d'Amérique pour que je puisse avoir un enfant[8]. »

Elle ne pouvait savoir que les sortilèges en Amérique ne valent après tout pas mieux que les vieilles sorcelleries ; ils peuvent surtout stériliser ce qui est fécond. L'aide internationale n'a jamais permis à ceux qui n'ont pas d'enfants d'en avoir, si ce n'est lors d'une brève période, lorsque la Fondation Ford, gênée par l'hypocrisie transparente de l'euphémisme « planning familial », ouvrit une clinique pour traiter la stérilité dans le Maharashtra qui attira des couples venus à pied de centaines de kilomètres à la ronde.

Il n'y a pas de meilleur exemple du mépris de la race caucasienne pour les autres peuples que la propension à les qualifier d'hyperféconds, capables de se reproduire « comme des lapins ». La vérité est qu'il existe des millions de femmes dans le cas de Fadhila.

Trop peu de responsables des services sociaux prennent conscience de la souffrance engendrée par la stérilité. Une assistante sociale indienne du planning familial dans les bas quartiers de Ladoghar à Chembur, près de Bombay, fut stupéfaite de découvrir que toutes les femmes voulaient avant tout qu'on leur expliquât comment soigner leur stérilité. A chacune de ses réunions, elle entendait la même supplication, « Emmène-nous voir le docteur, *bai*, pour que nous puissions avoir des enfants. » Malgré l'habituelle kyrielle de problèmes de santé propres aux déshérités et dont elles souffraient toutes, elles n'avaient que faire d'être soignées pour des maux de dents, d'yeux ou de pieds ; elles demandaient inlassablement un traitement pour la stérilité. Venue dans le but de leur apprendre les méthodes de la contraception et les avantages de la stérilisation, cette femme comprit leur insistance en apprenant que leurs maris avaient pris ou les menaçaient de prendre une autre femme. Elles venaient toutes de la même région du Maharashtra, et il était probable qu'elles souffraient d'une pathologie propre à leur groupe. L'Association pour le planning familial en Inde l'aurait sans doute aidée à ouvrir une consultation pour la stérilité, mais lorsque j'ai quitté l'Inde, deux mois après lui avoir parlé, elle n'avait encore pris aucun contact[9].

Les centaines de millions de dollars dépensés chaque année pour les programmes de régulation des naissances ont fini par aboutir à une diminution de la croissance démographique ; personne ne va s'amuser à compromettre leur coûteuse et incertaine efficacité en réservant des fonds nécessaires à la recherche et à la lutte contre la stérilité et la fertilité diminuée. Pourtant ne pas le faire peut aller à l'encontre des tentatives que nous menons pour persuader ces mêmes groupes d'accepter nos notions de contrôle. Lorsque ne pas avoir d'enfant est cause d'humiliation et de chagrin (tandis que la « pression démographique », si elle existe, ne se perçoit en rien de la même façon), il semble évident que nous devrions justifier notre position en nous efforçant d'apporter un remède à la stérilité. Un enfant désiré pour une femme stérile nous gagnerait plus de confiance que mille affiches vantant l'adorable famille de deux enfants.

Le Dr Indumati Parikh, à la tête d'un groupe de femmes dans les bas quartiers de Dadar, à Bombay, se fixa un ordre de priorité judicieux destiné avant tout à « permettre aux femmes dans les régions déshéritées de vivre en bonne santé ». Pour qu'elles cessent de croire Dieu responsable de la naissance d'enfants non désirés et de la stérilité,

il fallait enseigner aux femmes ce qu'était la reproduction, mais aussi savoir soigner au moins quelques cas de stérilité. Nous avons introduit le DIU (dispositif intra-utérin) en 1965, et la pilule contraceptive en 1968 dans notre programme, et nous commençons à traiter les cas de stérilité. Quelques succès nous ont donné un *locus standi* permanent dans le pays et ont facilité la propagation du planning familial[10].

Présenté d'une façon aussi raisonnable, le rapport des idées semble évident, mais il ne l'est pas aux yeux des organisations qui subventionnent des programmes comme celui-là et ne manqueront pas d'arguments pour prouver que l'argent et le temps placés sur les cœurs et les esprits est de l'argent jeté par la fenêtre.

Les Barmas du Tchad offrent l'exemple typique d'un groupe pris dans un cercle vicieux de stérilité. En 1970, ils comptaient seulement 34 500 âmes. Dans deux villages étudiés, 25 % des femmes à l'âge de la maternité étaient classées comme stériles.

> Les Barmas sont douloureusement conscients de leur stérilité ; pour eux, « une femme sans enfants est comme un arbre sans feuilles[11] ».

Leur société approuve l'activité sexuelle pour les hommes adultes, mais la nécessité d'avoir une femme fortunée signifie que peu de jeunes peuvent se marier. Par suite de rapports sexuels désordonnés, beaucoup d'entre eux contractent la gonococcie avant de prendre une épouse que leur maladie rend stérile ; le mari demande alors le divorce, elle doit chercher un autre compagnon, et transmet ainsi l'infection, perpétuant le cycle de la stérilité. Dans les sociétés aux systèmes familiaux complexes, la stérilité peut provoquer la destruction du groupe culturel et sa disparition.

En 1951, 49 % des femmes de la tribu Murut, au nord de Bornéo, étaient stériles. Plus de 30 000 en 1921, les Muruts n'étaient plus que 19 000 vers 1951. Leurs conditions générales de santé et de nutrition étaient mauvaises ; aux effets du paludisme, de l'ankylostomiase et du goitre endémique s'étaient ajoutés ceux de la gonococcie, résultant probablement du système de travail qui obligeait les hommes à partir dans des plantations de caoutchouc éloignées. De telles conditions ont amené des centaines de groupes dans le monde colonisé au seuil de l'extinction. Pygmées, Bushmen, Hottentots, Nzakaras, Bediks, Todas, Bubis, Tasadays, Kaingangs, Arhuacos, Caucas, Aches, sont quelques-uns de ces peuples et tribus dont on pourrait conter la même histoire[12].

On pourrait en dire bien davantage si le planning familial et autres services d'assistance sociale étaient conscients de l'étendue de la stérilité et des souffrances qu'elle engendre. Leur propension à l'ignorer semble indiquer un fâcheux parti pris. Un médecin accompagné d'une anthropologue visita des villages du Banjar, district de l'Himachal Pradesh, en 1976, dans le but de faire un rapport sur l'utilisation de la contraception. Sur les cent femmes qu'ils interrogèrent, vingt-sept avaient des familles « incomplètes », c'est-à-dire sans enfant. Des deux cent quatre-vingt-deux enfants nés de ces cent femmes, quatre-vingt-dix étaient morts, et chez les brahmanes la mortalité infantile atteignait 35 % ; 61,5 % des femmes avaient des familles plus réduites qu'elles ne le désiraient. Pourtant le Dr Kaul et Mlle Kala ne ressentirent pas le besoin d'analyser la détresse qui se cachait sous leurs statistiques ni d'en chercher la cause : ils poursuivirent imperturbablement leur mission, affirmant qu'un taux surprenant de 16 % des femmes interrogées utilisaient des moyens anticonceptionnels[13]. Un tel aveuglement de la part de professionnels ne peut que minimiser le problème ; la réticence des femmes sans enfant à se laisser interroger va de pair avec le manque d'intérêt dont font preuve les enquêteurs.

Les médecins qui travaillaient dans le Ludhiana, district du Pendjab, entre 1951 et 1965, ont rapporté une incidence extrêmement faible de la stérilité, de l'ordre de 3 %. Ce chiffre s'explique en partie par leur indifférence à l'égard de la stérilité et des femmes qui n'avaient pas d'activité sexuelle — il est à noter, par exemple, qu'aucune femme divorcée ne fait partie de leur échantillon. D'autres enquêtes indiennes ont établi des chiffres différents : en 1963, Andrew Collver a rapporté qu'environ 22 % des familles n'avaient pas de descendant mâle ; de cette proportion, 18 % avaient une fille, et le reste était sans enfant[14]. Cela s'accorde avec l'échantillon de population n'ayant jamais pratiqué de planning familial étudié par Ranajit Dutta en 1976, où 57,3 % étaient féconds, 25,6 % avaient une fertilité diminuée avec une seule naissance vivante, et 17,1 % étaient stériles[15]. Dans ce cas, l'incidence de la stérilité dans une communauté agricole fixe et organisée du Pendjab, où les rapports sexuels extraconjugaux étaient virtuellement inexistants, peut avoir été beaucoup plus faible qu'elle ne l'est en Inde dans son ensemble ou dans les sociétés évoluées occidentales, où l'on estime que le nombre des couples stériles se situe entre 10 et 20 %, et qu'il va en s'accroissant.

Parlant des Etats-Unis en 1978, S.J. Behrman faisait remarquer :

> Pour quatre-vingt-cinq couples mariés qui mettent au monde un nouveau-né, il en est quinze dans ce pays qui ne peuvent pas concevoir[16].

Le mariage est loin d'être universel dans la société occidentale ; les quinze couples incapables de concevoir sont à ajouter aux 20 % qui en premier lieu ne se marient jamais, si l'on veut se faire une idée exacte de l'absence d'enfants. Néanmoins, c'est uniquement en Occident que la stérilité est prise au sérieux.

> Les millions de couples involontairement stériles présentent un problème social aigu. L'infertilité a une action considérable sur les relations personnelles d'un couple et par conséquent sur sa santé mentale et physique, et elle peut influencer son statut social et économique[17].

Ceux qui ont fait du combat contre la stérilité le but de toute leur vie auront du mal à comprendre que, dans une société où les enfants n'ont pas de fonction socio-économique et où la paternité et la maternité n'apportent aucun privilège spécial, les individus qui ne se résignent pas à être stériles sont des névrosés. Cette confusion les empêche d'évaluer l'importance des facteurs psychogéniques dans la stérilité.

> Eisner a découvert que les femmes stériles montraient plus de troubles réactionnels dans le test de Rorschach. Carr a établi qu'il y avait plus de névroses, de psychodépendance et d'angoisse chez les femmes stériles. Grimm a démontré une augmentation de l'instabilité émotionnelle, de la dépendance, de la tension, des sentiments d'agressivité et de culpabilité chez les femmes qui ont des avortements à répétition comparativement à celles qui n'avortent pas. Platt et ses assistants ont observé que les couples infertiles ont l'impression de ne pas contrôler les événements qui surviennent dans leur vie[18].

Et ainsi de suite. Que le dénouement heureux de la grossesse puisse guérir un ou la totalité de ces symptômes est extrêmement douteux ; lorsque la stérilité est cause d'une épreuve réelle, il semblerait d'autant plus justifié d'engager un effort considérable pour lutter contre elle. Or, la femme en Occident peut dépenser une fortune, endurer des interventions chirurgicales répétées dans le but d'attendre un enfant, tandis que la femme de milieu rural pauvre doit se résigner à son malheur. Les administrations internationales engagent des fonds énormes pour tenter de convaincre les individus féconds que le « locus déterminant des événements de leur vie » est « intérieur » à eux-mêmes, sans se soucier de leurs voisins stériles et impuissants à changer leur triste destin. Si nous devons convaincre des gens que nos méthodes de contrôle sont plus efficaces et plus adaptées aux besoins de l'individu que les leurs, il faut nous attaquer aux deux aspects du problème.

Les démographes, anxieux de réduire le nombre des variables dans leur domaine éminemment variable, traitent la fécondité naturelle de l'homme comme une constante. En fait, la fécondité naturelle de l'homme fluctue et, dans certaines circonstances, fluctue de manière imprévisible.

Peu de gens naissent stériles. La stérilité congénitale peut toutefois se développer. Les fils et les filles nés après traitement au diéthylstilbestrol (DES) de la mère ont eu une fertilité diminuée. Une étude récente en Caroline du Nord, menée sur un échantillon de filles nées des cinq à sept millions de femmes qui avaient pris ce médicament (sans raison valable), a établi que seulement 45 % de celles qui tentèrent d'être enceintes furent capables de mettre un enfant au monde à terme. D'autres groupes d'enfants DES avaient des possibilités de grossesse réduites et certains un terrain favorable au développement d'un cancer génital. On a longtemps supposé que la fécondité des hommes qui s'étaient trouvés en contact avec des défoliants, utilisés en temps de guerre ou de paix, avait été détériorée ; il est encore trop tôt pour savoir si la fécondité de leurs enfants en a également souffert. Les conséquences de l'explosion de la bombe atomique à

Hiroshima et à Nagasaki sont connues, mais on en sait moins sur la fécondité future des Esquimaux d'Alaska :

> Les enquêtes sur les radiations dans sept villages en Alaska ont montré que les Esquimaux ont beaucoup plus de césium 137 radioactif dans leur organisme que le reste de la population de l'Amérique... Plus de 700 Esquimaux ont été examinés par compteur portable. Dans le village d'Anaktuvuk Pass, la moyenne des adultes avait 450 nanocuries de césium 137 dans le corps, et un individu en avait même 790... cette substance chimiquement comparable au potassium s'accumule dans les muscles où, en quantité suffisante, elle peut présenter un risque génétique[19].

Les retombées nucléaires se concentrent sur le lichen dont se nourrissent les caribous, et les malheureux Esquimaux se nourrissent de caribou.

La radioactivité est loin d'être la seule forme de risque génétique ; le taux croissant de plomb dans l'atmosphère peut en constituer une autre. Nous savons que le benzène, le carbo-sulphure, le chloroprène, les gaz anesthésiants, le perchloréthylène, certaines résines, les fréquences radio-électriques, les micro-ondes et autres formes de radiation représentent des dangers auxquels la femme enceinte ne devrait pas être exposée, mais les conséquences d'une exposition prolongée à ces radiations pour des individus qui voudront devenir parents par la suite ne sont pas aussi claires. On décèle chez les travailleurs en contact avec le mercure une faible numération de spermatozoïdes : reste à diagnostiquer les mutations dues au mercure chez leurs enfants. Sans aller plus loin, il est exact que la stérilité congénitale représente une très petite proportion des formes de stérilité. La plupart des cas sont provoqués par la maladie, la malnutrition, les intoxications, l'incompatibilité et des coutumes sociales et culturelles[20]. La stérilité peut être primaire, auquel cas aucune conception ne sera jamais possible, mais elle est le plus souvent secondaire.

En commençant par le début du processus de reproduction féminin, l'ovaire, nous découvrons que l'ovulation dépend d'un certain nombre de facteurs ; elle peut être stoppée par une faim extrême et par sa forme hystérique, l'anorexie, reproduisant le processus naturel qui empêche les femmes immatures de concevoir, à savoir que le corps doit acquérir une certaine proportion de graisse avant que n'ait lieu l'ovulation. Le stress psychologique peut également enrayer l'ovulation ; en fait, si nous ignorons le rôle précis de la faim dans le blocage de la fonction ovarienne, c'est que la faim s'accompagne toujours de stress[21]. Chez les peuples où règne la faim, l'aménorrhée ne résulte pas forcément d'une sous-alimentation. Etant donné que l'impossibilité de concevoir provoque souvent un état de stress extrême, le « traitement » de la femme stérile n'est pas simple :

> Le médecin devrait savoir que beaucoup considèrent leur incapacité de concevoir comme un échec personnel, un échec de leur sexualité et qu'ils prennent conscience de ce sentiment lors de la première consultation. Dès

l'entrevue avec son médecin, le ou la patiente peut éprouver des sentiments de colère, d'abattement, de culpabilité ou d'obsession en apprenant sa condition[22]...

Le fait que les femmes sans enfant conçoivent souvent après avoir décidé d'adopter un enfant est la preuve la plus souvent citée de la nature psychologique de la stérilité. Le spécialiste de la stérilité doit savoir que sa propre action augmente le stress de couples qui s'évertuent à avoir des rapports sexuels au bon moment, recueillir le sperme, se ruer au laboratoire, subir des examens répétés, etc. La fonction ovarienne peut également être supprimée, déréglée ou détruite par les radiations, des médicaments légaux ou illégaux, prescrits ou non, par un choc émotionnel ou physique, et par le vieillissement. On la rétablit parfois par l'administration de substances comme le clomifène, médicament de synthèse analogue à l'hormone FSH (hormone folliculo-stimulante), ou par une intervention chirurgicale délicate et difficile qui consiste à supprimer des adhérences ou à remettre en relation fonctionnelle les trompes et les ovaires. Si les ovaires ne sont pas suffisamment développés ou s'ils sont atrophiés, par suite de radiations entre autres, l'état est irréversible.

La trompe de Fallope, ou oviducte, est probablement la partie la plus vulnérable du système de reproduction de la femme. La proportion relativement peu élevée de succès dans le traitement du dysfonctionnement tubaire est en partie due à notre méconnaissance du rôle exact de l'oviducte dans la reproduction humaine :

> Les processus essentiels à la reproduction chez les mammifères placentaires comprennent le transport du sperme, la capacitation, le transport de l'ovule, la fécondation, le transport et l'alimentation de l'embryon. La connaissance que nous avons de ces processus dans notre propre espèce, l'homme, est incomplète. Les raisons fondamentales de notre manque d'information sur la physiologie des trompes de Fallope chez l'être humain sont d'ordre éthique, philosophique et technique. Si des contraintes d'ordre éthique nous ont empêchés d'obtenir des données définies, nous avons également été gênés sur le plan philosophique par notre incompétence à formuler les questions décisives et sur le plan pragmatique par le manque de technologie nécessaire pour mesurer précisément de nombreux phénomènes biologiques. Après plus d'un demi-siècle d'intérêt médical pour la stérilité de la femme, nous restons incapables de définir avec exactitude une seule fonction physiologique des trompes de Fallope. Notre arsenal médical nous permet seulement d'évaluer la perméabilité tubaire et d'examiner l'apparence externe et la texture des trompes[23].

En d'autres termes, ce que nous savons de la fonction des trompes de Fallope d'une femme soignée pour stérilité se limite à en connaître la perméabilité par insufflation de gaz ou d'huile.

La fonction des trompes de Fallope peut être détériorée par une maladie pelvienne ou par un traumatisme, y compris un traumatisme chirurgical. Tout saignement abdominal peut provoquer des adhérences. Accouchement, fausse couche, curetage comprennent tous un risque d'infection, accru du fait de conditions sanitaires défectueuses et du mauvais état de santé de la femme. Les bactéries rendues généralement responsables de la stérilité sont le gonocoque, le streptocoque, le staphylocoque et le bacille de Koch. On ne saura sans doute jamais l'histoire de le *Neisseria gonorrhea.* Jusqu'au dix-neuvième siècle, on ignorait pratiquement que la syphilis et la gonococcie étaient des maladies distinctes et dissemblables ; les épidémiologistes se sont toujours penchés avec passion sur la syphilis et ses proches parentes, le pian, le mal del pinto et le bejel (syphilis endémique), mais la gonococcie, moins spectaculaire et jamais directement fatale, a soulevé relativement peu d'intérêt. Le bacille se développe particulièrement bien chez les humains et ne semble viable chez aucun autre hôte. On trouve des bacilles de la même famille dans une muqueuse saine, où ils ne provoquent aucun dégât, et les êtres humains ne développent qu'une faible réaction de défense à le *Neisseria gonorrhea,* insuffisante pour garantir un degré d'immunité ou permettre l'immunisation, bien que certains individus semblent plus résistants à l'infection que d'autres. Chez les femmes, la gonococcie est d'abord asymptomatique, et peut le rester dans les deux tiers des cas. Tant que l'infection est localisée à la partie basse du tractus génital, l'inflammation reste discrète ; mais si elle remonte à l'utérus et aux trompes, elle provoque une salpingite. On pense généralement que l'infection remonte au moment de la menstruation ; il est courant de chercher à isoler les gonocoques qui menacent de gagner les trompes de Fallope.

La découverte de la pénicilline dans le traitement des maladies vénériennes a marqué un tournant et connu des résultats retentissants dans les années 60, lorsque l'on s'aperçut que la blennorragie était en augmentation constante dans le monde entier. En 1964, l'O.M.S. rapporta que le nombre de cas nouveaux par année dans le monde s'élevait à soixante-cinq millions. Aux Etats-Unis, 800 000 cas furent déclarés en 1974, alors que l'on en estimait le nombre réel à environ deux millions et demi ; entre 1 % et 5 % de la population âgée de quinze à trente ans était ou avait été atteinte, et l'on estimait que cette proportion s'élèverait au moins jusqu'à 6 % et peut-être jusqu'à 10 %. Douze à vingt pour cent des hommes atteints ne présentaient pas de symptômes détectables contre soixante à soixante-dix pour cent des femmes. L'épidémie ne fut pas seulement enregistrée dans le monde industrialisé ; vingt-neuf pays signalèrent un accroissement considérable des maladies vénériennes. Parmi eux, la Bolivie, le Tchad, la Colombie, le Salvador, l'Equateur, le Gabon, l'Iran, l'Irak, le Mali, les Philippines, le Rwanda, le Swaziland et le Venezuela, où l'augmentation du nombre de cas enregistrés ne signifiait peut-être pas une augmentation du nombre réel des cas mais une amélioration des informations. L'O.M.S. consacra ses vingt-huit congrès au sujet et il en résulta que les gouvernements augmentèrent le financement et le développement des programmes appliqués aux maladies vénériennes[24].

La fréquence de la blennorragie reste à un niveau extrêmement élevé ; elle vient juste après le rhume ordinaire, et y demeurera sans doute. Les explications sont variées ; les jeunes sont plus nombreux et plus mobiles qu'autrefois, les populations s'urbanisent de plus en plus et l'environnement urbain facilite davantage la promiscuité. Tous ces facteurs sont aggravés par le remplacement du préservatif prophylactique par les contraceptifs oraux et par le DIU. En Angleterre, 2 % seulement des cas sont provoqués par la fréquentation des prostituées.

Il était devenu courant chez les médecins qui soignent les stars du rock de les barder de médicaments avant qu'ils ne partent en tournée ; en particulier des doses massives d'antibiotiques à large spectre. Lorsque j'ai fait remarquer que ces pratiques signifiaient que ces messieurs allaient propager une forme plus résistante de gonococcie tout au long de leur voyage, on me répondit qu'on ne pouvait courir le risque d'abandonner une opération de plusieurs millions de dollars parce que le chanteur principal avait une traînée verdâtre sur ses pantalons collants en satin blanc. En déplacement, ces vedettes étaient susceptibles d'attraper n'importe quelle infection sans pouvoir être correctement soignées, et il en est de même pour tous les jeunes qui suivent chaque été la route des hippies. Plus d'une jeune fille revient stérile de son voyage à l'aventure, et lorsque dix ans plus tard elle se retrouve face au médecin qui établit son bilan de stérilité, elle ne se souvient plus de la fièvre ou des douleurs qui vont se perdre dans la masse des maux abdominaux quelque part entre Agra et Bénarès.

On peut habituellement se procurer des antibiotiques sur tous les marchés du tiers monde ; le vendeur n'a aucune notion du dosage et l'utilisateur les avale jusqu'à ce que les symptômes disparaissent. C'est la raison pour laquelle on a pu localiser précisément des souches résistantes de gonococcie. Une de ces souches, provenant du Ghana, provoqua une épidémie particulièrement virulente à Liverpool[25].

Dix à quinze pour cent des cas de gonococcie féminine auront pour conséquence une inflammation pelvienne dans le premier mois. Le temps qu'apparaissent les symptômes aigus, douleur pelvienne et sensibilité localisée, avec des masses annexielles palpables, il est trop tard pour sauver les trompes, qui deviendront d'énormes poches gonflées de pus. Non traités, les symptômes aigus peuvent s'amender et se transformer en inflammation chronique. Le germe finira par disparaître, laissant les trompes bloquées par du tissu cicatriciel. Des abcès pelviens peuvent se développer et même provoquer la mort. Il y a un risque élevé de récidive chez les patientes souffrant de gonococcie, et l'on estime qu'une infection subaiguë répétée risque de provoquer une occlusion tubaire. Dans certains pays, des techniques de dépistage perfectionnées ont abouti à une diminution du nombre de cas d'inflammations pelviennes à gonocoque, mais le nombre total des inflammations pelviennes a lui-même augmenté, car on a récemment identifié des germes qui jouent un rôle encore plus important que le *Neisseria gonorrhea*[26].

Les infections génitales non spécifiques sont aujourd'hui plus nombreuses que les cas nouveaux de gonococcie. Aux germes associés aux M.S.T. (maladies sexuellement transmissibles), on trouve le *Chlamydia*, masqué par la blennorragie qu'il accompagne fréquemment, tout comme la blennorragie pendant des centaines d'années fut accompagnée et masquée par la syphilis. Il est possible que le *Chlamydia* ait toujours été plus significatif dans la salpingite que ne l'était le *Neisseria*, et il semble aussi que le *Chlamydia* puisse provoquer une salpingite chronique subaiguë qui a également pour conséquence une sténose tubaire et la stérilité[27]. L'actinomycose, infection fongique, a également un rapport avec la salpingite, tout comme le *Trichomonas vaginalis* et le *Candida albicans*[28]. Le rôle du DIU dans l'augmentation des probabilités de ces infections n'est pas exactement connu, mais on suppose qu'il multiplie par trois ou quatre le risque de propagation de l'infection. L'actinomycose, par exemple, est associée à la présence de corps étrangers dans l'organisme humain et serait jugée inquiétante dans le cas de mise en place d'un corps étranger dans tout organe autre que l'utérus. Etant donné que l'infection pelvienne chez les porteuses de stérilet est habituellement une indication automatique de retrait, on la soigne plus couramment de nos jours par des antibiotiques qui laissent le dispositif *in situ*. Les effets à long terme sur la fécondité de la patiente n'ont pas été déterminés. Pour citer un cas extrême, une femme aux Etats-Unis qui avait souffert d'inflammations pelviennes répétées à la suite d'actinomycose, mais refusait de renoncer à son stérilet, mourut d'un abcès pelvien qui libéra 1 500 cm³ de pus dans la cavité abdominale ; on découvrit qu'elle avait de multiples adhérences et était probablement stérile depuis longtemps avant de mourir[29].

L'inflammation pelvienne aiguë est toujours un cas d'urgence médicale. Elle est réputée coûter 200 000 000 de dollars par an au gouvernement des Etats-Unis. Cette somme évaluée avec tant de cynisme serait peut-être compensée par les économies que représente la stérilité subséquente de la femme. L'inflammation pelvienne subaiguë peut coûter très peu en termes d'argent, mais elle peut également devenir une urgence médicale. Les atteintes tubaires augmentent les risques de grossesse ectopique, où l'ovule fécondé reste dans la trompe de Fallope qu'il peut finir par déchirer, mettant la femme en danger de mort par suite de traumatisme, hémorragie ou péritonite. Les spermatozoïdes, plus petits, trouveront leur chemin à travers une trompe qui ne laissera pas passer l'ovule. Mobiles, ils ne dépendent pas de l'action péristaltique des trompes, contrairement à l'ovule qui se heurte à un conduit scléreux. Quelle que soit la cause réelle immédiate, la grossesse ectopique est une conséquence plus que probable dans un cas d'anomalie tubaire, qu'elle soit provoquée par la maladie ou par la chirurgie. Le diagnostic est difficile, même lorsque le praticien a été vigilant quant au risque de grossesse extra-utérine, ce qui est rarement le cas.

Les femmes qui découvrent qu'elles ne peuvent avoir d'enfants à cause d'une sténose tubaire ne se rappelleront pas l'époque où elles ont eu un accès de douleur ou de fièvre. Plus courante que la stérilité due à une inflammation pelvienne aiguë, l'altération de la fécondité est parfois la conséquence d'une infection chronique subaiguë, d'une série d'agressions sur le système reproducteur : interventions chirurgicales abdominales de toutes sortes, y compris l'ablation de l'appendice dans l'enfance, un avortement ou deux, provoqué ou spontané, légal ou illégal, un curetage ou deux, deux ou trois infections bénignes, la pose, le rejet ou le retrait d'un DIU. Aux conséquences de ces situations qui n'ont rien d'exceptionnel, il faut ajouter celles de l'alcoolisme, du tabac, des radiations et de l'usage des médicaments, du stress et du vieillissement sur la fécondité des femmes qui pour des raisons culturelles ont tendance à retarder leur maternité, et nous aurons un tableau complet de la forme de stérilité la plus courante qui conduit tant de femmes déçues à faire le siège de leurs médecins dans le monde industrialisé.

Le potentiel reproducteur des femmes dans les pays développés est plus élevé que celui de leurs sœurs dans des pays plus pauvres. Grâce à une nutrition et à une hygiène meilleures, elles deviennent fécondes plus tôt et, sauf dans les cas de syndromes décrits plus haut, le restent plus longtemps. L'accouchement et l'avortement comportent moins de risque de stérilité pour les femmes en Occident que dans les pays qui possèdent peu de lits d'hôpitaux et de personnel qualifié, et où la population est constamment menacée par l'eau polluée et par des méthodes discutables d'écoulement des déchets humains. Pourtant, la propreté extérieure ne fait pas tout. Une femme médecin à Katmandou m'a raconté en 1971 qu'elle n'avait jamais vu de pelvis aussi sains que ceux des Népalaises. « Les vagins américains peuvent sentir la chlorophylle, disait-elle, leurs pelvis sont de véritables égouts. » Comme la plupart des médecins, elle en conclut que la monogamie est utile à la santé. Peut-être aurait-elle déchanté en apprenant à quel point le degré d'exposition du col des Népalaises au pénis d'un homme diffère de ce que l'on considère comme la normale aux Etats-Unis.

Il ne fait aucun doute que la fréquence élevée de l'inflammation pelvienne dans la société occidentale est liée au degré de l'activité sexuelle et au nombre de partenaires, spécialement à la période de l'adolescence et au début de l'âge adulte. Cette constatation ne signifie en rien qu'une activité sexuelle accrue et plus libre est mauvaise, mais laisserait entendre que ceux qui cherchent à supprimer l'expression du désir érotique parce qu'il est incompatible avec la fécondité ne sont pas uniquement d'absurdes puritains, car leur pratique est justifiée par un rapport réel entre une activité sexuelle croissante et une diminution de la fécondité. Les mœurs sexuelles restrictives pourraient être une réaction à la menace d'extinction de la race que de nombreuses sociétés tribales ont connue, sinon pour elles-mêmes, du moins chez des communautés voisines stériles.

La stérilité est un risque que prend sciemment la femme occidentale qui opte pour une grossesse tardive ; les facteurs qui atteignent la fécondité font partie du mode de vie qu'elle a choisi, quoiqu'elle puisse objecter que personne ne lui en a clairement expliqué les effets cumulés sur sa possibilité de grossesse. On ne peut en dire autant de la femme stérile dans les sociétés traditionnelles ; elle ne choisit pas entre les enfants et une carrière — les enfants sont sa carrière. Si elle ne parvient pas à les mettre au monde, elle ne peut adopter aucun autre mode de vie. Du jour de sa naissance, sa fécondité est menacée par des facteurs qu'elle ne contrôle pas : malnutrition, travail pénible et maladie. La malnutrition entraîne un retard de croissance, et un retard de croissance signifie menstruation tardive ; même après l'adolescence, la stérilité peut se prolonger jusqu'à l'achèvement de la croissance, entre vingt et vingt-cinq ans. C'est une période dangereuse, car les conceptions posent généralement plus de problèmes au début et à la fin de l'établissement de la menstruation.

Fausses couches et naissances d'un mort-né surviennent plus généralement chez les femmes de pays peu évolués, et leur probabilité est accrue chez ces mêmes femmes qui souffrent de fièvre récurrente, paludisme, rachitisme, toxoplasmose, syphilis, de cardiothyréose et de goitre. Les femmes atteintes de filariose ou de schistosomiase, transmises par des parasites, ou de tuberculose génitale ne pourront sans doute jamais concevoir, mais leur sort est d'une certaine façon préférable à celui des femmes qui ne concevront que pour faire des fausses couches. La fausse couche sans traitement médical est souvent problématique ; la rétention placentaire peut provoquer une hémorragie, le traumatisme entraîner une infection, et la fausse couche elle-même être douloureuse et perturbante. Les femmes immatures qui mènent leur grossesse à terme risquent de mourir au cours de l'accouchement ; sans aide professionnelle, les bébés qui ont à sortir d'un pelvis infantile mourront. Sclérose et béance résultent de déchirures cervicales non soignées, si bien que la femme devient sujette aux avortements répétés. L'histoire des femmes stériles dans le tiers monde, suite de fléaux qui ont abouti à une incapacité définitive de concevoir, forme somme toute un tableau plus sombre que l'histoire de la femme stérile occidentale.

Il n'est aucune société traditionnelle au monde qui ne soit pas soumise aux pressions. Personne n'échappe aux médias et à leur message obsédant, même s'il s'agit uniquement de l'emballage des denrées alimentaires de l'épicerie locale. Les restes de ce que furent autrefois les grandes tribus à économie de chasse et de cueillette qui ont battu en retraite devant la colonisation des déserts sont menacés d'anéantissement et ont pendant des générations été soumis à des maladies contre lesquelles ils avaient peu de résistance. Il n'est plus de mise d'établir l'augmentation du dépeuplement comme le firent en 1920 Malinowski, Rivers et Pitt-Rivers.

> Les chercheurs qui se sont attachés à cette période ont analysé les relations des diverses institutions et leurs réactions les unes sur les autres. Ils ont étudié des cultures uniques avec pour objet de découvrir comment s'entre-croisent leurs différents aspects. Il est significatif que cette époque soit marquée par les théories de la dépopulation. S'attaquer à un aspect quelconque d'une culture entraîne sa désintégration globale, prétendent la plupart des auteurs — dont Malinowski — condamnant les indigènes à l'extinction par ennui. Un malaise psychologique s'emparerait d'eux, et ils perdraient le

goût de vivre. Nous savons aujourd'hui qu'il faut chercher une explication plus probable du taux élevé de mortalité pendant ces premières années de contact, par exemple dans l'importation des armes à feu, les maladies et une alimentation défectueuse. En fait, les seuls groupes indigènes qui disparurent vraiment sont ceux qui furent tués avec des armes à feu ou empoisonnés, notamment dans le sud-est de l'Australie et dans certaines régions d'Amérique du Nord, et ceux qui vivaient dans des régions trop isolées — Ontong Java, par exemple — pour être régulièrement contrôlés. Ailleurs, maintenant que l'on dispose de services médicaux appropriés, le taux d'accroissement démographique augmente[30].

On peut comprendre qu'Hogbin rejette les notions de suicide racial soutenues par les premiers anthropologues, mais il se montre un peu trop confiant en l'avenir quant à la disponibilité et à l'efficacité des soins médicaux. L'exemple d'Ontong Java était malencontreux, car en dépit de son isolement et des ravages de la maladie, l'île retrouva son équilibre, sans doute grâce au facteur psychologique qu'il cherche à minimiser. Des groupes moins isolés, et aussi gravement affectés par la maladie que leurs voisins, déclineront s'ils n'ont plus le désir de se reproduire. Plus leur mode de vie est élaboré, plus ils sont vulnérables. Cependant, même les peuples qui vivent de la façon la plus simple, comme les habitants des îles Andaman, peuvent être détruits totalement par une maladie provoquant la stérilité. Sur l'île d'Arioto en 1901, vivaient 685 habitants ; en 1955, ils étaient 23, parmi lesquels seulement deux couples étaient féconds, dont l'un de sang mêlé. Il n'y avait pas une seule jeune femme de pure race. Les habitants d'Arioto adorent les enfants, mais il semble qu'ils soient stériles[31].

Les chiffres vont s'accroissant, mais dans l'éventail des populations nationales en voie d'augmentation, de nombreux groupes ont disparu. Maintes fois, nous découvrons le repère de cultures minuscules, formées d'hommes sans femmes, désorientés et humiliés. En Mélanésie, le dépeuplement a provoqué ces poches de « forte masculinité ». En 1953, lorsque A.P. Elkin présenta son rapport à la commission du Pacifique Sud, il demanda une aide urgente en Nouvelle-Guinée néerlandaise, actuellement l'Irian Barat, en faveur des Marind-anims, en Papouasie en faveur des Koiaris et des Suaus, dans le haut Waria, le Biaru et le Biangai, sous tutelle australienne, dans l'île Fergusson, les îles Choiseul et Santa Isabel, l'archipel des Salomon et dans les îles Espiritu Santo et Epi des Nouvelles-Hébrides. Dans d'autres régions, il convient que l'aide arriverait trop tard[32]. Il est probable qu'un taux de masculinité trop élevé, tel qu'il existe au Transfly où l'on trouve 3 725 hommes pour 2 147 femmes, est en partie provoqué par la persistance de l'infanticide féminin après la disparition des guerres tribales et des pillages qui contribuaient à maintenir l'équilibre entre les deux sexes. Dans une seule région où la population adulte était plus ou moins équilibrée, on constata un manque de jeunes filles entre dix et seize ans qui semble vérifier cette hypothèse[33].

Lorsque le dépeuplement est aussi sérieux qu'il le fut en 1953 dans les îles Erromanga et Anatom des Nouvelles-Hébrides, il n'existe aucun moyen d'en diagnostiquer les causes. L'un des premiers observateurs, Dempwolff, fut convaincu d'assister à un suicide racial. Il semble plus vraisemblable que la rupture d'une stratégie ancienne et efficace de repro-duction, associée au discrédit du système de valeur qui l'accompagnait, ait provoqué un degré insupportable d'angoisse et de désorganisation. L'une des conséquences est alors une reproduction régie par les lois du hasard ; mais plus le degré de stress est élevé, plus il peut entraîner une infertilité fonctionnelle et une totale impuissance. C'est le sort que semblent avoir subi certains groupes d'Indiens d'Amazonie.

La masculinisation des sociétés en déclin est souvent provoquée par la perte des femmes au profit des mâles étrangers et dominateurs, soit par capture pure et simple, soit parce que les qualités de l'envahisseur en tant que chef de famille et procréateur sont manifestement supérieures. Il est dans l'intérêt des femmes, d'un point de vue sociobiologique, de mêler leurs gènes à ceux des hommes les plus vigoureux. Elles et leurs enfants y gagneront une chance de survie plus élevée, même si elles ont une place de prostituées ou de domestiques dans la communauté de l'envahisseur. Les hommes sont plus fragiles et moins pratiques. Toutes les sociétés en voie de disparition sont des sociétés mâles. Une société peut survivre avec un seul homme ; aucune société ne survivra sans femme.

Nous ignorons combien de groupes de même parenté et de même lan-gage ont fini par s'éteindre, ni à travers quelles étapes s'est accomplie leur extinction. Comme nous ignorons combien d'entre eux existaient au moment de leur découverte et pendant les siècles qui suivirent, une grande partie des données restent subjectives. Il semblerait que les groupes en voie de disparition aient souvent été décimés par un enchaînement de catas-trophes et à partir de là englobés dans d'autres groupes expansionnistes. On peut trouver sentimental de pleurer la disparition de peuples tels que les Indiens d'Amazonie (bien que personne ne juge anormal de se pencher sur le sort de l'orang-outan pourchassé), mais les souffrances physiques et mentales de cette mort lente ne peuvent être tolérées par un monde soi-disant « civilisé ».

> Environ 10 millions d'Indiens vivaient dans le bassin amazonien il y a cinq siècles. Ils sont aujourd'hui à peine 200 000 (durant la même période la population mondiale est passée de moins de 500 millions à plus de trois milliards). Au Brésil, les Indiens étaient au nombre de 3 millions en 1500 ; il en restait moins d'un dixième au tournant de ce siècle. Il en reste à peu près 78 000 aujourd'hui. Les Bororos constituaient encore une population de 5 000 individus en 1900 ; victimes d'épidémies, ils sont maintenant moins de 150[34].

Lewis Cotlow, qui visita les Bororos sur place en 1968, explique en partie comment de tels groupes en viennent à s'éteindre :

Les Bororos eurent le malheur de se trouver sur la route de la pénétration brésilienne. Ils furent victimes en partie des maladies de la civilisation, en partie de leur perte de confiance en eux. Leurs traditions tribales, essentiellement fondées sur l'honneur du guerrier, furent réduites à zéro. De nombreux membres de la tribu quittèrent leurs villages pour mener une existence de mendiants et de parias dans les banlieues déshéritées des villes avoisinantes.

J'ai eu la conviction que la race des Bororos se suicidait. Il restait peu d'enfants dans les villages. Comme d'autres peuples primitifs, les Bororos tuent à la naissance tous les enfants qui ne paraissent pas en bonne santé. Je n'ai pu m'empêcher de me demander s'ils n'appliquaient pas inconsciemment des standards de plus en plus stricts à leurs enfants. En outre, j'ai entendu des parents bororos affirmer qu'ils ne désiraient pas donner naissance à des enfants dans un monde tel qu'il était devenu, faisant écho à un sentiment souvent exprimé dans notre propre civilisation[35].

Savoir exactement ce qu'il s'est passé exigerait une recherche approfondie tant sur le plan médical que d'un point de vue anthropologique ou démographique, mais il ne fait aucun doute que les Bororos sont en voie de disparition. Parmi les « maladies de la civilisation » affectant des peuples tels que les Bororos, il faut compter celles qui les empêchent de reconstituer leurs sociétés après des épidémies et un génocide systématique. Le génocide qui eut lieu au Bangladesh au début des années 1970 ne résolut pas le « problème de la population », parce que les individus gardèrent leur fécondité et le désir d'avoir des enfants.

En deux siècles, les Carajas du Brésil sont passés de 500 000 à 1 200... les Guaranis de Parana furent décimés par l'esclavage et par la torture. En dix ans, ils passèrent de 5 000 à 300[36]...

Cela fut écrit il y a plus de dix ans, bien avant que Karl Ludwig ne transforme trois millions d'acres du Mato Grosso en la plus grande fabrique de pâte à papier du monde, dirigée aujourd'hui par Tiny Rowland, le génie qui préside aux destinées du conglomérat multinational de Lonrho. A l'époque où écrivait Cotlow,

Les Indiens, d'après le *Jornal do Brasil*, ont été frappés à mort, atteints par la petite vérole, tués à coups de fusils et même massacrés par des explosifs lancés par avion[37].

Après ces attaques, leur pouvoir de récupération n'existait plus :

On rencontre encore des indigènes qui vivent dans des régions inexplorées du Mato Grosso comme ils y ont toujours vécu depuis l'âge de pierre ; ou des Indiens qui travaillent dans des ranchs, conduisent des machines agricoles, vont à l'école de la mission et portent les premiers véritables vêtements dans l'histoire de leur peuple. Pour la plupart, ces hommes et ces femmes savent ou du moins pressentent que leur fin est proche et qu'ils sont sans avenir[38].

Ceux qui ont le sentiment de ne pas avoir d'avenir ne cultivent plus l'ardeur nécessaire pour élever des enfants. Nous pourrions penser qu'une part de nos scrupules à nous reproduire est d'une certaine façon liée à la conviction qu'une guerre nucléaire est inévitable. L'incapacité de se reproduire est l'un des aspects de ce désespoir, l'autre est la reproduction sans limite. Il n'est pas surprenant de rencontrer des peuples parqués qui se comportent comme des bêtes fauves en captivité, refusant de s'accoupler, incapables de procréer, mangeant ou tuant leurs jeunes enfants. Les rats de laboratoire montrent de semblables dérèglements.

La population totale de la réserve nationale de Xingu s'élevait à 3 000 individus avant le début du siècle.

> Aujourd'hui, il en reste moins de 1 000. Les Yawalpitis et les Trumais comptent moins de 30 membres… dans les années soixante… les frères Villas Boas cherchèrent à retrouver les guerriers tchikaos, dont 400 ont survécu aux envahisseurs blancs, à leurs fusils et à leurs maladies. Le temps d'être repérés et amenés à la réserve, ils n'étaient plus que 53[39].

Les Nambikwaras du Mato Grosso étaient déjà décimés par la maladie à l'époque où Claude Lévi-Strauss les connut ; il fut bouleversé en lisant dix ans plus tard que la communauté ne comportait plus que dix-huit individus, réduits à rôder autour de la colonie blanche, grappillant ou chapardant ce qu'ils pouvaient.

> Sur les huit hommes, un était syphilitique, un autre avait un flanc infecté, un autre une blessure au pied, un autre encore était couvert du haut en bas d'une maladie de peau squameuse et il y avait aussi un sourd-muet[40]…

Il fut impossible de retrouver la trace de la tribu entière car les groupes s'étaient alliés entre eux en désespoir de cause, comme l'avaient fait les Sabanes, qui n'étaient plus que dix-neuf en 1938[41]. Certains signes indiquent que les Jivaros se regroupent pour réclamer leurs droits, mais leur action est elle-même compromise du fait que leur lignée a été altérée. Les aborigènes en Australie ont subi le même sort : les survivants des tribus n'acceptent pas les militants urbains, presque tous de sang mêlé, qui déclarent les représenter.

Des groupes implantés qu'il fut moins facile de chasser de leur habitat ont également souffert ; pendant des siècles, les ravages des marchands d'esclaves, et maintenant le système exécrable de la migration de la main-d'œuvre ont secoué les fondements de la société tribale africaine. Dans les nouveaux Etats africains, les médecins s'efforcent d'enrayer le dépérissement qui a affecté ces peuples. Il n'est pas facile de brosser un tableau des facteurs de stérilité des femmes dans des pays tels que le Gabon, où 31,9 %

de la population féminine arrive à la fin de la période de procréation sans une seule naissance vivante ; parmi les Ogooué Lolos, ce pourcentage atteint 46,2 %, près de trois fois celui du peuple nyanga, encore relativement infertile avec 17,8 % de ses femmes qui meurent sans enfant. Dans la province équatoriale du Zaïre, 40 % des femmes arrivent à la fin de leurs années d'activité génitale sans enfant vivant, suivies de près par celles du bas Uélé avec 37,3 %, et du haut Uélé avec 36,9 %. A Stanleyville, la proportion dépasse 23 %, statistiques effroyables par ailleurs noyées dans un taux de stérilité général de 17,6 % au Zaïre.

Dans le sud-est du Cameroun, 28 % des femmes âgées de 25 à 29 ans n'ont pas d'enfants, alors que le taux s'élevait à 23 % à la génération précédente ; on constate des écarts plus importants dans la République centrafricaine où 25,2 % des femmes entre 25 et 29 ans n'ont pas donné naissance à un enfant vivant (13,6 % des femmes de la génération précédente). Ces chiffres évoquent une lutte effrénée pour mettre au monde un enfant en vie, lutte qui est entravée par une mauvaise santé maternelle et une mortalité périnatale. Parmi les Touaregs nomades du Mali, plus d'un quart des femmes en âge de procréer sont stériles, un taux qui contraste curieusement avec celui des populations touaregs implantées. Le taux général de stérilité au Soudan n'est pas très élevé si l'on considère que 9,6 % des femmes sont sans enfants à la ménopause, mais ce chiffre global cache des extrêmes variant de 2,3 % dans le haut Nil à 21,2 % dans la Province équatoriale. Dans la Province équatoriale centrale, 42,4 % des femmes sont sans enfant à la ménopause. De même en Haute-Volta, si seulement 3,2 % des femmes à Bissa meurent sans enfant, 17,60 % de la population bobo est condamnée à ce sort. En 1960, dans deux régions du Zanzibar, 25,1 % et 37 % des femmes âgées de plus de 46 ans n'avaient pas d'enfant[42].

Au Nigeria, la stérilité est la raison de la moitié de toutes les consultations gynécologiques. Les médecins sur place n'ont de cesse de faire connaître les souffrances qu'engendre cet état et les problèmes qu'ils rencontrent pour dépister la nature de la stérilité et son origine. Agitées, désespérées, beaucoup de leurs patientes abandonnent la technique occidentale pour la sorcellerie et le charlatanisme.

> L'échec de la reproduction dans la société africaine est un stigmate social souvent lié à un état de stress émotionnel considérable ; les implications sociales sont parfois aussi profondes que les tragédies personnelles... pour les deux tiers des gens que nous soignons à l'hôpital, la stérilité peut être attribuée chez la femme au facteur tubaire secondaire aux infections pelviennes, alors que 35 à 50 % des hommes ont une spermigraphie pathologique[43].

Etablir la cause exacte de la salpingite aiguë demande un examen intensif du matériel d'autopsie et des biopsies systématiques pendant l'intervention en chirurgie tubaire, deux luxes que ne peuvent s'offrir les hôpitaux d'Ibadan. Les Drs Ladipo et Osoba s'efforçaient de déterminer le rôle des mycoplasmes dans les infections qu'ils décelaient dans les trompes de Fallope et parce que le germe reste attaché aux spermatozoïdes, mais ils durent se contenter de présumer que la stérilité qu'ils constataient avait plusieurs facteurs. A défaut de chirurgie expérimentale, ils pratiquèrent 576 hystérosalpingographies : sur ces patientes, seulement 156 avaient une perméabilité tubaire normale, 357 souffraient de blocage, et 165 avaient un hydrosalpinx bilatéral (salpingite kystique), ce qui signifie que les deux trompes étaient devenues d'énormes poches de liquide persistant après la disparition du germe de l'infection. Deux tiers des femmes signalèrent qu'elles avaient eu des avortements provoqués ou naturels ; les causes principales de l'infection, de l'avis des médecins, étaient dues à une septicémie du post-abortum et puerpérale.

A Enugu, les Drs Chukudebelu, Esege et Megafu en vinrent à des conclusions similaires, et il leur sembla nécessaire de lancer un appel à la compréhension :

> Au Nigeria, l'échec de la reproduction a des implications sociales très étendues ; en effet, un tel prix est attaché à la procréation que ne pas avoir d'enfant est l'un des pires destins qui puisse s'abattre sur une femme. Dans notre société traditionnelle, l'infécondité est invariablement imputée à la femme, qui accepte passivement le verdict et passe le reste de sa vie en quête d'un éventuel guérisseur. Si elle a la chance de ne pas être rejetée de la maison matrimoniale, elle finira par devoir la partager avec une seconde ou une troisième femme[44].

Les médecins eux-mêmes furent ébranlés par leurs surprenantes découvertes ; alors que, toutes choses étant égales, le facteur féminin est plus vraisemblablement tenu pour responsable de la stérilité, à Enugu toutes choses n'étaient pas égales. Comme leurs confrères à Ibadan, ils découvrirent un taux élevé de stérilité masculine, même à partir d'une norme faible de concentration de sperme dans l'éjaculat. Ombrageux, les hommes se montrèrent peu disposés à accepter leur incapacité à procréer ; les médecins, de leur côté, n'étaient pas certains de savoir traiter une stérilité de cette nature. Elle n'était pas causée par les oreillons ou par le varicocèle, et très peu d'hommes avouaient avoir été atteints par la gonococcie.

Tout en découvrant un facteur masculin de 48,2 % dans les cas qu'ils étudièrent, le Dr Chukudebelu et ses confrères localisèrent une occlusion tubaire chez 51 % de leurs patientes, la plupart provoquées par une infection puerpérale, deux par un avortement septique, et neuf d'étiologie inconnue. Ils ne découvrirent aucun agent de M.S.T., mais la gonococcie semblait le responsable le plus vraisemblable de ces ravages ; ils attribuèrent l'absence d'infection à l'habitude de « passer d'un pharmacien à un autre » et de se soigner soi-même avec des antibiotiques.

La grossesse extra-utérine est si courante dans certaines régions du Nigeria que les médecins sont extrêmement rapides à la déceler. Wilson Onuigbo a examiné cinquante cas chez les Ibos, et pour cinq d'entre elles, ce n'était pas la première fois. L'une était la conséquence d'une salpingite tuberculeuse, trente-sept étaient dues à des salpingites chroniques non spécifiques. Dix furent décelées avant la rupture des membranes. La plupart étaient ampullaires, quatre étaient interstitielles ; mais, fait intéressant, alors que la plupart des grossesses extra-utérines aboutissent à la rupture des membranes et à la mort du fœtus à la sixième semaine de gestation, trente-deux des cas observés par Onuigbo étaient plus avancés, et presque toutes les femmes n'avaient pas eu leurs règles depuis la conception. Il fut obligé d'en venir à la triste conclusion que, dans son groupe, la grossesse extra-utérine est la première grossesse que connaissent les femmes les plus jeunes, et qu'elle peut se reproduire. Il ne pouvait dire si une infection du post-abortum, gonococcique, puerpérale, ou toute autre forme d'inflammation pelvienne en était la cause. Les cinquante femmes examinées par le Dr Onuigbo eurent de la chance ; elles avaient peut-être perdu une trompe, mais si elles n'avaient pu atteindre l'hôpital, elles auraient perdu la vie[45].

De temps à autre, les sociologues avec un goût pour l'étude de la pornographie vont (aux frais d'une rémunération officielle) étudier « des citadines africaines », notant soigneusement le nombre de partenaires sexuels et les caractéristiques de logement et de lieux de résidence, sans s'occuper ni de la santé ni de la misère de ces femmes. Trente pour cent des prostituées dans les pays sous-développés souffrent de maladies vénériennes. La maladie peut les avoir attirées en ville au début — si elles sont divorcées parce qu'elles n'ont pas pu avoir d'enfant — et elle continuera à faire de nouvelles victimes chez les jeunes qui prendront la suite lorsque la maladie forcera les plus âgées à abandonner. Les étrangers s'étonnent de leur attitude désinvolte à l'égard du sexe, sans se rendre compte que leur véritable insouciance est la seule survivance d'un système qui traitait tous les jeunes en bonne santé comme des amants en puissance ; l'entente sexuelle leur importait moins que la descendance.

Une fois le système fondé sur la famille éclaté et les hommes dispersés par le travail hors de la communauté, les femmes se livrent à une activité sexuelle dénuée de signification, dans une sorte de jeu macabre. Nous pouvons imaginer que les mêmes facteurs fonctionnent pour les prostituées de Beyrouth par exemple. Samar Khalaf, qui correspond assez bien à la description du sociologue « qui dépense quarante mille dollars pour trouver un bordel[46] » a établi des interviews de cinquante-quatre questions et harcelé des prostituées pendant des mois pour découvrir qu'elles venaient de familles appartenant à un groupe à très faible revenu ; mais il n'a pas su voir les implications provenant du fait qu'elles venaient de familles inhabituellement réduites et que seulement cinquante-deux d'entre elles avaient donné naissance à un enfant, deux depuis qu'elles se livraient à la prostitution. La liste de ce qu'elles étaient censées détester dans leur profession comprenait « la chaleur de l'été » et « les attitudes ambivalentes » ; la crainte constante des maladies vénériennes faisait partie des « risques professionnels ». Cette « crainte constante » s'explique par la fréquence des cas, mais Khalaf ne s'intéresse pas à une chose aussi terre à terre que la maladie, même s'il mentionne qu'un système de bordels réglementés peut avoir « l'avantage de limiter la diffusion des maladies vénériennes ». Il est probable que c'est la maladie qui permet en premier lieu aux bordels d'exister[47].

Il semble que les Africains se soient montrés très vigilants dans le passé quant au risque des maladies vénériennes et qu'ils le soient encore aujourd'hui. Schapera, dans son étude sur les Kgatlas du Botswana, rapporte les paroles de l'une de ses informatrices :

> Quand j'ai commencé à comprendre les choses, ma mère m'a dit : « Ecoute, mon enfant, ce monde est réaliste, ce monde ne veut pas que tu agisses à tort et à travers. Ne te mêle pas trop aux garçons. Si tu aimes un garçon, que ce soit celui-là seulement. Et fais attention à ceux avec lesquels tu couches, car parfois les garçons couchent avec les filles avec lesquelles ils ne devraient pas le faire, des filles qui ont la syphilis et des maladies de la hanche, et ensuite le garçon viendra à toi et il te passera ces maladies. Et quand tu grandiras, tu ne pourras plus avoir d'enfants[48]. »

Schapera explique de même comment les Kgatlas attribuent la stérilité à la promiscuité et à l'avortement provoqué qui « abîme le sang[49] ». En 1940, on avait déjà l'impression que les femmes étaient moins fécondes qu'autrefois.

> Ceci est attribué à la promiscuité avant le mariage et aux effets de la migration de la main-d'œuvre[50].

Il est trop tard à présent pour établir le processus qui a permis au *Neisseria gonorrhea* d'envahir le monde. On a émis l'hypothèse que le bacille est ubiquiste. Plusieurs raisons permettent de douter qu'il en fut toujours ainsi ; pour commencer, les sociétés parmi lesquelles la gonococcie a provoqué la stérilité dans une proportion de 30 à 40 % sembleraient être les victimes d'attaques virulentes qui apparaissent dès les premiers stades de l'infection endémique : étant donné que la gonococcie rend stérile les individus chez lesquels elle n'est pas soignée radicalement et relativement vite, il paraîtrait de l'intérêt de l'organisme de laisser les bacilles se reproduire jusqu'à un certain degré en ralentissant la vitesse de son action. Lorsque le degré de sensibilité est élevé, nous pouvons supposer une exposition relativement récente ; dans d'autres cas, par exemple dans les sociétés d'Afrique du Nord, un *modus vivendi*, comprenant la menace de la stérilité, semble s'être développé à travers les siècles. Une autre raison, dont il n'est pas facile d'établir la signification, explique la diffusion récente des maladies vénériennes à des régions autrefois protégées.

Les peuples africains classent les maladies en deux groupes principaux : les maladies bantoues — dont quelques exemples sont l'*Isifuba* (maladie de la poitrine contractée en mangeant de la nourriture ensorcelée), l'*Umeqo* (maladie contractée à cause d'un maléfice placé sur la victime), l'*Umbulelo* (affection des yeux provoquée par un ensorcellement), et l'*Iqondo* (qui affecte les organes reproducteurs, le plus souvent chez les jeunes adolescents); le second groupe comporte ce que l'on appelle les maladies européennes — les plus courantes étant la syphilis et la gonococcie[51].

Il n'y a rien d'étonnant à ce que l'on ait donné le nom de l'envahisseur honni à la maladie et supposé qu'il l'avait apportée avec lui ; c'est à partir du même principe que les Anglais ont appelé le *great pox* (la vérole) « *the French pox* ». Les maladies vénériennes accompagnent généralement les itinérants de toute sorte, qu'ils soient soldats ou marchands, à cause de la promiscuité sexuelle ; les marchands arabes semblent avoir été responsables des maladies vénériennes dans les régions soumises à l'esclavage et parmi les populations nilotiques. L'aspect africain du processus est important, toutefois, en ce qu'il reconnaît plus d'une sorte d'affections génitales : les affections anciennes, habituelles, et les nouvelles. Ces dernières peuvent être simplement des formes différentes de gonococcie, mais elles peuvent aussi n'avoir aucun rapport entre elles ou encore créer une nouvelle combinaison résultant de la symbiose des bactéries. Dans ce cas, l'infection gonococcique est rendue plus virulente par d'autres vecteurs ou par les séquelles d'autres maladies.

Malgré la panique provoquée par la gonococcie dans les années 70, aucune recherche sérieuse n'a été faite sur la méthode naturelle de ligature tubaire ; nous savons encore peu de choses de l'épidémiologie de la gonococcie et n'en saurons probablement jamais rien avant d'en ressentir les effets sur notre propre race et notre propre milieu, c'est-à-dire trop tard. La guerre du Vietnam provoqua 40 000 cas de gonococcie par semaine ; certains regagnèrent les petites villes du Middle West où une attitude plus permissive commençait à prévaloir. Le processus était si apparent que l'on en vint à envisager une guerre bactériologique qui finit même par devenir une sorte de mythe de revanche asiatique. En fait, les races blanches du monde industrialisé sont les peuples les plus mobiles sur terre ; nous avons déjà donné plus que nous ne recevrons jamais dans le domaine des maladies exterminatrices. A moitié soignée dans le ghetto américain ou pas du tout chez les Maria Gonds, la gonococcie a été un agent de génocide[52].

Ceux qui croient que l'Ouest a le pouvoir ou la technologie de guérir la stérilité seront déçus. Bien sûr la gonococcie et la syphilis peuvent être soignées par la pénicilline, et si le sujet se montre résistant, par d'autres antibiotiques, mais il importe dans le cas de la gonococcie que les médicaments soient administrés au plus tard un mois après la contamination, si l'on veut éviter les risques de stérilité. Alors que les deux tiers des cas de rechute chez les femmes sont asymptomatiques, un traitement rapide dépend d'un dépistage efficace, qui lui-même relève d'un personnel hospitalier et de moyens que l'on obtient uniquement dans les pays riches et les centres urbains. Plus une société est éclatée, plus la distribution de lits d'hôpitaux et de personnel qualifié est mal répartie, moins il sera possible d'enrayer la propagation des maladies vénériennes. Même en Angleterre et aux Etats-Unis, en dépit d'une campagne concertée, les M.S.T. sont excessivement fréquentes ; il y a tout lieu de croire que si des pays pauvres pouvaient monter une campagne aussi forte contre la syphilis et la gonococcie, d'autres maladies vénériennes prendraient le relais. Tout contrôle élaboré demande du temps, de l'espace, du matériel et du personnel, et chacun de ces éléments coûte très cher. Face à des maladies qui mettent en danger la vie du patient, les maladies qui menacent la fécondité prennent obligatoirement la seconde place. La peur hystérique de l'explosion démographique signifie que cette seconde place se situe loin derrière.

Certaines formes de stérilité, celles qui découlent de malformations congénitales de l'appareil reproducteur, sont irréversibles. D'autres, résultant d'un dysfonctionnement pituitaire ou hypothalamique, peuvent réagir à un traitement hormonal perfectionné. Certaines demandent de simples modifications du timing de l'ovulation, du milieu vaginal, ou de la position pendant les rapports sexuels. Les spécialistes de la stérilité recherchent généralement tous les obstacles les plus simples au cours d'un traitement de la stérilité, lui-même coûteux en personnel, en temps et en matériel de recherche, avant de procéder au test du facteur tubaire. La plus grande proportion de leur succès est atteinte au cours du traitement, ce qui prouve l'effet même de la consultation sur les facteurs psychologiques de la stérilité.

Il existe plusieurs méthodes de dépistage de l'occlusion tubaire, facteur le plus courant de stérilité chez les femmes. On peut injecter du liquide dans l'utérus et les trompes et tester la perméabilité à la radiographie ; la lumière des trompes se distingue en silhouette et des ombres marquent l'endroit où le liquide a pénétré (s'il a pénétré) par les cornes utérines jusqu'à l'extrémité des trompes. Un test plus délicat et plus risqué consiste à insérer un cœlioscope dans l'ombilic pour repérer la position relative des trompes et des ovaires et l'étendue des adhérences et des anomalies. Le test exige une anesthésie générale : le pelvis est gonflé de gaz et le corps de la patiente incliné en position de Trendelenburg pour dégager les intestins des organes génitaux, et permettre au chirurgien d'avoir l'image la plus claire[53].

Une fois l'occlusion tubaire établie, il existe plusieurs façons de la soigner, toutes d'une efficacité limitée, et requérant une technique chirurgicale de très haut niveau. La salpingolyse, au cours de laquelle les trompes sont délicatement libérées de leurs adhérences (endométriose), est la plus simple et offre les meilleurs pronostics pour une grossesse réussie. Trente à quarante pour cent des insuffisances tubaires sont provoquées par des adhérences externes ; quarante à cinquante pour cent des femmes affectées concevront après une salpingolyse et la moitié d'entre elles mèneront leur grossesse à terme, ce qui représente 7 % des femmes qui souffrent d'occlusion tubaire. Si les franges sont accolées, bloquant les trompes en un hydrosalpinx, elles peuvent être disséquées par une intervention chirurgicale plus longue et plus délicate avec un taux de réussite estimé de cinq à quarante pour cent. Cette intervention, comme toutes celles qui suivent, augmente le risque de grossesse extra-utérine. La salpingoplastie est destinée à restaurer les effets de la ligature des trompes, de la cautérisation ou de la sclérose qui a un effet similaire de blocage. Lorsque l'isthme de la trompe utérine est bouché, on adopte une technique de réimplantation qui utilise le « bon bout » de la trompe ; un cathéter empêche les trompes de se boucher à nouveau et sera par la suite ôté par le col. Toutes ces interventions exigent une bonne anesthésie et l'absence de saignement.

Aucune de ces interventions n'est réalisée par « l'hôpital du coin » ; les écarts considérables dans les taux de réussite sont liés au degré d'habileté du chirurgien et à son expérience de la microchirurgie. Plus les techniques seront éprouvées, plus le taux de réussite s'améliorera. En théorie, les médecins évaluent attentivement les cas individuels en fonction de la capacité de la patiente à supporter l'opération et la grossesse. Dans certains cas, les chirurgiens décident de pratiquer une seconde intervention tubaire, pour laquelle le pronostic n'est ni meilleur ni pire que la première fois, mais ils avouent alors souvent céder devant l'insistance d'une femme, en dépit de leur propre appréciation[54]. Pour parler cyniquement, toute femme prête à dépenser l'argent nécessaire pour une reconstruction tubaire trouvera toujours un chirurgien à sa disposition. Celui-ci peut temporiser, exiger qu'elle s'arrête de fumer, de boire ou de travailler, qu'elle reste au lit pendant un an, et elle le fera. Et elle le laissera ensuite confondu en interrompant volontairement sa grossesse.

Un chirurgien ne consacre pas son temps et son énergie à lutter contre la stérilité uniquement par désir de renommée et d'argent ; la satisfaction de permettre à une femme infertile d'attendre un enfant est beaucoup plus profonde que ces deux facteurs. C'est le prolongement de l'égard qu'il a pour son propre pouvoir d'engendrer, et il n'en est pas pour cela méprisable. Le spécialiste de la stérilité est la version technologique du patriarche polygame et il se justifie mieux que l'avorteur de carrière. Tous deux seront probablement plus souvent de sexe masculin que féminin. L'exemple philoprogéniste le plus grossier en médecine est celui de ces hommes qui utilisent leur propre sperme pour féconder des patientes dont les maris sont stériles, illustration de ce que l'on appelle l'usage de « sperme frais » : en réalité, que les épouses de maris stériles ne demandent pas à être fécondées par les frères de leurs maris, ou que les femmes stériles ne prient pas leurs sœurs de procréer à leur place, au lieu de subir une intervention pénible et coûteuse, s'explique uniquement par la névrose moderne qui fait de la gestation une activité égocentrique.

Reste le paradoxe : ceux qui ont le moins besoin de progéniture, qui ne possèdent ni terre à travailler, ni groupe de parenté à élargir, qui ont des possibilités illimitées de satisfaction dans les domaines du commerce, du pouvoir politique et de l'activité intellectuelle sont les seuls à avoir accès aux moyens technologiques permettant de traiter leur stérilité. Patrick Steptoe a choisi de sauter carrément l'étape tubaire en fertilisant un ovule humain avec un spermatozoïde humain en laboratoire. Ses patientes n'étaient peut-être pas millionnaires, par contre ses expériences furent le résultat de millions dépensés à des recherches extrêmement coûteuses. On peut s'amuser des réactions indignées des autres scientifiques qui avaient travaillé avec lui à Cambridge sur la fécondation des œufs animaux dans une boîte de Petri, lorsqu'il partit à Royston expérimenter leurs méthodes sur des humains[55].

Toutefois, les réussites les plus notoires ne doivent pas cacher une réalité essentielle : notre génération ne se distinguera pas pour sa lutte contre la stérilité, mais par des stérilisations en série à une échelle sans précédent. Comme n'importe quelle sage-femme des pays primitifs avec son bâton pointu, nous pouvons détruire la fécondité. Nos méthodes d'occlusion tubaire sont plus efficaces et plus rapides que celles du gonocoque, mais elles sont fondamentalement similaires, et nous sommes aussi impuissants à traiter l'une que l'autre. Nous agissons avec plus de ménagement que le gonocoque pour détruire la fécondité des jeunes et de ceux qui n'ont pas encore d'enfants, mais nous suivons le même schéma. Comme le gonocoque, nous choisissons le pauvre et le démuni et nous élargirions la portée de notre action stérilisante si nous le pouvions. Ce que nous avons apporté au tiers monde en matière de contraception s'est trop souvent révélé être la stérilisation, quand les grossesses extra-utérines et les salpingites aiguës ont accompagné le stérilet. A ceux dont les enfants sont les plus exposés, nous avons offert la stérilisation ; jour après jour, des projets de loi sont venus proposer la stérilisation obligatoire des mères assistées. Jour après jour on a vu des femmes stérilisées contre leur gré venir porter plainte devant les tribunaux. De jeunes médecins enthousiastes, incapables de voir pourquoi les pauvres voulaient leurs enfants, proposaient une ligature de trompes à des femmes lors de l'accouchement ou de l'avortement, soulignant l'intérêt de liquider le problème d'un même coup pour dissimuler leur propres doutes sur les motivations de leurs patientes. Ils auraient dû savoir que le risque que comporte l'avortement est considérablement accru lorsqu'il se combine avec la ligature des trompes, même si ce fait n'est pas encore totalement expliqué[56].

La stérilisation est de nos jours la forme la plus populaire de limitation des naissances aux Etats-Unis. Plus de 600 000 stérilisations sont pratiquées par an. Au début, les médecins veillaient à stériliser uniquement les femmes qui avaient déjà mis au monde plusieurs enfants, mais leur conception de « plusieurs » s'éroda peu à peu sous la pression de la demande qui s'intensifiait à mesure que les femmes étaient confrontées aux problèmes de la contraception orale et du DIU. Bien que les médecins affirment prévenir leurs patientes de l'aspect irréversible du procédé et leur donner le temps de prendre leur décision, il y a trop de demandes de réanastomose qui ne peuvent être refusées pour la simple raison que la femme a changé d'avis ou mal compris le médecin qui l'a stérilisée. En fait la limitation de la fécondité est aujourd'hui une idée si populaire que les médecins la proposent à n'importe qui et dans n'importe quel contexte. En Inde, les planificateurs familiaux responsables de la régulation des naissances ont très sérieusement envisagé la vasectomie sur les hommes dont les femmes sont enceintes, considérant que leur désir de reproduction serait pour l'instant satisfait. Même parmi l'élite de la société de consommation, la stérilisation est parfois proposée dans des circonstances de confusion et de stress. Une femme dont le col n'était pas dilaté dans un hôpital de Cambridge n'a pu faire la distinction entre deux déclarations superposées sur le formulaire d'acceptation qu'on lui demandait de signer avant de lui faire une césarienne. Une déclaration portait sur l'anesthésie, l'autre sur la stérilisation ; exténuée après un jour de souffrances et de fautes techniques au cours du travail, elle faillit signer les deux formulaires. Nancy, qu'elle mit au monde cette nuit-là, mourut au berceau.

Des 100 patientes qui sollicitèrent une réanastomose en Colombie britannique en 1977, 47 avaient été stérilisées en suite de couches et 9 au cours d'avortements provoqués, à chaque fois dans des circonstances de stress où elles n'auraient pas dû avoir à prendre des décisions importantes pour le reste de leur vie ; 52 d'entre elles n'avaient pas 26 ans, 89 avaient moins de 30 ans. 17 avaient perdu leur enfant par mort soudaine du nourrisson, 4 par accident. 53 n'avaient jamais eu de relations sexuelles stables au moment de la stérilisation, et 63 avaient « subi un changement dans leur statut conjugal »[57]. Certaines de ces situations sont inhabituelles ; la plupart ne le sont pas. L'instabilité dans les relations sexuelles est la règle et non l'exception, surtout si nous avons affaire à des femmes dont la plus grande partie de la vie reproductive n'est pas entamée.

La stérilisation volontaire implique qu'aucun changement fondamental ne pourra avoir lieu. Les dés de la vie ont été jetés. C'est l'abandon du contrôle de sa propre fécondité ; un retour vers l'état d'enfant. La stérilisation n'est pas un substitut à la contraception, c'est la destruction de la fécondité ; elle équivaut à faire perdre la vue à un homme qui a besoin de lunettes. Le Dr Rochelle Shain, de l'université de médecine du Texas à San Antonio, a cherché à savoir si les gens préféraient une stérilisation réversible ou irréversible. Il a découvert, ce qui ne surprendra personne, que si la stérilisation réversible était aussi accessible et peu coûteuse que la stérilisation irréversible, la plupart des gens l'accepteraient sans mal[58]. Le désir d'être à volonté fécond ou stérile est normal chez tout être humain sensé ; le désir de détruire irrévocablement la fécondité est une réaction forcée par les circonstances qui dépasse le contrôle de l'individu. La question est de savoir si nous avons le droit de détruire la fécondité plutôt que de la suspendre. Lorsque nous en arrivons à entraîner, par la corruption ou la séduction, des individus à subir la stérilisation, à profiter de périodes de trouble et de stress pour leur extorquer un consentement, et enfin à stériliser ceux qui sont incapables de donner un consentement ou de le refuser, nous avons abandonné tout scrupule.

Comme d'habitude lorsqu'il s'agit de « planning familial », la stérilisation se pratique d'abord sur une large échelle avant que quiconque sache vraiment comment s'y prendre. Entre 1973 et 1977, tout chirurgien qui pratiquait des stérilisations dans une clinique de la banlieue de Washington changea trois fois de méthode, « se fondant sur son propre jugement à mesure que la technologie progressait ». On commença par des méthodes destructrices. « Une électrocoagulation en deux points suivie par l'avulsion du segment intermédiaire », pouvant avoir pour effets une trompe de Fallope détruite et des séquelles importantes, fut adoptée de préférence à l'électrocoagulation suivie de section, qui semblait provoquer à la fois plus d'inflammations pelviennes, plus d'adhérences et avoir un taux plus élevé d'échec. Finalement, on convint de pratiquer la ligature par anneau en plastique qui causait en apparence moins de symptômes « réels », symptômes dont les chirurgiens peuvent vérifier l'existence selon des critères objectifs et pas seulement selon les dires de leurs patientes. L'une des grandes difficultés dans la comparaison des techniques employées fut que 81 sur 226 de leurs patientes souffraient de « pathologie pelvienne », conséquence soit de leurs méthodes de contraception, soit de l'échec de leur contraception. Une chose était certaine dans le choix de l'insertion de l'anneau de préférence à l'électrocoagulation : c'était une façon d'éviter la brûlure accidentelle des organes et des tissus environnants et le procès en responsabilité médicale qui s'ensuivrait. N'oublions pas que ce sont les chirurgiens qui changèrent de méthode ; les patientes n'avaient pas le choix ; et par conséquent, celles qui eurent la chance de se présenter assez tard pour qu'on leur fît une ligature des trompes eurent aussi une meilleure chance de réversibilité[59].

Du début de 1976 à la fin de 1977, la section endocrinologique du service d'obstétrique et de gynécologie de l'université de Floride a entrepris une étude sur les indications concernant la réversibilité de la ligature des trompes. Treize femmes furent éliminées presque immédiatement, une parce que son mari souffrait d'azoospermie, quatre pour des raisons médicales et huit parce qu'elles étaient « financièrement incapables de supporter une réanastomose », en d'autres mots parce qu'elles n'étaient pas assez riches. Six autres n'avaient plus que trois centimètres de trompes ; une n'avait même plus de franges. Huit patientes subirent une plastie tubaire ; moins d'un an plus tard, une d'entre elles était enceinte et deux avaient donné naissance à un enfant. L'une de ces huit femmes avait été stérilisée à l'âge de 13 ans. La conclusion de l'étude fut que la mini-laparotomie, avec résection d'une petite partie de l'isthme tubaire suivant la technique de Pomeroy, était plus « réversible »[60]. Tant que la réversibilité dépendra de la microchirurgie, les paysannes stérilisées n'auront aucune chance d'en connaître les avantages. Le Dr Rajnikant Arole, sans affirmer que la réversibilité est hors de question, supprime toute l'extrémité distale de la trompe au cours de ses stérilisations, et encore c'est un homme compatissant, qui se consacre avec passion à son programme de santé en milieu rural et qui a réussi à apprendre aux femmes sans instruction de ses villages à s'assister entre elles.

La stérilisation féminine ne peut être pratiquée à la légère. Qu'une femme stérilisée souffre ou non d'effets secondaires dépend de la méthode utilisée et de l'adresse de celui qui l'a pratiquée. Une femme court un risque élevé de grossesse extra-utérine avec certaines méthodes et un risque de lésions pelviennes avec d'autres. Si l'irrigation sanguine de l'ovaire est interrompue, elle peut souffrir de douleurs abdominales et de troubles menstruels. Dans quelques cas exceptionnels, une trompe peut se reperméabiliser et une grossesse normale s'ensuivre. Les médecins devraient d'abord s'assurer que la femme qui demande à être stérilisée ne court pas le risque d'avoir à subir une autre intervention chirurgicale par la suite, une hystérectomie par exemple, pour des raisons étrangères à la stérilisation ; la fréquence de l'hystérectomie post-stérilisation prouve qu'ils n'en font rien[61].

Le monde taille et brûle à volonté le tissu humain reproducteur. Plus de 75 000 000 de femmes ont été stérilisées, 9 000 000 aux Etats-Unis. En 1970, 20 % des femmes utilisant la contraception avaient été stérilisées ; vers 1975, la proportion atteignit 51 %. En 1973, l'âge moyen des femmes stérilisées était de 28 ans ; moins de la moitié du total avait plus de 30 ans. Dans 22 % des couples aux Fidji, et 13 % à Sri Lanka, l'un des deux partenaires est stérilisé. Au Panama, 26 % des femmes mariées sont stérilisées ; 15 % au Costa Rica[62]. Les programmes de stérilisation de masse sont effectués par électrocoagulation et laparoscopie ; si le taux de complications n'était pas plus élevé que celui qui est observé aux Etats-Unis, il serait déjà inacceptable ; il y a toutes les chances qu'il soit plus élevé. On ignore le nombre des femmes qui regrettent leur décision, mais la mort infantile étant plus courante dans le tiers monde qu'aux Etats-Unis, nous pouvons affirmer qu'elle entraîne comme souvent un désir désespéré de réversibilité. Les autres raisons, religieuses et psychologiques, sont au moins aussi fortes, si ce n'est plus.

Si nous croyons, et la plupart d'entre nous prétendent le croire, que la contrainte n'entre pas en jeu dans la régulation des naissances, peut-on vraiment l'éliminer lorsque la stérilisation est la seule option ? Le choix de la stérilisation est lui-même dicté par le manque d'options de remplacement. Il ne peut être un libre choix car ceux qui acceptent la stérilisation ne savent pas suffisamment ce qui les attend. Sur ce point, les stérilisateurs ont une connaissance de leur activité tout à fait insuffisante ; par exemple, on ignore si la formation d'un granulome spermatique est un bon pronostic de réversibilité ou s'il est neutre et sans importance, ou encore s'il est traumatisant ou débilitant. Près d'un tiers des hommes ayant subi une vasectomie auront un granulome spermatique, et dix pour cent d'entre eux ressentiront une douleur au moment de l'excitation sexuelle, qui pourra s'aggraver à l'éjaculation ou entraîner une douleur postcoïtale ; certains développeront des fistules, des hydrocèles ou même des abcès du scrotum. On cessa de minimiser les complications qui surgissent après la vasectomie le jour où un médecin raconta qu'il n'avait jamais enduré souffrance aussi atroce et qu'il avait dû prendre 15 mg de morphine en cinq prises en moins de deux heures[63]. Paysan indien, il aurait souffert le martyre, aucun homme dans son village n'aurait songé à subir le même sort et la nouvelle se serait répandue dans toute la région.

Si la fréquence du granulome spermatique est de l'ordre de 3 à 4 %, elle est manifestement trop élevée. La diminution de l'acception de la vasectomie en Inde est probablement liée à de tels effets plutôt qu'à la campagne politique menée par les adversaires de Mme Gandhi ; de nos jours les programmes de stérilisation en Inde s'adressent surtout aux femmes. Une population rurale ne peut savoir, bien qu'elle puisse s'en douter, que les conséquences à long terme de la vasectomie sont encore problématiques. Le patient qui a survécu le plus longtemps à la vasectomie est un singe, et il ne se porte pas particulièrement bien. A cause de la rétention de sperme dans le courant sanguin, le mâle qui a subi une vasectomie pourrait développer une maladie auto-immune ; dans le cas du singe, il s'agit de l'athérosclérose[64]. Insensibles aux souffrances des singes, les stérilisateurs poursuivent leur œuvre de destruction. Dans une étude faite sur cent hommes stérilisés à Londres, on a découvert que l'âge moyen au moment de la stérilisation ne dépassait pas plus de 26 ans. Comme l'a affirmé un gynécologue, « le monde est devenu fou de stérilisation ». Les congrès internationaux sur la fécondité sont dominés par des discours savants sur les méthodes de stérilisation chirurgicale. Pendant ce temps, l'assistance aux pauvres sans enfants en est toujours au même point[65].

La stérilité dans notre monde a trois aspects, et les trois sont menaçants. Le premier est la stérilité involontaire, répandue par la maladie à travers le monde industrialisé et ses colonies et dépendances, dont nous sommes loin d'être venus à bout ; que les riches dépensent des fortunes pour la rendre réversible, ou que les pauvres l'endurent, elle poursuit inexorablement sa route. Le second est la stérilité que nous choisissons plutôt que de continuer à lutter pour réguler notre fécondité. Le troisième est la stérilité que nous persuadons les autres d'accepter parce que nous doutons de leur capacité à contrôler leur propre fécondité ou parce que nous ne leur faisons pas confiance. Aux exploits douteux du vingtième siècle, avec la guerre totale et la bombe à neutrons, nous ajouterons notre rôle de « civilisation de la stérilisation ».

Nous ignorons si nous paraîtrons superstitieux aux yeux des futures générations si elles existent, car elles sauront si la menace que nous tentons d'écarter par nos sacrifices sanglants et nos holocaustes serait jamais advenue. Le matérialiste protestant blanc considère ces peuples religieux dont il ne comprend pas la foi comme des peuples arriérés et superstitieux ou simplement hypocrites. Parions que la postérité aura une opinion bien pire de lui quand elle pèsera les crimes contre l'autonomie humaine qu'il voulait couvrir afin d'éviter une catastrophe hypothétique, la mort du monde par surpopulation. Le paradoxe le plus cruel reste que la stérilisation est un moyen de contrôle des naissances inadéquat, sans aucune chance de déclencher la réaction en chaîne désirée par ceux qui craignent l'explosion démographique, car elle bafoue la dignité humaine, raison d'être du contrôle des naissances.

4

La chasteté est une forme de contraception

> O bébés illégitimes !
> O filles, filles !
> Précieuses petites idiotes,
> Vous auriez dû dire : Non, je suis précieuse,
> Et répéter cent fois : c'est parce que je suis précieuse
> Que je dis : Non.
>
> On n'apprend plus à personne qu'elles sont précieu-
> ses.
>
> STEVIE SMITH

Le moyen direct et sans ambiguïté d'équilibrer la population humaine en fonction de ses ressources est de mettre un frein à la possibilité de reproduction en restreignant l'activité sexuelle. Il n'existe aucune société où les êtres humains puissent copuler librement ; tant que reproduction et activité sexuelle furent inextricablement mêlées, aucune communauté humaine n'a jamais été organisée autour de l'amour libre. Le mariage est une autorisation de se reproduire. Même dans les sociétés qui encouragent l'expérience sexuelle chez les jeunes, les naissances illégitimes sont rares et entachées de déshonneur. La règle semblerait y être que les jeunes peuvent copuler à leur gré pendant la période de l'infécondité de l'adolescence, dont la réalité n'est comprise que depuis peu[1]. Dans certains pays, le jeu sexuel doit cesser à l'apparition des règles, et la femme fécondable est cloîtrée jusqu'au mariage.

La chasteté n'est pas à l'origine un moyen de limiter la fécondité, ou du moins n'est-elle pas présentée comme telle à ceux qui sont régis par ses lois, car elle raterait son but. Sa démystification stimulerait l'instinct reproducteur de chaque individu d'une manière inacceptable. Au contraire, la chasteté est somptueusement parée de mythes. Les chrétiens ont enseigné que le Christ et sa mère sont restés vierges toute leur vie, situation invraisemblable mais en laquelle des millions d'individus ont cru avec ferveur, s'évertuant à contrôler leurs propres désirs charnels pour imiter l'exemple divin. Les vierges pouvaient espérer la première place au ciel, devant les épouses qui vivaient dans la chasteté conjugale. La pureté corporelle chez certains devint une telle obsession qu'ils ne laissaient pas les médecins toucher leur corps même si leur vie en dépendait. Le dieu catholique approuve l'abstinence sexuelle, y compris lorsqu'elle prive de leur droit des époux légitimement mariés. Hors du mariage, les écarts sexuels sont mis dans le même sac que le vol et le meurtre, péchés mortels de la pire espèce[2].

L'insistance mise par les catholiques sur le culte de la virginité a probablement altéré l'efficacité de sa fonction sociale ; en effet, incapable de s'astreindre à une continence qui dépassait ses forces, le commun des mortels a expié ses défaillances en subissant la naissance, le sexe n'étant toléré par Dieu que dans le but de peupler les cieux. Les Pères de l'Eglise ont en vain dénigré l'état du mariage et accablé le couple marié de restrictions sexuelles, faisant de leur propre célibat l'exemple le plus noble de la vie humaine. Excepté dans le cas de cultes fondés sur la haine du corps, chez les skoptsys et les cathares par exemple, la plupart des gens ont continué à se marier. Il est impossible aujourd'hui d'évaluer les effets du mouvement monastique sur la population européenne ; même si la proportion des célibataires dans la population atteignit à certaines époques 5 % d'hommes, celle des femmes qui vivaient dans les couvents était beaucoup moins élevée[3].

Ce fut en partie le laxisme de l'importante population célibataire qui conduisit les protestants à objecter que le célibat n'était pas le mode de vie le plus honorable pour chacun, y compris pour le clergé. Dans la période qui suivit la Contre-Réforme, les catholiques avec une forte proportion de célibataires accusaient volontiers les prêtres de participer à l'accroissement de la population, faisant d'eux les consolateurs des veuves et des femmes séparées de leurs maris. Néanmoins, il ne faut pas sous-estimer les effets que la mainmise de l'Eglise catholique sur l'éducation primaire a eu sur le comportement sexuel de nombreux croyants, auxquels on enseigne dès le berceau à refréner leurs désirs naturels et à se châtier eux-mêmes, y compris pour des fautes involontaires. Le confessionnal, où est mené l'interrogatoire le plus intime sous la menace de la sanction divine et où le mensonge, péché contre le Saint-Esprit, est puni de tourments éternels, n'est pas sans conséquences sur le comportement sexuel de l'individu.

Les effets de l'enseignement catholique sur l'activité sexuelle de l'homme et de la femme varient suivant les autres pressions qu'exerce sur eux l'usage établi et selon leur situation socio-économique. Parce qu'il est difficile de mêler l'influence de l'Eglise (elle-même variable) à d'autres variables, la plupart des démographes ne l'ont pas prise en considération, si ce n'est pour constater vaguement qu'il y a plutôt plus d'avortements dans les pays catholiques ou que le taux de natalité en Belgique est tombé malgré l'Eglise en dessous du taux de renouvellement. Pour les catholiques toutefois, sinon pour les démographes, l'Eglise a un poids énorme. La morale catholique du salut personnel se trouve fréquemment en conflit avec l'altruisme envers les membres du groupe. Du fait que les catholiques ont tant de mal à accepter et à exprimer leur sexualité, et par conséquent à contrôler leur comportement reproducteur, ils sont spécialement exposés au risque de la grossesse non désirée et de l'avortement, générateur de culpabilité. L'importance attachée par les catholiques à la pureté peut être sans influence sur les calculs des démographes, excepté paradoxalement pour en accroître les totaux, mais elle augmente dans des proportions démesurées les facteurs de stress que renferment ces chiffres.

La Birmanie représente peut-être un exemple où la religion a maintenu un taux peu élevé d'accroissement de la population, si l'on considère que la religion est le facteur décisif du caractère exceptionnellement clairsemé de la population birmane et non la résistance montrée par des tribus montagnardes dont la cruauté et le courage sont légendaires à l'expansionnisme des immigrants qui peuplaient les embouchures de l'Irraouaddi il y a plusieurs siècles. La prédominance d'une religion antisexuelle ne peut seule expliquer le phénomène, mais ce dernier ne peut être expliqué sans elle. L'aspect le plus remarquable du bouddhisme chez les Birmans est son degré de pénétration dans la vie quotidienne de chaque habitant. Chaque village avait un monastère et chaque enfant de sexe masculin y était élevé gratuitement par des moines qui avaient renoncé aux femmes et au droit de fonder un foyer, sans avoir pourtant fait vœu ni de pauvreté ni de chasteté. Le moine bouddhiste birman se coupe complètement des plaisirs de ce monde ; il doit marcher les yeux baissés, sans regarder à plus de deux mètres devant lui, ne peut adresser plus de cinq à six mots à une femme en dehors de la présence d'un tiers, et en public cache son regard derrière un éventail, s'interdisant de contempler les femmes.

> L'existence quotidienne du moine qui a attaché son char à une étoile laisse une impression durable sur son élève. L'exemple vivant d'une vie de pauvreté, de chasteté et d'abnégation donne une force supplémentaire à l'éducation morale qu'il a précédemment reçue chez lui. En fait, l'imprégnation précoce de l'esprit religieux, jointe à l'influence des parents et à l'instruction morale du moine constituent les forces dynamiques qui ont formé le caractère naturel des Birmans[4].

Lorsque le jeune Birman montre les signes d'agitation de l'adolescence, on l'envoie vivre dans le monastère où il devient néophyte après une cérémonie appelée le *shinbyu*. Il pourra le quitter à l'âge de vingt ans, ou être ordonné et y rester. Un tel système fonctionne avant tout pour assurer sa continuité. Le monachisme birman a pour fin de développer le monachisme par l'endoctrinement et le recrutement, et le succès de ces deux fonctions repose sur leur totale sincérité. L'hypocrisie n'a pas de place dans cette pratique qui est aux antipodes de la prêtrise telle que la conçoit le catholicisme. Les modèles proposés au jeune Birman sont des champions du renoncement ; lorsqu'il décide de quitter le monastère, l'abnégation lui est plus naturelle que l'expression spontanée du désir charnel. Certains signes, l'extrême irascibilité du Birman et le taux élevé de la criminalité entre autres[5], dénotent que cette répression volontaire n'est pas sans effets ; pourtant, même sous le nouveau régime socialiste, il semblerait que la valeur attachée au renoncement se soit plutôt développée que le contraire.

Habituellement exclues des collèges monastiques, les femmes fréquentent des écoles séculières qui ne remplissent pas la même fonction. Fait courant en Asie bouddhiste, elles accomplissent dès l'enfance la plus grande part du travail manuel, laissant à leurs frères le privilège des choses de l'esprit, et le poids de leurs tâches contrarie leur fonction procréatrice. En 1914, J. Stuart s'est penché sur le fait du sous-peuplement de la Birmanie ; il ne trouva pas un seul facteur de pression démographique. Les Birmans n'avaient développé aucun pouvoir maritime[6]. Leur inaptitude à remplir leur territoire ne pouvait s'expliquer ni par la guerre ni par le despotisme, ni par l'infécondité, aussi Stuart mit-il le phénomène sur le compte du bouddhisme (comparant les Birmans aux bouddhistes qui ne surent se maintenir face à l'expansionnisme de la population tamoule à Sri Lanka), mais il limita ses observations à la dévalorisation du mariage chez les bouddhistes qui ne le considèrent pas comme un sacrement et n'attachent que peu d'importance à la lignée mâle. Il aurait pu trouver dans les lignes suivantes une explication sans ménagement de la psychologie birmane :

> La Birmanie est peu peuplée en premier parce que les Birmans n'éprouvent pas le désir d'une nombreuse progéniture. Ensuite parce que le Birman moyen n'est pas lubrique (j'espère que mes lecteurs excuseront la brutalité de mon expression) comme son frère le Juif ou n'importe quel membre de toute autre nation[7].

Ceux qui craignent que la surpopulation n'entraîne la révolution devraient méditer sur les effets du sous-peuplement en Birmanie. La nécessité d'importer une main-d'œuvre étrangère fut une cause directe de la révolution birmane, et l'initiation du « Birman moyen » au renoncement fut le parfait instrument pour l'acceptation de l'idéologie collectiviste. Les autres pays bouddhistes relativement peu peuplés, la Thaïlande, le Laos, le Cambodge et le Viêt-nam ont tous été dévastés par la révolution et par la guerre révolutionnaire.

La campagne pour la limitation des naissances en Chine dans les années 60 et 70 fut en grande partie menée contre l'activité sexuelle. Les autorités chinoises et tous les porte-parole chargés d'expliquer la politique officielle aux observateurs soulignèrent qu'il n'y avait aucune homosexualité et aucune prostitution en Chine, en dépit du fait que le mariage fut repoussé, souvent jusqu'à un âge relativement tardif. La jeunesse chinoise était censée n'avoir aucune activité sexuelle à partir du moment où l'on estimait normale une faible libido. Des affiches sur les murs des usines proclamaient que « le sexe est une maladie mentale ». Les jeunes Chinoises à qui des Occidentales étonnées devant un tel stoïcisme demandèrent si elles « avaient un petit ami » s'irritèrent de la question qu'elles prirent pour une critique de leur caractère. Les soupçonner d'hypocrisie dans l'observation des restrictions sexuelles représentait une insulte insupportable : à leurs yeux, l'incapacité de contrôler ses pulsions sexuelles était un signe de dégénérescence, propre aux lubriques Occidentaux. Après le départ de la bande des Quatre, les femmes d'un milieu social relativement évolué qui vinrent en Occident redoutaient de se retrouver seules en présence d'un homme. La privation volontaire est non seulement plus facile à pratiquer dans une société anticoïtale, mais elle évite de reconnaître le désir sexuel pour ce qu'il est, surtout lorsqu'il n'existe aucune intimité, et que la retenue est renforcée par la surveillance constante des autres.

Les études historiques des populations européennes ont révélé que les pays d'Europe occidentale ont suivi un schéma de mariage relativement tardif, avec une large proportion de célibataires. D'après la célèbre étude menée par J. Hajnal, dans seize pays au début du siècle, la proportion de célibataires s'inscrivait entre 6 et 20 % pour les hommes et 10 et 29 % pour les femmes. La moyenne pour les hommes était de 12,75 %, et pour les femmes de 15,6 %. Le mariage se situait en majorité après l'âge de 25 ans pour les deux sexes. Hajnal retrouve ce phénomène jusqu'au dix-septième siècle, à partir de données provenant de Venise au dix-huitième siècle, des Pays-Bas à la fin du dix-septième siècle, de Bavière au dix-huitième siècle, du Norfolk et du Somerset aux seizième et dix-septième siècles, de Parme du dix-sept au dix-neuvième siècle, de Crulai en Normandie aux dix-sept et dix-huitième siècles, et il découvre une similarité suffisante pour lui permettre de définir un « modèle du mariage européen » qui n'a jamais été contesté[8]. Les effets du mariage tardif sur la fécondité sont difficiles à quantifier, surtout si nous prenons en compte la longue période de non-fécondité de l'adolescence dans des sociétés moins bien nourries qu'elles ne le sont aujourd'hui, mais un fait semble certain : il y a sûrement eu une restriction efficace et importante de l'activité sexuelle des jeunes gens. Dans de nombreux cas, le mariage était précédé de périodes prolongées de fiançailles officieuses ou officielles, et un nombre surprenant de jeunes mariées étaient enceintes le jour de leur noces[9]. Nous reviendrons ultérieurement sur les implications de ce phénomène.

Certains groupes professionnels dans la société européenne ne pouvaient pas se marier et, fait qui n'a rien de surprenant, c'étaient les groupes où l'on trouvait le plus de jeunes adultes. L'un des plus nombreux parmi ces groupes est celui que formaient les employés domestiques, représentant 13,4 % de la population en Angleterre d'après un échantillon de cent communautés anglaises étudiées de 1574 à 1821. La proportion la plus élevée était constituée par des hommes, et il est probable qu'il s'agissait de travailleurs au sens large plutôt que d'employés domestiques comme on l'entendait au dix-neuvième siècle. Les hommes avec un statut de servi-teurs avaient une chance légèrement plus élevée de se marier, à la condition que leurs gages leur permettent d'entretenir un ménage, leur famille n'étant pas acceptée à la table de leurs maîtres. Ces derniers, par contre, n'acceptaient pas que les femmes à leur service se marient, redoutant les conséquences de la maternité sur leur santé et sur leur temps disponible. Beaucoup d'entre elles restaient célibataires à vie ; d'autres rentraient chez elles et épousaient leur ami d'enfance — si elles n'avaient pas été séduites et flanquées à la porte par leurs maîtres. La fonction de servante s'apparentait à celle de fille de ferme, de laitière et de bergère et elle englobait aussi la parenté, car il était fréquent que l'on envoyât les enfants de parents pauvres au service des membres plus aisés de la famille.

Tous les domestiques étaient soumis à l'autorité du maître de la maison qui disposait souvent du droit d'exercer des châtiments corporels, et en tout cas de celui de congédier sans références. Dès leur plus jeune âge, certains enfants se retrouvaient employés comme domestiques avant d'avoir eu le temps d'entrer en contact avec leur propre groupe, et ils grandissaient sous la dépendance physique et morale des familles de leurs maîtres. Traditionnellement moins disciplinés, réputés pour terroriser le citadin lors des jours de fête, les apprentis formaient un groupe privilégié par rapport aux autres domestiques ; bien que leurs tâches fussent la plupart du temps pénibles, leurs employeurs avaient des comptes à rendre à leurs parents ou aux membres de leur corporation. Apprentis et compagnons n'avaient pas le droit de se marier[10].

En réalité, ces interdictions obéissaient à une règle suivant laquelle l'individu incapable de subvenir aux besoins d'une famille indépendante ne peut pas se marier. Elles s'appliquaient aussi bien à des étudiants logeant dans des collèges ; si la tradition veut que les élèves de Cambridge entretenaient des maîtresses et des prostituées à Bishop's Stortford, il est plus probable que l'on y rencontrait davantage de célibataires que de débauchés. Les soldats ne pouvaient pas se marier sans le consentement de leurs supérieurs, difficile à obtenir, contrairement à aujourd'hui. Cette interdiction est toujours en vigueur chez les *carabinieri* italiens à qui le règlement interdit de se marier avant l'âge de 26 ans ; un mariage contracté pour des raisons urgentes prive le jeune homme du droit à la solde et aux quartiers de résidence des carabiniers mariés.

Certains des facteurs décrits ici expliquent le célibat, d'autres le mariage tardif, mais il existait une condition supplémentaire au mariage, même pour ceux qui acquéraient un statut d'indépendance. La notion européenne de la « famille » était centrée sur un couple marié auquel venaient s'ajouter des membres non mariés de la même génération ou de générations différentes, liés ou non par des liens de parenté. Le mariage s'accompagnait nécessairement de la création d'un foyer indépendant. Ce schéma a peut-être pour cause le rapport insuffisant de la population aux terres disponibles. Son effet sur la croissance de la population peut difficilement être mis en doute ; même dans le cas du maître artisan dont la relation à la production alimentaire est moins évidente, la capacité d'élever une famille dépendait de la productivité des terres qui créait le surplus lui permettant d'acheter ses produits manufacturés. De plus, ses propres organisations professionnelles faisaient en sorte que le nombre d'artisans qualifiés ne pût en aucun cas mettre en péril les chances de survie de chacun.

Le schéma européen fut la résultante de facteurs spécifiques tels que la densité de population, l'espérance de vie et les règles de l'héritage et d'utilisation de la terre. La révolution industrielle eut pour effet de briser ce schéma et de le remplacer peu à peu par celui du mariage précoce sans dot accompagné d'un taux de natalité élevé, aujourd'hui devenu le mariage précoce sans dot avec usage de la contraception. Un tel résumé est ridiculement simplifié, mais il a pour but de nous rappeler qu'avant de nous pencher sur les systèmes de régulation démographique des autres pays nous pourrions nous souvenir des quatre cents ans ou presque au cours desquels nous sommes parvenus à un équilibre satisfaisant entre l'accroissement démographique et une économie à prédominance agraire sans avoir besoin d'associations intergalactiques de planning familial pour nous dicter notre conduite. Le manque de considération et le mépris que nous manifestons pour les modèles culturels de chasteté et de contrôle de soi ne sont pas seulement insupportables, ils dévalorisent véritablement nos activités aux yeux de ceux qu'elles sont supposées influencer.

Si les autres sociétés n'ont jamais imposé un célibat perpétuel sur un si grand nombre ni autant retardé le mariage que les pays d'Europe occidentale, des centaines de groupes observent des restrictions sévères et parfois très longues sur les rapports sexuels entre époux. La société la plus restrictive jamais observée est celle des Danis d'Irian Jaya, en Indonésie. Les anthropologues acceptent encore difficilement les cinq déclarations que fit Karl Heider à leur sujet :

> Les Danis de Grand Valley observent une abstinence sexuelle de quatre à six ans après l'accouchement.
> La période d'abstinence est toujours respectée.
> La règle de l'abstinence sexuelle post-partum n'est jamais accompagnée d'explications autoritaires ni renforcée de sanctions sévères.
> La plupart des gens n'ont aucun autre exutoire sexuel.
> On ne constate aucune manifestation de tristesse ou de stress au cours de la période d'abstinence[11].

Heider étudia les Danis de Grand Valley pendant trente mois ; les hommes danis lui parlèrent de l'abstinence traditionnelle après la naissance d'un enfant, sans jamais mentionner une seule infraction à cette règle. Qui plus est, les enfants de mêmes parents semblaient avoir l'écart d'âge adéquat. Il ne put trouver aucune preuve de contraception, avortement, infanticide ou rapports sexuels autres que ceux qui tôt ou tard aboutissent à la conception. Heider s'étonna surtout de découvrir que ce degré étonnamment peu élevé d'activité sexuelle n'était pas imposé par un système de menaces, naturelles ou surnaturelles, ou par toute autre forme de contrôle. Pendant la première année, les hommes polygames préféraient résider dans le quartier du nouveau-né plutôt que d'aller retrouver leurs autres femmes réceptives. Sur 170 femmes, 90 n'avaient mis au monde qu'un seul enfant, 57 en avaient deux. Les noces ont lieu le jour de la grande fête du cochon qui se tient tous les quatre ou six ans, et les couples ne commencent à avoir de rapports sexuels qu'après une cérémonie spéciale, deux ans plus tard. La nuit, les hommes dorment généralement dans la maison des hommes, les femmes dans leurs propres quartiers.

De l'étude de cette peuplade pacifique et bien portante, Heider conclut que l'hypothèse de Freud selon laquelle il existe des degrés normaux de libido est fausse ; selon lui, l'activité sexuelle est acquise sous l'effet de stimuli auxquels ne sont pas soumis les Danis depuis l'enfance. Les Danis sont un cas à part en cela que leur sexualité n'est pas réprimée mais plutôt non développée, et qu'on ne trouve à sa place aucune forme de compensation ou de sublimation dans l'art, la guerre ou l'activité intellectuelle. Curieusement, cette santé exceptionnelle des Danis et la facilité de la vie dans la région de Dugum ont pu gêner le développement des formes culturelles stimulant le fantasme sexuel et le désir. Les sociétés procoïtales se sont peut-être développées dans des contextes de libido affaiblie par la malnutrition et par la maladie ajoutées à un taux élevé de mortalité périnatale, obligeant l'activité reproductrice à requérir tout l'apport culturel possible. Vivant dans leur Shangri-la, protégés des pillards et de leurs maladies par la configuration du terrain, les Danis n'ont pas eu à lutter avec les forces de la mort : leur exemple nous offre un aperçu de ce que peut réellement signifier l'homéostasie démographique.

Les observations de Heider parurent si extraordinaires à ses confrères que certains d'entre eux croient encore aujourd'hui qu'il a tout inventé. Certains signes pourtant prouvent que les systèmes à faible dépense d'énergie sont plus courants qu'on ne le pense en général, surtout dans des sociétés qui se sont accommodées d'un territoire et d'un apport nutritionnel limités, et qui ne peuvent développer leur agriculture, comme c'est le cas pour les Indiens d'Amazonie. Cotlow donne un aperçu de la forme de sexualité qui domine dans la région du Xingu :

> Les Xinguanos d'Orlando sont profondément troublés par les *civilizados* sexuellement frustrés ; ils ne comprennent pas qu'un homme puisse être excité à la vue d'une femme nue. Au cours de ses vingt-cinq années de vie quotidienne parmi les Indiens, Orlando m'a dit n'avoir jamais vu un Indien en érection. Cela leur aurait semblé stupide. Il n'a assisté chez eux à aucune manifestation d'aucune sorte de déviations sexuelles. Ils ignoraient ce qu'était la masturbation jusqu'au jour où ils virent un employé du poste télégraphique s'y livrer.
>
> A partir de ce jour, l'employé du télégraphe posa un problème à Orlando et à ses collègues. Aux yeux des Indiens, il avait fait quelque chose de répréhensible et de méprisable. Il ne restait plus qu'à le renvoyer de la réserve[12].

D'autres sociétés traditionnelles en Nouvelle-Guinée montrent de nombreux points communs avec les Danis. Hommes et femmes sont généralement séparés ; les hommes dorment ensemble dans leurs quartiers, les femmes et leurs enfants dans d'autres parties de la maison ou dans des habitations individuelles ; en conséquence, l'activité sexuelle n'est pas seulement l'effet de la promiscuité, mais doit être délibérément recherchée. Chez les Marings, pour lesquels la femme représente le ventre qui mettra au monde les remplaçants des guerriers tués, les femmes sont exclues de certains endroits et de certaines activités. A des époques données, hommes et femmes n'ont aucun contact d'aucune sorte.

> Hommes et femmes dorment dans des maisons séparées. Les femmes ne pénétreront jamais dans la maison des hommes, car ce faisant elles porteraient tort à la santé de ceux qui y résident... Si un homme peut entrer dans la pièce principale de la maison des femmes, il court un danger en pénétrant dans la petite chambre à coucher à l'arrière[13]...

La ségrégation sexuelle, spécialement dans les pièces réservées au sommeil, n'est pas un phénomène rare. Alors que la ségrégation en elle-même ne signifie pas nécessairement abstinence sexuelle, car des couples peuvent être encouragés à se rencontrer à la dérobée comme en décida Lycurgue à Sparte, elle permet un contrôle considérable de l'activité sexuelle et surtout un renforcement de l'abstinence rituelle. Dans de tels groupes, le lien conjugal est d'ailleurs beaucoup moins important que les liens sociaux entre les hommes ; la compétition pour les opportunités de reproduction mettrait en danger la communauté d'intérêts qui doit prévaloir entre les mâles, aussi l'abstinence est-elle plus souvent pratiquée loyalement par le groupe entier et non hypocritement avec des transgressions occasionnelles.

L'Occidental attaché à une seule femme comprend mal que les rapports conjugaux puissent prendre une place secondaire dans la vie sociale d'un homme, alors que la société occidentale a pratiquement détruit tous les groupes à l'exception de l'entité mobile représentant la famille nucléaire. Les preuves ne manquent pourtant pas pour démontrer que dans les groupes islamiques, chez les peuples micronésiens et mélanésiens, et même parmi certains groupes hindous, la ségrégation est le mode de vie favori, que l'action des médias est toutefois en train de déséquilibrer non seulement en amenant les liens sociaux entre les hommes à se relâcher, mais en faisant éclater l'infrastructure d'une société féminine autonome de telle sorte que les femmes souffrent avec la modernisation d'un déclin de leur statut. Le démantèlement de ces structures peut avoir pour conséquences une montée du taux de natalité, montée qui existe peut-être déjà dans les chiffres de la population mondiale, spécialement lorsque ceux-ci se rapportent au comportement reproducteur des immigrés récents en provenance de sociétés traditionnelles. La famille nucléaire a souvent une fécondité plus élevée que la famille traditionnelle.

Il est clair à ce point que l'abstinence a une double fonction : non seulement elle permet de limiter le taux de natalité, mais elle protège véritablement la fécondité en attachant un prix très élevé à une activité à laquelle on doit renoncer. L'homme incité à l'abstinence est à la fois stimulé et dissuadé en même temps ; la pulsion sexuelle est accrue du fait d'attribuer au sexe une valeur psychique plus grande. D'activité de routine, le coït devient un exploit, parfois même dangereux. Il est une croyance répandue qui considère le sperme comme une substance précieuse, symbole de vigueur et de pouvoir, dont un trop grand usage provoquera un affaiblissement de l'esprit et du corps. La détumescence elle-même serait la manifestation immédiate de l'affaiblissement de l'homme, consécutif à la satisfaction sexuelle. Le transfert de la virilité de l'homme sur les plantes qu'il fait pousser est une des formes de symbolisation les plus communément rencontrées dans les sociétés horticoles. Le peuple d'Abelam de l'Ouest en Nouvelle-Guinée fait pousser des ignames rituels, les *Dioscorea alata* :

> Le statut de l'homme dépend dans une large mesure du nombre et de la taille des tubercules. En conséquence, des formes diverses de magie sont spécialement pratiquées pour assurer la croissance de l'igname. Pour garantir ensuite le succès de la récolte, les hommes observent une série de tabous, dont le plus important est l'interdiction d'avoir des rapports sexuels pendant les six mois de la croissance des plantes. Est également tabou tout ce qui touche à la sexualité, même en paroles ; et les planteurs d'ignames évitent les femmes qui ont leurs règles[14].

Autant que puisse en juger cet anthropologue, le caractère saisonnier des naissances correspondait à une période d'abstinence qui durait d'août à janvier ; durant cette période, les ignames grossissaient car le cœur des cultivateurs, comme celui de Galahad, était resté pur.

Six mois d'abstinence ne diminuent pas nécessairement le taux de natalité ; les femmes qui ont conçu au début de la période d'activité sexuelle peuvent concevoir à nouveau au cours de la suivante. Toutefois, si l'abstinence sexuelle est favorable à la croissance des ignames, elle l'est tout autant pour le développement des bébés dans le ventre de leurs mères. Les sociétés traditionnelles où les rapports sexuels sont automatiquement suspendus dès le début d'une grossesse sont bien plus nombreuses que celles où les rapports sexuels pendant la grossesse sont encouragés. Sheila Kitzinger a relevé des témoignages d'hommes devenus pratiquement impuissants à la pensée qu'il y avait « quelqu'un d'autre à l'intérieur », et cela aussi bien dans notre société procréatale. En général, il semblerait que l'abstinence durant la grossesse serait la conséquence du profond désir des parents d'avoir un enfant en bonne santé. Cette attitude n'a aucun rapport logique avec la physiologie de la grossesse, même si les rapports sexuels augmentent en fait très légèrement le risque d'avortement spontané ; c'est une attitude dictée par la religion : les parents espèrent *mériter* un enfant en bonne santé par leur sacrifice.

Ces mêmes sociétés qui pratiquent l'abstinence pendant la grossesse continuent souvent après la naissance de l'enfant.

> ... une fois que l'enfant est né, son avenir repose presque entièrement entre les mains du père. En s'imposant des aliments tabous et des restrictions sexuelles... il aide l'enfant à traverser la période du post-partum[15].

disent les Fores en Nouvelle-Guinée. Pour de nombreux peuples, la période entre la naissance et le sevrage représente un danger particulier pour l'enfant. Il est certain que l'abstinence sexuelle ne peut avoir une influence directe sur les chances de survie de l'enfant, mais elle a une fonction psychoprophylactique en aidant les parents à surmonter leur inquiétude. Si le pire arrive, à leur chagrin ne viendra pas s'ajouter un sentiment de culpabilité. L'idée d'avoir fait tout ce qu'il était humainement possible de faire est d'un grand réconfort

Les Yorubas au Nigeria représentent l'exemple d'abstinence post-partum le plus méthodiquement étudié. Même s'ils ont connu une transformation sociale rapide, au point qu'en 1963 moins de la moitié de la population active yoruba était rurale, qu'en 1975 une majorité de la population adulte avait été partiellement scolarisée, et que la moitié habite dans les villes, « ils pratiquent toujours de longues périodes d'allaitement et d'abstinence postnatales ».

> Il était reconnu que traditionnellement la société yoruba incitait à l'allaitement et aux périodes d'abstinence, les grand-mères et autres vieilles femmes faisant autorité en la matière. Mais l'étendue des périodes citées laisse à penser que le changement a commencé à intervenir il y a longtemps, ou qu'il y a toujours eu des différences locales, ou plus probablement qu'il n'y a jamais eu d'accord sur ces points. On a indiqué que la période traditionnelle d'abstinence postnatale durait trois ans ; toutefois, aujourd'hui encore, sept pour cent des femmes analphabètes de la ville d'Ibadan observent des périodes plus longues que ne le font les huit pour cent de toute la population rurale féminine. Un septième des femmes ayant dépassé la cinquantaine recommandent des périodes de plus de trois ans, ainsi qu'un huitième des femmes de milieu rural[16].

Quelle que soit la période, seule une minorité de femmes de moins de 45 ans est susceptible d'avoir une activité sexuelle, même si elles vivent en ville. Inutile de le préciser, de nombreuses jeunes femmes modernes yorubas abandonnent ces valeurs et coutumes traditionnelles qui privilégiaient le groupe familial aux dépens du couple conjugal. Quand modernisation signifie acceptation de la technique occidentale, les méthodes de contraception classiques remplacent l'abstinence, et il semble probable qu'un tel changement soit en fait responsable d'une *augmentation* des conceptions. Indiscutablement, le système développé par les paysans yorubas il y a des centaines d'années ne peut s'appliquer tel quel au vingtième siècle, mais il est plutôt paradoxal que la mise en avant dynamique des méthodes du planning familial puisse être un facteur de désorganisation d'un système traditionnel parfaitement éprouvé. On peut espérer que les Yorubas échapperont à l'égoïsme, l'instabilité et l'altération de la famille nucléaire, ainsi qu'à son taux élevé de fécondité.

Chez les Yorubas, la santé de l'enfant est la raison principale de l'abstinence sexuelle pendant l'allaitement ; raison qui explique également la priorité donnée à l'allaitement prolongé. Beaucoup considèrent que sevrer un nourrisson parce qu'un autre enfant est en route est la cause directe de carence nutritive appelée d'un vieux nom ghanéen *kwashiorkor*, littéralement « un-deux », syndrome associé au sevrage trop précoce. Par ailleurs, l'allaitement impose un effort à la mère qui serait injustement intensifié par une nouvelle grossesse. L'abstinence se prolonge généralement environ six mois après l'allaitement, laissant à la femme le temps de reprendre ses forces. Comme on peut s'y attendre, l'élite se définit par son aptitude à abandonner des comportements qui se sont développés dans un contexte de malnutrition et elle s'enorgueillit de pouvoir sevrer ses bébés plus tôt et renoncer à l'abstinence ; soit elle a les moyens de mettre au monde un nombre élevé d'enfants, et de s'assurer qu'ils survivront, soit elle a recours aux méthodes modernes de la contraception. Malheureusement, c'est une théorie qui peut faire tache d'huile ; les moins aptes à résister aux sanctions traditionnelles adopteront aussi les méthodes modernes, spécialement quand à chaque coin de rue Nestlé affiche que ses aliments lactés transforment un bébé ordinaire en petit génie resplendissant de santé.

Les mécanismes sociaux très élaborés du mariage et de la parenté chez les Yorubas, fondamentalement différents de tout ce que l'Occident ethnocentrique juge normal ou naturel par extrapolation de son propre comportement jusqu'à présent sans précédent, sont extrêmement fragiles. Les modes de vie qui ont démontré leur raison d'être pendant des milliers d'années peuvent disparaître en deux ou trois générations. La dislocation d'un seul élément de ces schémas peut totalement les déséquilibrer, comme ce fut l'exemple pour les Tirikis du Kenya occidental de langue bantoue. La justification de l'abstinence post-partum dans leur cas est que la bave d'un enfant au sein est dangereuse et provoque des éruptions.

> Dans les années récentes toutefois s'est développée la notion qu'un bon lavage avec du savon Lifebuoy, en vente partout, prévient efficacement les démangeaisons. De nos jours, les hommes attendent seulement trois mois après l'accouchement avant de recommencer à avoir des rapports sexuels avec leurs femmes, et ils se lavent le lendemain matin avec du savon Lifebuoy, moyen de désinfection sûr et facile[17].

L'éruption — si elle fut jamais observée — était probablement l'expression somatique de l'angoisse et du sentiment de culpabilité nés du fait d'avoir enfreint l'interdiction. La preuve évidente du pouvoir de manipulation des fantasmes de l'homme blanc est que ce lien a été rompu. Les méthodes du marketing occidental, ici et ailleurs, ont permis aux mères qui allaitent de concevoir, et ce avec des conséquences néfastes pour elles-mêmes et pour leurs familles.

Nous pouvons nous attendre à une semblable rupture des mécanismes de contrôle lorsque les groupes familiaux élargis sont dissociés par l'urbanisation et les exigences de la vie professionnelle. Chez les Fulanis, par exemple, les femmes enceintes vont accoucher dans la maison de leur mère et y restent pendant deux ans et demi, s'imposant par là une abstinence sexuelle post-partum qui résiste aussi bien à Nestlé qu'à Lifebuoy, mais personne ne peut dire combien de temps ce groupe, dispersé dans treize Etats africains, pourra sauvegarder son mode de vie, car en plus des biberons et du savon désinfectant, les médias occidentaux propagent la notion de l'amour romantique ; un jour, l'Africaine moderne dépendra peut-être autant de l'amour sexuel de son mari que l'Occidentale, et comme cette dernière elle devra se montrer disponible à tout moment.

Nombreuses sont les sociétés rurales qui estiment immodéré de la part des parents de poursuivre leur activité sexuelle après que l'aîné de leurs enfants a atteint l'âge de la puberté. D'autres trouvent indécent de la part d'une grand-mère qu'elle attende un enfant. Dans des sociétés du type yoruba, une femme donne fréquemment naissance à son premier enfant tôt après la puberté, aussi la distinction entre les deux sortes d'interdictions n'est-elle pas absolue. Les raisons de cesser l'activité sexuelle ne seront généralement jamais discutées : le désintérêt à l'égard du coït semble normal et les « vieux » dont on sait qu'ils copulent encore sont tournés en ridicule. Lorsque je racontais récemment à une jeune grand-mère toscane que les journaux prévoyaient une explosion démographique parce que les coupures d'électricité avaient écourté les programmes télévisés du soir, elle se montra offusquée à l'idée que l'on pût concevoir à son âge. C'était une belle femme en pleine santé qui avait aimé faire l'amour, de son propre aveu, mais lorsque vint le tour de ses filles de connaître la vie sexuelle, elle avait abandonné la sienne sans regret. Elle et son mari étaient devenus plus proches au fil des ans, bien qu'il ne leur soit jamais venu à l'idée d'échanger des caresses en public, comme le font de manière plutôt discutable nombre de couples occidentaux[18].

Chez les Yorubas, la décision de cesser toute activité sexuelle fait l'objet de discussions ; une épouse peut s'apercevoir que son mari a pris cette résolution parce qu'il veut se réserver pour une nouvelle femme, ou qu'il la trouve trop âgée, mais le plus souvent, c'est la femme elle-même qui décide « parce qu'elle est devenue grand-mère, ne se croit plus féconde, se sent trop vieille, ou qu'elle estime avoir mis au monde suffisamment d'enfants vivants ». Quant au remplacement de l'abstinence par d'autres formes de contraception, il est essentiel de savoir si une telle substitution améliorerait la vie de ces femmes à leurs propres yeux. Se contenter de prétendre que les femmes acceptent mal les restrictions sexuelles et qu'elles gagneront à être plus disponibles au désir de leurs maris ne suffit pas ; la gratuité de telles hypothèses laisse penser que cette situation servirait avant tout l'intérêt masculin.

> 15 % à peine des femmes mariées avouent que les rapports sexuels leur manquent durant la période d'abstinence postnatale et la moitié de celles-ci déclarent que ce manque ne les a pas beaucoup marquées. C'est un groupe aussi réduit qui affirme que l'abstinence définitive leur est pénible. Parmi les membres les plus évolués de l'élite urbaine, la proportion de femmes qui éprouvent une frustration est un peu plus élevée, bien que leur période d'abstinence postnatale soit habituellement plus courte[19].

Le degré de privation ressenti par les femmes yorubas ne paraît pas étonnamment bas si l'on sait qu'elles mangent rarement avec leur mari, que 48 % ne le font *jamais*, et que seulement 30 % accompagnent leur mari aux fêtes et réunions. Très peu d'époux partagent la même couche. Seulement 27 % dorment dans la même pièce. Manifestement, la principale satisfaction émotionnelle des femmes ne dépendrait pas de leurs rapports avec leur mari, mais plutôt de leurs relations avec leurs enfants. Les grand-mères yorubas, par exemple, ont une participation très active dans l'éducation de leurs petits-enfants. D'autre part, le plaisir physique réel éprouvé par les femmes dans leurs rapports sexuels, en dehors de l'attention, de l'affection et de la preuve de leur séduction, peut être sérieusement réduit par des facteurs spécifiques. Les Yorubas pratiquent la clitoridectomie sur les jeunes femmes — d'une manière totalement improvisée[20]. Les accidents et les maladies puerpérales peuvent les empêcher de prendre plaisir à la pénétration, comme une quantité d'autres infections superficielles ou non. Même en Toscane, un nombre surprenant de femmes prétextent l'*infiammazione* pour se soustraire au coït, mais pour autant qu'on le sache, peu d'entre elles consultent un médecin, et dans les cas où elles y sont obligées, habituellement pour une grossesse, les médecins ne sont d'aucun conseil.

Si l'on veut éviter que la diffusion de la contraception chimique et mécanique parmi ces groupes n'aboutisse à une aggravation de la qualité de leur vie, il faut prendre en compte de telles considérations. En fait, la peur de la grossesse est une raison légitime pour refuser l'intromission, et elle peut entraîner une forme de rapport où la femme éprouve plus de plaisir et de satisfaction qu'en adoptant la position du missionnaire. La menace de la grossesse n'est pas seulement un obstacle au plaisir de l'intromission, c'est aussi un moyen de forcer la pulsion du mâle à s'adapter au rythme plus lent et aux besoins plus généralisés de sa propre réponse sexuelle.

Aucun aspect de socialisation humaine n'est plus difficile à caractériser que la nature des relations entre les époux, et en particulier l'interaction de leurs sexualités. Alors que les aspects extérieurs s'observent aisément, on ne peut se fonder sur eux pour déterminer la nature des rapports intimes entre l'homme et la femme, et de nombreux anthropologues présument l'existence d'une lubricité cachée chez les sociétés puritaines, hypothèse sans doute fondée sur leur expérience d'une morale sociale en voie de changement radical. Néanmoins, il leur arrive de se demander si la retenue exprimée publiquement ne règne pas également « dans le boudoir ». Les Occidentales des deux générations précédentes se rappellent sûrement avoir entendu leurs mères les prévenir que les relations sexuelles représentaient une obligation désagréable envers leurs maris, et qu'elles devaient « rester immobiles et penser à l'Angleterre ». De telles théories nous ont peut-être conduits à considérer la morale sexuelle des autres pays comme rétrograde. Un anthropologue canadien qui étudiait les Ghegs de l'Albanie du Nord a été stupéfié par le degré de retenue manifestée par les époux entre eux :

> Il est impossible pour un étranger de porter un jugement valable sur la profondeur des liens sentimentaux dans un couple dont la culture est différente de la sienne, mais les Ghegs semblent subir une forte répression sur le plan de l'expression sexuelle... l'élément essentiel dans le mariage était la virginité de la mariée... En réalité, la chasteté est l'un des concepts clés dans la chaîne des droits qui constituent l'idéal de l'honneur de la famille[21]...

Il ne fait aucun doute que les Ghegs jugeraient les époux canadiens faussement sentimentaux et sans dignité, et que leur notion de « tomber amoureux » leur apparaîtrait un mythe sans consistance. Les travaux de Pcrestiany dans les sociétés méditerranéennes ont révélé l'existence de nombreux systèmes de valeurs dont notre double standard souvent cité est une survivance déformée.

> Les effets de la sensualité détruisent l'intégrité et l'honneur de la famille. La sensualité est une condition qui menace constamment cette institution de l'intérieur et doit par conséquent être disciplinée. Même dans le mariage, l'activité sexuelle est un facteur de « perte d'équilibre » (*anapodo*). En quelque sorte, elle rend impur. Après avoir couché avec sa femme, un berger doit se laver les mains avant de traire une brebis, animal sacré. Les rapports sexuels doivent avoir lieu dans l'obscurité, sans parler, et la femme doit rester immobile et passive. A l'opposé, la virginité est une qualité qui provoque le plus profond respect et un sentiment d'admiration. Elle est obligatoire pour les jeunes filles et recommandée pour les jeunes gens. Le noble *pallikari*, jeune guerrier maître de lui, qui n'a pas eu d'expérience sexuelle avec une femme, représente l'idéal sarakatsan[22].

Les Sarakatsanis sont des bergers grecs qui font paître en été leurs chèvres et leurs moutons dans les montagnes Zagora et l'hiver dans la plaine côtière de l'Epire. J.K. Campbell a noté chez eux une discipline sexuelle essentiellement différente de celle qui est observée en Europe du Nord, où l'on présume que le sexe relève de la maîtrise de soi de chaque individu. Considérant au contraire le sexe comme un pouvoir omniprésent contre lequel lutter est héroïque, les Sarakatsanis mettent en avant l'importance de la sexualité pour chacun, en même temps qu'ils imposent des restrictions sur le comportement sexuel.

Au cours de l'été 1967, j'arrivai dans la petite ville de Rossano Calabro avec le brouillon de ma thèse sur Shakespeare sous le bras : un bouleversement imprévu de mes plans faisait de moi une femme seule, phénomène inconnu en Grande-Grèce. Je trouvai deux pièces dans une *frabb'ca* près de Capo Trionto où je m'installai pour rédiger ma thèse. Mes voisins étaient des paysans qui travaillaient pour le marquis dont la grande villa rose et déserte dominait le paysage. Je me procurai une bicyclette pour me rendre au marché, et ne m'étonnai pas de voir les vieilles femmes cracher sur mes jambes nues alors que je les dépassais en pédalant ; j'avais déjà expérimenté ce genre de comportement lors d'un séjour récent en Sicile, et j'étais déterminée à ne pas me laisser intimider. Cette fois, pourtant, je n'étais pas l'hôte privilégiée d'une famille moderne, et c'étaient mes voisins qui assuraient ma subsistance. Ma confidente, ou indicatrice, pour employer un jargon d'anthropologue, était une jeune fille de 16 ans nommée Rosetta, qui descendait le soir sur la plage déserte accompagnée d'une ribambelle d'enfants trop agités pour s'endormir dans leur unique chambre mal ventilée. Rosetta espérait se marier ; un jour quelqu'un viendrait voir son père pour *chiedere amore*. Après avoir donné son approbation, le père demanderait à Rosetta si elle voulait de ce garçon. Elle accepterait probablement, surtout s'il s'agissait de celui qu'elle avait déjà vu, ou plutôt regardé droit dans les yeux, *guardato amore*, comme elle disait. Ce serait sans doute un parent, comme presque tous les garçons des alentours. « Ne désires-tu pas le connaître d'abord, sortir avec lui ? » lui demandai-je, sachant au moment même où je la posais combien ma question était stupide. Tout ce qui avait besoin d'être connu, la réputation du garçon, l'était déjà. Rosetta éclata de rire et répéta ce qu'elle disait toujours : « *Da noi si fa cosi.* »

Je n'avais pas réalisé combien l'éventualité d'une incompatibilité sexuelle ne venait à l'esprit de personne, jusqu'au jour où, sur la plage où nous bavardions, s'avança un jeune homme à moitié nu sur un énorme cheval gris. Nous courbâmes toutes les deux la tête sous son regard insolent, mais Rosetta continua à le regarder par en dessous. « *Avete visto ? Avete visto ?* » dit-elle en me pinçant la cuisse. Je mis un instant à comprendre qu'elle faisait allusion à une partie bien spécifique de l'anatomie du jeune homme. Et moi, la vieille militante de la liberté sexuelle, je piquais un fard. Puis je me rendis compte que le sexe était dans l'air que Rosetta respirait ; elle était mûre et c'était tout ce qui importait. Je n'ai par la suite jamais plus tenté de l'amener à mettre mon bikini et à nager comme moi. La vierge Rosetta, avec ses jambes robustes et poilues, sa robe aux couleurs passées et ses marques de bronzage à la pliure des coudes et des genoux, était plus sûre de son pouvoir sexuel que je ne l'avais jamais été.

Pour l'avoir observé chaque soir à la télévision, la famille de Rosetta n'ignorait rien de l'autre système de valeur qui prévalait à Milan et à Turin ; mais ils en regardaient les manifestations comme nous contemplerions à l'écran des araignées en train de copuler. Je ne tentai plus de choquer les paysannes, je donnai ma bicyclette à un petit garçon et pris un autre gamin pour m'accompagner dans mes sorties. Je rallongeai mes jupes, je baissais les yeux lorsqu'un homme venait vers moi et enfilais un vieux peignoir pour descendre à la plage. Les femmes me demandèrent d'écrire leurs lettres à leurs maris en Allemagne. « *Caro sposo*, commençaient-elles toutes, *la mamma sta bene...* » Pas un soupçon de désir ou de sentimentalité ne venait déranger leur parfaite formalité. Lorsque je partis, par un petit matin glacial d'automne, la mamma sortit pour me bénir. Elle me plaignit pour mon argent, mon éducation, ma liberté. A ses yeux, je menais une existence informe, misérable. A vivre avec ces gens fiers et sans loi, dont la moralité était beaucoup plus stricte que celle prêchée par le gros prêtre dans la chapelle du marquis, je compris enfin que les Grecs aient pu imaginer qu'Athéna avait jailli armée de la tête de Zeus. La sexualité n'était pas une forme de comportement propre à l'individu dans cette partie de la Grande-Grèce ; c'était une force universelle palpable dans l'air même.

La description typique d'une telle société donne à peu de chose près ce qu'écrit William Mann à propos des origines de l'histoire de Don Juan :

> La création de ce libertin moderne revenait de droit à l'Espagne du XVIe siècle, pays où l'honneur de la famille et la virginité de la femme importaient au moins autant que le culte de la Vierge et de la Crucifixion. L'épouse était placée sur un piédestal, si l'on en croit Maranon ; la chambre nuptiale était une cellule monastique, les mariages arrangés par les parents, et les couples se rencontraient le jour des fiançailles, en présence des deux familles réunies. Les jeunes gens jetaient leur gourme dans les bordels ; hors les prostituées, toutes les femmes étaient protégées par les interdits familiaux, comme par une ceinture de chasteté[23].

Les anthropologues ont de tout temps été fascinés par le personnage de Don Juan, mais si vous deviez le considérer avec l'œil d'un Espagnol du seizième siècle ou celui d'un paysan du Capo Trionto, vous verriez que le crime du Burlador de Seville est d'avoir banalisé les grandes forces de la vie, le sexe et la mort, comme le fait Mann dans sa description méprisante de la morale espagnole. De tels systèmes de valeur subissent tous une pression énorme. Le respect des liens familiaux s'oppose aux pouvoirs constitués et les met en échec. Les exigences de l'honneur vont à l'encontre des lois qui délèguent à l'Etat le droit de punir les crimes. La pauvreté et le *latifundismo* obligent l'émigration de nombreux groupes méditerranéens vers les villes polyglottes régies par la morale spontanée de l'individualisme et de la satisfaction immédiate. Le temps venu, le garçon qui devait obtenir le *chiesto amore* du père de Rosetta ira peut-être dépenser son salaire allemand dans une boîte de strip-tease à Munich. Certains des maris auxquels j'ai écrit ne réapparaîtront jamais.

Au cas où ma description du pouvoir de la chaste Calabraise semblerait relever de la pure fantaisie, je me hâte de faire remarquer qu'elle se fond dans la banalité à côté du pouvoir spirituel des femmes mariées dans la chasteté, les *cumankali*, dans la culture tamoule.

> Au niveau métaphysique le plus abstrait, la pensée hindoue relie le principe masculin à la froideur, aux formes et à la transcendance, tandis que le principe féminin est lié à la chaleur, à l'énergie (*cakti*) et à l'action terrestre. Les aspects masculins et féminins de l'Univers devraient en théorie fonctionner en harmonie, mais il existe en Asie du Sud un souci universel et androcentrique de contenir et de contrôler l'énergie féminine[24].

Le flot de la menstruation atténue un excès d'ardeur et d'énergie chez la femme, qui sans cela produit de nouveaux êtres humains ainsi que le lait pour les nourrir. L'apparition des règles est célébrée au même titre que le mariage, qui ne devra pas tarder. La pudeur de la femme est totale ; ses seins et son vagin sont trop sacrés pour êtres vus, mais sa participation dans les rapports sexuels et la fécondation est à la fois active et indispensable. L'orgasme de la femme ne représente pas une fin en soi, mais une part essentielle du processus de la fécondation. Le fait que la femme n'est pas libre de suivre ses propres inclinations en matière sexuelle n'est pas forcément ressenti par elle comme une restriction, car elle n'est pas encouragée à intérioriser ce mécanisme répressif ni à cultiver une image d'elle-même de passivité :

> Il est clair que le statut de la femme en Asie du Sud est relié à la croyance hindoue. Les femmes, qui jouissent du même respect que les déesses, doivent comme elles rester sous la surveillance masculine. Grâce à cette surveillance et à sa propre chasteté, la femme hindoue contrôle ses pouvoirs dangereux et peut les utiliser au profit de sa famille. De plus, il est prouvé que l'attribution de pouvoirs sacrés aux femmes découle de croyances et de coutumes du peuple indien et que les images de la féminité sacrée dominent la littérature tamoule la plus ancienne. Même aujourd'hui, les populations de langue dravidienne de l'Inde du Sud montrent — à travers les rites de la puberté, les tabous de la menstruation et les restrictions imposées aux veuves — plus de souci de contrôler et de refréner les pouvoirs de la femme que ne le font celles des régions de langue indo-aryenne du Nord[25].

Que ce soit dans la Calabre rurale ou en Inde du Sud, une femme n'a pas besoin de tomber amoureuse pour être réceptive : elle l'est de nature, et l'homme troublé doit l'approcher avec précautions, sous la protection du sacrement.

On peut alors dire que la chasteté a deux fonctions contradictoires. Elle donne à l'activité sexuelle une importance supplémentaire du fait qu'elle en restreint la jouissance à des personnes choisies et à des périodes données. Cela peut se réduire à ménager les ressources limitées de l'énergie sexuelle humaine en donnant un caractère officiel à la période de détumescence, ce qui ne dépasse pas le domaine de la chasteté naturelle telle que l'a définie A. E. Crawley. Il est possible que cette forme de chasteté cimente les unions conjugales en maintenant un degré constant d'intérêt sexuel pour une femme souvent inaccessible.

Les restrictions sexuelles reposent sur une fiction qui leur donne un poids particulier, à savoir que la virilité de l'homme est sans limite. Plus l'interdiction est sévère et plus les châtiments sont implacables, qu'ils soient réels ou imaginaires, plus grande est la virilité présupposée de l'homme et plus efficace l'adulation de l'ego masculin, qui se traduira par une virilité réellement accrue et une pulsion avivée aux périodes où sont autorisés les rapports. La chasteté naturelle n'a pas pour effet principal de réduire la fécondité ; en fait on pourrait considérer qu'elle maintient une fécondité optimale en espaçant l'activité sexuelle et en prolongeant son intérêt au lieu de le laisser se consumer dans une période plus brève et des plaisirs sans retenue. Une semblable régulation se rencontre sous des formes variées dans de nombreuses sociétés ; chez les Kafas, dans le sud-ouest de l'Éthiopie, par exemple,

> ... on dit que le coït a une incidence sur la qualité du travail agricole parce qu'il épuise l'énergie de l'homme. C'est particulièrement vrai à la saison des labours... et à l'époque où l'on prépare les champs pour les semailles. L'homme craint s'il a des relations sexuelles fréquentes de devenir « un homme faible » non seulement au sens physique mais au sens psychique du terme. La fréquence des rapports sexuels est également liée à la quantité de sperme qu'un homme peut produire. Les hommes croient que plus la quantité de sperme éjaculée est importante, plus une femme aura de chances de concevoir un fils, et parce que les hommes veulent des fils, ils considèrent qu'une fréquence modérée des rapports a des avantages bien déterminés[26].

La théorie selon laquelle le sperme est l'écoulement de l'énergie de l'individu ainsi détournée de ses autres activités a été élaborée à l'intérieur de systèmes religieux, justifiant un degré d'abstinence sexuelle qui dépasse largement tout ce que Crawley appellerait « naturel ». Le célibat imposé chez les prêtres de l'ancien Mexique, les disciples de Zoroastre, les bouddhistes et les jaïns découle de la notion d'énergie détournée du sexe vers des activités spirituelles, de même que l'abstinence sexuelle épargne l'énergie pour d'autres activités importantes telles que la chasse, la culture, la pêche ou la guerre, chez les peuples primitifs. Le concept est plus religieux que scientifique, mais malgré l'absence de preuves empiriques, des interdictions de ce genre sont aujourd'hui encore dictées par les entraîneurs des sportifs avant une compétition. Si la maîtrise de soi doit s'exercer avec rigueur et honnêteté, il s'ensuit qu'elle a forcément une fonction positive, ce dont sont persuadés des millions d'individus de par le monde.

Pour venir à bout de cette croyance, ses adversaires devront établir de meilleurs arguments que ceux qu'ils ont fournis jusqu'ici. La discipline de soi et l'abstinence ont des fonctions sociales évidentes, entre autres celle d'attendre que le travail soit terminé avant de se livrer à des activités de plaisir et de loisir. Face à un pays asservi non seulement par la domination d'un gouvernement étranger, mais par l'inertie, l'ignorance et la maladie, le mahatma Gandhi a eu recours à un remède tiré des écritures hindoues. Celui qui étudie les Védas doit pratiquer l'abstinence, partie intégrante du *brahmacharya*, qui est la conquête de la domination de soi-même et le renoncement aux désirs matériels. La force psychique chez l'homme qui sait maîtriser ses désirs est si grande qu'il peut rivaliser avec les dieux, et la légende hindoue est pleine de *rishis* à qui les dieux ont envoyé des épouses surnaturelles en reconnaissance de leurs pouvoirs surnaturels.

Le symbole de ce pouvoir est le *bindu*, emblème de l'univers représenté sous forme de cercle ou de point. C'est là, hors du continuum espace-temps, que s'expérimente le *samadhi*, le cœur de la vie. Cette énergie, quintessence de la virilité, est présente dans tout le corps, mais elle est distribuée dans la goutte de sperme ; elle est composée de deux éléments : la semence qui représente le principe masculin, Shiva, et le sang figurant la femme qui donne sa réalité à son pouvoir potentiel, Shakti. Derrière le simple ascétisme de Gandhi se profile l'ensemble du mysticisme hindou, présent sous sa forme la plus ritualisée dans les disciplines du yoga et du tantrisme.

Gandhi vit dans le *brahmacharya* le seul moyen de convertir la faiblesse de l'Inde en force. Il fit ses alliés des plus pauvres entre les pauvres et leur apprit à considérer leur misère comme un état bienheureux qui leur permettait de transcender les désirs matériels, cause de la léthargie et de la division qui régnaient dans l'élite instruite. Ils devaient cesser d'être des victimes en triomphant d'eux-mêmes, ce qui impliquait de renoncer à la seule satisfaction qui leur restait, le plaisir sexuel. Les étrangers qui le conjurèrent d'avoir pitié de son peuple et de lui permettre de recourir aux méthodes artificielles du contrôle des naissances ne pouvaient comprendre que l'abstinence était fondamentale à la doctrine du *brahmacharya* ; c'était par cette abstinence que les Indiens deviendraient spirituellement assez forts pour pratiquer la règle de l'*ahimsa* (doctrine de la non-violence active) et vaincre l'injustice par l'altruisme. Les plus faibles étaient les gardiens du pouvoir spirituel, et Gandhi appela les femmes à repousser les exigences de leurs maris. Il ne cessa de réitérer sa conviction :

> ... considérer que le contrôle du désir sexuel est impossible, inutile ou néfaste est à mon sens la négation du dharma, car la maîtrise de soi est la base du dharma[27]...
>
> C'est la question du véritable dharma des femmes... Draupadi a montré ce qu'était le véritable dharma des femmes[28].

C'est parce que la femme n'avait aucun pouvoir et subissait des grossesses non désirées que le processus commença par elle ; sa faiblesse fit sa grandeur. Gandhi conjura les maris de pratiquer la chasteté par amour pour leurs femmes, et alla dans les années 30 jusqu'à envisager la stérilisation masculine. Il en abandonna cependant très rapidement l'idée, même dans le cas des lépreux, considérant le taux de reproduction trop élevé comme un symptôme de malaise spirituel et non comme sa cause. Il rejeta également la méthode naturelle de contraception[29], se référant aux textes *smriti* qui affirmaient que seul n'est pas luxure l'amour pratiqué en vue de son accomplissement[30]. Le principe de toute sa philosophie étant fondé sur l'abnégation de soi, la chasteté absolue restait le seul idéal possible. Renoncer partiellement au principe impliquait un abandon total de l'idéal et un refus des récompenses spirituelles attachées à sa recherche. Quant à l'argument selon lequel l'abstinence était nocive, Gandhi en était lui-même la preuve du contraire :

> ... il n'est pas prouvé, et j'en suis satisfait, que l'union sexuelle dans le mariage soit utile et profitable aux unionistes... l'excitation et la satisfaction momentanée l'étaient indéniablement. Mais elles étaient immédiatement suivies par l'épuisement. Et le désir de l'union revenait dès l'épuisement passé. Bien que je me sois toujours montré un travailleur consciencieux, je me souviens fort bien que cette indulgence envers moi-même m'empêchait de travailler. C'est en prenant conscience de ce frein que je décidai d'apprendre à me contrôler et je suis certain que cette discipline m'a permis de rester en bonne santé pendant de longues périodes et de faire preuve d'une énergie et d'une capacité de travail, à la fois physiques et mentales, qui ont souvent étonné mon entourage[31].

Gandhi ne parvint pas à transformer l'Inde en une nation de mystiques semi-célibataires, peut-être parce qu'il était lui-même une exception ; en tout cas il correspondait trop bien à la notion hindoue de l'homme qui, après avoir achevé sa fonction reproductrice puis son devoir public, quitte sa maison et sa famille pour errer tel un *sannyasin*, passant ses jours en prière et en contemplation, détaché de ses enfants qui sont entrés dans une autre période de leur vie. Nous ne saurons jamais ce qu'il aurait pensé d'un monde devenu, ainsi qu'il l'avait prédit, « un bourbier de la contraception à une échelle jusqu'ici inégalée », un monde où nous avons expérimenté la sagesse de son conseil : « Souvenez-vous qu'il y a toujours une limite à la satisfaction de ses appétits, mais jamais à la retenue de ses désirs[32]. »

La doctrine du *vairagya* instituée par Gandhi était très proche de la recherche de la non-passion qui caractérise l'Hindou, mais dans sa glorification de l'abstinence sexuelle, Gandhi défia le sens hindou de la dignité et de l'harmonie en s'exposant lui-même au risque et en faisant fi du respect pour le caractère sacré du corps. Par ses relations avec ses filles et ses petites-filles, il s'isola de l'homme ordinaire, tandis que ses révélations sans détours avant qu'il n'eût fait vœu de chasteté en firent aux yeux des autres mystiques hindous un débauché, et à ceux du peuple un homme vaniteux.

Si Gandhi avait été moins fondamentaliste et s'était davantage souvenu de la morale « superstitieuse » dans laquelle il avait grandi à l'époque où il portait le *top lock*, signe de la divinité du corps, avant de se faire raser et d'aller en Angleterre réapprendre l'hindouisme d'un point de vue puritain, il serait arrivé au concept de la régulation sexuelle, plus proche du comportement populaire. La conséquence physique directe des restrictions émotionnelles que les étrangers prennent pour de l'apathie est une pudeur liée à un mode de vie où l'intimité est à la fois impossible et peu recherchée par la majorité des Indiens. L'histoire de la reine Draupadi raconte la vie d'une femme mariée à sept frères princiers qui l'abandonnèrent à un souverain voisin après l'avoir perdue au jeu. Draupadi pria Shiva de lui épargner l'humiliation de se montrer nue devant un étranger. Lorsque l'homme qui l'avait gagnée voulut lui ôter son sari, le vêtement se déroula sans fin devant lui. Sur le tissu était brodé le récit de la grande légende hindoue du Mahabharata. Le sari et, dans une moindre mesure, le dhoti sont les signes extérieurs de l'intégrité des corps, et c'est par respect pour ce principe que les stars du cinéma hindou ne dépassent pas le stade du baiser à l'écran. L'union de l'homme et de la femme est sacramentelle et non fortuite ; les grandes sculptures érotiques de Khajuraho ne représentent pas des images de la vie quotidienne, mais les emblèmes de l'union de Shiva et de Shakti, symbole de la création. Emoustillé par les représentations phalliques qui ornent les temples, le touriste écoute d'une oreille distraite son guide lui répéter inlassablement qu'il s'agit des symboles de l'universalité, et en conclut que les Hindous sont aussi lubriques que lui-même.

Les Indiens admettent volontiers qu'ils accordent peu d'importance au sexe, mais l'étranger est inapte à comprendre qu'en faisant un tel aveu ils se basent sur des critères beaucoup plus élevés que les Occidentaux. Nombre de femmes en Inde dorment avec leurs enfants, d'autres vêtues de leurs saris, et elles se baignent sans se dévêtir. Voyeurs, les hommes se sentent honteux de regarder le peu qu'ils aperçoivent. Institutionnaliser le sexe et en faire un jeu de salon à l'occidentale consiste à perpétuer ce qui est jugé comme une faiblesse et que la plupart s'efforcent constamment de dépasser. Le geste d'impuissance que font les Indiens lorsqu'on leur demande pourquoi ils ont tant d'enfants révèle leur humilité devant l'échec d'une bataille humainement impossible, en dépit de critères de retenue et de pudeur très élevés. L'apprentissage de la contraception implique une démystification du corps en elle-même offensante. Une femme de l'élite bourgeoise me raconta elle-même l'histoire suivante alors qu'elle travaillait au sein du planning familial : pour faire ses cours, elle utilisait un moule du système reproducteur féminin, une horreur en plastique avec des parties mobiles d'une propreté douteuse. Un soir, après avoir étalé tout son savoir devant un auditoire patient et poli de villageoises voilées, elle vit l'une d'elles se lever au moment de partir. « Madame, dit-elle timidement, vous êtes peut-être fabriquée comme ça, mais pas nous. »

Elle avait raison. Aucune femme n'est faite de plastique rosâtre articulé, dans lequel l'œuf se déplace bruyamment comme une bille dans un jouet d'enfant. Les processus de l'ovulation, de la fécondation et de l'implantation ne sont qu'en partie connus, et sont davantage liés aux rythmes, aux mouvements, aux sécrétions et au timing qu'à une association mécanique. En réaffirmant le mystère de son corps et en refusant tacitement les formes mécaniques que la responsable du planning familial avait seulement à lui offrir, cette femme faisait un exposé modeste et typique de la dignité de leurs vies, aussi misérables et chaotiques qu'elles puissent paraître à un observateur. Dans sa conviction qu'en passant outre leur dignité on asservirait le peuple indien mieux que ne l'avaient jamais fait les Mongols et les chrétiens, Gandhi avait entièrement raison, mais l'explication qu'il en donna aux étrangers fanatiques du contrôle démographique était désinvolte et erronée. Lui-même marqué par une conception du sexe acquise chez ses oppresseurs protestants, il se rallia à leur théorie selon laquelle les Hindous « se reproduisent comme des lapins ».

Il est singulier que les représentants de sociétés où les atteintes à la vie privée sont punies par la loi, qu'il s'agisse seulement de la photographie d'un couple dans un lieu public ou de l'indication des sources de revenus d'un individu, n'aient aucun scrupule à s'immiscer dans les relations sexuelles de l'homme et de la femme. L'Occident semble se soucier d'autant plus de protéger la vie privée que la pudeur disparaît, si bien que la jeune femme qui montre son clitoris, ses petites lèvres et l'orifice de son vagin en double page dans un magazine subit un préjudice moindre que si l'on avait placé son téléphone sur écoute ; pratiquement aucune autre société n'a porté la déspiritualisation du corps à un tel degré. En ignorant ou en raillant la crainte et la vénération dont les autres entourent le corps et ses orifices sacrés, parce que nous estimons que de tels sentiments sont irrationnels et font obstacle au progrès (ou à notre sacro-sainte condition), nous ne venons pas en aide à ces peuples, nous leur infligeons une nouvelle forme d'angoisse qui peut être socialement désastreuse.

> Le corps social entrave la perception du corps physique. La perception physique du corps, toujours modifiée suivant les catégories sociales qui en font l'expérience, témoigne d'une certaine conception de la société. Il existe un échange continu de significations entre les deux formes d'expérience qui se renforcent mutuellement[33].

Le professeur Douglas fait référence à l'essai de Marcel Mauss dans lequel ce dernier soutenait avec aplomb qu'il ne peut y avoir de comportement naturel... « Rien n'est plus essentiellement transmis par un processus d'apprentissage social que le comportement sexuel... »; pourtant ceux qui souffrent de culpabilité et d'angoisse, frustrés parce que soumis à la « volonté divine » ou à la pénétration dans leurs corps d'objets étrangers, sont rangés dans la catégorie des névrosés. Les anthropologues ont peut-être accepté les vérités simplistes de Mauss, mais non les sexologues. Ils continuent à forger une théorie de la santé sexuelle, dans laquelle l'orgasme fréquent remplit le rôle de fonction thérapeutique (considérée par certains esprits inquiets comme un succédané du combat pour la justice sociale), et qui est nécessairement libérée de la menace de la grossesse.

Ceux qui dispensent leurs soins aux pauvres de la société sont en fait les moins aptes à comprendre l'angoisse épouvantable de ces peuples qui ont l'impression d'acquérir la magie de la médecine moderne au prix de la colère des dieux traditionnels. Lorsqu'elle grimpe sur la table d'examen, place ses pieds dans les étriers sous la lampe la plus puissante qu'elle ait jamais vue, tandis que le spéculum ouvre son vagin à la lumière, à l'air et au regard du médecin, la femme risque de détruire son propre concept de sa personnalité. Même si elle s'est convaincue que cette intrusion dans son intimité importe peu parce qu'elle a lieu en présence d'un étranger, ses parents et ses voisins ne réagiront pas forcément comme elle et son stérilet restera alors un secret coupable. Si elle l'expie par la douleur et des pertes de sang abondantes, elle considérera que c'est le prix à payer, et ne cherchera pas à le faire retirer, certaine qu'il est contraire à la morale et qu'elle s'est condamnée à l'isolement en l'acceptant. Si par ailleurs le DIU représente pour elle un signe de soumission à une nouvelle religion, infiniment supérieure à l'ancienne avec ses instruments resplendissants et ses lumières éblouissantes, elle portera le stérilet à son cou lorsqu'elle l'expulsera spontanément et se sentira purifiée par la souffrance.

Dans des sociétés où la pudeur est telle que la menstruation et ensuite les rapports sexuels représentent un bouleversement pour les femmes, et qu'elles abordent la naissance dans des conditions d'ignorance et de frayeur, on ne peut affirmer qu'il n'existe pas de compensations liées à la nature fondamentale de la culture. Confrontée à ce type de situation chez les femmes de San Pedro La Laguna, un village sur les rives du lac Atitlan au Guatemala, Lois Paul s'est posé la question élémentaire :

> A quoi sert de mystifier la menstruation, la grossesse et la naissance ? Le mystère qui entoure ces phénomènes peut nous paraître conforter l'ascendant des hommes sur les femmes, des femmes plus âgées sur les plus jeunes, des parents sur les enfants. Mais le villageois de San Pedro conçoit autrement les choses. Pour lui, la mystification du processus biologique apporte aux femmes non pas un sentiment d'impuissance, mais plutôt la sensation de participer aux pouvoirs mystiques de l'univers... Par la nature miraculeuse de leur processus biologique, les femmes sont plus en accord avec les rythmes cosmiques que les hommes.

La démystification du processus biologique, entreprise sur une large échelle par l'Occident rationaliste, s'est conclue par l'agressivité autour de la naissance qui a transformé pour beaucoup une expérience unique dans l'existence en une épreuve médicale organisée, privée de toute signification d'ordre spirituel ou émotionnel. Chez les habitants de San Pedro, la naissance est célébrée religieusement par la sage-femme :

> La première expérience de la menstruation et des rapports sexuels fait naître chez une fille un sentiment de peur et d'impuissance. Sentiment qui se transforme en un émerveillement plein de révérence à la naissance du bébé, accru par les soins de la sage-femme et ses liens avec le pouvoir surnaturel qui peut donner la vie ou la retenir. Après la naissance de son premier enfant, la

jeune femme est en harmonie avec son propre corps ; elle sait à présent qu'il est le siège de pouvoirs magiques[34].

Les femmes de San Pedro, en n'ôtant jamais leurs jupes, diffèrent de celles du village voisin de Totonicapan, qui dorment dévêtues. De telles distinctions se rencontrent partout dans le monde, y compris parmi les peuplades nues. Il y a celles qui pratiquent la circoncision des femmes, celles qui crient pendant les rapports sexuels, celles qui sortent le visage dévoilé, ou la tête et les bras découverts, ou pire encore avec les jambes nues. Ces distinctions sont importantes, car elles contribuent aux notions de prestige ou d'indépendance ; les règles imposées dans un domaine conduisent à l'adoption d'autres règles nécessaires à la survie. La pureté devient une valeur dans la lutte contre la pollution, qu'elle soit causée par ses propres excrétions ou par les excrétions des autres, et cette valeur est symbolisée par toutes sortes de freins et conventions qui dépassent de loin le principe de la lutte contre la pollution pour des questions d'hygiène. L'une des formes de pollution la plus insidieuse est la destruction de l'intégrité de sa propre culture par celle d'un groupe étranger et dominateur, et c'est dans ces conditions de résistance que la fidélité aux normes culturelles de la pureté prend sa plus grande importance ; cela fait partie d'une attitude de fermeté extrême, qu'elle se manifeste à l'égard du rouge à lèvres, du Coca-Cola, de l'opium ou de la contraception orale. Prenant la défense de la religion juive contre les attaques portées par Simone Weil, Mary Douglas a déclaré :

> Les dirigeants d'une nation occupée mais toujours en lutte n'auraient pu adopter une forme superficielle de religion. Attendre d'eux qu'ils cessent de prêcher une morale sexuelle stricte, un contrôle vigilant des interdits physiques et le culte religieux correspondant aurait signifié leur demander d'abandonner leur combat politique[35].

Si la religion islamique fit de si nombreux prosélytes, c'est qu'elle traita les groupes les plus faibles et les moins prestigieux avec le même respect que les plus puissants ; couvrir leur nudité et voiler leurs femmes leur accordait une nouvelle forme de valeur et par là de respect de soi-même. Lorsque le shah a proscrit le voile en 1937, il a moins libéré son peuple qu'il n'a montré sa dépendance à l'Occident. Les vieilles femmes, humiliées à l'idée que les soldats puissent les regarder dans la rue, s'enfermèrent chez elles. Peu à peu une nouvelle version du voile apparut d'elle-même. Pour exprimer l'élévation de leur statut quand leurs maris avaient obtenu un travail en ville, les femmes des paysans revêtirent une forme plus légère et plus provocante du chador, aujourd'hui remplacé dans l'Iran révolutionnaire par l'ancien chador plus épais, ou par l'uniforme de l'islam marxiste qui donne aux femmes des allures de nonnes militaires. Le temps n'est plus où le passant apercevait une paire de jambes gainées de bas dans un tourbillon noir. Les jeunes femmes d'aujourd'hui se bandent la tête et le cou afin d'avoir les mains libres pour porter le fusil. Le voile est devenu symbole de libération.

Le mépris manifesté par les étrangers pour ces règles de pudeur n'en diminue pas la portée. Au contraire, il jette l'opprobre sur l'infidèle et lui ôte sa crédibilité — ou du moins entrave l'acceptabilité des règles qu'il voudrait voir appliquer. D'autre part, la complexité de tels systèmes ne doit pas être sous-estimée ; les journalistes occidentaux qui ont interrogé des Iraniennes sur le port du voile après une période de relâchement de la morale publique au cours de laquelle elles s'étaient habituées à une certaine mesure de liberté sociale et physique s'étonnèrent d'entendre ces femmes sans attrait leur répondre avec le plus grand sérieux que le voile les protégeait de la convoitise des hommes. « Des femmes moustachues, bigleuses, marquées de petite vérole » affirmaient que voilées elles ne risquaient plus d'être violées. Une nouvelle et puissante mythologie était née à l'intention des masses révolutionnaires : d'une part, les femmes étaient toutes belles et désirables, et de l'autre, les hommes étaient tous supervirils. Les efforts de la répression ne pourront que renforcer cette conviction. En dépit de leur savoir méprisant, les journalistes occidentaux furent obligés d'y voir la preuve de leur appétit diminué.

Il est évidemment plus facile lorsque la chasteté a perdu toute vertu pour vous de supposer qu'elle n'a de vertu pour personne. Au moment même où les Californiens tentent de réinventer le « célibat », qu'ils semblent confondre avec une retenue anormale, le reste d'entre nous traite d'« arriérées » les sociétés qui attribuent une valeur élevée à la chasteté. Mieux vaudrait ne pas oublier cette réflexion de R.V. Short :

> Dans le monde entier, il y a plus de naissances évitées par l'allaitement que par toutes les autres formes de contraception... plus l'environnement est défavorable, plus la durée de vie infantile et l'écart entre les naissances dépendent de l'allaitement[36].

Short ne souligne pas le nombre de restrictions sexuelles qui accompagnent l'allaitement[37], pas plus qu'il n'insiste sur l'espacement et la régularité des tétées nécessaires pour diminuer l'activité ovulatoire[38]. Plus les critères de séduction occidentaux prennent le dessus, plus les effets de l'allaitement prolongé sur la poitrine deviennent inacceptables. A mesure que les méthodes de marketing occidentales développent la notion de superbébés nourris aux superbiberons, l'allaitement tombe en désuétude. Lorsque l'Occident enseigne aux maris qu'ils ont priorité sur l'enfant pour profiter du corps de leur femme, l'abstinence après l'accouchement devient une coutume primitive.

Si nous avions montré un peu plus d'attention, nous aurions appris que les mesures contraceptives qui comportent des périodes d'abstinence étaient mieux accueillies dans des sociétés traditionnelles que dans les nôtres. Au lieu de cela, nous avons refusé de croire les femmes qui nous expliquaient que l'allaitement leur avait permis de ne pas se retrouver enceintes. Peu d'entre nous pensèrent à leur demander si l'allaitement maternel comportait l'observation de l'abstinence ; plus cet usage était naturel, moins il était mentionné. Maintenant que nous l'avons détruit, il est peut-être trop tard pour le réinventer.

L'objection principale faite à la méthode naturelle de contraception qu'il m'a été donné d'entendre au cours de mes passages dans les campus universitaires est qu'elle ne marche pas. Ce qui signifiait généralement que mes interlocutrices ne savaient pas la faire marcher. Elles ignoraient quand elles étaient fécondes et n'étaient pas suffisamment motivées pour chercher à le savoir. Les éternelles tentatives pour éduquer les femmes dans ce domaine deviennent de plus en plus élaborées et sophistiquées chaque année. La méthode Billings est une des multiples méthodes issues de la méthode Ogino-Knauss, en passant par John Marshall, inventeur de la méthode muco-thermique[39]. On aurait peut-être mieux fait de commencer par les petites filles à l'école, on aurait dû leur apprendre les cycles de la femme en cours de biologie et leur faire lire des ouvrages pratiques sur la structure du rythme endocrinien avant que ne puisse apparaître l'angoisse de l'erreur possible.

Si l'Eglise catholique avait sérieusement désiré prendre position sur les effets de la limitation artificielle de la famille, elle aurait dû le faire dans les écoles de filles. Seule une observation attentive permet à une femme de distinguer le syndrome du quatorzième jour, ou les changements de viscosité de la muqueuse, mais une fois ces processus enregistrés, elle ne les oubliera pas, à condition de les avoir appris suffisamment jeune. On pourrait également leur enseigner en classe d'autres aspects du savoir-faire, comment examiner sa poitrine par exemple (connaissance qui leur servirait davantage que la botanique élémentaire). D'autres religions ont des rituels plus compliqués que l'abstinence périodique, et il devrait être possible de les adapter à la méthode naturelle de contraception. Inculquer le respect pour le cycle reproducteur de la femme est à la portée de tous à partir du moment où l'on y attache l'importance due.

Il peut paraître paradoxal d'envisager l'efficacité d'un culte qui restreindrait les rapports sexuels à certaines semaines et à certains jours dans le but de sauvegarder une vie d'enfant. Au lieu d'apprendre le respect du corps, nous préférons enseigner l'insensibilité ; au lieu d'exploiter la considération portée aux enfants et le désir passionné qu'ils survivent, nous prétendons qu'il y en a déjà trop sur terre. Nous n'avons pas su développer la tendance naturelle de l'homme à restreindre l'activité sexuelle dans l'intérêt d'un monde surpeuplé.

5
Polymorphie des perversions

> « ... Même dans sa forme la plus simplifiée et la plus
> rudimentaire, la sexualité humaine implique le dévelop-
> pement de la motivation à travers un processus long et
> complexe : positions, regards et gestes, mouvements et
> réponses ; tous sont nécessaires à l'atteinte de l'or-
> gasme. C'est bien autre chose que la pénétration du
> pénis gonflé qui dépose sa semence, comme de la confi-
> ture dans un beignet. »
>
> BRIAN J. FORD, *Patterns of Sex*

Nous savons de sources autres que celles reconnues par les historiens des
populations que le modèle européen du mariage tardif allait de pair avec
des fiançailles prolongées, et que dans de nombreux pays, on faisait sa cour
sans chaperon. Les données fournies par le clergé, largement utilisées par
les démographes, établissent que les mariages précédaient souvent de trop
peu les baptêmes pour que la conception de l'enfant eût été le résultat de
rapports sexuels conjugaux. On retrouve un schéma similaire dans des
régions de la Toscane rurale d'aujourd'hui et une analyse de ce qu'il
représente peut éclairer ceux qu'étonnent encore les modèles anglais des
dix-septième et dix-huitième siècles.

Dans certaines régions de Toscane (et d'autres parties de l'Italie rurale,
d'Asti à Agrigente), un garçon commence très jeune à sortir avec une fille.
Une fois que le flirt a dépassé un certain stade en lui-même peu facile à
définir, fonction à la fois du temps qu'ils ont passé seuls ensemble et de la
mesure où leur relation n'est pas secrète, la jeune fille ne peut être abandonnée sans des conséquences graves pour son avenir et pour les relations
amicales entre les deux familles. Elle sera considérée comme *fidanzata* sans
qu'il n'y ait ni annonce ni cérémonie, et elle ne portera pas de bague. Peu à
peu, le degré d'intimité se renforcera et la jeune fille cédera aux caresses,
préliminaires qui peuvent se poursuivre pendant des années, jusqu'à l'éta-

blissement de la relation coïtale ; toutefois, parce que le jeune homme n'a pas l'intention de compromettre son avenir en fondant un foyer avant d'en avoir les moyens, il pratique le coït interrompu. En Toscane, on appelle cette période *quando si faceva all'amore*, signe que la pratique du coït interrompu est parfaitement acceptée, entraînant parfois des fiançailles longues de douze à seize ans.

Souvent c'est la *fidanzata* qui se lasse la première parce qu'elle a envie de quitter la maison familiale et de fonder la sienne, ou qu'elle commence à craindre d'être trop âgée. Elle va alors utiliser ses charmes pour que son *fidanzato* perde son contrôle jusqu'à ce qu'elle devienne enceinte et monte sans rougir à l'autel, vêtue de blanc en témoignage de la chasteté de ses rapports avec le seul homme auquel elle ait jamais été liée. A condition d'être bien calculée et qu'aucun des partenaires ne soit trop jeune, la conception illégitime n'est pas considérée comme une faute, mais comme la bénédiction de leur union et la preuve de son bien-fondé. Après la naissance de l'enfant, le coït interrompu sera à nouveau pratiqué jusqu'à une seconde naissance désirée ou accidentelle. Dans le cas de grossesses non désirées, les maris insisteront pour que leurs femmes prennent une mesure énergique. Inutile de dire que l'Eglise n'accepte ni le coït interrompu ni l'avortement, qu'elle considère comme des péchés graves.

Le modèle de couple caractéristique qui s'ensuit est formé de deux époux relativement âgés, avec peu de différence d'âge, une naissance tôt après le mariage, et des naissances limitées par la suite. Bref, le modèle européen. Il est clair qu'un tel modèle peut aisément éclater. Le regard bienveillant des deux familles a une importance capitale, dans la mesure où il garantit la responsabilité du jeune homme, écarte l'éventualité de l'abandon et peut également mettre fin à une union mal adaptée tant que les amoureux sont encore assez jeunes pour obéir à leurs parents. Le jeune homme apprend de son groupe familial ce qu'il faut faire, et sait vite faire preuve de condescendance envers ceux qui ne maîtrisent pas l'art du coït interrompu et se marient *disgraziatamente* pour vivre dans la pauvreté auprès de beaux-parents pleins de rancœur. Si les jeunes gens ont envie de se soûler, ils le feront uniquement en compagnie d'autres garçons, et très rarement.

Il ne faut pas croire que le coït interrompu soit pratiqué à contrecœur comme un substitut déplaisant à d'autres formes de contraception. Ma conclusion, que l'on mettra dans la catégorie des impressions subjectives, est que les autres formes de contraception sont utilisées en dernier ressort dans le cas d'un amant maladroit ou étourdi. Au contraire, une idéologie spécifique du coït interrompu en rehausse la pratique : les hommes se disent les *servitori delle donne* et expriment fréquemment leur conviction que les femmes prennent plus de plaisir au sexe qu'eux-mêmes. Ils attachent une grande importance à leur capacité de savoir prolonger les rapports sexuels toute la nuit s'ils le désirent, et semblent davantage intéressés à faire preuve d'une virilité qui consiste à contrôler l'éjaculation qu'à l'aboutissement des rapports et à la détumescence, appelée *sponfiamento*, littéralement dégonflement, mais aussi échec. La caractéristique du mâle italien qui en découle a pour nom *gallismo*, et il semble à l'auteur de cet ouvrage que ce genre de notion s'applique aussi bien au *machismo*. Dans de telles sociétés, il n'est pas surprenant que la contraception masculine soit mieux acceptée qu'une contraception féminine, car les hommes tiennent à l'illusion qu'ils contrôlent la fécondité de leurs femmes et simultanément craignent qu'incapables d'éviter une grossesse non désirée, elles ne soient séduites par d'autres moins attentifs qu'eux.

On n'a jamais fait aucune étude scientifique sur le coït interrompu en tant que méthode de régulation des naissances ou forme de satisfaction sexuelle. Néanmoins, une ferme conviction s'est établie de son inefficacité anticonceptionnelle et du risque qu'il peut comporter pour la santé physique et mentale des deux partenaires. Il est peu probable que des adultes qui ont pratiqué le coït interrompu soient influencés par ces critiques exagérées, mais comme il ne leur appartient pas de transmettre cette pratique illicite à leurs enfants, qui l'apprendront de leurs pairs, on peut supposer que le coït interrompu continuera à perdre du terrain sans raison réellement valable. Ceux qui auraient pu le pratiquer devront avoir recours à une contraception chimique et mécanique, remplaçant le schéma des fiançailles prolongées par le modèle occidental classique des relations sexuelles précoces et du mariage instable. L'avantage d'une telle substitution n'est pas évident, c'est le moins que l'on puisse dire, à moins bien sûr que le coït interrompu soit aussi inefficace et dangereux que le prétendent de nombreux sexologues.

Les accusations portées contre le coït interrompu en tant que méthode de contraception ont pris place sur plusieurs fronts à la fin du dix-neuvième siècle. Les premiers défenseurs du contrôle des naissances, Richard Carlile, Robert Dale Owen et Charles Knowlton, en avaient tous été partisans de préférence aux douches vaginales et aux mousses[1]. Un des aspects passé sous silence de la campagne menée contre le coït interrompu est le développement industriel des produits contraceptifs dans la seconde moitié du dix-neuvième siècle, qui offrit un extraordinaire déploiement d'obturateurs, spermicides, pessaires, douches vaginales, condoms, éponges, médicaments abortifs, et plus récemment de dispositifs intra-utérins, le tout avec des bénéfices conséquents si l'on considère le coût faible des matières employées. Le flot de littérature sur les méthodes de contraception qui se répandit à partir des années 1870 fut largement subventionné par les fabricants de produits anticonceptionnels, et il faut bien dire qu'il y a peu à raconter sur une méthode qui ne nécessite aucun moyen matériel.

L'un des premiers à s'être élevé contre le coït interrompu fut le docteur écossais George Drysdale dans *Physical, Sexual and Natural Religion*, ouvrage qui fut publié par la suite en plusieurs éditions dans une version augmentée sous le titre *The Elements of Social Science*. G. Drysdale y dénonçait le coït interrompu comme une méthode physiquement nuisible, « capable de provoquer des troubles nerveux, un affaiblissement de la virilité et la congestion[2] ». Il s'élevait en fait contre toutes les méthodes masculines, amorçant par là la longue tradition qui consistait à laisser la contraception aux femmes. Eliza Bisbee Duffy partit elle aussi en guerre contre le coït interrompu, dans *What Women Should Know*, en 1873, se basant sur des données totalement inventées selon lesquelles il provoquait des inflammations, des tumeurs et des ulcères de l'utérus[3]. Le Dr Alice Stockham, qui imagina la méthode Karessa du *coitus reservatus*, fut une adversaire farouche du coït interrompu qu'elle accusa entre autres d'être un facteur de neurasthénie, d'impuissance, de stérilité et de maladies vénériennes[4]. A partir de là, le coït réservé et le coït interrompu furent traités dans la littérature comme s'il s'agissait de méthodes contraires. Le langage pseudo-scientifique dans lequel sont formulées les contre-indications du retrait ne cache après tout qu'un inconvénient esthétique absurde — à savoir une répugnance à voir l'éjaculat. La théorie franchement grotesque de Stockham, selon laquelle l'homme peut réabsorber son sperme en le retenant sans jamais lui permettre de se répandre, est un cas de rationalisation abusive, mais très peu de gens en savaient assez pour la mettre au défi de prouver ce qu'elle avançait.

Freud considérait qu'un certain nombre de troubles étaient directement dus au coït interrompu[5] et ses disciples qui se sont spécialisés dans l'étude de la psychologie sexuelle ont fait de ce point de vue le dogme qu'il demeure à ce jour. Le retrait pratiqué dans le but d'éjaculer hors du vagin aurait pour conséquence une éjaculation incomplète qui engendre des conditions pathologiques. On fait beaucoup cas de l'assertion non vérifiée selon laquelle le retrait doit avoir lieu juste avant que n'intervienne le réflexe. Evidemment, si le coït interrompu est pratiqué comme un substitut de l'« acte sexuel normal », il peut devenir une source d'anxiété et de déception. Si un homme amène sa partenaire jusqu'à l'orgasme et s'applique ensuite à atteindre le sien hors du vagin, ce scénario peu satisfaisant ne sera pas joué jusqu'au bout. La tendance des sexologues modernes à dénigrer le coït interrompu prouve leur manque d'imagination sexuelle ou, si l'on préfère, leur manque de créativité et de tendresse. Il est stupéfiant d'entendre en 1970 Clive Wood et Beryl Suitters soutenir à demi sérieusement que les frères qui refusaient l'obligation du lévirat par la méthode d'Onan « étaient morts de crises cardiaques provoquées par la tension que leur demandaient leurs pratiques contraceptives[6] ». Ils semblent se rallier au jugement du fanatique Routh, selon lequel « l'onanisme conjugal » conduit à « la perte de mémoire, aux palpitations cardiaques, au délirium et à des syndromes qui mènent au suicide[7] ». Vers 1922, lorsque Frances Mabel Huxley prit la parole à la Conférence internationale sur le néo-malthusianisme, elle n'hésita pas à déclarer : « Le coït interrompu est une méthode inacceptable sur tous les points. » Norman Haire et W. H. B. Stoddart adoptèrent le même point de vue[8]. Les gens continuèrent à le pratiquer sans s'en préoccuper.

C. V. Ford, du service psychiatrique de l'école de médecine de UCLA écrivit en 1978 que les effets psychologiques néfastes du coït interrompu comportent un facteur d'échec potentiel de l'orgasme chez la femme qui, après avoir atteint un palier d'excitation sexuelle générale, éprouve un sentiment d'insatisfaction d'où s'ensuivra une tension psychique[9]. On pourrait justement faire remarquer que chaque cas de relation érotique, interrompue ou non, comporte un « facteur d'échec potentiel » pour la femme et que l'impossibilité d'atteindre l'orgasme soit ou non réelle a peu de rapports avec l'endroit où l'homme éjacule et beaucoup avec ce qu'il fait avant d'éjaculer, et même après. Il semblerait que le vieux fantasme de l'orgasme simultané ait du mal à disparaître, même chez ceux qui devraient en savoir plus.

Le coït interrompu peut être aussi détestable que l'est toute relation sexuelle, si elle n'est rien d'autre qu'une intromission rapide et sans préliminaires, mais si l'homme y avait recours en premier lieu par égard pour la femme, il est vraisemblable qu'il ne prendrait pas un aspect aussi barbare. L'acte sexuel le plus intelligent comporte un élément de coït réservé par lequel l'homme s'efforce de prolonger son érection en évitant l'orgasme, par conséquent en augmentant son plaisir et celui de sa partenaire. Une grande part du travail des sexologues consiste à enseigner cette maîtrise de soi et ils font souvent appel à une forme de coït réservé, connue sous le nom de la méthode « stop-start » de Semans, utilisée en particulier dans les cas d'éjaculation précoce et autres dysfonctionnements provoqués par l'anxiété[10]. Comme si le meilleur traitement de l'état d'angoisse était de le transférer sur un autre point ! L'homme qui fait attention de ne pas éjaculer dans le vagin oubliera de s'inquiéter de son érection, et l'homme qui se concentre sur les demandes de sa partenaire a de bonnes chances d'oublier ces deux problèmes. Toutefois, la thérapie sexuelle ne vise pas à être simpliste et mécanique ; la situation décrite ici n'est pas sans problème pour une femme sensible :

> La conviction que l'endurance masculine détermine les réponses coïtales d'une femme est confirmée par un ensemble remarquable de découvertes faites par Masters et Johnson. Cinq des hommes examinés dans leur clinique pour couples stériles étaient parfaitement capables d'accomplir l'acte sexuel, mais incapables d'éjaculer dans un vagin. En conséquence, ces cinq hommes « doivent retenir et retiennent à chaque fois la relation coïtale pendant 30 à 60 minutes ». Pour trois de ces cinq cas, leurs femmes en retirent tout le bénéfice. Profitant d'un coït prolongé, elles sont multiorgasmiques. Comme c'est le cas dans des circonstances d'autostimulation, ces femmes ont un orgasme après un autre, jusqu'à ce que « le coït s'achève sur la demande de la partenaire sexuellement rassasiée[11] ».

Dans ces circonstances, évidemment, l'éjaculation dans le vagin n'était pas un élément nécessaire à la satisfaction de la femme. S'il s'agit simplement de la durée de la pénétration, un homme ne sera pas à chaque fois l'égal d'un vibrateur ; en fait, l'éjaculation coïtale tardive est un dysfonctionnement sexuel, tout comme l'éjaculation précoce, et il n'y a aucune raison de faire durer si longtemps le coït réservé uniquement pour servir le plaisir de la femme, pratique tout aussi dégradante que celle qui consiste pour une femme à se soumettre à son partenaire sans attendre de plaisir pour elle-même. L'exemple n'est cité que pour démontrer combien la condamnation du coït interrompu est spécieuse. L'orgasme n'est pas le seul élément de plaisir dans les rapports sexuels ; beaucoup d'hommes éprouvent une excitation à la fois mentale et physique devant la réponse de leurs partenaires et lui accordent plus de prix qu'à leur propre orgasme. Si un homme retarde trop longtemps l'orgasme, ses chances de l'atteindre peuvent diminuer, mais il n'est pas de loi qui régisse les étapes de l'amour. Masters et Johnson ont démontré que la sexualité n'est pas une fonction excrétrice qui doit être régulière, saine, normale et relativement inconsciente, mais au contraire un comportement acquis, divers, complexe, changeant et sensible aux besoins et circonstances qui évoluent. Par rapport au polymorphisme de la sexualité humaine, l'atteinte de l'orgasme masculin hors du vagin est aussi normale et dans les faits souvent plus fréquente qu'à l'intérieur du vagin. Les singulières pathologies extrapolées à partir de l'hypothèse d'une anormalité ne sont que de vulgaires tactiques obscurantistes et alarmistes.

Le coït interrompu, s'il est bien contrôlé, n'aboutira pas à la grossesse ; prétendre que les quelques spermatozoïdes expulsés avant l'éjaculation peuvent provoquer une grossesse est faux, mais l'éjaculation réelle ne doit pas se faire en contact avec la membrane vaginale. Les experts en stérilité n'ont pas une connaissance exacte de la concentration minimale de spermatozoïdes nécessaire pour aboutir à la grossesse ni du volume minimal de liquide séminal qui ne sera pas neutralisé par le pH vaginal, mais un homme incapable de produire plus que la première goutte annonçant l'éjaculation serait organiquement stérile.

De très rares études ont été faites sur l'efficacité du coït interrompu en tant qu'inhibiteur de la fécondité. L'une indiqua la proportion extrêmement satisfaisante de 8 grossesses par cent femmes/année (CFA) d'exposition, et une autre de 17 grossesses par CFA contre 14 avec le condom et 38 avec la méthode d'abstinence périodique. La différence entre les deux résultats serait en partie expliquée par le fait que la première étude fut menée en Angleterre où cette pratique jouissait d'un degré d'expérience et d'acceptation plus grand, et la seconde en Amérique où le coït interrompu est rarement utilisé systématiquement. Toutefois, une étude à Indianapolis indiqua un taux de 10 grossesses par CFA avec le coït interrompu contre 12 avec toutes les autres méthodes. Dans la tranche de revenus la plus élevée de ceux qui choisirent cette méthode, on a relevé seulement trois grossesses par CFA[12].

Une étude conduite à la demande de la Royal Commission on Population sur 3 300 mariages en 1947 indiqua que 43 % des couples n'avaient pas utilisé d'autres méthodes de régulation des naissances, et dans la classe sociale V, le chiffre s'élevait jusqu'à 61 %. En Jamaïque, on considérait que 60 % des couples l'avaient pratiqué. A Porto Rico, 47 % et en Hongrie 67 %[13]. Il paraît également prouvé que le coït interrompu est la méthode choisie de préférence, même lorsque les autres méthodes sont disponibles ; sur les 91 % des patientes dans un hôpital de Birmingham qui avaient renoncé au diaphgrame, 58 % étaient revenues au coït interrompu. Le Dr Shirley Ermerson raconte ce qui pouvait guider un tel choix et les circonstances dans lesquelles il se faisait :

> ... une dame d'un certain âge vint me consulter à ma clinique pour la pose d'un diaphragme. Elle semblait si sûre d'elle et si bien informée que je le lui plaçais en lui recommandant seulement de revenir la semaine suivante avec le diaphgrame *in situ*. Une semaine plus tard, elle revint « le diaphragme à la main », ou dans son sac, devrais-je dire, et commença par s'excuser : « Mais docteur, je n'ai pas pu continuer à le porter. » En approfondissant la question, je découvris qu'elle et son mari avaient pratiqué le retrait pendant vingt ans ; durant cette période, elle avait eu deux grossesses désirées et avait été très heureuse. Malheureusement, une voisine bien informée était parvenue à l'alarmer sur les effets nocifs du retrait sur sa santé, celle de son mari et celle de sa famille et l'avait expédiée au planning familial. Je la rassurai et lui dis de continuer[14]...

Le responsable de l'étude de Birmingham fut moyennement surpris en constatant que :

> La pratique du coït interrompu est si répandue que nombre de femmes la considèrent non pas comme une méthode de contraception, mais comme un élément naturel des rapports sexuels. Dans de nombreux cas, le mari lui-même s'était si bien habitué au retrait qu'il était incapable d'abandonner cette pratique lorsque la femme avait un diaphragme[15].

Le courrier de Marie Stopes contient quelques aperçus intéressants sur la pratique du retrait en 1920. Une paysanne du Lincolnshire lui écrivit en janvier 1921 :

> Avant de nous marier, il m'a dit qu'il n'était pas question de faire un seul de ces damnés gosses qui nous gâcheraient notre plaisir et nous coûteraient de l'argent. Une fois marié, il mit en pratique ce qu'il avait dit. Il me dit qu'il avait l'intention de « se retirer » à chaque fois — ce que vous appelez le coït interrompu. Il le fit pour notre première nuit et n'a jamais cessé depuis, et il ne s'est jamais privé d'avoir des rapports avec moi... vous saurez si c'est ou non une expérience anormale[16].

La vierge Stopes était moins apte que quiconque à savoir si cette pratique quotidienne du coït interrompu était anormale ou non. Bien que Constance Lytton lui ait écrit en 1923 que le retrait avait « été pratiqué dans notre famille et par nos amis depuis des générations », Stopes ne cessa jamais de conseiller à ses correspondants d'en cesser la pratique.

Dans *The Practice of Birth Control*, l'une des premières études systématiques sur la pratique réelle de la régulation des naissances, Enid Charles a découvert qu'une importante proportion de son échantillon d'environ mille femmes utilisait « des méthodes masculines », le condom et le retrait ; 204 seulement avaient dès le début utilisé des obturateurs, dont 81 la cape cervicale[17]. On pourrait y voir la preuve de l'acceptabilité du retrait en tant que méthode contraceptive, mais il faut pour cela lire attentivement entre les lignes, car il est presque toujours décrit par une métaphore. Ce n'est pas le genre de perversion qui excite les libertins cultivés car il caractérise un mari amoureux ou, si l'on se réfère à la lettre de la paysanne du Lincolns-hire, un mari tout court. Les responsables du planning familial regrettent aujourd'hui leur précipitation à s'attaquer à une pratique contraceptive courante et raisonnablement efficace et vont jusqu'à inclure le coït inter-rompu dans le libre-service des méthodes.

Dans le *Family Planning Handbook for Doctors* publié par l'IPPF en 1974, une tentative concertée fut menée pour réintégrer le retrait en tant que méthode de contraception :

> Le coït interrompu ou retrait de l'homme est certainement la méthode la plus ancienne de contraception réversible et elle reste probablement la plus largement utilisée à l'échelle mondiale. C'est la méthode la plus pratiquée en Europe continentale et elle fut en partie responsable du déclin de la fécon-dité, sensible à partir du dix-septième et du dix-huitième siècle dans des pays comme la France. Dans l'Europe contemporaine, sa pratique est liée à quelques-uns des taux les plus bas de natalité jamais enregistrés dans les communautés humaines. En Grande-Bretagne, elle vient au troisième rang des méthodes les plus employées, dépassée seulement par la contraception orale et le condom... En 1970, 38 % des Anglais qui pratiquaient le coït interrompu disaient en être totalement satisfaits. Les couples qui persistaient à pratiquer le coït interrompu après l'avoir essayé étaient approximative-ment deux fois plus nombreux que ceux qui avaient essayé le diaphragme vaginal[18].

Pour l'IPPF, la mythologie de l'inefficacité du coït interrompu serait la conséquence de ce que les médecins, n'étant jamais consultés par des utilisateurs satisfaits, auraient fondé leurs conclusions sur les récits de ceux pour lesquels le retrait s'était révélé un échec.

> Sur le plan psychologique, on a accusé cette méthode d'être la cause d'éventuels symptômes névrotiques, mais à nouveau il n'existe aucune preuve objective associant la pratique du coït interrompu à des troubles émotionnels. A vrai dire, sa pratique universelle suppose qu'elle ne com-porte pas d'effets secondaires contre-indiqués et, étant donné la fréquence de son utilisation, il est probable que ceux qui souffrent de symptômes névrotiques ont adopté cette méthode par coïncidence[19].

Néanmoins, sur 601 médecins qui ont répondu à un questionnaire en

1971, seulement 5 % avaient encouragé leurs patients qui pratiquaient le coït interrompu à continuer, et 78 % leur avaient conseillé de cesser[20]. Dans le cas où la méthode est pratiquée avec succès, ce sont les hommes qui en prennent la décision, à l'opposé d'une situation où ce sont les femmes qui l'exigeraient elles-mêmes auprès d'hommes inexpérimentés ou réticents par peur d'être enceintes ou d'avorter. Dans l'exemple italien, la femme peut estimer qu'elle veut des enfants et qu'elle est prête à en avoir, et c'est l'homme qui s'impose une discipline. L'accomplissement de sa relation sexuelle a été le résultat d'une longue conquête de la confiance de sa *fidanzata*, avec la connivence tacite des deux familles. Rien de pareil avec la situation où se trouvaient M. et Mme G... lorsqu'ils ont demandé l'aide d'un sexologue.

> La femme ne pouvait atteindre l'orgasme qu'avec l'aide d'un vibrateur. Féministe convaincue, elle réagit violemment en entendant le thérapeute suggérer que le coït interrompu qu'elle avait exigé était une méthode de contraception médiocre et que l'utilisation d'un condom, qu'elle proposait à la place, entravait également le plaisir sexuel du couple. Son irritation fut à son comble lorsqu'il émit l'hypothèse que l'activité sexuelle lui donnerait plus de plaisir si elle prenait elle-même la responsabilité d'une contraception et choisissait une autre méthode qu'elle considérait comme l'expression d'une attitude phallocratique. Qui plus est, elle fut très humiliée d'avoir à reconnaître devant les deux hommes (le thérapeute et son mari) que les images érotiques les plus excitantes étaient chez elle liées à un fantasme où elle se retrouvait attachée et dominée par un homme très puissant. Fait non surprenant, la thérapie resta bloquée sur ce point[21].

Le déblocage eut lieu grâce à une thérapeute femme qui travaillait sur le cas de cette malheureuse. Au lieu de se préoccuper des réticences qu'elle manifestait à l'égard de la compétence de son mari à pratiquer le coït interrompu, elle la convainquit d'accepter la pose d'un DIU. Pourquoi Mme G... devait-elle s'adonner à des fantasmes masochistes ne fut jamais élucidé, mais elle les accepta en même temps que son dispositif contraceptif, et devint plus orgasmique et sans doute aussi heureuse que n'importe quelle fille stérile qui passe à l'acte.

Mme G... aurait pu envier cette femme qui m'aborda dans une rue de Sydney, le matin après mon intervention à un débat sur le droit des femmes à l'avortement, et qui m'attaqua tout de go :

« Vous êtes trop bête. Vous vous croyez peut-être très intelligente, mais vous êtes complètement stupide.

— C'est possible, répliquai-je, mais pourquoi dites-vous cela ?

— Des féministes bornées, voilà ce que vous êtes toutes, poursuivit-elle. Ignorez-vous donc ce que représente l'amour d'un chic type ? (A vrai dire, j'avais déjà entendu ça précédemment, mais mon interlocutrice ne souffrait aucune contradiction.) Mon mari m'aime. Il ne m'oblige pas à prendre des médicaments dangereux ni à me mettre tous vos machins dans le vagin.

Il fait attention. Pendant vingt ans, il s'est montré attentif parce qu'il m'aime. »

Comme la femme citée par le Dr Emmerson, elle avait deux enfants, n'avait jamais avorté, n'avait jamais craint de se retrouver enceinte et elle était toujours parvenue à l'orgasme avec son mari qui se montrait un partenaire habile et attentif. Elle était hongroise. Je n'ai jamais renouvelé les attaques naïves contre le coït interrompu. En revanche, j'ai souvent demandé aux hommes s'ils l'avaient pratiqué sur de longues périodes, et s'ils le trouvaient frustrant et pénible. L'un de mes interlocuteurs m'avoua qu'il avait éprouvé une grande tendresse et un véritable plaisir en le pratiquant, ce qui me laissa plutôt surprise. On ne peut sans doute pas revenir en arrière, mais il paraît vraiment paradoxal, à notre époque d'émancipation de la femme, que mes jeunes étudiantes américaines n'osent pas demander à leurs amants d'être aussi attentionnés que l'était le mari de cette Hongroise pourtant plus toute jeune, alors que beaucoup d'entre elles ont connu des expériences épouvantables et dangereuses avec des dispositifs de contraception et des stéroïdes.

Nous ne saurons jamais jusqu'à quel point le coït interrompu a été responsable de la limitation mondiale des naissances. C'est une méthode aussi vieille que la Genèse, où le péché commis par Onan ne correspond pas à la masturbation, mais au coït interrompu qu'il pratiqua dans le but de ne pas donner d'enfant à la femme de son frère mort. Il semble plus probable que le péché fut le refus du lévirat plutôt que la manière de ne pas l'accomplir ; Al Ghazali, Rhazes et Avicenne ont tous les trois décrit la méthode et son effet contraceptif, mais de telles sources laissent une grande imprécision sur ce que savaient réellement les milieux évolués. La brièveté de certaines descriptions montre qu'il n'était pas besoin d'entrer dans les détails de l'*azl,* comme on le nommait. Le coït interrompu est une façon trop évidente de réduire les possibilités de conception, spécialement aux yeux des bergers et des éleveurs parfois obligés de contrôler les rapports sexuels des animaux de prix et d'immobiliser les femelles au cours d'une saillie pour qu'il soit utile d'inonder le sujet d'analyses savantes. D'autre part, il y a toutes les raisons de croire que les milieux évolués étaient moins enclins à encourager les jeunes gens, ouvertement ou non, à prendre plaisir à des relations sexuelles stéréotypées ou à observer la même régulation des naissances que les bergers et les fermiers.

Sous des climats plus froids, lorsque les jeunes gens ne peuvent se promener dehors et que la tombée précoce de la nuit écourte le temps de travail et laisse de longues heures avant le coucher, la coutume du *bundling* (qui consiste à dormir habillé avec une autre personne) était tolérée par les parents de couples que l'on considérait comme fiancés, et il semble que l'on commençait par ce que les adolescents des années 50 appelèrent le « pelotage » pour finir par le coït interrompu, en passant par divers stades de préliminaires érotiques ; le tout dans la chambre de la jeune fille remplacée plus tard par l'automobile familiale.

L'Eglise pas plus que les autorités civiles n'interdirent cette pratique, et le degré réel de consentement de la part de la famille pouvait varier de l'indifférence simulée à la cérémonie des fiançailles avec droits de visite limités, de la même façon que les familles de la classe laborieuse toléraient qu'une jeune fiancée restât seule avec son promis dans le salon pendant que les parents s'égayaient ailleurs. Cette forme de jeu sexuel stéréotypé remplissait une fonction sociale importante, en cela qu'elle cimentait l'association entre les futurs époux et sauvegardait une relation qui ne pouvait pas atteindre sa maturité avant de nombreuses années. Elle créa aussi dès le début le modèle de contrôle de soi et d'attention qui caractérise la vie du couple marié, les effets du mariage tardif sur la fécondité pouvant être infirmés par l'échec du contrôle de la fécondité dans le mariage.

C'est en tenant compte de modèles de ce genre que certains démographes en sont venus à mettre en doute la notion répandue que le contrôle des naissances était une idée nouvelle qui fut d'abord adoptée par une classe urbaine développée ou instruite avant de s'étendre par une propagande délibérée ou par le bouche-à-oreille de la ville jusqu'aux classes rurales. L'étude que mena E. A. Wrigley pour reconstituer la population de la ville de Colyton dans le Devon a montré que la fécondité était extrêmement sensible aux changements économiques et réagissait d'une façon immédiate que n'expliquait pas uniquement un facteur d'environnement général ; la seule explication était le contrôle de la fécondité dans le mariage, car la nuptialité elle-même ne pouvait expliquer le phénomène[22]. Les méthodes virtuelles de contrôle comprennent l'abstinence totale, qui est difficile, et l'abstinence partielle dont l'efficacité est douteuse étant donné l'ignorance de la période de sécurité du couple. L'explication la plus vraisemblable est donc la pratique du coït interrompu. Ce serait aussi la méthode qui fut employée au début par les Français et les Suédois pour réduire leur taux de natalité bien avant l'apparition des méthodes modernes chimiques ou mécaniques de contraception et indépendamment de leur industrialisation[23].

Le coït interrompu est un moyen si évident de faire l'amour sans faire des enfants qu'il ne peut être surprenant d'en retrouver la pratique dans le monde entier. Chez les Tikopias, il était véritablement institutionnalisé au cours d'une cérémonie publique.

> La méthode reconnue pour éviter les grossesses non désirées est le coït interrompu. Il est pratiqué par les couples mariés ou non. Les couples mariés le pratiquent lorsqu'ils ne désirent pas agrandir leur famille. Autrefois, il existait un rituel appelé *fono*, au cours duquel on exhortait les chefs de famille à limiter le nombre de leurs enfants par le coït interrompu, la raison invoquée étant la prévention de l'infanticide et d'autres troubles sociaux[24].

Comme nous pouvons le supposer, les jeunes n'apprenaient pas de leurs aînés la façon de s'y prendre, mais de leurs pairs. Il ne fait aucun doute non plus que les missionnaires cherchèrent à briser ces pratiques, comme ils le firent pour la majeure partie des méthodes d'hygiène sexuelle.

La rareté des naissances illégitimes dans de nombreuses sociétés non développées est un effet des règles qui limitent les rapports sexuels autorisés à ceux qui n'ont pas l'âge de se marier. Chez certains groupes africains, ce n'est pas le retrait qui est autorisé pour les couples non mariés, mais le *coitus intra cura*, où l'homme atteint l'orgasme en frottant son pénis contre la cuisse de sa partenaire. Au Swaziland, par exemple :

> Après la puberté, garçons et filles trouvent généralement des partenaires avec lesquels ils se livrent à un jeu sexuel stéréotypé qui exclut des rapports sexuels complets. Autrefois, on méprisait une fille qui se retrouvait enceinte avant le mariage et le garçon était battu et mis à l'amende, mais cette situation s'est ensuite trop souvent reproduite pour entraîner des réactions sévères[25].

L'observation de Hilda Kuper cherche à démontrer combien de tels mécanismes de contrôle social peuvent être fragiles ; ce sont toujours les premiers systèmes à être déséquilibrés par la rupture du groupe, et à disparaître souvent avant que l'on ait trouvé bon de les enregistrer. Chez les Mais, les célibataires initiés avaient le droit de participer à cette sorte de jeu sexuel où savoir éviter la grossesse faisait partie de la conduite chevaleresque. Chez les Tsouanas, le retrait protégeait les femmes qui allaitaient et celles qui n'étaient pas mariées d'une grossesse non désirée[26].

Que le retrait ait été et soit encore la méthode employée par des millions d'individus ne constitue pas une raison pour le pratiquer si des méthodes plus commodes, plus faciles et plus saines sont disponibles. Comme la pratique ne demande aucune instrumentation particulière, à part ceux pourvus par la nature, il n'en existe pas de plus commode. Elle ne dépend pas de l'industrie pharmaceutique, n'exige pas la proximité d'une salle de bains, ne présuppose pas une chambre à coucher, avantages incontestables dans les circonstances rencontrées dans le district de Ludhiana au Pendjab où une équipe de chercheurs de Harvard vint établir en 1959 un programme préliminaire de contrôle des naissances. A cette époque les DIU et les contraceptifs oraux n'étaient pas diffusés et les travailleurs sur le terrain s'étaient équipés de deux sortes de tablettes moussantes dont l'une fut presque immédiatement éliminée parce que cancérigène. Les condoms et diaphragmes étaient à leurs yeux trop coûteux et trop peu stables dans les conditions climatiques existantes. D'autre part, les condoms étaient illégaux. Bien entendu, trois ans après l'établissement du programme, on découvrit que l'épicier du village en vendait tant et plus. Les villageois ne les utilisaient généralement pas avec leurs femmes, mais pour d'autres contacts qui risquaient de provoquer des maladies. L'efficacité reconnue des tablettes moussantes ne dépassait pas 50 %. Les maris des femmes qui ne voulaient pas être enceintes pratiquaient déjà le retrait, méthode de loin la plus efficace à tout point de vue ; néanmoins, les responsables du programme, doutant qu'elle fût valable, exhortèrent les gens à utiliser des tablettes moussantes, allant même jusqu'à demander aux femmes de se munir de petits sacs remplis de coton qu'elles devaient tremper dans une solution saline, méthode contraceptive d'une efficacité de toute façon peu fiable et qui comportait un risque de lésion et d'infection. Les femmes du Pendjab tentèrent en vain d'expliquer leur propre système de régulation des naissances par l'allaitement prolongé, l'abstinence et le coït inter-rompu ; incapables de comprendre leur terminologie, nos chercheurs res-tèrent convaincus qu'elles avaient en réalité des enfants non désirés. Par politesse, les villageois acceptèrent leurs tablettes, les essayèrent ou non (découvrirent qu'elles causaient des brûlures et étaient un obstacle certain au plaisir) et les abandonnèrent.

> Durant la première année d'étude, et en dépit d'un effort considérable pour encourager les couples à utiliser la contraception, le taux d'acceptation alla en décroissant. Des enquêtes révélèrent qu'un nombre important de couples qui acceptaient les produits contraceptifs ne les utilisaient pas et le rapport d'utilisation ne concordait pas toujours avec le nombre de contracep-tifs distribués.

En fait, entre 1957 et 1959, le taux de natalité s'éleva, peut-être parce que les couples s'étaient mis à adopter les tablettes moussantes officielles aux dépens de leur propre méthode certainement plus efficace. Finalement les enquêteurs en vinrent à une conclusion peu encourageante :

> Au cours de l'étude, quelque cinq cents couples pratiquèrent la contracep-tion pendant des périodes variables et plus ou moins régulièrement. Aucun changement n'apparut dans le taux de natalité, bien qu'on remarquât une faible incidence sur le plan de la conception retardée. L'explication tient peut-être au fait que les contraceptifs mis en usage remplaçaient des métho-des traditionnelles sans doute tout aussi efficaces[27].

L'examen de ces données révèle que les individus étudiés étaient plus sensés qu'on ne le supposait ; la plupart n'avaient jamais abandonné leurs méthodes et certains utilisaient aussi bien les tablettes moussantes que le coït interrompu, situation que l'on retrouve dans l'Occident traditionnel, où la contraception restait une affaire de femmes que les maris étaient censés ignorer tout en restant attachés à des méthodes qu'ils connaissaient et dans lesquelles ils avaient confiance.

En 1969 suivit une étude complémentaire. Contrairement au diagnostic initial, les villageois avaient prospéré ; il y avait des tracteurs, des puits abyssiens, une amélioration du logement, davantage d'espérances de mariage pour les enfants que les paysans n'avaient cessé de mettre au monde (et de perdre, car l'étude n'avait pas fait état du taux de mortalité infantile). Le plus étonnant fut de découvrir que la pratique du contrôle des naissances n'avait pas changé depuis 1959 ; la plupart des femmes n'utili-saient ni contraception ni mousse, et 7 % seulement avaient recours à des méthodes modernes contre 9 % dans le village témoin où aucune tentative de contrôle des naissances n'avait été menée. Pour les spécialistes de la limitation démographique, ce résultat parut très décevant, mais pour tous ceux qui étudiaient la nature humaine, c'était un exemple encourageant du pouvoir des peuples sous-développés à résister à l'ingérence et à l'endoctrinement, à faire confiance à leur propre savoir pour régler leur vie comme ils l'entendaient.

Pour les hommes et les femmes de Ludhiana, dont les foyers ne possédaient ni eau ni électricité, le retrait était de loin plus facile à pratiquer que tout ce que pouvaient leur conseiller les propagandistes de la régulation des naissances, surtout lorsque maris et femmes dorment dans des chambres qui ne leur sont pas réservées et où les belles-mères peuvent voir d'un mauvais œil les tablettes spermicides traîner dans la pièce. On pourrait encore objecter que le coït interrompu est une méthode difficile et désagréable pour ceux dont l'activité sexuelle n'est pas soumise à ces contraintes. En fait, même pour les hommes qui ont des rapports sexuels sans restriction, il est facile de maîtriser l'art du retrait ; des jeunes garçons sans expérience avec des partenaires tout aussi inexpérimentées en sont capables, spécialement lorsqu'il fait partie de la traditionnelle histoire d'amour, la séduction de la jeune épouse par un mari ardent et attentionné. L'emphase donnée par la culture hindoue (entre autres) au plaisir de la femme dans l'activité sexuelle engage à considérer le rapport sexuel non comme un vulgaire procédé d'évacuation, mais comme un ensemble de retenue, de délicatesse et de savoir-faire qui, bien pratiqué, mène les deux partenaires à la jouissance suprême. La violence des préjugés contre le coït interrompu émane en partie du moins d'une fausse conception selon laquelle l'activité sexuelle est une fonction spontanée, naturelle, non calculée, et par conséquent frustrée par toute mesure de contrôle délibérée.

Il est clair qu'on ne peut exiger le retrait d'un partenaire réticent. Il ne sera satisfaisant que s'il est une expression d'amour offerte et reçue ; c'est peut-être ce que voulait dire Gandhi en affirmant que le problème de la grossesse non désirée serait résolu si les hommes aimaient leurs femmes. Le mysticisme érotique indien, avec son culte des propriétés stimulantes du sperme, valorise la prolongation du coït et encore plus celle du coït réservé ; les grands yogis présupposés capables de faire jouir plusieurs femmes à la fois absorbent en fait l'énergie vitale des femmes au lieu de dépenser la leur, partant du principe que les sécrétions féminines font partie du *bindu* que les yogis tirent d'elles. Des enquêteurs envieux, doutant de la capacité des yogis à retenir l'éjaculation (ce qui semble à l'auteur de cet ouvrage plus facile que bien d'autres de leurs prouesses), les soupçonnent de pratiquer la méthode dangereuse connue sous le nom de *coitus saxonicus*, qui exige une forte pression sur la base de l'urètre au moment de l'éjaculation, de manière à faire remonter le sperme dans la vessie. Cette pratique peut provoquer des lésions et des infections des conduits séminaux et de l'épididyme avec d'éventuels troubles d'énurésie et de prostate. La détumescence suivant immédiatement l'éjaculation refoulée, cette pratique ne peut servir l'objectif fondamental du yogi, à savoir un rapport sexuel exceptionnellement prolongé ; étant donné qu'elle exige l'aide de la partenaire, elle risque d'altérer le mythe de la maîtrise de soi surhumaine dont il jouit ; il est tout simplement probable que le yogi trouve plus facile de retenir l'orgasme en prolongeant le rapport.

Au treizième siècle, Kokkota suggère une forme variée de *coitus obstructus* qui comporte une pression sur l'urètre juste au-dessus du scrotum. Des textes chinois glorifient l'homme qui peut absorber le *yin* des femmes sans répandre son propre *yang*, encourageant les mêmes exploits d'athlétisme sexuel attribués aux yogis :

> Si un homme accomplit une fois l'acte sexuel sans émettre de sperme, alors son essence vitale sera renforcée. S'il le fait deux fois, son ouïe et sa vision seront plus aiguës. Trois fois, toutes les maladies disparaîtront ; quatre fois, son âme sera en paix. Cinq fois, sa circulation sanguine sera améliorée. Six fois, ses reins seront forts et puissants. Sept fois, ses fesses et ses cuisses deviendront plus robustes. La huitième fois, son corps tout entier resplendira. A la dixième, il sera immortel[28].

Il se pourrait que l'association d'une force et d'une santé exceptionnelles liées à la retenue de l'essence vitale explique l'acceptation de la stérilisation masculine volontaire en Inde. Si on présente le procédé comme une manière d'empêcher le sperme de s'écouler hors des parties génitales afin de lui permettre de continuer à circuler en tant qu'« essence du corps », il sera vu sous le même angle que les exploits sexuels des yogis, et non comme une castration. Décrire ainsi le procédé n'est pas plus incorrect que les habituelles explications offertes au commun des mortels. La spermatogenèse se poursuit, bien qu'à un degré moindre par suite du mécanisme de rétroaction, et une certaine quantité de sperme s'écoule dans le sang, tandis qu'un taux de spermatogenèse fortement réduit signifierait qu'un homme sous-alimenté pourrait transformer plus de protéines en énergie dirigée vers d'autres tâches. Ce genre de raisonnement est peut-être celui qui a poussé des millions d'hommes à se faire stériliser de leur propre volonté (avant les atrocités de l'Emergency) indépendamment de la campagne officielle.

Au milieu des années 70, le planning familial chinois inclut une version du coït réservé parmi les méthodes de régulation des naissances qu'il préconisait.

> Lorsque l'homme est sur le point d'éjaculer, il presse fortement du bout des doigts entre l'anus et le scrotum, appuyant sur l'os pubien pendant une minute jusqu'à ce que le point précis situé sous ses doigts ne batte plus. Cette méthode est simple ; lorsque le timing est bien contrôlé et que la pression s'exécute au bon endroit, l'efficacité est relativement prouvée... Dans le but d'augmenter l'efficacité de la contraception avec cette méthode, il est préférable de la pratiquer dans un premier temps en utilisant aussi le condom[29]...

Il n'existe aucune preuve de complications liées à cette méthode bien que les médecins occidentaux estiment généralement qu'elle comporte un risque d'inflammation et d'infection en refoulant le liquide séminal dans la vessie. Sans distinguer le *coitus obstructus du coitus reservatus*, Peter Fryer relate que non seulement les écrivains des textes sanscrits connaissaient cette méthode, mais aussi que l'*International Journal of Sexology* a publié en 1953[30] un rapport sur treize années d'utilisation satisfaisante. Aussi positif que puisse être le rapport établi en Chine, il est peu probable que cette méthode se répande, excepté peut-être dans un pays où la grossesse prohibée pourrait conduire à un avortement forcé. Une minute après tout, c'est plutôt long, et personne n'est à l'abri d'une flexion involontaire du poignet dans ces circonstances.

Une des nombreuses possibilités pour l'homme de faire l'amour et non des enfants est d'avoir recours à l'homosexualité. Dans des sociétés qui pratiquent une ségrégation sexuelle sévère, un degré d'homosexualité à l'âge adolescent et adulte est institutionnalisé. Chez les Etoros de Nouvelle-Guinée, la relation homosexuelle pour les hommes fait partie d'une véritable éthique. Comme la plupart des habitants de Nouvelle-Guinée, les Etoros pratiquent une stricte ségrégation des hommes dans le but de les protéger du contact dangereux avec les femmes, qui provoque ce qu'ils appellent le *hame hah hah*, ou essoufflement. Pour eux, la relation coïtale avec la femme représente l'épuisement de l'énergie vitale de l'homme :

> Chaque mâle possède une quantité limitée d'énergie vitale répandue dans tout son corps, mais surtout dans son sperme. Une dose de sperme se répand à chaque fois que l'homme accomplit l'acte sexuel si bien que le réservoir de son énergie s'épuise peu à peu tout au long de sa vie...

Des sociétés évoluées ont prétendu que l'homme possédait une réserve limitée de sperme, et les Etoros ne constituent pas une exception en soutenant cette idée, pas plus qu'ils ne sont seuls à croire qu'un homme en afflige un autre du même *hame hah hah*, lorsqu'il lui donne à fumer ou à manger après avoir eu des rapports sexuels.

> Un homme doit éviter de voir ou d'entrer en contact avec un nouveau-né pendant dix-sept jours. Sinon, il souffrira d'un grave *hame hah hah* et pourra en mourir[31].

S'alignant sur les sociétés pour lesquelles l'épuisement du pouvoir et de l'énergie physique a un rapport direct avec l'activité sexuelle, les Etoros pratiquent de longues périodes d'abstinence :

> Les hommes sont protégés d'un épuisement indu... par un temps prolongé d'abstinence obligatoire. Les relations hétérosexuelles sont étroitement limitées à des périodes (et à des endroits) données. En tout, la copulation est

prohibée (*tobi*) pendant une période estimée de 205 à 260 jours par an... Les interdictions sont liées en pratique à tous les aspects de la production économique... en outre ces activités tendent à être concentrées dans le temps. Cela suppose des restrictions considérables sur la fréquence des relations hétérosexuelles, et on trouve d'autre part une preuve indirecte de l'acceptation générale de ces interdictions. Huit naissances sur dix qui surviennent dans la tribu sur une période de quinze mois ont lieu dans un court intervalle de trois mois... Les rapports hétérosexuels ont lieu uniquement dans la forêt, jamais à l'intérieur d'une maison, dans le jardin d'une habitation, dans la maison commune ou dans le voisinage de la maison commune... Violer l'interdiction de copuler à l'intérieur et aux environs de la maison commune est une offense grave qui peut entraîner le blâme public et l'expulsion de la communauté[32].

Toutes ces prohibitions se rapportent aux relations hétérosexuelles ; le tableau plutôt austère ainsi brossé change du tout au tout lorsque l'on découvre comment les hommes aident les jeunes garçons à développer leurs caractéristiques mâles en « les inséminant », façon prude de dire qu'ils leur font avaler leur sperme.

Un jeune garçon est continuellement inséminé de l'âge de dix ans jusqu'à vingt ou même vingt-cinq ans.

Aucune interdiction ne se porte sur cette forme altruiste de rapports sexuels qui a des effets bénéfiques évidents, car le garçon imberbe grandit et se fortifie, aussi longtemps qu'il continue à avaler le sperme de ses aînés.

Hommes et jeunes garçons se livrent totalement à des rapports sexuels dans le quartier des hommes de la maison commune (et dans les jardins) à n'importe quel jour de l'année[33].

C'est d'une logique irréfutable ; si le sperme fabrique des bébés, il coule de source qu'il fortifie les bébés ; les longs exposés qui remplissent les colonnes des revues érotiques sur les avantages d'avaler le sperme sont la preuve que, malgré tout notre savoir, nous n'avons visiblement pas plus d'idées sur la valeur nutritionnelle du sperme que les Etoros. L'étude de Raymond Kelly n'établit pas clairement si la pratique de l'insémination est effectuée d'une manière purement fonctionnelle ou s'il existe un contexte érotique, un rituel des rapports sexuels, une prohibition des relations incestueuses homosexuelles, ou un attachement à un garçon en particulier, mais ce qui en ressort très nettement, c'est l'immense respect pour la virilité que comporte la pratique de l'insémination chez les Etoros. Pour cette communauté, ce sont les contacts hétérosexuels qui efféminent, et les contacts homosexuels qui virilisent ; l'Occident évolué formule l'hypothèse inverse, pour des raisons qui ne sont pas meilleures. Dans les deux cas, l'argument se justifie de lui-même.

On peut penser que des notions similaires subsistent dans certaines castes militaires d'Asie et d'Europe. Ces restes d'une croyance dans le pouvoir virilisant d'une communauté homosexuelle (si ce n'est du contact génital lui-même) sont à la base de l'attachement des armées à leur traditionnelle ségrégation sexuelle. Les soldats britanniques se montrèrent très embarrassés devant l'éventualité que leurs vaillants Sikhs et Gurkhas accomplissaient des actes dépravés avec leurs subordonnés.

Depuis la description exaltée des rapports conjugaux que fit Marie Stopes en 1918, il y a eu une campagne enthousiaste et lucrative pour introduire la diversité, l'imagination et l'innovation dans les relations sexuelles des époux. Beaucoup des lecteurs de Stopes eurent du mal à imaginer quelles « charmantes délicatesses » s'associaient à « faire sa cour ». Forel conseilla à ses « couples intelligents et ardents d'aller au fond d'eux-mêmes », figurativement tout au moins, et en fin de compte au sens concret, physique, « pour découvrir l'étendue et la signification des aboutissements profonds et spirituels du mariage ».

> Que chaque couple après le mariage s'étudie, que l'amant et sa bien-aimée fassent ce qui leur convient le mieux et ce qui leur donne le degré le plus élevé de plaisir et de pouvoir mutuels[34].

Cette recommandation solennelle pouvait apparaître comme une autorisation de toutes les sortes de rapports sexuels, mais les lecteurs de Stopes éprouvèrent certaines difficultés à comprendre ce qu'elle voulait dire. Comme le lui écrivit le 2 novembre 1920 le révérend C. D. du Nottinghamshire :

> ... dans le troisième point, vous dites comment le mieux exciter. Je n'ai aucune connaissance de ce que vous appelez l'Art de L'Amour... Cet Art de l'Amour que vous citez si souvent en termes de, p. 42, « approches romantiques », p. 50, « délicieux jeu amoureux », p. 100, « le jeu amoureux », p. 82, « lui faire ardemment sa cour », p. 84, « un échange passionné ». Ces expressions et d'autres me confondent. Elles éveillent en moi des images qui m'emplissent de désir, mais que je ne sais comment atteindre[35]...

Le pauvre révérend C. D. aurait dû analyser l'aspect visuel de ses images plutôt que de demander à notre paléobotaniste romantique de lui en fournir davantage. Nous pouvons comparer sa niaiserie de clergyman, que ses lectures n'amélioreront pas, avec l'apprentissage de la sexualité en Italie, où à peine âgés de quatre ou cinq ans, les petits garçons font la cour aux petites filles avec des bouquets de fleurs et des œillades assassines. Leurs parents vous décriront en détail comment ils reviennent de l'école en larmes parce qu'une petite coquine a refusé de leur sourire et comment ils repartent le lendemain matin, bien décidés à faire sa conquête. Ces enfants-là apprennent le vocabulaire de l'amour en apprenant à parler. L'homme ou la femme qui ont grandi dans un environnement antisensuel n'apprendront pas dans un livre, aussi détaillé soit-il, quoi faire et comment. La prolifération de manuels d'instruction sexuelle dans le monde de langue anglaise signifia aux yeux de certains que la relation érotique conjugale devenait plus intelligente et plus agréable ; l'énorme demande de ce genre de littérature pourrait bien indiquer le contraire ; cette demande venait de classes moyennes professionnelles. Les pauvres et les riches avaient d'autres sources d'information, sans doute plus efficaces. L'apparition du sexe dans le domaine de la littérature était un aspect d'un mouvement qui désincarnait le corps. C'est l'époque du « sexe dans la tête » exécré par D.H. Lawrence qui devint néanmoins son grand prêtre.

Les pratiques enseignées par les manuels étaient plus anodines que celles des classes laborieuses et des aristocrates dépravés. En matière de variétés, Stopes suggérait de remplacer la position du missionnaire par la position côte à côte ; en matière de stimulation, elle proposait un baiser sur les seins. Les approches plus osées de la fellation, du cunnilingus ou du coït anal sont du domaine de la débauche qui ne venait jamais flétrir le romanesque. Peu à peu les manuels de l'extase conjugale vinrent augmenter le répertoire des pratiques sexuelles autorisées au chaste couple marié qui se rapprochèrent des activités déjà pratiquées par ceux qui n'achetaient pas ces ouvrages. L'auteur anonyme de *My Secret Life*, bien que marié dans la pure tradition bourgeoise à une femme totalement inhibée sur le plan sexuel, abordait ses rencontres extraconjugales avec enthousiasme, imagination et tendresse, donnant et prenant un plaisir immense — si l'on en croit son propre récit, rédigé dans un style nous prouvant qu'il n'avait nul besoin de manuel d'instruction. Il semble que ses besoins comme ceux de ses partenaires aient été grandement satisfaits. Atteindre le même plaisir avec sa femme que celui éprouvé dans les bras complaisants et habiles de la prostituée était impensable pour la plupart et ce n'était pas les pieux manuels sexuels qui risquaient d'y changer quelque chose. La religion sexuelle orientale était fondée sur la nécessité d'initier une femme timide et pudique au plaisir physique, mais l'héritage religieux de l'Europe septentrionale n'avait pas pour but de remplir la même fonction, même lorsque le Dr Stopes clamait qu'elle avait eu une vision.

Peu à peu, on en est venu à inclure dans la notion que maris et femmes pouvaient faire ce qui « leur procure le plus de joie et de pouvoir mutuels » toutes les perversions, fétichisme, accessoires, pornographie, bref tout sauf le coït anal.

En théorie, le coït anal peut être pratiqué entre époux — bien qu'il soit parfois encore puni par la loi dans certains pays — tant qu'il ne l'est pas contre la volonté de la partenaire et qu'il ne risque pas de provoquer des lésions du rectum. Néanmoins, tout groupe hétérosexuel éprouve une répugnance curieuse et persistante à pratiquer le coït anal. (On accuse par contre les homosexuels d'en exagérer la pratique.) A notre époque informée, il nous faut accepter l'idée que les adultes de même sexe ont le droit de s'accoupler *in anum* ; même les femmes homosexuelles se sont élevées contre ces manifestations de dégoût à l'égard des rapports sexuels de caractère anal.

Cette vision que j'ai d'elle en dessous de moi, cette affection que je ressens pour ces fesses rondes, cette avidité qui me pousse à me nourrir d'elle ainsi ouverte, vulnérable et sans défense ; mais jamais je ne lui ferais de mal et je prends soin de savourer notre abandon, de goûter en même temps qu'elle chaque poussée de ma main qui l'ébranle avec une lenteur délibérée, elle se referme sur le mouvement régulier de mon doigt, je la sens et je sens dans mon anus qui se contracte comme le sien la joie secrète d'un plaisir enfin découvert[36].

Le Dr Stopes aurait difficilement pu écrire avec plus de lyrisme sur l'étreinte conjugale que ne le fait Kate Millett sur le massage rectal. La zone ano-rectale est considérée comme une zone érogène, même si elle reste en sommeil chez un grand nombre d'individus. Dans *Sexual Inversion*, de Havelock Ellis, Florie a une zone anale particulièrement érogène et l'auteur affirme que cette particularité se retrouve fréquemment en conjonction avec un développement fessier anormal ; l'argument pseudo-scientifique manque du plus élémentaire bon sens, mais une note souligne :

Un correspondant observe le fait, évident pour tous les observateurs, que les gens simples ne manifestent généralement pas plus de dégoût pour les anomalies du désir sexuel que pour ses manifestations habituelles. Pour plus ample illustration, on m'a dit qu'ils n'éprouvent souvent aucune réticence pour le coït avec une femme *per anum*[37].

Les membres de la British Society for the Study of Sexual Psychology ont publié une traduction d'un texte allemand édité par le Wissenschaftlichhu-manitären Komitee en 1903, certifiant :

de source autorisée, l'emploi (à des fins sexuelles) de parties du corps qui ne sont pas désignées à cet effet est comparativement peu fréquent dans les relations homosexuelles et certainement pas plus courant chez les individus à tendance sexuelle normale[38].

Ces messieurs en savaient plus sur la pratique homosexuelle que sur l'autre, mais si l'argument est *a priori* invraisemblable, car on voit mal comment les homosexuels pourraient limiter leurs rapports aux organes « destinés à l'activité sexuelle », il apporte une preuve de la prédominance des pratiques polymorphes au moins dans les rapports sexuels tarifés. Les écrits d'Allen Clifford sur les perversions sexuelles dans l'*Encyclopaedia of Sex* de Ellis et Abarbanel nous apprennent que 20 % des homosexuels pratiquent régulièrement le coït anal.

Cela infirme l'hypothèse selon laquelle le coït anal est pratiqué pour remplacer la relation coïtale vaginale et renforce le point de vue de Freud. Lorsque le coït anal hétérosexuel est pratiqué comme une variante occasionnelle des autres formes de coït, il ne s'agit pas d'une perversion, mais d'une expression normale de comportement sexuel[39].

Curieusement, cet érudit ne considère pas son usage comme une pratique contraceptive tant qu'il reste occasionnel. Si nous sommes prêts à défendre à mort le droit des homosexuels à se sodomiser à volonté, nous nous montrons étrangement réticents à nous attribuer les mêmes droits. Les expressions les plus courantes sur la sodomisation dans le langage populaire, du « va te faire enculer » français au « *cul rotto* » des Bolonais, montrent la permanence d'un fort tabou et de l'anxiété qui en découle. Comme nous pouvons nous y attendre, le culte du rapport anal hétérosexuel est limité aux écrits des individus qui prenaient plaisir à choquer une société fondamentalement pieuse et répressive, mais ils n'étaient pas seuls. Une vigoureuse culture populaire leur a fourni leur matériau. Ainsi, lorsque Aretino écrit « *chi non fotte in cul, dio gl'el perdoni* » parce que « *questa fottitura é la più ghiotta, che piacque a donne a cui ben piacque il casso* », il se réfère à une pratique en vogue chez les courtisano[40]. Ceux-ci prétendaient peut-être apprécier le coït anal pour des raisons d'intérêt personnel, pour éviter la grossesse par exemple, mais il semble prouvé qu'il s'agissait de quelque chose de plus inventif et plus joyeux. Un recueil du dix-huitième siècle appelle les deux orifices de la femme « *l'uno et l'altro sesso* » ; le même recueil fait référence à la fonction contraceptive en soulignant que celui qui l'observe « *molto ben fece* ».

Le marquis de Sade fut un partisan de la sodomie ; tout en appréciant les inévitables fantasmes sadiques auxquels elle donnait lieu, il l'appelle également « la plus délicieuse des façons de tromper la nature[41] ».

Il est certain que les Pères de l'Eglise connaissaient la sodomisation et l'incluaient dans la liste des péchés à confesser. D'autres que les Italiens m'ont raconté que les Italiens la pratiquaient ; des Italiens m'ont dit que les Américains adoraient ça ; ceux qui ne sont pas grecs affirment que les Grecs ont un penchant pour la sodomisation. Parmi l'extraordinaire variété des pratiques culturelles destinées à maintenir l'équilibre entre population et ressources, le coït anal semble n'avoir jamais joué qu'un rôle très minime : peu de groupes, même parmi ceux qui tolèrent la sodomie chez les jeunes garçons, prétendent régler leur natalité par la pratique du coït anal dans le mariage. Lorsque cette affirmation est portée par des étrangers, elle est en général calomnieuse. Néanmoins, nous savons que c'est une pratique qui peut être associée à une notion de plaisir intense pour les deux partenaires. Il est tentant de spéculer sur les raisons d'une hésitation curieuse et presque universelle envers cette pratique, mais toute tentative d'explication ne peut être que spéculative.

Dans notre société, il semble clair que la pénétration n'est pas essentielle à la jouissance et notre époque s'évertue à éliminer tous les restes de culpabilité attachés au plaisir que procurent des méthodes moins orthodoxes, encore que personne n'ait tenté d'exploiter la créativité sexuelle de l'homme comme alternative à la contraception mécanique ou chimique.

Les caresses buccales sont considérées comme une variation satisfaisante et tendre du sexe, mais non comme une méthode contraceptive. Pour les partisans de la méthode naturelle de contraception, l'abstinence sexuelle sera pratiquée de préférence à l'éjaculation hors du vagin les jours de fécondabilité. On doit s'attendre à une telle recommandation de la part des catholiques pour lesquels l'éjaculation hors du vagin est répréhensible. Mais d'autres groupes, comme les féministes qui refusent d'utiliser des formes de contraception qu'elles estiment dangereuses, déclarent qu'aucune alternative à l'éjaculation dans le vagin ne peut être proposée avec sérieux.

La morale courante semble rejeter toute notion d'un choix délibéré dans les façons de faire l'amour qui ont pour but d'éviter la grossesse, en même temps qu'elle prescrit un maximum d'imagination et de variété dans l'acte sexuel. Nous pourrions nous demander si imagination et variété n'ont pas justement pour but d'éviter la grossesse non désirée ; la réponse semble qu'elles sont une fin en soi. Cette attitude n'est pas plus réaliste, car le rapport sexuel fait partie des relations humaines normales et conscientes, autant que religieuses. Le sexe peut être dévalorisé par l'utilisation d'aide extérieure destinée à stimuler le désir déclinant, la participation d'un troisième partenaire, la substitution d'instruments ou d'autres membres à un pénis ramolli, mais jamais par le respect attaché au pouvoir du spermatozoïde et de l'ovaire. Les couples peuvent se déguiser, se manipuler, se maltraiter, mais ils ne peuvent pas traiter le vagin comme s'il représentait un danger. Notre culture nous oblige à abandonner toute tentative de contrôler notre fécondité qui utiliserait les différentes formes d'expression du plaisir, et à confier ce contrôle à des agents extérieurs sous prétexte qu'ils sont à la fois plus efficaces et moins dangereux. On a souvent affirmé que les méthodes traditionnelles étaient dangereuses, on ne l'a jamais démontré. Leur efficacité n'a jamais été étudiée puisqu'elles étaient invariablement supposées ne pas exister.

Notre préférence pour des agents chimiques et mécaniques n'est pas rationnelle. Notre attitude à l'égard de la fonction sexuelle est confuse. Les autres systèmes auxquels on s'est référé jusqu'ici ont eu une logique interne, bien que certains paraissent inhabituels. Il n'y a aucune logique dans un concept qui soutient que l'orgasme est un bienfait, que l'orgasme vaginal est impossible, que répandre son sperme n'importe où n'est pas répréhensible, que porter un enfant non désiré est condamnable, et qui insiste en même temps sur le fait que le rapport *in utero* « normal » doit se terminer par l'éjaculation dans le vagin. Telles sont les hypothèses qui sont à la base de notre ardeur à étendre l'usage des contraceptifs modernes dans toutes les sociétés sur la terre, sans égard pour leurs priorités morales et culturelles. Etant donné l'incohérence de ces prémisses, la proposition est absurde.

Cette forme de chaos mental a pour nom *le mal*.

6
Bref historique de la contraception

« (Nous) accepterions avec joie (le planning familial) à
condition qu'il :
— ne gëne pas notre travail ;
— ne nous fasse pas mal ;
— ne s'oppose pas à notre religion ;
— soit gratuit ou presque ;
— qu'une femme nous examine et nous apprenne
quoi faire et comment le faire ;
— reste un secret entre elle et nous. »
Women's Meeting, Central Javan Village, 1977[1]

Si les gens préfèrent faire l'amour de la façon dont s'ensuit la naissance
d'un bébé et si la crainte de faire un bébé entrave leur plaisir sexuel, ils
auront alors recours à la contraception. Il paraîtrait plus logique d'avoir
recours à d'autres formes de rapports sexuels, notamment pendant la
période de fécondité, mais pour des raisons déjà évoquées sur lesquelles
nous reviendrons ultérieurement, la plupart des Occidentaux choisissent
aujourd'hui de payer un prix en grande partie inconnu pour leur préférence
sexuelle, à savoir imposer une stérilité temporaire ou permanente à l'un des
partenaires. Avant que ne soient disponibles des méthodes fiables en
matière de contraception, on utilisa différents moyens d'établir un obstacle
entre le sperme et le col. La plus ancienne de ces méthodes consista à
revêtir le pénis d'un fourreau.

Gabriele Fallopio passe pour être le premier à avoir utilisé un fourreau
de toile comme préservatif ; dans de nombreux pays, les condoms ont une
utilité prophylactique. Pendant longtemps, la protection contre la *lues
venera* fut le motif principal de l'adoption du condom — mot dont l'origine
a suscité de nombreux écrits. Etant donné que les prostituées étaient en
général stériles par suite de maladie, la crainte de la grossesse jouait peu et
aucun gentleman digne de ce nom n'aurait songé à utiliser une telle

« armure » avec son épouse, même si l'on savait selon toute apparence qu'en prévenant l'infection on prévenait aussi la conception. Le plus grand progrès fut la préparation des condoms à partir de cæcum de mouton, aussi imperméable et plus fin que notre actuel caoutchouc, deux fois moins épais que le préservatif anglais utilisé de nos jours, lui-même plus fin que l'américain.

Le condom ne s'est jamais relevé d'avoir été en premier lieu associé avec la promiscuité sexuelle, la prostitution et la maladie, malgré le vieux précédent selon lequel l'addition de capes, anneaux et fourreaux en or, argent, cuivre, ivoire, bois, étain, plomb, cuir, corne, ou écaille de tortue renforce l'efficacité du pénis. L'idée d'utiliser le condom pour accroître le plaisir sexuel a de tout temps existé. Au début de ce siècle, les Français ont fabriqué des condoms de fantaisie auxquels ils ont donné les noms les plus divers. Les Japonais, qui ont toujours cherché à accroître l'action du pénis avant d'utiliser le condom comme contraceptif, ont montré une attitude positive à son égard ; ils ont fabriqué les premiers préservatifs de couleurs pastel et un autre,

> qui peut être utilisé par des hommes munis de membres de petite taille afin d'accroître le plaisir sexuel et de donner une indicible sensation aux femmes[1 bis].

Aujourd'hui, les sex-shops vendent des condoms agrémentés d'invraisemblables décorations, de toutes formes, tailles et couleurs, mais les simples préservatifs superfins, lubrifiés à l'envers et à l'endroit ont atteint des sommets de sophistication. En Allemagne, il arrive que les condoms soient vendus comme moyen de prolonger le rapport sexuel, bien qu'il soit douteux que cette description soit conforme aux spécifications du ministère du Commerce. On peut simplement imaginer que l'interférence du préservatif avec la sensation retarde effectivement l'orgasme, mais est-ce une bonne chose ou non, c'est une autre question. Les condoms lubrifiés avec des composés sensibilisateurs pourraient diminuer efficacement la gêne provoquée par l'absence de contact direct avec la membrane vaginale. En Amérique, la FDA a pratiquement supprimé l'agrément virtuel du condom comme méthode de contrôle de la fécondité en exigeant une épaisseur minimale qui est la plus élevée du monde, et une norme de longueur supérieure à la plus longue autorisée dans les autres pays[2]. En tout cas, jusqu'à ce qu'un remake de *Love Story* nous fasse pleurer avec des histoires d'amour, de sexe et de condoms, on continuera à associer le préservatif en caoutchouc à l'activité sexuelle occasionnelle et à la peur de la maladie.

Avoir fait du condom un tableau aussi morne peut avoir des conséquences graves. Aujourd'hui, l'établissement de la menstruation apparaît beaucoup plus tôt chez les Occidentales qu'autrefois ; par contre, pour des raisons sociales, le mariage prend place parfois dix ans après le début de la maturité et de l'activité sexuelles. Que cela nous plaise ou non, il en résulte inévitablement une période prolongée d'expérimentation sexuelle qui se déroule non pas lorsque la femme est infertile, comme dans le cas de la non-fécondité de l'adolescence qui dure souvent longtemps après le mariage dans la majeure partie des pays du monde, mais lorsqu'elle est à la fois socialement immature et totalement féconde. En 1979, aux Etats-Unis, 17 % de toutes les naissances furent illégitimes, la plupart chez des adolescentes. Véritable crise sociale avec des conséquences graves, la grossesse à l'âge de l'adolescence peut atteindre trois générations : les parents, leur enfant qui est enceinte et l'enfant de cette enfant. Sans parler de l'avortement, les problèmes de la contraception à cet âge nous amènent forcément à la solution du condom ou du diaphragme, étant donné que la pose d'un stérilet chez une femme aussi jeune est à déconseiller et que peu de médecins sensés sont favorables à l'administration de stéroïdes contraceptifs à des jeunes filles en plein développement. Par ailleurs, l'adoption d'une méthode de contrôle contraceptif systématique implique l'apprentissage d'un comportement stable et orienté vers la sexualité auquel des filles d'un âge moyen de 13 ans ont peu de chance de parvenir sans une bonne dose de tâtonnements et d'erreurs. L'émerveillement et l'excitation de la découverte du sexe seraient tristement amoindris si l'on enseignait l'hygiène sexuelle en cours d'éducation physique, et les enfants y résisteraient aussi énergiquement qu'ils le font pour d'autres matières du même ordre. Il serait navrant de provoquer vis-à-vis du sexe l'équivalent de la révolte punk en essayant d'enfermer nos enfants dans une sorte de terne discipline génitale qu'ils se sentiraient obligés de rejeter.

L'épidémie des maladies pelviennes chez les jeunes est une réalité, tout comme l'est la grossesse de l'adolescente et les conséquences tragiques s'en font déjà ressentir. Le seul pays à faire état d'un degré de réduction de la fréquence de la gonococcie chez les moins de 20 ans est la Suède où un programme de préservatifs masculins a donné des résultats encourageants ; curieusement le même déclin n'a pas été observé dans la fréquence des infections du *Chlamydia*[3]. Que le *Chlamydia* soit une infection des voies génitales qui ne se répand pas uniquement par contact génital est une possibilité tout aussi effrayante à envisager. Etant donné le degré actuel de nos connaissances, le condom semble être la meilleure forme de protection des adolescents à la fois contre une grossesse non désirée et contre les maladies stérilisantes ; il devient urgent et vital à l'heure actuelle de faire du condom un objet de culte pour les jeunes autrement qu'en le vantant dans des petites annonces louches ou qu'en le plaçant dans les distributeurs des toilettes publiques. Nous avons besoin d'une campagne publicitaire massive avec les Stones, David Bowie, ou toute autre idole, si l'idée n'est pas déjà démodée[4].

Il a dû en coûter beaucoup à Carl Djerassi, l'homme grâce à qui nous avons la pilule contraceptive, d'affirmer dans *The Politics of Contraception* :

> J'insiste sur le fait qu'au plan de la sécurité le diaphragme est de tous le meilleur contraceptif[5]...

Les femmes qui abandonnèrent si volontiers leur diaphragme au début des années 60 avaient de bonnes raisons pour cela. Elles ne paraissent peut-être pas aussi bonnes à présent ; la pilule n'est pas la solution magique que nous imaginions ; mais cela ne signifie pas que les femmes doivent se satisfaire de la technique actuelle du diaphragme, qui n'a pratiquement pas changé depuis cinquante ans. Constatation d'autant plus navrante qu'il a existé au moins une forme supérieure d'obturateur féminin, aujourd'hui si bien tombée en désuétude que peu de gens se souviennent de son existence.

La première cape s'ajustant parfaitement au col, mise en place à la fin des règles et retirée dès le début des suivantes par le médecin ou l'utilisatrice elle-même, fut inventée en 1838 par un Allemand, Frederick Adolphe Wilde. Il fit un moule en cire du col de l'utérus et fabriqua une cape en caoutchouc[6]. Suivirent d'autres modèles de toutes sortes, en ivoire, en or, en platine, en argent, en caoutchouc, en Plexiglas ou en polyéthylène ; nous ignorons l'étendue de leur utilisation car les capes représentaient des acquisitions définitives et ne faisaient jamais l'objet de réclames publicitaires ou de conversations. Bien des femmes qui apprirent de leurs mères comment les utiliser ignorent encore que le diaphragme moderne est non seulement très différent mais moins élaboré et plus inconfortable. Présentée sur le bout d'un doigt, la cape s'ajustait parfaitement sur le col auquel elle adhérait par succion. L'enlever était plus difficile, car il fallait passer un doigt recourbé sous le bord et rompre cet effet de succion d'un coup sec.

Le diaphragme, appelé « Dutch cap », est un réceptacle en caoutchouc souple qui s'emploie avec un spermicide. L'ajustage n'est pas parfait puisqu'il s'agit tout bonnement de trouver la plus grande taille susceptible de rester tendue à l'intérieur du vagin après son introduction et de ne pas remonter derrière l'os iliaque. Ce que l'on appelle à tort une cape cervicale est en fait un obturateur en caoutchouc, bref un diaphragme. Une fois ce capuchon élastique enduit de spermicide, il est particulièrement malaisé de garder le bord circulaire pressé entre l'index et le pouce pour l'introduire dans le vagin. Le diaphragme a alors de bonnes chances d'échapper à son utilisatrice et de jaillir en l'air, éclaboussant sa mesure de gelée dans toutes les directions. Le spermicide est généralement froid, épais et glissant ; destiné à recouvrir le col, il enduit tout le reste d'une sorte de gelée froide. Si le rapport se prolonge trop longtemps, il faudra remettre une dose de crème, et c'est ainsi qu'une nuit d'amour se transforme en bain de spermicide. Les caresses buccales sont catégoriquement à éliminer, les spermicides étant à peu près aussi toxiques que la mort-aux-rats.

Que le diaphragme (et tout ce qu'on lui ajoute) soit aussi rudimentaire paraît inconcevable ; si le dentifrice avait un goût aussi détestable que le spermicide, il y a longtemps que la nation tout entière serait édentée. De plus, un rien salit le caoutchouc blanchâtre dont il est fait, et le ranger humide l'abîme, si bien que du matin au soir on peut trouver un diaphragme en train de sécher sur les robinets de la salle de bains pour la plus grande joie de vos éventuels visiteurs. Pendant des années, mes compagnes et moi, militantes convaincues pour la liberté sexuelle, nous nous sommes efforcées d'aimer nos diaphragmes, au point de porter sur nous les bords de ceux qui étaient hors d'usage en guise de bijoux, signes de la caste à laquelle nous appartenions. Longtemps avant que son utilisation contraceptive soit officiellement autorisée, nous soutirions la pilule œstrogène à nos médecins. Après s'être forcée à transporter en permanence dans son sac diaphragme et spermicide, à les mettre en place à chaque occasion, que ce soit dans les bois ou sur la plage, après s'être torturé la cervelle à calculer combien de cette gelée froide il lui faudrait rajouter en cas de rapports répétés (procédé nécessitant de transporter aussi dans son sac un applicateur en plastique — jamais totalement propre), quelle est la femme qui n'a pas éprouvé une envie furieuse de tout envoyer balader ? Si nous avions su qu'il existait une cape cervicale petite et discrète, pouvant rester en place pendant des jours ou des semaines d'affilée, dont un homme ne pouvait pas déceler la présence (comme il décèle celle du diaphragme), qui ne nécessitait pas de spermicide, ou très peu, qui pouvait être en or, durer toute la vie, ni Gregory Pincus ni Jove lui-même n'auraient réussi à nous la faire abandonner.

Retracer ce qui est arrivé à la cape cervicale n'est pas simple. Dès le début, la multitude de noms qui la désignent sème la confusion. C'est probablement une cape que Margaret Sanger montra à Marie Stopes en 1915 sous le nom de « pessaire français ». Le dispositif appelé *check pessary* dont Lambert et fils firent la réclame en 1886 est manifestement aussi une cape cervicale :

LE CHECK PESSARY PERFECTIONNÉ

> C'est un dispositif très simple en caoutchouc souple, destiné à être utilisé par la femme (pendant le coït) comme protection contraceptive. Il est fabriqué selon un principe qui relève du bon sens, et strictement conforme à la constitution féminine ; il peut être utilisé aussi longtemps qu'on le désire avec confort et facilité ; il s'introduit et s'enlève facilement, s'adapte parfaitement, et on ne risque pas de l'introduire trop profondément ou de se faire mal ; avec un peu de soin, il peut durer pendant plusieurs années. Envoi gratuit par la poste avec instructions d'utilisation, 2s. 3d. chacun[7].

Au temps pour la liberté moderne ! La lectrice de *The Wife's Handbook* avait simplement à envoyer son argent, contre quoi elle recevait une forme pratique de protection contraceptive. Aucune mesure de restriction ne s'appliquait à la publicité, aucune pudibonderie ne s'exprimait dans cette façon pleine de bon sens d'aborder la solution d'un problème de tous les jours.

Dans les premières années du vingtième siècle, deux femmes aux deux bouts de la planète, elles-mêmes assez ignorantes des façons dont leurs sœurs plus prudentes arrangeaient leurs histoires de reproduction, enfourchèrent le cheval de bataille de la limitation des naissances. Sujet jusqu'alors tenu secret entre mère et fille de la classe bourgeoise, souvent de manière inepte sans doute, la contraception devint un sujet d'intérêt général dans un contexte qui eut pour résultat de lui aliéner à la fois ceux qui avaient le plus besoin d'aide et ceux qui étaient le plus en mesure de la leur fournir. Sanger et Stopes virent les possibilités qu'offrait l'acceptation du contrôle des naissances par les pauvres qu'elles traduisirent en une apologie de la maternité et de la santé de la race. Les femmes qui s'étaient toujours montrées discrètes dans ce domaine n'ont pu qu'être révoltées par les arguments spécieux et le zèle publicitaire des militantes. Il est évident qu'elles ne se sont pas mises en avant pour expliquer leur propre méthode. Grâce à quoi, Stopes et Sanger purent continuer à croire qu'elles avaient inventé le mariage d'amour. Stopes reçut à coup sûr suffisamment de lettres de cinglés, écrites par des maris de la classe bourgeoise, des prêtres onanistes ou des mères malmenées par la vie, pour se croire le messie du sexe. Elle et Sanger se montrèrent des promotrices infatigables, observatrices dépourvues d'intelligence et de sensibilité de la nature humaine, affichant un optimisme béat envers les méthodes qu'elles choisirent d'adopter. L'une comme l'autre étaient par nature incapables de respecter les opinions de ceux qu'elles désiraient si ostensiblement aider.

Les héritiers de Lambert et fils fournirent à Stopes ses premiers pessaires lorsqu'elle ouvrit la Mothers' Clinic for Constructive Birth Control en 1920. Il est probable que l'approvisionnement de la clinique n'a pas représenté pour eux une bien grande différence dans leurs ventes déjà considérables : la cape cervicale commençait déjà à céder le pas au diaphragme, et il est intéressant de remarquer que Lambert en prévint Stopes en 1932. Etant donné qu'elle n'écoutait jamais personne, Stopes ne tint aucun compte de ce qu'il lui disait. Lorsqu'elle décida de se renseigner par elle-même, elle fit sa première commande de diaphragmes en secret[8].

Même Ruth Hall, la biographe de Marie Stopes, maintient la confusion entre cape cervicale et diaphragme. Se référant à *Wise Parenthood*, elle affirme à tort :

> Les médecins pourraient surtout lui reprocher non pas d'avoir défendu la cape cervicale en elle-même, mais d'avoir affirmé qu'on pouvait la laisser en place pendant plusieurs jours, ou même plusieurs semaines, sans la retirer[9].

La masse des écrits de Stopes auxquels Hall eut accès offre un matériel d'un grand intérêt pour l'historien du contrôle démographique, mais Hall ne s'intéresse pas à l'attirail contraceptif proposé dans les premières cliniques. Elle note que le *check pessary* en caoutchouc était la méthode préférée dans les premières cliniques de planning familial, mais elle y inclut par erreur l'invention du diaphragme par un Allemand du nom de Hesse qui prit le pseudonyme de « Mensinga » en 1882. En fait, Hesse inventa deux dispositifs obturateurs, le grand et le petit pessaire Mensinga qui devinrent ensuite respectivement le diaphragme et la cape cervicale.

Le terme « Dutch cap » est significatif. La Hollande était depuis de nombreuses années le seul pays au monde où le contrôle des naissances fût officiel. En 1882, l'année qui suivit l'invention de Mensinga, le Dr Aletta Jacobs ouvrit à Amsterdam la première clinique de planning familial dans le monde. En quelques années, la Hollande ouvrit trente cliniques de ce type[10].

Après avoir commencé par prescrire le petit pessaire, Margaret Sanger choisit de suivre la méthode hollandaise, sans informer ses patientes ou quiconque des raisons de son changement, que l'on pourrait attribuer au fait que l'efficacité du diaphragme avait été démontrée par une utilisation contrôlée dans les cliniques, alors que l'utilisation de la cape cervicale n'avait jamais été institutionnalisée. Il est possible que l'approximation désinvolte de Lambert fut à l'origine de la fin des capes. L'application du terme « Dutch cap » à ce qui n'en était pas une masqua l'existence d'une véritable cape.

On ignore en partie comment le diaphragme en est venu à remplacer la cape cervicale dans les cliniques anglaises. Huit mois après Marie Stopes, la Ligue malthusienne ouvrit une clinique sous la direction de Norman Haire qui avait déjà l'habitude de prescrire le diaphragme, ce à quoi s'opposait Marie Stopes sous des prétextes restreints, lui préférant « le petit pessaire qu'elle avait conçu elle-même, d'après le modèle français, et baptisé la cape "Pro-Race"[11] ». Ce pourquoi le produit développé par Lambert est tombé en désuétude n'est pas clair ; peut-être le Dr Stopes avait-elle simplement recommandé des modifications sur le modèle initial qui se présente maintenant en deux modèles et trois dimensions, avec deux versions différentes pour les femmes qui ont souffert de lésions du col ou du vagin pendant l'accouchement ou qui souffrent d'autres malformations. Ces modèles peuvent encore s'obtenir chez Lambert et fils, toujours établis à leur ancienne adresse.

Il est possible que la cape cervicale ait souffert de la manière dont Marie Stopes l'a mise en avant lors de l'action qu'elle mena sans succès contre Halliday Sutherland en 1923, lorsque les affirmations les moins fondées, y compris celle que les femmes ne pouvaient pas l'ajuster et qu'elle bouchait l'écoulement urétral, furent prononcées avec tout le pouvoir de l'autorité abusée[12]. Toutefois, Stopes elle-même est en grande partie responsable ; elle montra dans son refus des autres méthodes de contraception une précipitation fondée sur des préjugés et foncièrement irrationnelle. Quand le Dr Helena Wright, pionnière du planning familial en Grande-Bretagne, lui demanda si on ne pouvait pas utiliser d'autre cape cervicale que le petit « Pro-Race », Stopes lui répondit que les autres dispositifs étaient tous carcinogènes, affirmation pour laquelle elle n'apportait aucune preuve[13].

En 1930, plusieurs cliniques de planning familial concurrentes s'associèrent pour former le National Birth Control Association (plus tard le Family Planning Association, FPA) et privilégièrent le diaphragme comme méthode de contraception.

Marie s'accrocha à son petit pessaire en forme de voûte. Les déclarations fracassantes qu'elle donna de ses succès, basées sur des méthodes de suivi erronées, en firent la risée des cercles médicaux[14].

Les méthodes de suivi, il faut le reconnaître, faisaient l'exception plutôt que la règle, et le fait que les patientes ne prenaient pas la peine de signaler un échec ne suffit pas à expliquer que les autres cliniques ne purent obtenir le même taux que celui dont se targuait Marie Stopes. Stopes affirmait que sa réussite était totale. Les échecs des diaphragmes sont principalement dus à une utilisation irrégulière ou maladroite, et au déplacement possible de l'obturateur au cours d'un rapport sexuel prolongé, violent ou intermittent. Et surtout le diaphragme doit être régulièrement remplacé. La même cape cervicale pouvant servir pendant toute une vie, les utilisatrices retournaient rarement à la clinique pour une nouvelle prescription.

Parmi les nombreuses femmes qui m'ont raconté leur expérience satisfaisante avec la cape cervicale, il en est qui ont voulu la faire remplacer après l'avoir perdue ou abîmée accidentellement, et qui se sont alors aperçues que la clinique du planning familial à laquelle elles s'adressaient se trouvait dans l'impossibilité de leur en fournir une autre. Le diaphragme qu'on leur conseilla d'utiliser à la place leur parut généralement inférieur et plutôt dégoûtant. Parce qu'elle n'est pas mise en place avant le rapport sexuel, la cape est moins liée à l'échec de la contraception que le diaphragme ; cette différence essentielle suffit à compenser les défauts de son efficacité, qui dans les faits n'ont jamais été démontrés. Les utilisatrices de diaphragme passent leur temps à se demander si elles l'ont correctement placé ; dans le cas de la cape, le dispositif une fois mis en place ne bouge plus, ce qui signifie qu'il adhère totalement au col, contrairement au diaphragme qui exerce simplement une pression sur les parois vaginales.

Dans les années 50, la cape cervicale avait été jetée aux oubliettes. Une femme qui désirait une protection contraceptive au moment des premiers rapports avait un choix limité aux pessaires d'une sorte ou d'une autre, tous plus désagréables les uns que les autres, au condom, désagréable mais efficace, et au diaphragme, à cette époque utilisé en association avec des crèmes et gelées spermicides qui étaient également censées être efficaces indépendamment de leur support. Certains gynécologues recommandaient d'étaler le spermicide sur toute la périphérie du diaphragme, d'autres estimaient que la valeur d'une cuillère à café étalée au centre devait suffire, et la malheureuse utilisatrice constatait de son côté que plus il y avait de spermicide, plus le diaphragme devenait glissant au détriment de sa sensibilité vaginale. On ne pouvait en rester là. La pilule était attendue avec impatience bien avant son introduction sur le marché.

La British Family Planning Association compte encore la cape cervicale parmi les méthodes contraceptives éprouvées, à condition qu'elle soit fabriquée par Lamberts of Dalston, dont les procédés de contrôle ont été jugés satisfaisants. Dans la pratique, le personnel médical ne la met en place qu'à contrecœur et cherche avant tout à décourager celles qui veulent l'utiliser. Aux Etats-Unis, la FDA demande que les statistiques actuelles sur l'efficacité de la cape soient rassemblées avant d'en approuver la distribution. Un envoi de capes fut saisi en 1978 sous prétexte d'un « mauvais étiquetage et d'un manque d'instructions d'emploi » ; elles furent destinées à un « usage expérimental », et le délai expira en 1981. En octobre 1980, la cape cervicale était disponible au New Hampshire Feminist Health Center ; on estima que 30 000 à 40 000 Américaines l'utilisaient à cette époque. Les résultats d'une étude à Brookline, Massachusetts, ont été décevants, mais les enquêtes sur les capes et les obturateurs de ce type se poursuivent[15].

L'histoire de l'extraction de la diosgénine des ignames par Russel Marker débuta par la recherche d'un moyen commercial de produire de la progestérone. En 1948, Marker quitta la société qu'il avait montée pour exploiter sa découverte, laissant à son successeur, le Dr George Rosencrantz, le soin de découvrir comment faire la synthèse de l'hormone mâle, la testostérone, à partir des mêmes ignames. Le Dr Carl Djerassi fut invité par Syntex, entreprise chargée de ramasser les ignames, pour trouver le moyen de faire la synthèse du stéroïde miracle, la cortisone, qui provenait de la même source. Il utilisa cette opportunité pour développer son projet favori, chercher un moyen plus économique de produire l'hormone sexuelle féminine, l'œstradiol, au lieu de l'extraire de l'urine de juments pleines. Il fit le récit de son expérience dans son ouvrage, *The Politics of Contraception*[16]. Qu'il nous suffise de dire que le 15 octobre 1951, Luis Miramontes, travaillant aux laboratoires Syntex sous la direction de Djerassi et de Rosencrantz, réussit à faire la synthèse de la noréthistérone ou noréthindrone. Djerassi note avec fierté que « c'est le seul brevet pour un médicament qui soit inscrit au National Inventors Hall of Fame à Washington[17] ». En même temps, les laboratoires Searle travaillaient sur le même projet et en août 1953, plus d'un an après que Djerassi eut envoyé un échantillon de son produit à Gregory Pincus à la Worcester Foundation à Shrewsbury, Searle fit breveter un composé très similaire, le noréthynodrel. Ce fut Pincus, en collaboration avec Searle, qui vit la possibilité d'utiliser l'œstrogène de synthèse comme inhibiteur de la fécondité. Bien qu'il ne puisse dissimuler sa déception devant le peu d'importance accordée à ses travaux et à ceux de ses confrères de Syntex, Djerassi reconnaît :

> Dans nos rêves les plus fous, nous n'avions pas imaginé que cette substance finirait par devenir le constituant progestatif actif de plus de 50 % des contraceptifs oraux couramment utilisés[18].

Depuis 1945, Pincus de son côté cherchait un contraceptif pratique. Les travaux fondés sur une expérience menée en 1937 consistant à supprimer l'ovulation sur des lapines en leur administrant de la progestérone furent accélérés en 1953. La progestérone fut le produit choisi, les propriétés cancérogènes des œstrogènes ayant été mentionnées en 1939. Ainsi Pincus, qui avait passé ses premières années à la Worcester Foundation of Experimental Biology à transplanter des fœtus de lapins, s'allia pour des raisons de respectabilité avec John Rock, le responsable catholique du service d'obstétrique et de gynécologie de Harvard, et fit les premiers tests de l'effet de la progestérone sur l'ovulation des humains à l'hôpital public de Boston. Pour Rock, qui cherchait à utiliser l'hormone comme moyen de combattre l'infertilité, les résultats furent encourageants ; quatre de ses patientes conçurent à la fin du traitement. Pincus se montra moins enthousiaste.

> En premier lieu, une femme sur cinq a commencé à saigner avant la fin de ses cycles menstruels. Ensuite, les femmes durent encore avaler des doses quotidiennes massives de progestérone : 300 milligrammes. Et, pire encore, en tant qu'inhibiteur de l'ovulation, la progestérone était loin de se montrer à cent pour cent efficace[19].

Le confrère de Pincus, le Dr Min-chueh Chang, se mit alors à tester l'efficacité des œstrogènes de synthèse fabriqués par Syntex et Searle ; les deux montrèrent un facteur inhibant efficace, le dérivé synthétique de Searle exigeant un dosage beaucoup plus faible que celui de Syntex. Ce fut Pincus, avec l'aide de Margaret Sanger et de la donatrice Mme Stanley McCormick, qui présenta le point de vue de la contraception « hormonale » au Ve Congrès de l'IPPF à Tokyo. Les observateurs scientifiques ne furent pas convaincus[20]. L'utilisation de stéroïdes pour supprimer l'ovulation n'avait rien de nouveau ; la seule nouveauté était l'administration orale. Pour qui a une connaissance minimale de la biochimie humaine, la suppression de l'ovulation représentait une histoire sérieuse qui mettait en jeu l'équilibre de tout le système endocrinien. Personne à cette époque ne soupçonnait l'attrait qu'allaient représenter les millions de pilules stéroïdes avalées par des millions de femmes pendant des décennies, bien que les raisons qui ont poussé Pincus à dévoiler son projet à un congrès international semblent claires. (Paradoxalement, le Japon est le seul pays du monde où la pilule stéroïde n'est pas légale à ce jour.)

Des tests complémentaires furent nécessaires. Pincus et Rock rassemblèrent un groupe d'étudiants volontaires, de femmes psychotiques et, pour faire bonne mesure, un groupe d'hommes psychotiques, et leur administrèrent à tous du noréthynodrel pendant cinq mois et demi. Ils savaient que la progestérone supprimerait l'ovulation ; ils n'attendaient aucun effet secondaire et n'en constatèrent aucun. Pincus partit immédiatement porter la bonne nouvelle à toutes celles à qui la contraception orale était de tout temps destinée, les femmes des pays pauvres où l'accroissement démographique posait un véritable problème. Comme Stopes, Sanger, Mme McCormick et tous les spécialistes de la régulation des naissances, Pincus était convaincu que les pauvres se reproduisaient trop vite. Aux portes mêmes de l'Amérique vivait une colonie de parents C3, en terminologie stopésienne, Porto Rico.

Pour le Dr Chang, cependant, l'administration orale quotidienne d'une forte quantité de progestérone de synthèse qui pouvait être contaminée en proportion variable par un œstrogène était un moyen contraceptif en partie inefficace. Ainsi que Pincus l'a dit au Congrès de Tokyo :

> On peut s'attaquer aux délicats processus séquentiels de la reproduction chez les mammifères normaux. Notre objectif est de les interrompre sans que l'organisme physiologique n'en fasse les frais[21].

Ils parvinrent en effet à interrompre les processus séquentiels, mais l'organisme le paya très cher. Provoquer un état de simulacre de la grossesse en bouleversant tout le système endocrinien à l'aide de substances synthétiques qui ne peuvent revendiquer toutes les propriétés des sécrétions naturelles et exigent une administration à hautes doses pour obtenir le même effet reviendrait à utiliser un rouleau compresseur pour écraser une grenouille. Pincus était un bon endocrinologue, mais il n'en savait pas suffisamment sur les combinaisons des processus séquentiels du cycle féminin pour affirmer que l'action inhibitrice de sa pharmacologie n'avait aucun effet secondaire néfaste sur l'organisme. Nous avons appris depuis qu'il n'y a pas de médicament miracle, que chaque décision d'utiliser une médication forte doit être soigneusement pesée avec ses avantages et ses inconvénients. Il ne sert à rien de réclamer à grands cris une pilule parfaite ou de nous plaindre d'avoir été flouées par Searle et Upjohn. L'état actuel de notre ignorance à propos de la pilule a été résumé par un biochimiste absolument désintéressé :

> Les stéroïdes contraceptifs sont maintenant administrés depuis plus de vingt ans et l'on a récemment estimé que plus de quatre-vingts millions de femmes dans le monde les utilisaient... On pourrait s'attendre à ce que notre connaissance de la pharmacologie clinique des stéroïdes contraceptifs soit complète et juste. En fait, c'est plutôt l'inverse... A l'heure actuelle, nous savons relativement peu de chose sur l'influence exacte d'une multitude de facteurs qui régissent la biodisponibilité et le taux métabolique des stéroïdes de synthèse, entre autres, la composition du médicament, la voie d'administration, le processus d'absorption, le recyclage entéro-hépatique, la fixation aux protéines plasmatiques, les effets cataboliques, les modes d'excrétion, etc. Nous possédons encore moins de données sur la relation entre les cinétiques chimiques stéroïdiens et des variables telles que le passé ethnique, la nutrition, le climat, les états maladifs, l'administration simultanée de drogue non contraceptive, etc.[22]

Bref, nous ignorons par quels processus l'organisme est affecté par ces produits chimiques puissants et jusqu'à quel point ; l'administration orale a pour effet de répandre l'action des stéroïdes beaucoup plus largement dans l'organisme et elle peut par là produire des composés différents par le mécanisme de la digestion et de l'absorption. Si l'on connaissait la bonne voie biologique, les stéroïdes contraceptifs pourraient être administrés de façon à agir directement sur l'un des processus qui est nécessaire à la fécondation, au lieu d'agir sur tout le système.

Le fait que l'administration intravaginale plutôt qu'orale conduise à une augmentation de la biodisponibilité[23] signifie sans doute que la plupart des stéroïdes pris oralement au mieux sont gaspillés et au pire provoquent des dégâts indépendamment de la fonction qu'on leur attribue. Après tout — il s'agit de simple bon sens — si vous voulez qu'un produit ait une influence sur le système reproducteur, pourquoi imaginer qu'il vaut mieux le prendre par la bouche ? Etrangement, c'est justement la distance entre l'acte d'avaler une pilule et la liberté de jouir à volonté de l'activité sexuelle qui en fit son principal attrait. Un pessaire à la progestérone n'aurait jamais conquis le monde.

A chaque discussion concernant la pilule, on brandit l'épouvantail du cancer. C'est une façon d'écarter les autres aspects négatifs de la contraception orale qu'illustre parfaitement le chapitre qu'y consacre Carl Djerassi dans *The Politics of Contraception*. Il y fait avec justesse remarquer que les tests sur les beagles ne déterminent pas l'action cancérigène chez les humains, que de vastes échantillons homogènes de femmes devraient prendre la pilule sur de très longues périodes si l'on voulait chercher à déterminer une augmentation des taux de cancer ; qu'en outre la pilule pourrait avoir un effet plus positif que négatif sur le cancer. Mais il admet avec un scrupule extrême qu'il semble y avoir un rapport entre l'ingestion de stéroïdes contraceptifs et la tumeur du foie[24]. Si l'argument contre la pilule devait uniquement s'exprimer en termes d'augmentation du risque de décès, il est évident que prendre la pilule est mille fois moins dangereux que monter quotidiennement dans sa voiture ou allumer une cigarette trente fois par jour. La voiture et la cigarette comportent toutes les deux un risque mortel, et toutes deux sont néanmoins tolérables du fait qu'elles contribuent à la vie et que le mal qu'elles peuvent provoquer n'est pas transmis à la postérité. Aucune femme sur terre ne désire sacrifier l'avenir de ses enfants et de ses petits-enfants à son désir d'une activité sexuelle sans entraves. Le problème avec la pilule, c'est que nous ignorons en quoi consiste le marché, ce que nous risquons et pour quoi.

Le terrible sentiment de responsabilité que ressent une femme envers les générations à venir n'est pas propre aux femmes évoluées. En fait, c'est une source d'anxiété plus grande encore pour celles qui perçoivent plus intensément le lien existant entre leur comportement et celui des générations futures.

> Une femme qui prend la pilule craint de mettre au monde un enfant stérile : du lait de sa mère vient le sang du bébé et de son sang provient son sperme. Et dans son sang restera le produit chimique fabriqué pour empêcher la grossesse. La pilule peut rendre stériles les garçons comme les filles. Et la stérilité est pour nous le châtiment de Dieu[25].

A notre stade d'ignorance des voies biologiques suivies par la **pilule** contraceptive et du mode de sécrétion des stéroïdes, comment oserions-nous nous moquer de l'inquiétude de cette femme arabe ? Le cauchemar du diéthylstilbestrol (DES) n'atteint qu'aujourd'hui son point culminant. Le diéthylstilbestrol est une hormone sexuelle non stéroïde qui fut administrée par erreur « à près de six millions de femmes entre 1943 et 1959 » dans le but de produire des bébés plus forts et en meilleure santé ; sans compter les 4 % des filles DES qui auront un cancer vaginal ou cervical avant l'âge de 30 ans, les effets sur les fils sont désastreux, exactement comme le craignait la femme arabe.

> Sur les 42 premiers fils DES qui furent examinés et comparés aux autres garçons du même âge, 10 avaient des malformations génitales, comprenant des pénis d'une taille en dessous de la moyenne (2 cas), la varicocèle [dilatation des veines du cordon spermatique] (1 cas), des testicules anormalement petits (2 cas), une masse testiculaire (1 cas) et les mêmes kystes de l'épididyme que ceux depuis longtemps observés chez les souris. Par ailleurs, une seule malformation génitale, une varicocèle, fut observée chez un des 37 cas témoins[26].

Les fils et les filles des femmes qui ont pris du DES ont quatre fois plus de risques d'être stériles que les autres. Les malformations congénitales chez les enfants des utilisatrices de contraceptifs oraux ne semblent avoir lieu que si les stéroïdes contraceptifs sont encore en circulation dans l'organisme au moment de la conception ; néanmoins, il existe certaines données tendant à prouver que les enfants des femmes qui ont *toujours* utilisé des contraceptifs oraux pourraient être moins éveillés que les autres. On rencontre des anomalies visibles telles que l'atrophie des membres ou la triploïdie. Trois médecins de l'école de médecine Vanderbilt à Nashville, Tennessee, ont émis l'hypothèse qu'il existait peut-être un syndrome exogène embryofœtal à l'exposition du stéroïde sexuel. Dans un rapport présenté au XXVIIIe Congrès annuel de l'American Society of Human Genetics en 1977, ils décrivirent un groupe d'enfants dont les mères avaient pris certaines formes d'hormones stéroïdes pendant la grossesse :

> Sept sur neuf de ces enfants étaient de sexe masculin, et six présentaient des caractéristiques d'hypospadias ou même d'hermaphrodisme. Six sur les neuf souffraient de retard mental. L'examen des visages fit ressortir des ressemblances frappantes : élongation faciale avec saillie des bosses frontales, télécanthis primaire, fentes palpébrales inclinées. On observe également une arête du nez large et aplatie, une lèvre supérieure proéminente, un menton carré[27].

Le rapport publié était illustré de photographies de bébés avec un spina bifida, des organes génitaux minuscules et des petites frimousses inquiètes, étonnées, innocentes, inconscientes de la marque laissée sur leurs fronts proéminents par le norgestrel, l'éthinylœstradiol, la médroxyprogestérone, le clomifène, le 6-déhydroxyprogestérone ou plus simplement par n'importe quel autre stéroïde.

Il existe des façons différentes pour un embryon ou un fœtus d'être exposé aux stéroïdes *in utero* : si la mère vient juste d'abandonner la pilule, si elle les prend dans le cadre d'un test de la grossesse, ou d'une pilule « du lendemain » (c'est-à-dire comme abortif) ou s'ils sont administrés par erreur durant la grossesse. Il y a lieu de croire que plus l'exposition est précoce, plus les effets sont néfastes. C'est à se demander dans ce cas si la commercialisation de doses élevées d'hormones sexuelles dans le cadre du test de la grossesse n'était pas un moyen déguisé de vendre le nécessaire pour avorter chez soi. Les instructions d'utilisation de Primodos sont trop belles pour être vraies.

> 1 comprimé tous les deux jours. Des saignements suivent pendant 3 à 6 (rarement plus de 10) jours, s'il n'y a pas de grossesse. Primodos n'a aucune action négative sur une grossesse existante[28].

En 1967, le Dr Isobel Gal, chercheur au Queen Mary's Hospital for Children à Carshalton en Angleterre, découvrit que les mères d'enfants qui souffraient de spina bifida étaient deux fois plus susceptibles que les autres d'avoir pris une hormone du test de la grossesse. Le directeur anglais de la recherche des laboratoires Shering, fabricants de Primodos, demanda une étude sur le coefficient de corrélation entre les malformations congénitales et les ventes de Primodos. Elle se révéla positive. La société mère allemande refusa de prendre des mesures en dépit de l'inquiétude de sa filiale britannique ; inquiétude qui n'était pas sans fondement, car quatre femmes sur dix croyant être enceintes utilisaient les tests hormonaux. Ces tests ne remplissaient aucune fonction utile — les analyses d'urine étaient de loin plus pratiques — mais malgré l'enquête demandée par le Royal College of General Practitioners qui confirma les risques d'accidents dus aux tests hormonaux en 1969, Shering refusa de les retirer du commerce.

Les laboratoires Roussel avaient retiré du marché français l'hormone test qu'ils fabriquaient et utilisaient les stéroïdes uniquement en traitement de l'aménorrhée. En 1970, les Suédois l'interdirent, suivis par les Finlandais en 1971. En 1978, on trouvait encore deux tests hormonaux de grossesse, Primodos et British Drug Houses' Secodryl, bien qu'une enquête menée par l'université hébraïque de Jérusalem sur 16 000 mères de 1974 à 1976 ait confirmé que l'exposition aux stéroïdes sexuels *in utero* provoque des malformations congénitales. L'enquête recommande aux femmes de cesser de prendre la pilule deux ou trois mois avant l'exposition à la grossesse et d'utiliser d'autres méthodes de contraception jusqu'à ce qu'elles soient « désintoxiquées ». Elle indique que chez les femmes de plus de 35 ans ou trop maigres, les stéroïdes semblent s'éliminer avec plus de difficulté — autre indication des ramifications biologiques suivies par les stéroïdes ingérés[29].

Le rapport entre les médicaments pris immédiatement avant ou pendant une grossesse et une malformation congénitale s'établit de lui-même, mais l'exemple du DES semble indiquer qu'il est nécessaire de prendre en considération une période beaucoup plus longue, car les séquelles du DES restent en sommeil pendant dix ans. Si la FDA (Food and Drug Administration) a interdit l'usage des tests de grossesse hormonaux en 1976, elle n'a pas interdit l'administration de contraceptifs oraux aux femmes qui allaitent. L'embryon retrouvera le danger auquel il a échappé lorsque, bébé, il tétera le lait maternel additionné de stéroïdes de synthèse. Il est très probable qu'une telle exposition pourrait compromettre l'effet des anticorps dans le lait maternel et le développement du système immunitaire.

Rien dans la situation présente n'est rassurant, ni notre ignorance de la façon dont agissent les stéroïdes sexuels, ni une masse d'informations qui ne donnent aucune idée claire du pour et du contre, ni l'étrange hésitation des compagnies pharmaceutiques à se conformer aux découvertes de leurs chercheurs. Reste l'inconcevable éventualité que dans les ténèbres de notre incompréhension quelque fléau monstrueux attende de faire son apparition dans les corps de nos enfants. Aucune femme par elle-même ne peut espérer transformer cette masse de données imprécises en une information claire. Elle décidera d'utiliser ou non la contraception par voie orale suivant ses propres observations et selon sa propre opinion. Une Italienne me demanda un jour si je pouvais conseiller sa fille qui se retrouvait enceinte pour la deuxième fois en deux ans de mariage, et dont le mari n'était par conséquent qu'un maladroit ; lorsque je lui suggérai la pilule, elle secoua lentement la tête. « *Non é genuina.* » J'allais protester, quand je me souvins de ce qu'elle m'avait dit à propos du défoliant, le 245 T. Pendant vingt ans, elle et ses amis paysans n'ont cessé de s'opposer à l'utilisation du D.D.T., et ils ont encore des oiseaux et des papillons.

La femme doit prendre son parti en son âme et conscience du risque éloigné d'une catastrophe pour elle et ses enfants si elle opte pour la pilule, et il lui faut ensuite affronter le problème beaucoup plus concret de savoir ce qu'elle ressent en la prenant.

L'effet secondaire le plus courant est l'état dépressif[30]. La dépression étant un symptôme qui détruit la qualité de la vie (et avec elle la sexualité), les 30 % des femmes qui se sentent déprimées lorsqu'elles prennent la pilule feraient mieux de la jeter une fois pour toutes et de pratiquer périodiquement l'abstinence. Le fait qu'elles n'en fassent rien est une preuve supplémentaire du malaise inhérent à la pratique contraceptive orale. Pour trop de femmes, la contraception orale consiste à choisir la solution la plus facile. Elles ne font pas l'amour lorsqu'elles en ont envie, et n'ont aucune influence sur la fréquence de leurs relations sexuelles ni sur la forme qu'elles prennent. Pour elles, la contraception orale n'offre aucune liberté nouvelle, mais supprime seulement l'un des inconvénients d'une réceptivité imposée. Pour d'autres, la menace d'une grossesse non désirée est si paralysante qu'elle annihile leur plaisir érotique même lorsqu'elles ne sont pas déprimées ; abandonner la pilule ne leur paraîtrait concevable que dans la mesure où elles seraient certaines de pouvoir disposer d'une méthode de contraception aussi sûre.

La remarquable étude de Barbara Seaman sur les effets des hormones progestatives sur la nutrition et la façon d'y remédier pourrait également empêcher les femmes d'abandonner leur pilule. Inutile de souligner que la fréquence de malformations congénitales chez les enfants conçus par des femmes qui ont abandonné la pilule est davantage liée aux carences en vitamines enregistrées par les docteurs Briggs (« vitamine C, riboflavine, thiamine ; vitamine B6, vitamines B12 et E ») qu'à l'action directe des stéroïdes eux-mêmes. Ainsi, la femme qui veut contrôler ses besoins nutritionnels et compléter la pilule avec une armada d'autres médicaments peut s'en tenir à sa décision[31].

D'autres effets secondaires courants, pour utiliser le langage abrupt de Djerassi, « thrombo-embolie, hypertension, changements du métabolisme glucidique, protéinique et lipidique » sont moins faciles à établir[32]. Les femmes qui souffrent des deux premiers prendraient un risque intolérable en continuant à utiliser la contraception orale. Ce que signifient les changements métaboliques est moins évident ; 15 % des femmes sous pilule deviennent diabétiques ou péridiabétiques et une femme sous pilule devrait toujours se soumettre à une analyse d'hyperglycémie une fois par an. D'autre part, les femmes sujettes à des changements métaboliques ont tendance à prendre du poids et à présenter une certaine torpeur. L'effet de la contraception orale sur la pulsion sexuelle est pratiquement indéterminable. Les nouvelles utilisatrices de la pilule, souvent dans le début d'une relation sexuelle, sont trop heureuses d'être libérées de la peur pour que la preuve de l'augmentation du plaisir soit significative, tandis que les femmes qui prennent la pilule depuis longtemps se souviennent toutes d'une période où « ça ne les intéressait pas ». La libido est une entité trop complexe et trop sensible à une multitude de facteurs pour être quantifiable dans un contexte expérimental. En nous limitant aux faits qui peuvent être observés et mesurés, nous en trouvons quelques-uns qui ont un effet évident sur l'activité sexuelle.

> Notre enquête sur un groupe de 100 utilisatrices d'une minipilule œstroprogestative, sous forme de questionnaire codé, indiquait les faits suivants : 10 femmes considèrent qu'elles ont maintenant des rapports plus satisfaisants ; 14 les jugent moins satisfaisants... A notre avis les derniers cas semblent indiquer un effet organique indirect sur la compatibilité sexuelle des partenaires, aussi bien que sur les mycoses, sécheresse vaginale, etc., que nous observons fréquemment[33].

La mycose est considérée comme un effet secondaire minime des changements du milieu vaginal relatifs à l'action de la pilule contraceptive, alors qu'elle est courante, persistante et préjudiciable au plaisir sexuel que la pilule est justement censée accroître. Des mycoses peuvent empoisonner l'existence des femmes, provoquer gêne, douleur et dégoût, coûter du temps et de l'argent dans la recherche des traitements adéquats qu'il faudra infliger à leurs malheureux partenaires autant qu'à elles-mêmes, et qui finiront par diminuer la sécrétion et l'odeur pour réapparaître au premier signe d'une activité sexuelle inhabituelle ou sans raison particulière. La diminution des sécrétions vaginales affaiblit la réponse sexuelle et peut avoir des effets sur l'attrait sexuel qui échappent à l'analyse. Elle accroît à coup sûr le risque de traumatismes vaginaux et d'irritations coïtales et postcoïtales. Le vagin ayant perdu ses fonctions autoassainissantes, le risque d'infection locale est beaucoup plus élevé[34]. Le danger d'exposition du col aux cancérogènes et autres germes associés au pénis ne peut être qu'augmenté par la destruction des mécanismes de défense naturelle, et la pilule se retrouve dans ce cas complice de la fréquence croissante du cancer du col. Telle est la conclusion de Jean Cohen en accord avec la quasi-totalité de ces points.

> Un certain nombre d'effets directs, bien que variant avec les produits et le dosage employés, peuvent être identifiés ; le mucus du vagin a une apparence lutéale, légèrement congestive, parfois atrophique, occasionnellement accompagnée d'une diminution des sécrétions ; le mucus cervical est pauvre, coagulé et pas très visqueux, excepté lors de l'utilisation des pilules séquentielles ; saignements et spotting sont constatés entre les règles ; pour finir, de nombreux auteurs ont mentionné l'apparition de mycoses vaginales récurrentes[35].

Et il résume ainsi le tableau général des effets des contraceptifs oraux sur le comportement sexuel :

> L'information présente ne nous permet pas de conclusions définitives sur la fréquence des effets positifs ou négatifs que la contraception orale pourrait avoir sur le comportement sexuel. L'existence d'effets contre-indiqués ne fait pas de doute, bien que la prédominance du mécanisme biochimique ou psychologique ne soit pas connue[36].

Du fait qu'elle ne fait pas obstacle entre le col et le pénis, on accuse habituellement la pilule de n'établir aucune protection contre les épidémies de maladies vénériennes ; mais, dans un cas au moins, elle joue un rôle beaucoup plus actif. Le *Candida albicans* est un composant de la flore vaginale et les modifications du taux de glucide consécutives à la prise de la pilule le transforment en agent pathogène qui peut provoquer des inflammations douloureuses à la fois chez l'homme et chez la femme, et changer totalement la nature des M.S.T., le *Candida* pouvant devenir un agent pathogène chez des couples totalement monogames. On a récemment reconnu que la candidose était un facteur d'inflammations pelviennes aiguës[37]. Des chercheurs ont déterminé une corrélation entre l'usage de stéroïdes sexuels et les infections du *Chlamydia*[38]. Il est possible que l'action des stéroïdes sexuels affecte le système immunitaire de l'organisme, altérant la formation des antigènes, comme ce fut le cas dans l'utilisation prolongée d'autres stéroïdes. A ce stade, les données sont subjectives. Le Dr Ellen C. Grant du service de neurologie du Charing Cross Hospital écrivait dans *The Lancet* en septembre 1978 :

> Les preuves s'accumulent que l'emploi de la contraception orale est plus toxique que le tabac et semble être facteur de migraines et de multiples allergies alimentaires dans un délai beaucoup plus court. Cet effet peut être relié à des modifications de la fonction hépatique.

Pendant longtemps, on s'est inquiété de l'effet tardif de la pilule sur les capacités de reproduction. La pilule étant rarement, pour ne pas dire jamais, la seule agression portée sur le système reproducteur de son utilisatrice, l'indication ne peut être concluante, en particulier du fait que la fécondité n'est pas définitivement établie avant la prescription de la contraception orale. Barbara Seaman indique un chiffre de 5 % de stérilité chez les femmes qui cessent de prendre la pilule, chiffre plutôt moins élevé que dans l'ensemble de la population ; la population sexuellement active est plus exposée aux maladies stérilisantes que la population sexuellement inactive qui ne prendra pas la pilule, si bien que la fréquence de l'infertilité chez les utilisatrices de la pilule pourrait être plus élevée que dans l'ensemble de la population (sans que l'on puisse accuser la pilule d'en être responsable). Néanmoins, il serait surprenant que l'administration de stéroïdes sexuels aux femmes qui n'ont pas atteint la maturité physiologique, c'est-à-dire le stade de développement où elles ovulent régulièrement, n'ait aucun effet sur la maturation du processus biochimique qui assure la fécondabilité et l'implantation.

Alors qu'il est malheureusement clair aujourd'hui que les femmes les plus jeunes ont besoin d'une protection contraceptive, il semble presque aussi clair que les stéroïdes sexuels ne sont pas la bonne protection. Nous ne pouvons nous permettre de banaliser un médicament aussi mystérieux et puissant que le stéroïde contraceptif ; si les effets tardifs de son action devaient faire leur apparition dans les prochaines vingt ou trente années, il nous faut être en mesure de repérer ceux de nos enfants qui courent un danger. Même lorsque les médecins gardent trace de leurs observations, un tel dépistage est extrêmement difficile, comme l'expérimentèrent les enquêteurs qui cherchaient à retrouver les filles puis les garçons DES. En mettant les contraceptifs oraux en vente dans les supermarchés, nous perdrions toute chance d'en contrôler les effets. Nous les rendrions accessibles aux adolescents qui ne sont pas encore engagés dans une activité sexuelle régulière et qui les utiliseraient à l'aveuglette, en cours de cycle, à larges doses à titre de précaution postcoïtale, ou encore en combinaison avec d'autres médicaments.

Pourtant, on trouve des pilules contraceptives dans le commerce à Antigua, au Bangladesh, au Chili, aux îles Fidji, à Hong Kong, en Corée du Sud, au Pakistan, au Panama et aux Philippines. A Sri Lanka et en Thaïlande, les infirmières et les sages-femmes ont le droit de les délivrer. On pourrait démontrer que les ventes commerciales comportent moins de risques dans les pays où l'activité sexuelle n'existe pas en dehors du mariage, mais même si c'est un fait exact, il est annulé par les problèmes de santé beaucoup plus inquiétants qui sont liés à l'emploi de la pilule dans les pays pauvres. Le dosage des stéroïdes est crucial ; des doses correctement calculées pour des femmes avec un régime alimentaire normal et un poids donné peuvent provoquer des symptômes d'hyperœstrogénie chez une femme petite et maigre ; le produit se répand avec moins d'efficacité dans le métabolisme d'une personne sous-alimentée. On croit généralement que l'hypertension artérielle et les troubles thrombo-emboliques sont rares chez les populations maigres, végétariennes et laborieuses. Ce n'est pourtant apparemment pas le cas ; certains groupes ont une plus forte prédisposition génétique à ces troubles. Par ailleurs, mise à part la pratique scandaleuse qui consiste à délivrer des pilules périmées à taux élevé d'œstrogène dans les pays pauvres, il semble que la tendance soit de prescrire des freins à l'ovulation plutôt que des minipilules, à cause du risque de saignements et de rupture du cycle en cas de prise irrégulière de la minipilule.

La distribution à l'échelon local de contraceptifs oraux est une façon d'éviter le gaspillage d'un budget réduit d'aide au planning familial dans des programmes expérimentaux lourds, mal conçus et très coûteux, mais on aboutit souvent à une impasse. Le Dr Henry Moseley de Johns Hopkins a noté que 90 % des utilisatrices de la pilule au Bangladesh étaient des mères allaitant et que 80 % d'entre elles ne prenaient plus la pilule au bout de trois mois ; leur poids moyen était de 45 kilos et l'hypovitaminose occasionnée par la pilule est dans ce cas intolérable pour l'organisme. La conséquence paradoxale de ce schéma d'utilisation de la pilule est une augmentation du nombre des grossesses et un raccourcissement de l'écart entre les naissances, situation qui peut être dramatique[39]. L'idée que l'essor d'une contraception chimique inadaptée a probablement désorganisé une pratique d'abstinence pendant la lactation de nos jours considérée comme inutile et démodée est pour le moins déprimante.

Voici comment Population Services International « présentent » dans la presse la pilule contraceptive Maya au Bangladesh :

> Du rêve à la réalité... une réalité aussi douce qu'un rêve une fois que Maya fera partie de votre vie. Maya, la pilule contraceptive importée, totalement sûre, qui permettra de rester jeune et toujours en forme. Maya assure une menstruation régulière, vous soulage des crampes et des malaises, et améliore votre teint. Maya, le choix de millions de femmes. Maintenant sous une nouvelle présentation. Achetez-la dès aujourd'hui[41].

Ces pilules contiennent 1 mg de noréthistérone et 0,05 mg de mestranol ; la pilule chinoise faiblement dosée contient 0,635 mg de noréthistérone et

0,35 mg de mestranol ; les pilules faiblement dosées en Angleterre se contentent de 0,5 mg de noréthistérone. Les doses moyennes, approuvées mais non privilégiées par la FPA, vont de 1 mg à 4 mg de noréthistérone. Il est à parier que les effets sont plus frappants sur le métabolisme que sur la mythique « éternelle jeunesse de la femme », et que les résultats sur le teint sont de l'ordre des marbrures sous les yeux et autour de la bouche. En 1979, Stephen Minkin, directeur du programme nutritionnel de l'UNICEF au Bangladesh publia dans la revue *Health Right* un article attaquant l'USAID qui distribue par l'intermédiaire du PSI des pilules dans trente pays sur la base de 130 000 000 de cycles, toutes fabriquées par Syntex avec l'argent des contribuables. La tempête soulevée n'est pas encore calmée.

Il ne fait aucun doute que les services sanitaires devront être développés dans les pays pauvres par les soins du personnel paramédical, pour la simple raison que la plupart des soins relèvent de l'hygiène de routine et qu'une grande partie de l'intervention est de la nature des premiers soins. Il y a beaucoup à dire en faveur de l'intervention des sages-femmes et autres villageoises dans les associations du planning familial et dans la distribution du matériel de la contraception. Bien entendu, les colporteurs et vendeurs à domicile peuvent vendre ouvertement tous les condoms qu'ils veulent au prix qu'ils désirent. Mais on a tort de leur permettre de vendre par la même occasion des contraceptifs oraux, parce qu'ils n'ont ni les moyens ni la capacité de surveiller leurs acheteurs, lesquels seront probablement les maris des femmes qui devront les avaler. Les colporteurs sont eux aussi des hommes pauvres ; chaque vente leur permet d'acquérir le minimum vital. Comment attendre d'eux qu'ils refusent un client potentiel, ou qu'ils ne vantent pas inconsidérément le produit ? Après tout, même le PSI a succombé à cette tentation. Il est stupide d'imaginer qu'ils pourraient mener des interrogatoires portant sur l'état de santé d'une femme.

La pilule contraceptive est beaucoup trop puissante et mystérieuse dans son action pour être traitée avec autant de légèreté, mais pas au point qu'elle ne puisse être distribuée largement aux pauvres. Nous devrions d'abord être capables de trouver des systèmes de dosage qui peuvent s'adapter aux bénéficiaires, au lieu de prescrire une pilule unique comme si le dosage des stéroïdes était aussi élastique qu'un collant ; et ensuite mettre au point un système de contrôle qu'une sage-femme traditionnelle puisse exercer. Que nous les distribuions gratuitement à ceux qui n'en veulent pas, que nous exploitions la cupidité des intermédiaires qui les revendent à ceux que d'autres méthodes pourraient satisfaire, ou que nous formions à grands frais des allopathes qui les prescrivent avec cérémonie ne fait aucune différence si ce sont au départ de mauvaises pilules.

L'histoire de la contraception hormonale serait incomplète sans le chapitre des erreurs qui ont trait aux produits injectables.

En 1953, Karl Junkmann découvrit que l'estérification de l'alcool progestatif pouvait former une préparation injectable à action de longue durée. Junkamnn et consorts synthétisèrent les esters de noréthistérone et Upjohn and Co l'acétate de médroxyprogestérone. Des études préliminaires sur les préparations injectables furent d'abord conduites au Pérou, en Egypte et en Europe. Le Depo-Provera fut d'abord utilisé pour traiter les cas d'avortements à répétition et d'endométries en 1960. En 1963, on fit les premiers essais cliniques du Depo-Provera pour la contraception[41].

Les inconvénients liés au Depo-Provera (DMPA) sont similaires à ceux qu'entraîne toute administration continue de progestatifs, en particulier saignements et spotting chez environ 20 % des utilisatrices au cours de la première année, diminuant à 10 % la seconde année. Ces inconvénients sont toutefois aggravés par le fait qu'une injection retard est nécessaire si le sujet souffre d'effets secondaires fâcheux. Les progestatifs ont l'avantage considérable de ne pas provoquer les effets secondaires causés par les œstrogènes. Ils inhibent la conception en supprimant l'ovulation dans certains cas et en provoquant des changements de la muqueuse utérine et de la glaire cervicale qui rendent l'implantation impossible. Gain de poids, augmentation du taux de glucose dans le sang, nausées, vertiges, migraines, changements de la pigmentation de la peau, règles douloureuses et manque de désir sexuel, tels sont les effets secondaires généralement signalés par les utilisatrices du Depo-Provera. Pour ces raisons, il a été jugé peu satisfaisant sur les marchés anglais et américain, bien que l'on continue à l'utiliser en Angleterre pour stopper le développement du cancer de l'endomètre, et sur les femmes vaccinées contre la rubéole ou dont les maris ont subi une vasectomie.

L'opposition au DMPA se renforça en Angleterre lorsque l'on apprit son utilisation arbitraire sur des patientes non prévenues, en général asiatiques. On découvrit quelques traces d'action carcinogène ; sur 15 000 femmes/année d'utilisation, 35 cas de cancer *in situ* du col utérin et des beagles traités par Depo ont développé des tumeurs mammaires. Un autre progestatif, la minipilule à l'acétate de chlormadinone, fut supprimé des tests sous prétexte qu'il avait une action contre-indiquée sur le tissu mammaire des beagles[42]. Or, Depo avait déjà été largement utilisé avant d'être mis en doute par les résultats de ces tests, et pas seulement dans les pays les moins développés. Des médecins en Nouvelle-Zélande le prescrivaient toujours à la fin des années 60. Les rapports d'utilisatrices que j'ai réunis en 1970 étaient bons et tous les espoirs semblaient permis[43].

En 1978, deux singes rhésus auxquels on avait administré de fortes doses de DMPA pendant dix ans développèrent un cancer de l'endomètre. Les tests avaient été effectués par Upjohn à la demande de l'O.M.S. Pourtant, après avoir étudié les données et les spécimens d'histopathologie, l'O.M.S. déclara que le médicament pouvait être utilisé « sans inquiétude excessive » dans les recherches et programmes de contrôle des naissances. Le Dʳ Colin McCord, conseiller technique principal de la santé de la mère et de l'enfant et du planning familial à l'UNFPA à Dacca, se montra peu satisfait des rapports contradictoires résultant de l'étude du singe. Il exposa à son confrère Bernard Kevin en avril 1960 les raisons de son inquiétude, à savoir que le DMPA est sécrété dans le lait de la mère et que personne n'en connaît exactement les effets sur le développement du bébé, que le médicament peut être par erreur administré pendant la grossesse et qu'il était inutile de la part de l'O.M.S. de commander des tests de prospection systématique sur les singes sans prendre ensuite la peine de tenir compte des résultats, spécialement quand le cancer de l'utérus chez les singes est observé pour la première fois, et que l'étiologie du cancer dans la stimulation de l'endomètre atrophique par l'action du stéroïde n'est pas surprenante en soi. Ses recommandations furent les suivantes :

> Ne traiter aucune patiente nouvelle avec ce médicament. Continuer à traiter celles qui le prenaient déjà, mais en les suivant attentivement. Ne laisser personne prendre ce médicament pendant plus de trois ans[44].

Le DMPA fut malgré tout largement utilisé pendant plus de dix ans. La Thaïlande était un pays tout indiqué pour mener des études d'épidémiologie ; mais la seule étude existante y a établi moins de cas de cancer de l'endomètre que l'on aurait pu s'attendre à trouver même dans une population asiatique où le Depo-Provera n'était pas utilisé. Au lieu de considérer l'étude peu probante et mal menée, les conclusions furent publiées sous les signatures de trois scientifiques renommés. Alors même que le Dr McCord s'évertuait à mettre en garde le gouvernement du Bangladesh :

> ... je ne crois pas que le faible accroissement du contrôle des naissances qui résultera de l'utilisation de ce médicament justifie l'éventualité d'une épidémie de cancer de l'utérus dans 10 ou 20 ans. Une telle épidémie serait une catastrophe, non seulement pour les femmes concernées, mais aussi pour la crédibilité des programmes de régulation des naissances[45],

D'autres chercheurs, inquiets des tâtonnements d'Upjohn et de l'O.M.S., et des répercussions de la campagne féministe contre le Depo-Provera dans le monde occidental, cessèrent de l'administrer à leurs patientes, y compris contre leur gré.

En 1980, des membres de l'organisation Gonoshastaya Kendra au Bangladesh décrivirent leur embarras face au DMPA en ces termes :

> Depuis le début de l'utilisation du Depo-Provera à la GK en 1974, nous avons recensé 7 358 utilisatrices. Cela pour tester l'acceptabilité du médicament pour les femmes du Bangladesh. Pendant cette période d'utilisation, nos résultats concordèrent avec les observations de « chaos menstruel » qui furent rapportées par le *British Medical Journal*. Au cours des huit derniers mois, nous avons relevé 11 cas d'hémorragies qui nécessitèrent une hospitalisation.
>
> De plus en plus, nous nous inquiétons de certaines questions soulevées par Steve Minkin concernant l'action immunosuppressive et les effets sur le développement de l'enfant chez les utilisatrices du Depo-Provera. Jusqu'à ce

jour, aucune étude scientifique n'a été faite pour mesurer la prolactine, qui permette de déterminer l'augmentation ou la diminution de la lactation.

N'ayant reçu aucune réponse satisfaisante à ces questions et à d'autres, et en raison de la décision du gouvernement du Bangladesh de mettre en route un programme national (sur l'avis des organisations internationales), dans lequel on peut s'attendre à des excès, le personnel médical a décidé d'un commun accord à la mi-novembre 1979 d'arrêter l'administration du Depo-Provera.

En supprimant cette méthode, nous ignorons si nous avons aidé nos femmes ou non. En dépit des effets secondaires divers, elles persistent à préférer le Depo-Provera à la pilule ou au stérilet. Par suite des conséquences dans le passé du mauvais usage du DIU et de l'absence de suivi, la résistance à cette méthode est très forte[46].

La menace de l'anéantissement de la population khmère faisait encore la première page des journaux en Occident, lorsqu'en mars 1980 le rapport ICRC n° 6 sur « Analyse de la situation médicale et de la santé publique à Sa-Kaew, Kampot, Kao-i-Dang et "à la frontière" » indiqua que 20 à 30 % de toutes les femmes mariées khmères en âge de procréer vivant dans les camps de réfugiés en Thaïlande étaient enceintes. Le gouvernement thaï avait exprimé son hésitation à entretenir une population croissante de réfugiés inactifs ; les Khmers, après cinq années de forte mortalité infantile au Cambodge et la séparation des maris et des femmes sous le régime de Pol Pot, étaient impatients de reconstruire leurs familles dès que les femmes seraient remises du stress, des maladies et de la malnutrition qui les avaient accompagnées durant l'exode.

> La fécondité incontrôlée chez les réfugiés en Thaïlande peut être un sujet sensible sur le point politique et émotionnel, suscitant une rhétorique radicale de la part des gouvernants thaïs. En témoignent les événement récents de Kampot, où un programme familial rigoureux a été mis en place, à la suite de l'arrivée d'un nombre impressionnant de femmes enceintes de Kao-i-Dang[47].

En avril, le coordinateur médical de Kampot, S. Rye, donna une étrange version des événements :

> 96 injections supplémentaires de Depo-Provera ont été administrées cette semaine. Les réfugiés khmers soutiennent que ces injections sont obligatoires. L'officier de marine thaï de la garnison a affirmé qu'elles ne l'étaient pas. Toutefois, d'après les procédés observés, il m'a semblé que ces injections sont dans les faits imposées, même si les autorités thaïes soutiennent le contraire. Les femmes sont convoquées pour la piqûre ; toutes celles qui ne se présentent pas sont poursuivies par les autorités qui procèdent à l'injection. En tout état de cause, il est nécessaire que ces femmes khmères

reçoivent l'information et l'instruction nécessaires en ce qui concerne la contraception[48].

Lors d'un meeting de toutes les « volags » (associations volontaires) en août 1980, une information un peu plus objective fut apportée :

> Il semble que l'armée thaïe (suivant l'information que le Dr Tom D'Agnes a recueillie d'une infirmière de CONCERN et des Khmers sur place) a commencé à « injecter toutes les femmes, célibataires, enceintes, etc. », les rassemblant de force pour leur faire une injection, en fait une piqûre contraceptive. Même les enfants ont eu droit à une piqûre et ils ont montré les mêmes symptômes que les femmes : « bouffées de chaleur ». On n'a pas mené d'investigation auprès des autorités militaires (qui manifestement l'aurait désapprouvée) et aucune volag n'a véritablement été témoin des faits. Mais un cas rapporté une semaine plus tôt à Meirut semble particulièrement inquiétant : un médecin de la section Italie du COERR a été expulsé après certains désaccords au sujet du planning familial. Le CBERS s'inquiéta de ce que l'armée s'apprêtât à imposer un contrôle des naissances en se fondant sur le taux élevé de fécondité de la population khmère en Thaïlande. Dans certains centres, le taux de grossesse est très élevé, et on suppose que certains groupes volag ont délibérément saboté les efforts que fait le CBERS pour instituer un contrôle des naissances obligatoire[49].

Les autorités thaïes jugèrent malencontreuses et mal intentionnées les tentatives faites pour prévenir les Khmers des dangers de l'utilisation aveugle du DMPA. Un tract en langue khmère, sur lequel on pouvait lire :

> On vous donnera un poulet si vous acceptez une piqûre contraceptive. Si vous êtes enceinte, cette piqûre tuera votre bébé et provoquera une hémorragie qui peut être dangereuse. Si vous allaitez, la montée du lait sera stoppée[50].

circulait depuis quelques mois. Le DMPA était de moins en moins bien accepté.

Pour compliquer les choses, certaines des volags étaient des groupes religieux qui n'acceptaient aucun contrôle des naissances d'aucune sorte, volontaire ou non. Les autres volags se trouvèrent contraintes d'intervenir en médiateur entre les autorités, qui ne voulaient pas de bébés khmers nés sur le sol thaïlandais, et les femmes khmères qui voulaient leurs bébés. Elles engagèrent leurs responsables à protéger les femmes du « contrôle des naissances obligatoire », mais ne purent que les mettre en garde et les pousser à remplacer le Depo-Provera par la pilule et les condoms. L'impulsion existait toujours, mais diluée et inefficace. Le Dr A. G. Rangaraj, coordinateur principal de la santé au service régional de Bangkok de la Commission des Nations unies pour les réfugiés, a décrit l'injection forcée de DMPA en des termes qui indiquent un durcissement, annonçant que les autorités militaires pouvaient employer « des méthodes que les puristes du planning familial risquaient de trouver « "maladroites" ». Les puristes du planning familial sont donc des personnes qui trouvent « maladroit » des injections en masse de contraceptifs sur des femmes célibataires, des femmes enceintes et des enfants[51]. Il est évident que le Dr Rangaraj n'est pas un puriste. Les camps de réfugiés thaïs montraient l'exemple le plus dramatique des problèmes liés aux contraceptifs injectables ; un abus virtuel existe dans toute situation clinique, abus qui met en danger une femme non seulement lorsqu'on lui administre le produit, mais aussi si l'on omet de le lui administrer.

Le taux élevé d'acceptation du Depo par les pauvres relève de plusieurs facteurs. En premier lieu, il s'agit d'une piqûre, avec tout le prestige lié à une méthode d'administration qui est censée faire des merveilles. Ensuite, il ne nécessite aucun équipement particulier à la maison. Aucune belle-mère, aucun mari, ni personne d'autre ne risque de le découvrir et de le mettre à la poubelle. Il ne fait aucun doute que les risques relatifs d'effets secondaires et de cancer ont été insuffisamment expliqués, mais comme ils sont peu nombreux en termes absolus et encore moindres en comparaison des risques de la grossesse et de l'accouchement, la Bengalaise, en acceptant l'injection, ne se sent pas plus concernée par le danger auquel elle s'expose que la fumeuse occidentale par les risques du cancer du poumon. En tout cas, ses chances de vivre assez longtemps pour mourir d'un cancer sont minimes ; pour parler brutalement, le risque du cancer lui paraît moins effroyable que celui des maladies associées à la grossesse et à l'accouchement. D'une part, l'adversaire du Depo démontrera qu'un produit néfaste pour les femmes occidentales l'est tout autant pour toutes les femmes du monde ; de l'autre, la paysanne africaine traitera de raciste une attitude qui consiste à lui nier le droit d'être le meilleur juge de sa propre situation.

Si le Depo-Provera doit être combattu comme un produit dangereux, alors tous les stéroïdes sexuels devraient subir le même sort ; à nouveau, il s'agit d'une question de dosage. Les délais de réversibilité après une série de piqûres de DMPA semblent être la cause d'un dosage systématiquement trop élevé, puisqu'un retard de « quelques semaines » dans les injections répétées ne joue pas sur la protection. Notre connaissance sur l'administration systématique des stéroïdes est insuffisante. Nous ne pouvons nous en tenir à un traitement au petit bonheur. Le problème est aggravé par la malnutrition, l'apport nutritionnel irrégulier et la fatigue consécutive à la lactation. Le taux élevé d'interruption de la contraception orale par les femmes qui allaitent laisse à supposer qu'elles auraient une réaction similaire envers le DMPA, mais elles ne peuvent en stopper l'utilisation.

Toutefois, il n'y a aucun doute que la demande est importante du côté des femmes comme des médecins, en Inde, par exemple, où son utilisation n'est pas autorisée. Il semble y avoir autant d'arguments pour fournir illégalement le DMPA que pour l'interdire. Pourtant, les effets des progestatifs de synthèse contenus dans le lait maternel sur les enfants nourris au sein sont à ce jour inconnus et les médecins auxquels je me suis adressée en Inde et en Colombie n'y ont pas accordé de réflexion. Les femmes n'aiment pas « ne pas voir » leurs règles ; l'aménorrhée provoquée par le DMPA chez près de la moitié des utilisatrices à long terme est inquiétante pour la simple raison qu'elles ne peuvent pas savoir si elles sont enceintes ou non.

Saignements irréguliers et spotting sont des symptômes assez banals qui peuvent provoquer une inquiétude réelle si les femmes ressentent l'impression d'être souillées. Dans des pays où la survie est liée depuis une éternité à une lutte constante contre l'impureté dans les coutumes alimentaires et vestimentaires, la présence de quantités même minimes de « souillures » peut se transformer en facteur stressant. Les femmes, qui sont traditionnellement isolées pendant la menstruation, éprouvent un profond désarroi devant l'apparition de saignements irréguliers. On prend rarement en compte l'aspect positif du tabou menstruel, mais il peut représenter un temps de répit ardemment souhaité dans le travail, un temps de récréation avec les autres femmes. Une règle générale s'inscrit en clair dans l'éventail des diverses sociétés féminines : lorsque le cycle menstruel a été institutionnalisé sous forme d'isolement et d'interdiction, il devient un principe important d'organisation de la vie des femmes et sa rupture aura des effets indésirables. La grossièreté montrée par le lobby antinataliste pour tenter de vaincre la répugnance des femmes à rompre l'équilibre du cycle menstruel atteint son apogée dans une « étude » conduite en Egypte sous les auspices du Program for the Introduction and Adaptation of Contraceptive Technology (PIACT).

> Cette étude menée par l'université d'Alexandrie constitue une tentative pour augmenter la régularité d'utilisation du DMPA dans un groupe de sujets qui l'aurait sinon abandonné à cause de l'aménorrhée. Un stérilet est temporairement placé pour établir un cycle menstruel régulier[52].

Les résultats de cette brillante idée n'ont toujours pas été publiés.

L'administration du stéroïde DMPA est virtuellement plus désastreuse que le test hormonal de la grossesse ; l'aménorrhée provoquée par le DMPA peut se confondre avec celle de la grossesse. La lenteur d'élimination du produit accroît les risques lorsque survient une conception après une période d'administration.

S'il est indéniable que les champions du DMPA dans les pays en voie de développement ont montré et continuent à montrer une attitude désinvolte envers l'intégrité des femmes pauvres qui entrent dans leur sphère d'activité, et qu'il est téméraire de mettre la défense des droits civils entre leurs mains, il est stupide de considérer le DMPA comme seul responsable des excès de médicaments dans les pays en voie de développement. Le Depo-Provera fait ce qu'on lui demande de faire, inhiber la grossesse ; les problèmes inhérents à la méthode sont du domaine de l'inadaptation et finiront sans doute par disparaître dès l'arrêt de l'utilisation du produit. L'énergie dépensée sans beaucoup de résultats au sujet du DMPA aurait été d'un bien meilleur usage si l'on avait incité Ciba-Geigy à retirer la Cibalgine du marché en Sierra Leone et en Malaisie ; la Cibalgine est une drogue dangereuse parce qu'elle contient de l'amidopyrine dont on sait depuis soixante ans qu'elle provoque une diminution précipitée du nombre de globules blancs et par conséquent prive l'utilisateur des défenses nécessaires à l'organisme pour lutter contre une multitude d'infections graves.

Sandoz et Hoechst commercialisent également dans les pays pauvres des préparations contenant de l'amidopyrine. Parke-Davis encourage l'utilisation de chloramphénicol pour toutes sortes d'affections, ce qui le rend ensuite inefficace dans le traitement de la typhoïde et responsable de cas multiples d'anémies aplasiques. Si nous devons attaquer l'abus potentiel de Depo-Provera, peut-être faudrait-il aussi nous assurer que la commercialisation massive d'anabolisants stéroïdiens prétendument favorables à la croissance des enfants — du phénylbutazone comme analgésique et antipyrétique, de l'indométacine contre les maux de dents, de la chlorpromazine contre la dysménorrhée, du diphénoxylate contre la diarrhée — a été dénoncée et que les auteurs ont dû en rendre compte[53]. Ce sont tous des cas d'abus considérablement plus sérieux à la fois parce que les conséquences sont statistiquement dramatiques, fatales dans une importante proportion, et dans un temps relativement court, et parce que ces préparations ne sont pas plus efficaces dans les cas mentionnés que des produits moins coûteux et moins puissants.

Le Depo-Provera continue à être utilisé dans 70 pays en voie de développement et dans 10 pays développés par environ 125 millions de femmes. On l'a promu massivement en Thaïlande pendant les dix dernières années ; l'une des études les plus récentes sur la restauration de la fécondité après administration de DMPA fut menée à l'hôpital McCormick à Chiangmai. A Kao-i-Dang et dans d'autres camps de réfugiés, les Cambodgiennes qui furent forcées d'accepter des injections de DMPA ne firent pas partie de l'étude. Cet aspect du DMPA qui le rend si utile dans le contexte des sociétés traditionnelles est ce même aspect qui en facilite les abus. Nous devrions être en mesure de mettre sur pied une stratégie de distribution qui empêcherait définitivement l'administration clandestine du Depo-Provera, des ampoules codées, une couleur spéciale... il existe sûrement une solution. Jusqu'ici on n'a rien tenté de ce genre. Le monde riche distribue un produit au monde pauvre et ne se soucie plus du reste. Dans un univers cruel et abusif, les médicaments sont administrés d'une manière cruelle et abusive. Il y a des médecins dans les dispensaires primitifs du Bangladesh qui feront confiance au Depo et des gynécologues millionnaires sur Harley Street qui s'en garderont bien.

L'agitation autour du Depo-Provera peut se montrer utile à un égard. Elle peut convaincre les compagnies pharmaceutiques de trouver une alternative aux dosages systématiques des stéroïdes oraux ou injectables. Simultanément avec la recherche menée dans les injectables à action de longue durée à base de lévonorgestrel et dans les implants sous-cutanés de progestatifs, un effort concerté se dessine pour perfectionner les anneaux contraceptifs intravaginaux qui remplaceront peu à peu les stéroïdes de manière à agir sur le système utérin et à permettre d'éviter une grande partie des problèmes liés à l'administration orale. Il ne sert à rien de nous plaindre des défauts indiscutables de la contraception stéroïdienne courante, et de combattre en même temps l'utilisation expérimentale de nouveaux composés, de nouveaux dosages et de nouvelles méthodes d'administration. Si nous ne voulons pas que tout le sale boulot soit exécuté en Chine où les victimes n'ont aucun recours, pour que nous en tirions ensuite tout l'avantage, alors il faudrait nous proposer nous-mêmes comme sujets d'expérience — si on veut encore de nous, soupçonneux et inconséquents, prêts à hurler au meurtre dès qu'une personne sur cent mille tombe malade à la suite d'un traitement contraceptif pendant que nous jouons avec la mort en fumant, en refusant de boucler notre ceinture de sécurité, en avalant des médicaments pour nous détendre et en faisant l'amour sans nous soucier de l'herpès ni du *Chlamydia*.

Avant de clore le chapitre de la contraception hormonale, il peut être salutaire de considérer les sujets soulevés par R. V. Short au cours d'un débat à la Royal Society en 1976. Il y fit remarquer que les femmes en vie actuellement représentent la première génération à ovuler treize fois par an pendant la plus grande partie de leur vie adulte. Nos ancêtres passaient plus de temps à être enceintes et à allaiter que l'inverse. Entre la grossesse et l'aménorrhée passagère de la lactation, une femme primitive pouvait ne plus voir ses règles réapparaître après le rituel traditionnel de la puberté et son mariage. Les difficultés qu'éprouvent souvent les femmes avec leurs règles indiqueraient que nous en faisons une montagne ; le fait qu'elles ne puissent être soulagées par la progestérone naturelle, l'hormone qui assure le maintien de la grossesse, semble confirmer l'hypothèse de Short. Le cycle menstruel a une action stressante sur l'organisme et particulièrement sur certaines parties ; le sein, par exemple, subit parfois des changements importants associés au cycle pendant plus de dix et souvent près de vingt ans, avant de devenir une glande sécrétoire. Short suppose que certaines des maladies liées à notre faible taux de natalité, le cancer du sein entre autres, seraient provoquées par un tel mécanisme...

> D'autres affections gynécologiques, le cancer de l'ovaire, le cancer de l'endomètre, les fibromes et l'endométriose, semblent également avoir augmenté chez les nullipares, vraisemblablement par suite d'une activité ovarienne accrue liée à la nulliparité.
>
> Tous ces faits mettent en évidence l'urgence à développer un contraceptif non stéroïdien qui permettrait à une femme de revenir à un état reproducteur qui était la norme chez nos ancêtres — l'aménorrhée... Si nous cherchions davantage à développer de nouveaux contraceptifs pour l'avenir, nous serions en mesure de réduire la fréquence des maladies mortelles et des troubles débilitants qui semblent aujourd'hui être un triste sous-produit du faible taux de natalité dans les pays développés[54].

Une lactation déclenchée artificiellement pourrait peut-être protéger les seins des femmes jeunes, si elles la supportent (celles qui viennent d'enterrer leur mère de 40 ans le feront peut-être). Mais en fait Short va plus loin ; il montre une certaine limite dans la réflexion actuelle sur la contraception. Si nous abordions la contraception hormonale dans l'intention de protéger la santé des femmes plutôt que d'empêcher la naissance, nous n'aurions pas commencé par leur administrer des œstrogènes à fortes doses. Nous ne nous trouverions pas dans l'invraisemblable situation que nous connaissons aujourd'hui, où les femmes les mieux informées du monde abandonnent la pilule tandis que les pauvres la prennent de plus en plus.

Si nous voulons sincèrement trouver un moyen de contrôler la fécondité sans détruire le fœtus et sans user d'un droit de préemption sur les choix de vie de l'individu par la stérilisation, il va falloir mettre plus d'imagination et d'acharnement dans le perfectionnement des méthodes qui existent déjà et dans le développement de nouvelles. C'est un sujet trop important pour le laisser aux mains des laboratoires pharmaceutiques à qui la propriété des brevets n'assure pas une protection suffisamment longue pour récupérer leur investissement et encore moins faire des bénéfices. Il nous faudra exiger qu'une partie de nos impôts soit utilisée à subventionner des recherches pour contrôler la fécondité. Nous devrons rassembler nos propres données d'utilisatrices, faire que les méthodes d'obturation les plus simples fonctionnent d'une manière ou d'une autre, inventer des spermicides qui sentent bon et aient bon goût tout en restant capables de forcer les spermatozoïdes à abandonner la partie.

Chaque femme doit décider elle-même entre la pilule et les autres choix, car elle seule peut estimer les indications et contre-indications en rapport avec son propre sens des valeurs. Prendre la pilule parce qu'elle estime trop difficiles les méthodes moins passives peut paraître suspect, mais elle est seule à savoir si elle est femme à aller au lit en état d'ébriété ou à oublier sa trousse de toilette dans la voiture par une nuit glaciale. Une femme pour qui avorter ne pose aucun problème prendra des décisions radicalement différentes de celles d'une femme que l'avortement terrifie ou dégoûte. Celle qui avec la pilule a des règles moins douloureuses et un teint de rose trouve une raison positive de l'utiliser qui peut très bien l'emporter sur des risques éventuels ; à l'inverse, pour celle qui se sent patraque et de mauvaise humeur, qui a des taches autour de la bouche et des yeux, le cancer des beagles suffira à faire déborder le vase.

Nous qui nous sommes jetées sur la pilule avant même qu'elle ne soit largement délivrée, nous avons lutté pour l'obtenir, convaincues que la répression sexuelle institutionnalisée en empêcherait la distribution générale pendant des années. Il s'agissait alors de pilules fortement dosées en œstrogènes, mais lorsque nous avions mal à la tête, les chevilles gonflées, les seins douloureux ou des nausées matinales, nous mettions tout sur le compte de n'importe quoi, sauf de la contraception orale. Un jour où j'avais éclaté cinq fois en sanglots sans raison valable, je me dis que la pilule était peut-être responsable de mon état dépressif. « Impossible, répondit mon médecin, il n'y a aucune preuve de ce genre d'effet. » La preuve existe aujourd'hui. J'ai également pris une pilule séquentielle, qui a été supprimée depuis. Je crois pouvoir me souvenir de son nom. Le plus effrayant dans toute cette confusion, c'est peut-être de voir des femmes, par ailleurs hypercritiques envers la pilule, qui sont incapables de vous dire quel en est l'ingrédient principal, pourquoi elles prennent celle-ci plutôt qu'une autre. Des étudiants en travaux pratiques d'anthropologie sociale examinèrent le contenu des poubelles ; parmi toutes les boîtes de pilules jetées, ils n'en trouvèrent pas une seule qui eût été correctement utilisée.

Si nous ne sommes pas vigilants pour nous, personne ne peut l'être en notre nom. Si nous ne savons pas exercer notre vigilance sur nous, l'imposer aux autres est absurde. Davantage de rigueur de notre part profitera au monde entier. L'autre possibilité est que l'âge de la contraception chimique sophistiquée est passé. Le contrôle de la fécondité de l'avenir peut se résoudre à l'avortement et la stérilisation — plus quelques milliards de préservatifs par an.

7

Avortement et infanticide

Dors, mon bébé, n'écoute pas le bruit de la vague
Ne respire pas la brise qui s'attarde autour de toi
Pour boire ton souffle embaumé
Et soupirer un long adieu.
Bientôt elle pleurera sur ton lit noyé d'eau,
Sur le rivage battu par les flots, elle bruissera vers moi
Sourd murmure qui déplore
Ton triste destin prématuré.
Tes yeux si chers s'étaient ouverts à la lumière
En vain suppliants, ton destin était scellé.
Toi, juste éveillé pour te rendormir,
Là d'où on ne peut plus se réveiller.

SARA COLERIDGE

Comme la plupart des processus naturels, la reproduction humaine est une affaire de gaspillage. Un être humain de sexe masculin engendre chaque jour des millions de spermatozoïdes. Chacun d'eux devrait pouvoir agir, se déplacer par lui-même et exister indépendamment de son créateur pendant les jours qui suivent l'éjaculation. Du fait qu'une grande part des éjaculations ont lieu loin d'un ovule dans l'espace et dans le temps, des milliards de spermatozoïdes sont condamnés à lutter et à mourir en vain. Le gaspillage des spermatozoïdes ne serait pas pour autant résolu si un pouvoir surhumain décrétait que toutes les éjaculations auraient lieu au bon endroit et au bon moment d'un point de vue reproducteur. En théorie, il serait possible de mettre au monde une progéniture complète à partir d'une simple éjaculation tant la nature est absurdement prodigue de sa précieuse substance — prodigue et inefficace, non sans intention semblerait-il.

Plus de 15 à 20 % de la production de spermatozoïdes d'un homme en bonne santé est anormale et on pourrait regarder l'appareil reproducteur féminin comme une série d'obstacles destinés à éliminer les spermatozoïdes non viables. Le col est inversé dans la partie supérieure du vagin — à l'opposé de ce qu'aurait fait n'importe quel plombier sensé — et les trompes sortent de la cavité utérine par leur plus petit bout ; ainsi, des centaines de millions de spermatozoïdes déposés dans le vagin, seuls quelques centaines atteindront l'œuf. On peut croire que les spermatozoïdes anormaux sont filtrés au cours du processus[1].

Aucune voix ne s'est jamais élevée pour mettre en doute l'équité d'un monde noyé de spermatozoïdes agonisants alors qu'ils sont à certains égards plus vivants que le blastocyste paresseux et inerte qui constitue le début d'une grossesse. La vie écourtée du spermatozoïde nous émeut moins que le destin de l'incontrôlable progéniture de l'épinoche, à laquelle nous ne sommes pas apparentés et qui apporte beaucoup moins d'informations génétiques intéressantes que chacune des minuscules créatures que l'homme disperse avec tant d'insouciance. Les générations futures décideront peut-être d'économiser plus sérieusement cette protéine puissante ; pour l'instant il est admis que le spermatozoïde n'est pas récupérable.

Les œufs, infiniment moins nombreux, ne jouissent pas de plus de faveur. Chaque femme naît avec ses ovules cachés dans leurs follicules immatures, attendant le signal qui les amènera au stade de la fécondabilité quand le temps et l'environnement s'y prêteront. On ne lui apprend pas à épargner cette richesse génétique, étant supposé, avec plus ou moins de raison, qu'elle en possède plus qu'il n'en faut pour faire face aux accidents quotidiens, radiations, usages de médicaments et drogues... En réalité, une femme dont la vie s'écoulera entre les grossesses et l'allaitement a toutes les chances d'atteindre la ménopause et de mourir avec la plupart de ses follicules intacts.

Il semble qui plus est que les ovules possèdent le même facteur de non-viabilité que les spermatozoïdes ; combien de spermatozoïdes vainqueurs s'engagent dans la course à l'obstacle à travers les voies génitales féminines pour féconder un œuf sans le moindre intérêt ? Nous n'en saurons sans doute jamais le chiffre exact.

De nombreux ovules sont probablement anormaux lorsqu'ils sont ovulés pour la première fois, bien que les données soient plus difficiles à établir dans leur cas que dans celui des spermatozoïdes. Il est par contre certain que beaucoup des éléments de la conception sont éliminés à des stades variés de la grossesse. Des ovules fécondés, plus de la moitié sont anormaux et détruits avant la première semaine ou les dix premiers jours de grossesse. On peut raisonnablement supposer qu'un grand nombre de femmes conçoivent à chaque cycle de rapports sans protection, bien qu'une grossesse diagnostiquée par le retard des règles prenne une moyenne de plusieurs séries de coïts[2].

Pas plus le spermatozoïde actif que l'ovule, comparativement énorme et passif, ne soulèvent d'intérêt jusqu'à ce qu'un spermatozoïde heureux soutenu par des millions de ses semblables n'ait rencontré un ovule mûr et réceptif et trouvé son chemin à travers la membrane protectrice jusqu'au noyau et qu'il l'ait fécondé. Le processus est simple et banal ; il a été observé avec un étonnement peu compréhensible dans une boîte de Petri où il ressemble à la fécondation de n'importe quel spermatozoïde, qu'il s'agisse d'une souris ou d'un crocodile. La différence est qu'il y a une vie humaine dans la boîte de Petri et les biologistes présents se sont prosternés ; les spécialistes de la fécondité sont moins impressionnés. Les œufs de la boîte de Petri pourraient aussi bien être servis brouillés sur toast, à moins qu'on ne puisse les maintenir en vie et les nourrir dans un environnement favorable. La fécondation peut être le début d'une vie humaine, mais c'est un début très aléatoire. Il y a infiniment plus de grossesses commencées que menées à terme. L'avortement est aussi naturel, et sans doute plus fréquent que la naissance.

Des millions de gens croient que l'âme immortelle prend possession de l'être humain au moment même où le spermatozoïde pénètre dans le noyau de l'œuf ; ce qui se passe dans la boîte de Petri est pour eux aussi remarquable que la transsubstantiation et, partant de là, ils soutiennent avec passion qu'un événement d'une telle importance ne devrait pas se dérouler suivant le bon vouloir d'un biologiste. Il serait réaliste de se fonder sur l'exemple et de se préoccuper des circonstances dans lesquelles la conception ne prend place que pour avorter. Une biologiste catholique peut toujours baptiser le contenu de sa boîte de Petri avant de la passer sous l'eau du robinet. On n'a jamais dit à une catholique qui perd son blastocyste au moment de la menstruation qu'une vie humaine venait peut-être de prendre fin. Garder une cruche d'eau bénite près de la cuvette des cabinets pour baptiser les serviettes hygiéniques peut sembler compliqué, mais ça ne l'est pas plus que beaucoup de rituels observés par des croyants dans le monde entier chaque jour de leur vie. Cela soulignerait en tout cas que les catholiques prennent vie avant la naissance. Qu'ils n'observent pas ce genre de rituel laisse supposer qu'ils n'attachent pas réellement foi à ce qu'ils soutiennent dans leurs polémiques. Croire que l'âme entre en vie au moment de la fécondation n'a en soi rien d'invraisemblable, mais s'il faut défendre ce point de vue, il faut le faire avec rigueur comme on soutient une conviction personnelle et pas seulement brandir l'argument face aux incroyants. Les catholiques devraient être conscients des faits relevés par Alberman et Creasy.

> Une preuve indirecte atteste que nous souffrons en réalité d'un taux de fréquence extrêmement élevé de mortalité embryonnaire. En 1975, Hertig a examiné l'utérus de 210 femmes mariées fécondes qui subissaient une hystérectomie... il releva 34 embryons âgés de 1 à 17 jours dont seulement 21 furent déclarés normaux, ce qui donnait un taux de mortalité embryonnaire

de 38 % au moment de la première période d'aménorrhée. French et Bierman en 1962 avaient pu suivre 3 084 grossesses dans l'île hawaïenne de Canai à partir de la première absence des règles et ils établirent que 23,7 % d'entre elles n'arriveraient pas à terme... l'étude chromosomique des avortements spontanés montre que le taux d'anormalité est plus élevé (près de 50 %) à huit semaines de l'âge gestationnel et qu'il diminue jusqu'à 5 % vers la fin de la vingtième semaine[3].

En conséquence, les problèmes d'éthique posés par l'avortement dépassent de loin les cas relativement peu nombreux d'interruption volontaire de grossesse, en eux-mêmes si variables et soumis à des facteurs qui dépassent tellement le contrôle de l'individu qu'on ne peut les séparer de tout le contexte de l'avortement. Une démarche sincère visant à démêler les questions d'éthique associées à l'interruption de grossesse serait bénéfique à tous et en particulier aux femmes qui luttent sans aide de la part de leurs guides spirituels. Hostiles à la liberté de la reproduction pour les femmes, les catholiques restent obnubilés par les cas peu nombreux d'avortements provoqués, incapables ou peu désireux de comprendre les raisons de mesures dictées par l'absence d'autres choix. Leur propos est avant tout légaliste : ils se préoccupent d'entraver les moyens appropriés à l'interruption de grossesse, et non des âmes de celles qui s'efforcent de vivre avec le plus de conscience et de responsabilité possibles. Les agissements du lobby catholique sont répréhensibles non parce qu'ils relèvent de la bigoterie ou du fanatisme, mais parce qu'ils ne servent à rien.

Nous ignorons et nous ignorerons peut-être toujours combien de conceptions n'ont pas abouti (en termes catholiques, à combien s'élève le nombre d'âmes qui peuplent les limbes). Nous ignorons la proportion des kystes de l'ovaire causés par la fécondation d'un ovule qui n'est pas parvenu à se libérer du follicule et nous l'ignorerons jusqu'au jour où nous pourrons examiner au microscope des ovaires extraits par intervention chirurgicale. De nombreux kystes de l'ovaire se dégonflent d'eux-mêmes, indiquant probablement la résorption de telles grossesses[4]. D'autres grossesses n'aboutissent pas parce que l'ovule fécondé ne parvient pas à pénétrer dans la trompe de Fallope, et erre dans la cavité péritonéale pour finir par se résorber. Dans le cas où l'ovule fécondé est bloqué par du tissu scléreux ou par un autre obstacle dans la trompe de Fallope, l'avortement devient une urgence médicale bien connue, bien qu'on ait peu débattu du dilemme posé au chirurgien. Tout bon chirurgien pratiquerait l'ablation de la trompe avant qu'il n'y ait rupture, et il serait extrêmement surpris qu'on le traite d'avorteur. Une forme plus fréquente et de loin plus mystérieuse d'interruption en début de grossesse est provoquée par un raccourcissement de la phase lutéale. Dans une grossesse normale, le follicule une fois rompu se transforme en *corpus luteum* qui sécrète la progestérone nécessaire au maintien de la grossesse et à l'inhibition d'une nouvelle ovulation ; si la conception n'a pas lieu, le *corpus luteum* se perd dans la menstruation. Si la phase lutéale est accélérée, le processus de mue commence avant que l'ovule fécondé ait une chance de s'implanter dans la paroi utérine. Les femmes qui souffrent de cette sorte d'infertilité sont, en fait, sujettes à des avortements répétés.

De nos jours, le plus grand obstacle rencontré par le blastocyste qui cherche à s'établir est le dispositif intra-utérin, à tort appelé dispositif contraceptif intra-utérin. Le DIU, en tant que dispositif placé à l'intérieur de l'utérus, existe depuis très longtemps. Hippocrate décrit un tube en plomb rempli de graisse de mouton que l'on introduit dans le col pour stimuler la fécondité ; ces descriptions sont toutefois suffisamment ambiguës pour qu'on imagine que l'appareil avait également pour fonction de contrôler la fécondation, dans la mesure où il protégeait une femme d'une grossesse contre-indiquée, et qu'on pouvait le placer et le retirer sans inconvénient. Le pessaire du dix-neuvième siècle était utilisé pour « empêcher la conception » même si on le déguisait en traitement pour divers troubles de l'utérus, principalement l'« obstruction des règles ». Il est difficile aujourd'hui d'estimer si sa fonction était généralement bien comprise. En Italie, la pilule contraceptive n'est délivrée qu'à titre de traitement de troubles menstruels, et elle est fabriquée par une société dont le Vatican est actionnaire majoritaire. Les femmes assez malignes pour raconter ce qu'il faut à leurs médecins peuvent l'utiliser comme contraceptif. La fonction du pessaire était sans doute autant un secret de Polichinelle.

En 1909, un médecin allemand eut l'idée d'un pessaire en fil à placer à l'intérieur de l'utérus ; Grafenberg inventa l'anneau de Grafenberg dans les années 20. Dans les années 50, on trouvait encore jusqu'à Victoria, en Australie, des médecins assez discrets pour poser l'anneau de Grafenberg sur une clientèle triée sur le volet. La principale qualité d'un dispositif intra-utérin est de rester en place ; son dessin est une question de technique et depuis les formes en bouton de col des premiers pessaires et le simple anneau de Grafenberg, nous avons eu la spirale de Margulies, la boucle de Lippes, le Saf-T-Coil, le huit de Birnberg, l'anneau de Zipper, l'antagon danois, l'anneau de Yusei, le dana hongrois et ainsi de suite, tous en fils de polyéthylène opaques aux rayons X afin de pouvoir les repérer en cas de déplacement.

L'IPPF et le Population Council ont commencé à tester les nouveaux dispositifs intra-utérins dans les années 60 et il ne fait pas de doute que cet élan d'intérêt a eu lieu bien après la panique nataliste. Le DIU est la forme la moins coûteuse de contrôle des naissances et ne demande pas une surveillance rapprochée de la femme qui le porte. Toujours *in situ*, on le prend pour un contraceptif qu'il n'est pas. Inséré dans l'utérus, il transforme l'environnement qui doit accueillir le blastocyste en fosse toxique[5]. On dit de certains DIU qu'ils sont « inertes » parce qu'ils ne comprennent aucun agent chimique spécifique ; c'est aussi trompeur que de les appeler « contraceptifs » étant donné que les plastiques et fils de métal (le cuivre en particulier) dont ils sont faits sont chimiquement actifs. Le taux de cuivre dans le courant sanguin des femmes porteuses de DIU n'a jamais été mesuré. L'utérus de son côté réagit à la présence d'un corps étranger par des sécrétions anormales et par des réactions spasmodiques déréglées aux modifications de l'endomètre. A la dissection, l'utérus d'une femme qui a porté un DIU pendant plusieurs années montre le modèle du dispositif usé dans une membrane utérine déformée avec certaines parties atrophiées, d'autres mortes.

La littérature consacrée au DIU est vaste, mais peu concluante ; comme les danseurs de limbo des Caraïbes, les dispositifs parviennent toujours à se glisser sous le fil de la preuve scientifique ; il existe trop de variables pour établir la cause d'un syndrome pathologique associé au DIU, mais une chose est certaine : le DIU empêche l'implantation, non la conception. La confusion qui règne au sujet de cette distinction est l'une des raisons pour lesquelles le rôle du DIU sur la fréquence des grossesses ovariennes et extra-utérines ne peut être mesuré ; si nous connaissions le nombre de grossesses non ectopiques qui sont annuellement avortées par les porteuses de DIU, nous serions à même d'évaluer si la fréquence des grossesses extra-utérines est normale ou élevée[6]. En réalité, il est peu probable que le DIU provoque des grossesses ectopiques, mais ses partisans préfèrent garder le silence : se défendre sur ce point consisterait à mettre l'accent sur le fait que leur méthode favorite de contraception provoque un nombre accru de conceptions.

Si le DIU ne propose qu'un avortement au vingt-huitième jour plusieurs fois par an, il le propose à un prix élevé, car la femme ignore les modifications que va subir son organisme et qu'elle pourrait juger inacceptables. Les responsables du planning familial racontent souvent l'histoire de ces paysannes que l'on avait munies de stérilets et qui les portaient comme des gris-gris. Mais personne n'a véritablement compris le sens de cette histoire. Tant que l'on propose le DIU comme une sorte d'amulette placée dans l'utérus qui prévient magiquement la grossesse, au lieu de le présenter pour ce qu'il est, c'est-à-dire un moyen brutal d'interrompre un processus naturel, on abuse de la crédulité des femmes. D'une part, on leur raconte que le stérilet est un bienfait pour des millions de femmes qui l'ont gardé sans jamais avoir de problèmes, et de l'autre tout interne sait que la première chose à faire devant une femme qui arrive en urgence avec une violente douleur abdominale est de lui demander si elle porte un stérilet. Les médecins savent parfaitement que l'insertion d'un corps étranger dans l'organisme humain comporte des risques, mais les adeptes à tous crins de la régulation démographique n'ont pas hésité à porter leurs stérilets en boucles d'oreilles pour les faire accepter. Comment une femme pourrait-elle démêler cet enchevêtrement de méfiance et d'optimisme déplacé ? L'acceptation d'un DIU est généralement forcée, déterminée par le manque de choix et la pression des circonstances : à l'heure actuelle, il est peu de femmes en Occident qui ne soient au courant des dégâts provoqués par le DIU ; celles qui l'acceptent espèrent se trouver parmi les heureuses élues pour lesquelles le stérilet résout tranquillement, secrètement, le problème de la régulation des naissances. Après tout, les autruches s'en tirent très bien en se cachant la tête dans le sable.

Pour beaucoup, l'expérience du stérilet ne se prolongera pas au-delà de l'insertion du dispositif, suivie d'une infection, de douleur immédiate, d'expulsion ou de retrait[7]. Le pourcentage de femmes qui supportent la pose d'un stérilet varie avec le choix du dispositif, l'habileté de l'opérateur, l'état de santé et l'expérience de la fécondité. Les perforations et les infections adviennent le plus souvent au cours des premiers mois. A peu près un tiers des femmes à qui l'on a placé un stérilet ne l'auront plus deux ans plus tard, et garderont un mauvais souvenir de l'expérience. La pose du stérilet est contre-indiquée pour des nullipares ou pour des femmes qui viennent d'avorter ou d'accoucher. On cherche toujours désespérément un dispositif qui conviendrait aux jeunes utérus trop tendus des nullipares et aux utérus relâchés du post-partum. En 1977, une expérience fut tentée au Chili avec une membrane plissée que l'on insérait trois jours après un traitement « pour un avortement incomplet ou inévitable », ce qui signifie probablement après curetage. On estima le résultat encourageant ; sur 154 poses, il y eut 2 grossesses, 12 femmes expulsèrent le dispositif, et 6 le firent retirer à la suite de douleurs et/ou de saignements[8]. L'intérêt de la pose d'un DIU en même temps ou aussitôt après une interruption de grossesse s'explique aisément. Beaucoup de femmes médiocrement motivées ne recherchent une aide gynécologique que le jour où elles ont peur d'être enceintes. La pose d'un stérilet à un tel moment jouerait le rôle d'un contrôle préventif des naissances pour le groupe le moins discipliné, celui des pauvres, illettrées, apathiques et inorganisées. La conséquence presque inévitable serait alors que ces groupes échapperaient à la surveillance et que les taux de complications deviendraient plus effrayants qu'ils n'apparaissent.

Parce qu'il ne nécessite pas une motivation quotidienne de l'utilisatrice, contrairement à la pilule, le stérilet fut à une époque la méthode de contrôle des naissances favorisée au tiers monde. Encore aujourd'hui, les planificateurs familiaux épiloguent sur les avantages de prescrire des DIU sans fils que ni les femmes, ni leurs maris, ni la sage-femme locale ne puissent retirer. La démarche se justifie parce qu'elle oblige la femme à retourner à l'hôpital pour une surveillance médicale générale et prénatale, mais ce procédé charitable semblerait plutôt entrer dans un processus de contrôle des naissances qui passe outre le pouvoir et le libre choix de l'individu. Depuis quelques années, le DIU est moins utilisé dans les programmes de planning familial du tiers monde. A cause de l'insuffisance des méthodes de suivi, les raisons ne peuvent être qu'hypothétiques. La priorité immédiate était l'insertion du plus grand nombre possible de stérilets ; il aurait été surprenant qu'on utilisât le personnel et le matériel au départ destinés à une insertion en masse de stérilets pour la surveillance des effets secondaires. La littérature fourmille de sombres récits sur le DIU, mais personne n'a encore raconté l'histoire des souffrances provoquées par la quincaillerie occidentale sur les femmes du monde entier qui nous avaient fait confiance.

Le Dr Indumati Parikh fut chargé d'une étude pilote sur le DIU pour le

Pathfinder Fund en 1964, mais « vers la fin de 1966, le DIU était tombé en discrédit », à la suite d'insertions de centaines de milliers de stérilets sur des femmes indiennes[9]. Le Dr Parikh, dont plusieurs patientes portaient depuis longtemps un stérilet, explique les raisons de l'échec du programme :

> Dès le début, le développement du programme DIU atteignit sa cadence maximale. On organisa des centaines de camps dans tout le pays sans aucune préparation. Le DIU est un dispositif contraceptif qui demande un maximum de coopération de la part de la profession médicale. Le programme gouvernemental entreprit la tâche gigantesque de populariser le DIU sans s'inquiéter de prendre l'avis de la profession médicale dans son ensemble, sans prendre soin d'introduire le DIU dans des centres où il existait une surveillance. On chargea un personnel auxiliaire d'un travail qui dépassait ses compétences. La sélection des cas d'après le cycle menstruel et l'état de santé de chaque femme fut inexistante. On procéda à l'insertion de boucles de Lippes à tort et à travers, presque à la demande, faisant miroiter des primes pour inciter les femmes à accepter le stérilet. Les effets secondaires et les complications ne furent jamais mentionnés ; il n'y eut aucune mesure de contrôle et de surveillance et personne ne soigna les patientes qui ne supportèrent pas l'insertion du DIU[10].

Etant donné le taux élevé d'expulsion et de retrait à la suite de douleurs et de saignements dans les hôpitaux occidentaux munis d'un équipement approprié et d'un personnel compétent, il est permis de supposer que le taux de rejets spontanés, de douleurs, d'hémorragies et d'infections est encore plus élevé dans des circonstances moins favorables. On peut également présumer que la musculature pelvienne de femmes qui fournissent un travail pénible s'accommode moins bien de la présence d'un stérilet que le pelvis plus mou des Occidentales sédentaires[11]. Si les taux de complications restent inconnus, il est par contre certain que l'augmentation des hémorragies est plus préjudiciable à la santé des femmes sous-alimentées et affectées à des tâches fatigantes qu'à celle d'une femme bien nourrie.

> Le DIU a souvent pour effet d'augmenter le flot menstruel. Des règles plus abondantes ou prolongées ont été constatées avec tous les modèles de DIU. L'intensification de l'activité fibrinolytique de l'endomètre des patientes qui utilisent le DIU paraît expliquer l'augmentation des saignements. Seuls échapperaient à cette règle les stérilets auxquels on a adjoint de la progestérone ou un progestatif, qui réduit l'importance des saignements mais pas leur durée[12].

En acceptant la pose d'un stérilet, une femme doit s'attendre à un flot menstruel plus abondant. Si elle a une alimentation riche en viande et en légumes, cet écoulement peut ne pas affecter son état de santé général ; en Suède, cependant, on a constaté des carences en fer parmi un groupe de femmes qui perdaient plus de 80 ml de sang à chaque menstruation. Ce que peuvent signifier de tels chiffres appliqués à des femmes qui ont une alimentation à base de céréales, pauvre en protéines, et qui accomplissent quotidiennement un travail manuel ardu pour subvenir à leurs besoins et à ceux de leur famille a de quoi inquiéter. Néanmoins, tous les rapports des programmes de DIU semblent ignorer les questions qu'a soulevées leur expérience, comme le fait ce compte-rendu sur les îles Fidji :

> En 1965, une campagne fut menée dans le cadre du programme du planning familial pour encourager l'utilisation du dispositif intra-utérin. Le succès d'un essai tenté en 1964 à la consultation du planning familial de Suva justifiait un effort à l'échelle nationale pour promouvoir cette méthode peu coûteuse de contrôle des naissances. Au cours de l'année 1965, les principaux centres médicaux furent équipés. On inséra 2 579 boucles. La campagne publicitaire pour la boucle fut prise en charge par l'Association pour le planning familial... et orchestrée « en fanfare ». Toutefois, les effets secondaires de la boucle affectèrent un nombre croissant de femmes, des rumeurs sur les dangers du dispositif commencèrent à circuler et les taux de retrait s'élevèrent rapidement[13].

On peut difficilement accuser des femmes qui ne veulent plus entendre parler du stérilet après en avoir constaté les effets sur d'autres femmes d'être sensibles à « une rumeur ». L'expérience tentée à Suva au cours de l'année précédente ne peut seule avoir justifié la mise en place d'une campagne nationale menée « en fanfare » ; ce ne sont pas les femmes qui se montrèrent irrationnelles en rejetant la boucle, mais les autorités qui ont agi hâtivement et à partir de preuves insuffisantes :

> Une étude menée à la consultation du planning familial de l'hôpital de Lautoka, entre 1965 et 1969, a conclu que le trop grand enthousiasme montré au début de la campagne, joint à une surveillance peu satisfaisante, a dans une large mesure contribué au taux peu élevé de maintien du DIU[14].

Environ 40 % des Indiennes et 10 à 20 % des femmes des autres races *qui sont revenues ultérieurement se faire examiner* avaient encore leur stérilet au bout de trois ans. Nous ne saurons pas ce qu'il est advenu de celles dont le premier contact avec le planning familial fut si traumatisant qu'elles échappent à jamais à tout contrôle.

On accusa en partie David Nowlan, personnage plutôt inhabituel chez les planificateurs des naissances, d'avoir discrédité le DIU à la Jamaïque où il faisait partie des services officiels de la Santé dans les années 60.

> Un approvisionnement massif de boucles de Lippes était arrivé dans l'île, et on chargea les médecins militaires de les faire accepter par la population. Ce que nous fîmes consciencieusement, avec une confiance fondée sur la totale ignorance de la nature et des effets des dispositifs en question. Etant donné la fréquence des cas de salpingites aiguës dans le pays, il n'est pas

surprenant (hélas rétrospectivement) que nous ayons rapidement dû retirer autant de DIU que nous en posions, et que pour de nombreuses femmes la contraception ait rapidement signifié douleur et angoisse plutôt que soulagement et libération. Notre ignorance et notre incompétence ont sûrement retardé de plusieurs années la cause du planning familial à la Jamaïque[15].

Le Dr Nowlan se montre peu indulgent envers lui-même ; avec leur cargaison de boucles de Lippes (payées par les contribuables étrangers), lui et ses confrères n'avaient eu droit qu'à un « entraînement » d'une demijournée soigneusement orchestré pour provoquer un enthousiasme démesuré. Après être parvenu à promouvoir un gadget comme la boucle de Lippes et à persuader AID d'en subventionner des millions, qui oserait mettre en péril toute l'opération en se montrant sceptique quant à sa distribution ? Irlandais, le Dr Nowlan était habitué aux attaques obscurantistes contre le planning familial, mais il avait peu d'expérience de l'obscurantisme et de la foi aveugle qu'encouragent les méthodes du planning familial. Comment ne pas trouver l'histoire amère en voyant le nombre de femmes qui se retrouvent dans les salles gynécologiques de tout hôpital jamaïcain à la suite d'avortements septiques illégaux ?

Une surveillance satisfaisante des porteuses de DIU est difficile à organiser. Le dispositif n'est pas plus efficace et plus sûr parce qu'il reste longtemps en place[16]. Les femmes les plus à plaindre sont celles que leur tolérance initiale au DIU encourage à présumer de son efficacité ; leur confiance est comparable à celle de ces médecins qui crurent bon de soigner par des antibiotiques les cas de salpingite aiguë avec un DIU *in situ*, sans retirer le dispositif. A Atlanta, une pauvre femme, déterminée à garder son stérilet malgré des crises répétées de salpingite aiguë, est morte d'une actinomycose pelvienne. C'est le premier cas mortel où le DIU seul fut responsable. L'actinomycose est la réaction de l'organisme à la présence d'un corps étranger[17].

Vessey et Doll ont parfaitement résumé les complications liées au DIU :

> Les plus importantes sont la perforation de l'utérus et la salpingite aiguë. En plus, des grossesses non planifiées qui surviennent chez des femmes porteuses d'un dispositif intra-utérin ont plus de chances d'être ectopiques ou d'avorter spontanément. Et il est prouvé que de tels avortements risquent fortement d'être septiques, occasionnellement avec des conséquences fatales pour la mère[18].

Les risques de salpingite aiguë liés au DIU sont si bien reconnus qu'aujourd'hui la FDA exige que chaque paquet porte un avertissement[19].

Il serait malhonnête de ne pas signaler que le dispositif intra-utérin a été perfectionné et qu'il est aujourd'hui toléré par un plus grand nombre de femmes qu'autrefois. Mais la diversité des dispositifs n'a de sens que si l'insertion est soigneusement prise en considération par le personnel médical qui doit peser toutes les contre-indications, infections vaginales ou pelviennes à répétition, érosion cervicale, malformation utérine, présence de tumeur, anémie, règles irrégulières, etc., avant de choisir le dispositif le plus approprié ou d'y renoncer. Dans les premières semaines, la surveillance devrait être intensive, la plupart des perforations et des infections pelviennes ayant lieu au moment de l'insertion. Même si les saignements qui suivent l'insertion du stérilet disparaissent, il est nécessaire de pratiquer régulièrement une numération globulaire et de vérifier que le stérilet est toujours en place. Autant demander la lune à une population paysanne ; mais sans contrôle suivi, aucun DIU ne devrait être posé. La conséquence directe des programmes inconsidérés de DIU fut de discréditer les méthodes modernes de régulation des naissances. Au taux moyen de deux ou trois grossesses pour cent femmes/année chez les porteuses de stérilet, chaque communauté fera l'expérience d'une grossesse avec un DIU *in situ*, qui peut avoir des effets effroyables variant de la naissance du bébé avec un dispositif enchassé dans la fontanelle à l'avortement septique et la mort.

Le DIU est utilisé avec succès dans les populations urbaines à forte densité qui ont à leur portée des services hospitaliers très attentifs aux effets secondaires possibles. Il ne fait aucun doute que certaines populations le supportent mieux que d'autres, mais jusqu'à présent aucun rapport comparatif n'a jamais été publié.

Le grand succès du DIU a toujours été Taiwan, où un programme intense de planning familial fut organisé à partir d'un personnel paramédical. Institué à T'ai-tchong en 1962, le programme révéla que le DIU était la méthode de choix des Taiwanaises, peut-être parce que la population avait entendu parler d'une version japonaise, l'anneau d'Ota, en usage (bien qu'illégalement et non sans dégâts) depuis les années 30 ; en deux ans, sur les 6 285 couples qui acceptèrent la contraception, 5 000 avaient choisi le DIU. Vers 1970, on avait posé un demi-million de boucles et Taiwan reste le modèle statistique de la campagne pour le DIU. Pourtant en 1969, le délégué à la Santé T. C. Hsu déclarait à un enquêteur peu perspicace :

> Trop de boucles de Lippes sont expulsées. Près de 50 %. Si cela continue, elles seront expulsées aussi vite qu'elles sont insérées... Les femmes elles-mêmes nous demandent de les enlever. Trois fois sur quatre, c'est le même médecin qui opère la mise en place du dispositif et son retrait. Il semblerait que le personnel médical ne prenne pas suffisamment le temps de prévenir les femmes des éventuels effets secondaires de l'appareil, saignements, crampes, inconvénients de ce genre... Une femme le raconte à une autre, et les mauvaises nouvelles vont bon train[20].

Voilà qui est navrant pour le Dr Hsu, mais les plus à plaindre sont les femmes pour lesquelles ces expériences furent un échec ; les propos du Dr Hsu comportent de sérieuses failles. Les femmes ne demandent pas le retrait de leur DIU à cause des effets secondaires provoqués sur *quelqu'un d'autre*, même si elles ont pu être influencées avant de l'utiliser. L'enquêteur n'a rien vu derrière l'explication embrouillée du docteur ; et lorsqu'il constata le déclin du DIU dans le programme vedette du contrôle des naissances, il ne put que s'incliner devant l'évidence.

> ... des données inquiétantes prouvent la baisse de popularité du DIU. Non seulement le nombre des nouvelles insertions a sensiblement chuté par rapport au taux annuel de vingt mille poses en 1965 et 1966, mais on constate aussi un nombre important d'interruptions de grossesse. Il est capital que l'association pour le planning familial cherche à déterminer pourquoi le taux d'interruptions de grossesse est aussi élevé. (Il semble que persiste la vieille rumeur des grossesses extra-utérines associées au DIU.) Il faut augmenter les taux d'acceptation par des programmes publics efficaces et en améliorant les service proposés[21].

On ne peut demander à Stanley Johnson, romancier chargé d'une opération de relations publiques pour le lobby du contrôle des naissances, de rechercher la preuve scientifique de l'exposition des porteuses de DIU au risque de grossesse extra-utérine ; mais il aurait pu montrer un peu plus de respect pour celles que l'expérience avait déçues. Le DIU n'était pas une mode en voie de disparition, c'est une méthode qui fut rejetée après avoir été expérimentée ; une expérience brutale avait provoqué sa chute et non une vague rumeur. Le savoir de Johnson en matière de DIU était sérieusement moins étendu que celui des femmes dont il parle avec un mépris facile. Nous le retrouvons à Singapour, dans les couloirs du IVe Congrès asiatique sur l'obstétrique et la gynécologie. Là, il donne une explication totalement fantaisiste de l'échec d'un autre programme DIU :

> En assistant à ces séances, je me suis demandé pourquoi le DIU ne jouissait pas de la même promotion que la pilule. Après réflexion, la raison me parut claire. Le DIU ne coûte rien. Le petit bout de plastique en forme de spirale, de boucle, d'U, ou de ce qu'on veut, ne peut pas se comparer à la pilule, tant que la raison du profit rentre en jeu. Il ne coûte pratiquement rien à fabriquer et dure toute une vie[22].

Les spirales et les boucles ont coûté très cher, quoi qu'il en dise. Insertions, retraits, réfections chirurgicales, accidents, droits pour les inventions et les brevets, tout cela représente beaucoup d'argent. Le DIU dure peut-être toute une vie, mais les femmes qui sont mortes avec leur stérilet *in situ* n'ont pas trouvé la vie agréable pour autant.

Lorsque même la description la plus prudente du mode d'action des dispositifs intra-utérins laisse entendre qu'ils sont abortifs et non contraceptifs, on ne peut manquer de soulever la question : pourquoi le DIU a-t-il reçu un accueil favorable contrairement à d'autres formes d'interruption précoce de grossesse non traumatisantes ? On pourrait prétendre que l'aspiration du contenu de l'utérus d'une femme atteinte d'aménorrhée comporte un acte délibéré, alors que les avortements provoqués par le dispositif intra-utérin sont involontaires. Mais ce fait même devrait jouer contre le DIU. La femme devient inconsciemment complice d'un acte qu'elle peut estimer criminel et en ce sens elle est victime de l'insensibilité et du manque de scrupules de ceux qui devraient en savoir plus. Dans la mesure où son ignorance est la conséquence de son insouciance, d'un manque de curiosité, de sa crédulité ou de sa dépendance, elle est en partie responsable. Le nombre de femmes qui refusent de prendre leur santé en charge et préfèrent ignorer les risques auxquels elles s'exposent prouve un état d'oppression encore plus étonnant chez des Occidentales évoluées, informées, instruites, que chez des paysannes illettrées dont les méfiances et les superstitions correspondent souvent davantage à une notion de respect de soi qu'à une stupide passivité.

Visiblement, l'interruption du 28e jour n'est pas traumatisante, mis à part des saignements plus importants et peut-être une certaine douleur. Parmi les théologiens, évêques, groupes pronatalistes, psychiatres ou hommes de loi, personne ne s'est attaqué à la porteuse de DIU, ni aux fabricants et promoteurs de la méthode. Espérons que les procès de plusieurs millions de dollars en instance contre Dalkon établiront si le stérilet a échoué en tant que contraceptif dans les cas d'avortements septiques mortels, ou s'il était avant tout criminel de le prescrire comme contraceptif[23]. On devrait mettre en parallèle la fréquence des infections avec un DIU *in situ* et les risques d'infections dans un avortement précoce, auquel cas son action ne semblerait pas trop mauvaise. Paradoxalement, une fois établie l'action abortive du DIU, il aurait dû devenir illégal dans la plupart des pays, car si libérales que soient les lois sur l'avortement, il n'existe aucun code pénal autorisant les avortements non contrôlés. Une fois encore le DIU joue les danseurs de limbo, mais l'espace se rétrécit. La FDA donne la description suivante de l'action du stérilet :

La présence du DIU provoque toujours une réaction inflammatoire de l'endomètre. Peu après l'insertion, on observe de nombreux granulocytes dans l'endomètre et dans les cellules utérines ; se développent ensuite des cellules géantes, des cellules mononucléaires, des plasmocytes et des monocytes. On pense aujourd'hui que ces cellules sont responsables des effets contraceptifs du DIU, soit par phagocytose des spermatozoïdes et/ou du blastocyste, soit par inhibition de l'implantation du blastocyste à la suite des transformations chimiques provoquées par le dispositif dans l'endomètre. Pour étayer cette théorie, on a démontré que le produit de la dégénérescence de granulocytes neutrophiles, de macrophages et autres cellules intrautérines est toxique pour les blastocystes[24].

La FDA laisse ouverte l'hypothèse de l'effet contraceptif mais sans grande conviction ; on peut difficilement attaquer quatre cents millions de spermatozoïdes de course comme on attaque un seul gros blastocyste qui cherche un nid ; que le DIU perde son efficacité s'il se déplace dans le col au lieu de rester en contact avec l'endomètre semble indiquer qu'il a pour fonction de supprimer l'implantation et non d'éliminer les spermatozoïdes.

L'énoncé de Malcolm Potts sur le mode d'action probable du dispositif, typique de l'obstination des responsables du planning familial, expliquerait l'une des origines de la méfiance dont a souffert la carrière internationale du DIU :

> Comme la pilule, le DIU peut provoquer des effets secondaires contraires à la fécondation. Il peut s'opposer au passage des spermatozoïdes, mais il est certain que la fécondation est possible avec un DIU en place et que la grossesse sera pourtant généralement évitée. Un DIU inséré après un coït sans protection empêche la grossesse. La pose postcoïtale du DIU est de loin préférable à l'utilisation postcoïtale d'hormones et elle deviendra d'ici peu plus courante. A l'inverse, dans le cas où le stérilet est retiré au milieu du cycle, même si la femme prend des précautions contraceptives par la suite, un ovule déjà fécondé peut encore s'implanter. Biologiquement, le dispositif intra-utérin a des fonctions abortives. Cette possibilité n'empêchera aucun médecin de le prescrire et aucune femme raisonnable ne se laissera troubler par cette réalité ; deux observations qui soulignent la véritable différence entre la destruction d'un œuf récemment fécondé et un avortement en cours de grossesse[25].

Ce qui est exact sur le plan biologique l'est aussi sur le plan de la logique ; le Dr Potts aurait aussi bien pu déclarer que le DIU est un abortif. Il règne une incertitude autour du stérilet parfaitement démontrée par le fait qu'une possibilité pour les médecins devient une réalité pour les femmes, et (artifice classique des arguments spécieux) qu'aucune personne saine d'esprit ne va trouver à redire à ce qui est dit. Ceux que leur foi religieuse empêche de considérer la fonction du DIU avec sérénité sont, par définition, déraisonnables. Ceux qu'exaspère la mystification entourant la nature véritable du DIU, qui soupçonnent une distorsion de la logique dans les arguments, et sont trop respectueux de leur corps pour y enfouir les outils de l'avortement sont à ranger dans la même catégorie.

Moins hypocrites que leurs homologues anglo-saxons, les planificateurs chinois de la famille présentent le DIU comme un abortif qui inhibe l'implantation de l'œuf fécondé. Le conseil donné aux porteuses de stérilet d'éviter les bains et les rapports sexuels pendant les deux semaines qui suivent l'insertion ou le retrait d'un DIU est sans doute une tentative intelligente pour limiter la fréquence des M.S.T.[26]

Qu'un DIU inséré après le coït sans protection inhibe la grossesse ou, en langage de planning familial, qu'il « empêche la grossesse de se poursuivre », ou encore « empêche l'implantation », semble prouver qu'il n'agit pas essentiellement en s'opposant à la rencontre du spermatozoïde et de l'ovule. L'insertion du DIU dans l'avortement préventif est aujourd'hui couramment pratiqué à la Fondation Marie-Stopes et dans les services de consultation prénatale à Londres. La méthode la plus récente de contraception postcoïtale consiste à administrer des doses élevées d'œstrogènes, généralement sous forme de diéthylstibestrol. Bien que l'histoire du DES soit connue, il est encore coutumier dans les campus américains de l'injecter comme un « contraceptif du lendemain », c'est-à-dire comme un abortif précoce. Méthode qui n'est pas sans inconvénient : si l'administration préventive peut passer pour une contraception du lendemain, elle ne fonctionne pas automatiquement et une femme qui refuserait un avortement provoqué une fois enceinte courrait le risque inacceptable de porter un enfant atteint de malformations.

Néanmoins, on trouve encore des médecins que ce fait ne trouble pas et qui ne cherchent pas à savoir si leurs patientes ont l'habitude de se bombarder d'œstrogènes. Le professeur John Newton de l'université de Birmingham trouva bon d'informer via l'*Observer* que la plus simple des précautions du lendemain dans le cas d'un rapport sexuel sans protection était de prendre deux doubles doses, à douze heures d'intervalle, d'Ovran ou d'Eugynon 50, c'est-à-dire d'avaler 2 mg de DL-norgestrel en douze heures[27]. Ces produits ne se trouvant pas encore sur les rayons des supermarchés, ce conseil n'était pas d'une grande utilité, excepté pour celles qui utilisaient déjà la pilule — ou peut-être pour leurs filles qui n'étaient pas en âge d'en avoir besoin. L'abortif tel que le suggère le Pr Newton semblerait être celui qu'utilisent le plus couramment les adolescentes.

En Angleterre, la confusion qui règne à propos de l'aspect moral de cette forme d'interruption se retrouve dans les considérations médico-légales. Le Département de la santé et des services sociaux affirme que la contraception postcoïtale par doses massives d'œstrogènes ou insertion d'un DIU est légale tant qu'elle a lieu dans les soixante-douze heures suivant les rapports sexuels. En pratique, les patientes sont censées dire qu'elles ont eu des rapports sexuels moins de soixante-douze heures avant de se présenter à la clinique. Pas une méthode sur terre ne permet au médecin de savoir si l'avortement préventif correspond véritablement aux rapports en question, à moins que la patiente soit assez idiote pour donner la date exacte de ses dernières règles. (Toutes les adolescentes ont appris à dire « quatorze jours et de toute façon je n'ai pas de règles régulières ».) Peu satisfait de cette restriction, le Pregnancy Advisory Service a demandé conseil à Ian Kennedy, professeur de droit au King's College de Londres. Sa conclusion n'apporta aucune précision.

> La pilule du lendemain et les autres méthodes de contraception postcoïtale sont légales, à condition d'être utilisées en tant que mesure d'urgence...

Ce que nous pourrions interpréter comme : présentez-vous l'air égaré et si possible avec du sperme dans le vagin !

> D'après M. Kennedy, l'usage de la pilule et des autres méthodes est légal à condition qu'elles soient utilisées avant l'implantation de l'œuf dans l'utérus.

Autant contourner la question car personne ne peut être sûr qu'un œuf a été fécondé ou que l'implantation s'ensuivra.

> Le contrôle postcoïtal des naissances sera légal et considéré par la législa-
> tion comme une contraception et non comme un avortement, jusqu'à la
> période maximale d'implantation... de sept à dix jours...

Pour l'association Life, l'avortement préventif ou interruption de grossesse entre dans la définition de l'avortement d'après la loi de 1861 contre
les atteintes aux droits de la personne. Aux dires de Kennedy, une expulsion spontanée n'a lieu que s'il y a eu « carriage », c'est-à-dire implantation. Si son interprétation ne triomphe pas, non seulement les pilules
postcoïtales et les insertions, mais le DIU lui-même pourraient tomber sous
le coup de la loi. La minipilule aussi deviendrait illégale, les seuls véritables
contraceptifs étant ceux qui suppriment l'ovulation[28]. Au moins ceux qui
choisissent la stérilisation évitent-ils ces coupeurs de cheveux en quatre et,
qui plus est, ne font de mal à personne d'autre qu'eux-mêmes.

Potts choisit le DIU comme contraception postcoïtale de préférence à
des stéroïdes fortement dosés, reconnaissant que ces derniers peuvent
provoquer des effets néfastes sur le fœtus en cours de développement. Il
affirme malencontreusement que des doses normales de stéroïdes ne présentent aucun danger pour le fœtus :

> Heureusement, il n'existe aucune preuve que la pilule à dosage normal,
> même prise par erreur par une femme enceinte, puisse porter atteinte à
> l'embryon[29].

Un stéroïde synthétique à « dosage normal » n'existe pas ; Potts prend le
terme au sens d'« habituel », mais l'utilisation du mot « normal » est plus
rassurante. Parce que les dosages de stéroïdes ont tendance à être unifor-
mes et non calculés par rapport au poids de l'utilisatrice, certaines utilisatrices de contraceptifs oraux sont toujours surdosées. La question du dosage
exact est loin d'être résolue, mais Potts laisse envisager le contraire, avec
une condescendance paternelle à l'égard des responsabilités des femmes
vis-à-vis d'elles-mêmes et de leur progéniture. De toute façon, une attitude
rassurante ne sert à rien, car si elles ont recours aux stéroïdes, les femmes
enceintes les utiliseront à fortes doses, comme le suppose le professeur
Newton. En fait, les travaux de Aarskog, Levy, Cohen et Fraser, Janerich,
Piper et Glebatis, Nora et Nora, Harlap, Prywes et Davies, Ambani, Joshi,
Vaidya et Devi, Heinnonen, Slone, Monson, Hook et Shapiro, et de
Lorber, Cassidy et Engel, établissent sans ambiguïté que les stéroïdes sont
des agents tératogènes, et ne donnent aucune assurance que les dosages
fassent une différence. Comme avec l'alcool, il est vraisemblable que ce
n'est pas la quantité de produit qui est cruciale, mais le timing de son
impact[30].

Celle que répugne l'idée d'un utérus muni en permanence d'un appareil
avorteur recherchera naturellement une méthode d'interruption de début
de grossesse sans danger, propre et contrôlable. C'est seulement dans le

contexte du contrôle des naissances que les médecins acceptent sans discernement l'idée d'un remède puissant que le patient doit prendre constamment même s'il n'a pas été exposé à la maladie. Avant de prendre une décision, une femme doit se demander non seulement si l'intensité de sa vie sexuelle annule à ses yeux les dangers et les inconvénients du DIU mais aussi si les risques de concevoir justifient la transformation de son utérus en abattoir empoisonné.

Si l'on devait trouver une méthode d'avortement au 28e jour qui soit simple et sans risque, elle serait de loin préférable à la fonction malpropre, incontrôlable et mystérieuse du DIU. On n'obligerait pas de très jeunes femmes à subir l'insertion d'un stérilet à une période de leur vie où la majorité de leurs cycles ne sont pas ovulatoires, comme on l'a fait au cours d'une expérience monstrueuse à Uppsala où l'on inséra des Copper T 2000 ou des Copper 7 sur 243 jeunes femmes d'un âge moyen de 13 à 20 ans. Un cinquième d'entre elles expulsèrent le stérilet, un quart le firent retirer, il y eut cinq grossesses intra-utérines. La fréquence des salpingites aiguës est plus élevée chez les femmes très jeunes et on compta sept cas de retrait pour ce motif. Les chercheurs suédois n'ont eu d'autre solution que de déconseiller le DIU en tant que « contraceptif » pour les jeunes nullipares. Certains de leurs sujets ont payé cher d'avoir eu foi dans leur conclusion[31].

La grossesse de l'adolescente est un des problèmes les plus graves auxquels sont confrontés les responsables du planning familial. En 1978, le Select Committee on Population de la Chambre des représentants a consacré une semaine entière d'audiences à ce problème, parce que :

> Plus de 1 000 000 d'adolescentes se sont retrouvées enceintes l'année dernière. Au moins 30 000 d'entre elles avaient moins de 15 ans. Vingt pour cent de nos jeunes filles de 14 et 15 ans ont une activité sexuelle... un tiers de toutes les naissances chez les adolescentes entre 14 et 19 ans sont illégitimes. En outre, cinq sixièmes de tous les nouveau-nés de filles de 14 ans et moins sont nés en dehors du mariage... Vous serez peut-être aussi étonnés que moi d'apprendre que la grossesse de l'adolescente aux États-Unis est considérablement plus fréquente que dans n'importe quel pays en voie de développement[32].

L'un des arguments mis cent fois en avant par les experts autorisés fut que le comportement sexuel de l'adolescente différait totalement de celui de l'adulte et que les formes les plus efficaces de contraception, à savoir le DIU et la pilule, ne convenaient pas au contexte d'une activité sexuelle irrégulière. On se pencha sur les avantages d'une pilule « du lendemain », de préférence à une médication anticonceptionnelle. Et l'on s'inquiéta surtout de voir supprimer l'emprunt fédéral pour l'avortement comme il le fut en 1979, obligeant les jeunes fauchés dont le seul espoir reposait sur l'aide médicale à endosser les conséquences de leur précipitation. Les six cents pages de témoignages recueillis au cours de cette semaine amènent à une conclusion évidente : dans le cas de l'avortement, il faut supprimer les coûts et charges de l'hospitalisation, de même que la douleur, la culpabilité et la peur, si nous voulons que nos belles paroles sur l'idéal de la liberté sexuelle deviennent réalité. Aucun contraceptif n'est approprié à la période tumultueuse de la découverte de l'amour et du sexe, où la prise de conscience de la possibilité immédiate d'une grossesse joue un rôle important.

Bizarrement, les participants au congrès opposés à l'avortement ne firent aucune objection à l'insertion du DIU chez les adolescentes, mais personne n'eut le cran d'affirmer franchement qu'il n'y avait qu'un seul moyen de résoudre le problème, l'avortement gratuit, rapide et non traumatisant. L'acceptation du DIU alors que l'on rejette des méthodes simples d'interruption volontaire de grossesse est pure et banale hypocrisie. Mais ce qui est moins banal, c'est l'insensibilité d'une morale élastique envers la vie et la santé de jeunes femmes qui n'ont qu'à supporter des dispositifs aussi diaboliques. Au cours de toutes les sessions, on entendit la même fiction : il existait une technique contraceptive adéquate et le seul problème était une question d'administration et de CAP (Connaissance-Attitude-Pratique). Une jeune future mère eut malgré tout son mot à dire sur tout ce gâchis :

> J'ai eu tellement de problèmes avec les différentes méthodes de contraception que cela a fini par me taper sur les nerfs et je me suis arrêtée... On m'avait mis un stérilet, que j'ai expulsé. Il s'était tordu et déplacé. Après ça, j'ai attendu un certain temps avant d'en venir à la pilule. J'ai eu des saignements pendant dix-sept jours, et je suis allée à l'hôpital de l'université Harvard où ils m'ont fait une piqûre et donné des médicaments parce que je perdais trop de sang... Un tas de gens ne se rendent pas compte, surtout chez les hommes, que les femmes sont des êtres humains. (*Rires*). Nous en avons simplement marre de nous bourrer de tout cet attirail. C'est trop éprouvant[33].

Que des jeunes aient recours à l'avortement comme première méthode de contrôle des naissances provoque la consternation générale, alors que la vue d'une toute jeune femme aux prises avec une médication puissante et potentiellement destructrice laisse les gens froids. C'est une attitude punitive ; si les jeunes désirent pratiquer une activité sexuelle, ils doivent mettre leur santé en jeu ou supporter des enfants non désirés et un mariage forcé. Notons au passage que le président du congrès fut beaucoup moins troublé par le phénomène tragique des mariages d'adolescents que par le taux croissant des unions illégitimes.

Pour la plupart, l'avortement signifie encore une dilatation et un curetage qui nécessitent une hospitalisation et une anesthésie ; s'il n'existait pas d'autre méthode d'interruption de grossesse, il serait justifié de refuser l'avortement comme une forme de contrôle des naissances. Au cours des douzaines de débats et de conférences publiques sur l'avortement auxquels j'ai participé, il m'a semblé clair qu'on ne pouvait parler d'un avortement de principe, ou de l'avortement idéal, parce que les conférenciers et les auditeurs ignoraient que les techniques de l'avortement s'étaient perfectionnées[34]. La conviction générale est que l'avortement est une intervention coûteuse pratiquée par un personnel médical hautement qualifié et que la seule autre éventualité est l'avortement clandestin exécuté par une vieille sorcière dans des conditions sordides à l'aide d'une aiguille à tricoter. Les lois et régulations sur l'avortement ont pour but évident de contrôler les profits de ce personnel hautement qualifié, et ceux qui luttent pour la libéralisation de l'IVG justifient généralement leur action en rappelant le fléau de l'avortement clandestin. La seule façon de résoudre le problème est de développer des services d'IVG peu coûteux, faciles d'accès, qui puissent répondre avec rapidité à la pression de la demande afin de ne pas retarder inutilement l'intervention et d'éviter aux femmes d'avoir recours à des intermédiaires privés et illégaux.

Cette démarche comporte une prise de position à l'égard de l'avortement que très peu d'autorités officielles sont prêtes à soutenir ; en attendant, les femmes souffrent d'une situation absurde où l'on voit des hôpitaux publics avec des listes d'attente de neuf mois, des cliniques privées bondées de femmes venues de l'étranger subir un avortement tardif, une simple interruption de grossesse se transformer en intervention chirurgicale avec un taux de complications criminellement élevé, le crime organisé s'étendre dans les cliniques d'avortement et des milliers de lits d'hôpitaux dans le monde entier occupés par des femmes qui ont été massacrées ou se sont massacrées elles-mêmes dans leur désir désespéré de ne pas avoir d'enfant. Si l'on pouvait offrir aux femmes la possibilité d'une intervention abortive sans risque et précoce au lieu de les envoyer faire le tour de tous les services privés et publics, tandis que leur corps s'ajuste aux exigences d'un fœtus en train de se développer inexorablement vers la viabilité, il semblerait insensé et pervers de ne pas la rendre accessible à toutes. Pourtant, entre les impostures et les compromis, c'est exactement ce qui s'est passé.

Après la pilule stéroïde, les possibilités les plus intéressantes sont offertes par une certaine forme d'agent lutéinique, une pilule du mois qui agira directement sur le corps jaune afin que celui-ci cesse de sécréter la progestérone nécessaire au maintien de la grossesse. Le professeur Carl Djerassi lui-même a résumé les avantages d'une telle pilule par rapport aux stéroïdes contraceptifs :

> Une telle pilule prise une fois par mois aurait au moins quatre avantages sur les contraceptifs oraux actuels. Premièrement, il est plus pratique de prendre une seule pilule par mois qu'une pilule par jour. Deuxièmement, une administration périodique à court terme (une fois par mois) devrait donner des effets moindres à long terme, en premier lieu parce que l'agent est destiné à agir à un moment donné sur un processus biologique bien défini au lieu de s'interposer sur de longues périodes à tout l'équilibre hormonal. Troisièmement, un agent lutéolytique serait aussi efficace qu'un contraceptif indépendamment du fait que la fécondation a eu lieu — il pourrait déclencher la menstruation chez la femme qui n'est pas enceinte et provoquer un avortement en début de grossesse chez une femme enceinte. Quatrièmement, un tel

agent pourrait être actif à n'importe quel moment durant les huit premières semaines après la fécondation ; il pourrait alors être pris tous les deux mois[35].

L'utilisation impropre que fait le professeur Djerassi du terme contraceptif est typique d'une ambiguïté dont le but est de garder l'action de la minipilule et du DIU hors du champ de la polémique autour de l'avortement. Il apparaît évident à tout scientifique que s'il vaut mieux prendre un médicament uniquement lorsque la nécessité s'en présente, il vaut mieux prendre la pilule lutéolytique seulement en cas de retard des règles ; néanmoins Djerassi insiste sur la régularité de l'utilisation, que ce soit une fois par mois ou tous les deux mois. Cet excès de scrupules s'étend à l'avortement en début de grossesse désigné sous l'euphémisme de régulation menstruelle.

En donnant à cette méthode le nom de régulation menstruelle, on espéra qu'elle n'entrerait pas dans la classification des méthodes d'avortement, à partir du moment où elle était pratiquée le 28e jour de chaque cycle et pas simplement lorsque les saignements étaient retardés. La technique utilisée est simple, elle consiste à aspirer le contenu de l'utérus à l'aide d'une canule (4 mm) en effectuant une traction accompagnée d'un mouvement de rotation afin d'explorer toutes les faces de la cavité utérine. Elle ne demande rien d'autre qu'une asepsie, une certaine dextérité de la part de l'opérateur, les canules et une seringue. Djerassi, pour qui la pilule lutéolytique devait être prise régulièrement, est d'un avis différent quand il s'agit de la régulation menstruelle.

> Bien que fréquemment pratiquée sans test de grossesse (spécialement dans les pays en voie de développement), cette méthode est définitivement peu souhaitable étant donné que moins de 10 % des aménorrhées sont dues à la grossesse. Lorsque nous aurons à notre disposition des tests de grossesse nouveaux et plus précis (les tests actuels sont déjà fiables dès la première semaine de la fécondation, c'est-à-dire, avant la première période d'aménorrhée), la régulation menstruelle ne devrait être pratiquée qu'après un premier test positif de grossesse[36].

La femme qui demande une aspiration menstruelle n'a peut-être pas envie d'attendre la confirmation d'une grossesse, particulièrement si elle vit entourée de toute sa famille et craint les réactions de sa belle-mère[37]. Elle pourra toujours savoir après coup si elle était enceinte par un examen du contenu utérin. Cet examen révélerait également les anomalies qui pourraient bouleverser son cycle et qui devraient être prises en compte si elle désirait devenir enceinte par la suite. Beaucoup de femmes n'ont pas la possibilité de se rendre régulièrement à la consultation de l'hôpital ; elles ont surtout besoin d'une aide immédiate et décisive, sans formalités ni conseil excessif, car la décision difficile est déjà prise.

En octobre 1977, on introduisit un programme d'assistance médicale de l'enfant et de la mère dans 70 villages au Bangladesh, dans la région de

Matlab. Les soins étaient prodigués par des femmes sur place qui faisaient office d'aides paramédicales ; en d'autres termes des praticiennes clandestines, pour une fois correctement formées et équipées. Dans quatre cliniques à la périphérie et une à Matlab même, six assistantes sociales du planning familial pratiquaient la régulation menstruelle.

> La méthode, équivalente à celle d'un avortement provoqué en début de grossesse, est proposée dans un contexte où l'interruption volontaire est interdite du point de vue religieux et culturel et où elle est socialement associée à des rapports sexuels illicites. Il ne fait toutefois aucun doute que de nombreuses femmes désireuses d'interrompre leur grossesse demandent aussi bien l'aide des guérisseuses traditionnelles que celle des *dais* du village (accoucheuses traditionnelles). Un dixième des femmes admises dans le service gynécologique de l'hôpital de Dacca en 1979 souffraient de complications (principalement des lésions de l'utérus) après un avortement provoqué par des personnes de ce genre[38].

La technique n'équivaut pas à un avortement provoqué — c'est un avortement provoqué qui porte un autre nom — mais les hommes de science sont convaincus d'être supérieurs aux guérisseuses et aux sages-femmes bien que l'on puisse se demander si le chiffre relativement peu élevé de dix pour cent ne souligne pas un degré inhabituel de savoir-faire. Les femmes du monde entier payèrent très cher le mépris manifesté à l'égard des « personnes de ce genre » qui pratiquent une interruption de grossesse peu coûteuse et à la portée de toutes.

En 1975, le *Journal of Pharmaceutical Sciences* publia un article étonnant sur les résultats d'une étude informatique de 3 000 plantes qui auraient des effets directs sur le système reproducteur humain. A partir d'information « folklorique », des pharmacologues de toutes nationalités ont tenté pendant les vingt dernières années d'isoler les agents actifs dans les plantes et d'établir les mécanismes de leur fonctionnement. Dans les dix dernières années, les travaux se multiplièrent pour aboutir au Special Programme of Research, Development and Research Training in Human Reproduction mis en place par l'OMS dans six centres universitaires à Hong Kong, à Séoul, au Brésil, à Sri Lanka, à Londres, et dans l'Illinois. Le programme fut dirigé par le Pr Norman Farmsworth[39]. La boucle est ainsi bouclée, car l'histoire des femmes qui ont perdu le contrôle de leur fécondité est liée à la disparition de la science des « herbes », supplantée par la médecine moderne professionnelle.

La façon dont

> les praticiens américains d'avant-garde qui allaient devenir les pères de la médecine scientifique lancèrent un mouvement concerté et couronné de succès pour améliorer, rendre professionnelle et finalement contrôler la pratique de la médecine aux Etats-Unis

fut en partie racontée par James C. Mohr dans *Abortion in America*[40]. On doit toutefois ajouter que la commercialisation de la science des herbacées a coïncidé avec sa dégradation et une diminution considérable de son efficacité. Les préparations végétales, qui comprenaient de l'ellébore noir, de l'aloès, de l'essence de genièvre, du jalap, de la scammonée, du polygale de Virginie, du pouliot, et d'autres plantes probablement inefficaces, furent vendues à des prix insensés par des gens sans scrupules qui ne se souciaient ni du dosage ni de l'action synergique des autres composés. Comme le savent trop bien le Pr Farmsworth et ses confrères, il n'est pas toujours facile de garantir que la bonne partie de la plante est utilisée, qu'elle est cueillie au stade de développement voulu, que l'agent actif n'est pas détruit au cours de la préparation ou de la conservation, qu'elle est administrée à la patiente au bon moment dans le cycle de la grossesse, et que l'administration se poursuit pendant le laps de temps nécessaire. Des erreurs de dosage dans les purgatifs et les poisons peuvent provoquer des effets incontrôlables, s'étendant de l'inefficacité totale aux complications utérines graves et à la mort.

On a découvert des sucs de plantes qui influent sur le cycle reproducteur à tous les stades, de la suppression de l'ovulation à la création d'un environnement vaginal ou cervical hostile aux spermatozoïdes, et pendant toutes les phases de la grossesse. L'étude de Farmsworth établit clairement qu'il existait six fois plus de substances abortives que contraceptives — y compris celles qui faisaient obstacle à l'implantation plutôt qu'à la fécondation. Cette différence peut signifier que les substances agissant sur l'utérus sont plus nombreuses que celles qui agissent sur l'hypothalamus ; mais elle signifie avant tout que les produits botaniques ont toujours et partout été utilisés pour traiter l'aménorrhée, et que le recours aux abortifiants d'origine végétale est plus élevé lorsque les autres moyens ont échoué. En d'autres termes, les peuples ont de tout temps préféré réguler la fécondation par des pratiques non scientifiques, faisant appel aux moyens médicaux uniquement en cas d'urgence. Dans la liste établie par Farmsworth des plantes à effet contraceptif, y compris celles qui selon les critères de l'auteur de cet ouvrage sont des abortifs précoces, la majorité des plantes utilisées ont peu ou pas d'effets imprévisibles, en cela qu'elles réduisent la fécondité au lieu de la supprimer totalement pendant des périodes données.

Dans son « étude sur les plantes utilisées comme médicaments suivant les méthodes Ayurvedic, Unani et Tibbi », J. F. Dastur n'utilise pas le mot « contraceptif ». La seule plante à laquelle il attribue des vertus contraceptives, notant simplement que les femmes en mangent les graines pour prévenir la conception, fut à plusieurs reprises testée par les pharmacologues indiens dans les années 60, qui lui attribuèrent des propriétés anti-œstrogènes, ajoutant qu'elles étaient toxiques en cas d'usage régulier. Par ailleurs, les vingt-huit abortifs figurant sur sa liste sont presque tous d'une efficacité scientifiquement éprouvée et accessibles à ceux qui savent reconnaître les plantes (la plupart sont extrêmement courantes) et possèdent les connaissances élémentaires pour la préparation des composés actifs[41].

Ne croyons pas que chaque parcelle de terrain vague renferme une multitude de plantes miraculeuses qu'on n'a plus qu'à se fourrer dans la bouche ou dans un autre orifice pour rétablir les règles. La plupart des plantes abortives, prises oralement, exercent une double action, à la fois toxique et stimulante sur l'utérus. La femme se rend malade au point de mettre la vie du fœtus en danger et l'action directe du remède sur le muscle utérin expulse le fœtus mort ou mourant. Les femmes qui subissent des méthodes d'avortement aussi brutales ont besoin de soins constants ; le remède peut mettre plusieurs jours à agir et provoquer de violentes contractions de l'utérus accompagnées de modifications de la température, du rythme cardiaque et de la pression sanguine, avec des hémorragies importantes[42]. Un avortement par des méthodes traditionnelles dépend de l'immense courage physique de la patiente et du savoir-faire de celui ou de celle qui l'assiste. La société masculine peut interdire la pratique de l'avortement et nier son existence, mais ce refus de la réalité s'achète au prix de la culpabilité des femmes. Celles qui risquent leur vie pour servir le bien commun ont pour toute récompense le fardeau secret et parfois déchirant de la honte au lieu de l'estime qu'elles méritent. Celles qui partagent ce risque, s'efforçant de faire le nécessaire avec des moyens insuffisants et dans des conditions insalubres, sont souvent mises au ban de la société, consultées en cachette et considérées avec dégoût.

En Europe, on utilisait couramment les essences volatiles de tanaisie (herbe-aux-coqs), de rue, de pouliot, de persil (apiol) et de genièvre (sabine), habituellement associées avec des alcaloïdes et d'autres substances organiques possédant des propriétés catalytiques. Il est de nos jours pratiquement impossible de déterminer leur mode de fonctionnement et le degré de leur efficacité car les procédés exacts sont oubliés. Extraits et composés préparés en laboratoire peuvent manquer de certaines propriétés essentielles, comme la vitamine C pharmaceutique est moins efficace que celle des oranges fraîches. Qui plus est, l'avortement traditionnel n'était pas seulement une histoire de plantes administrées par voie orale. On plaçait dans le vagin des pessaires irritants et stimulants de l'utérus, en les enfonçant parfois même au fond de la cavité utérine. L'une des méthodes courantes d'avortement dans le sous-continent indien consistait à insérer dans le col une brindille, une racine ou une écorce émoussée qui dilataient peu à peu le col en absorbant le contenu des parois utérines tandis que leurs propriétés volatiles et aromatiques stimulaient l'utérus et empêchaient l'infection.

En Occident, une sonde ou cathéter urétro-vaginal est un substitut moins efficace. Des infusions d'herbes hypertoniques accéléraient le processus de l'expulsion. La méthode n'était certes pas agréable, mais comparée aux pratiques médicales et chirurgicales en cours avant l'invention de l'anesthésie, c'était un délice. Elle comportait et comporte encore des risques, liés avant tout à la compétence et à l'habileté du praticien. Dans des circonstances où une telle paramédecine est active, compétente et respectée, au lieu de rester dans l'ombre de la blouse blanche, l'avortement comporte probablement moins de risques que la naissance, et ce fait à lui seul explique pourquoi tant de femmes y ont recours. On perçoit encore cette tragique autodétermination féminine dans le recours des ouvrières anglaises au gin, à l'huile de ricin, aux bains d'eau bouillante, à la quinine, à l'ergot de seigle ou à la strychnine. Vous pouvez vous ébouillanter, vous soûler à mort ou avaler un plein bol de quinine, vous aurez des chances de perdre votre bébé. Vous y perdrez peut-être aussi la vie.

En théorie, les avortements provoqueraient plus de complications lorsqu'on laisse la grossesse se développer[43]. Il existe certaines preuves que la dilatation du col et l'aspiration du contenu utérin en tout début de grossesse comportent des risques ultérieurs sur la fécondité, mais les défenseurs acharnés de la régulation menstruelle y attachent peu d'importance. Les résultats des recherches d'un agent lutéolytique sont encourageants, mais des études encore plus poussées ont lieu sur le groupe des protéines humaines complexes et puissantes connues sous le nom de prostaglandines. Il y a cinquante ans, des chercheurs découvrirent qu'une substance contenue dans le sperme humain provoquait les contractions de l'utérus ; en 1935, le prix Nobel Ulf von Euler donna à cette substance le nom de prostaglandine, croyant à tort qu'elle était produite par la prostate. En fait, les prostaglandines sécrétées dans divers tissus de l'organisme sont nombreuses et elles ont apporté une amélioration conséquente dans le traitement des troubles de la coagulation du sang, de l'ulcération de l'estomac, de l'hypertension, et des rhumatismes. La première utilisation médicale des prostaglandines fut mise en pratique par le Dr S. S. Karim dans son Ouganda natal. Après les avoir expérimentées pour provoquer le travail pendant l'accouchement, il les utilisa en 1970 pour interrompre la grossesse[44].

La question qui se posa en premier lieu fut celle du mode d'administration. On ne pouvait pratiquer l'instillation dans une veine que graduellement, et si les avortements qui résultaient étaient complets, les effets secondaires des prostaglandines sur les processus vitaux se révélèrent inacceptables. L'administration orale était beaucoup plus contraignante pour l'estomac, aussi Karim décida-t-il d'introduire dans le vagin des pastilles de lactose contenant 20 milligrammes de prostaglandines. Sur les vingt patientes de son échantillon, il n'eut qu'un seul échec. Limiter les effets secondaires — nausées, crampes abdominales et hémorragies — resta dans le domaine du possible. Le mode d'administration sous-cutané ou intramusculaire fut abandonné. Karim et les autres chercheurs sur le terrain établirent donc que la meilleure méthode était de bombarder l'utérus de fortes doses répétées de prostaglandines. Il fallut alors traiter les effets secondaires, « diarrhées, frissons, maux de tête, toux, crampes et vertiges » à l'aide d'autres médicaments et garder la patiente en observation à l'hôpital à cause du risque d'évanouissement. Néanmoins, les chercheurs jubilaient ; l'avortement en kit était en vue. En 1975, M. Bygdeman déclara que l'ovule de prostaglandines

> élimine hospitalisation, personnel et anesthésie ; est presque à 100 % efficace dans les interruptions de grossesse à condition qu'on l'administre dans les quatre premières semaines après l'aménorrhée ; convient à une consultante externe ; peut diminuer les risques liés à une intervention utérine ; provoque des effets secondaires minimes et facilement contrôlables ; semble sans danger pour la femme qui n'est pas enceinte ; peut être administré sans assistance[45].

Toutefois, G. M. Filshie, qui participa dès le début au programme conduit par le Pr Karim en Ouganda, se montre plus réservé quant à la possibilité d'une utilisation courante des prostaglandines dans le cas d'aménorrhées. Il doute d'une part que les femmes elles-mêmes connaissent suffisamment les processus de leur organisme pour utiliser correctement le médicament, et d'autre part que le personnel paramédical soit capable d'établir la phase de la gestation. L'autoadministration des prostaglandines en cours de grossesse évoluée peut déclencher l'avortement, mais la procédure est beaucoup plus dangereuse et une dose trop forte peut provoquer des lésions utérines, des hémorragies et la mort. Par ailleurs, prescrire une interruption par prostaglandines à un stade précoce de la grossesse comporte des risques liés à l'ignorance du public, et à l'insuffisance des services médicaux. Et pour conclure, il ressort un vieux cliché, à savoir que les effets secondaires des prostaglandines décourageraient la plupart des femmes de les prendre régulièrement comme s'il s'agissait d'un contraceptif[46]. Comme la majorité des chercheurs sur le terrain, Filshie perpétue la confusion entre contraception et interruption de grossesse.

Des observateurs plus cyniques verraient dans tout ce galimatias un étrange manque d'intérêt pour un médicament qu'on pourrait ne jamais avoir besoin d'utiliser et qui serait tout au plus nécessaire deux ou trois fois par an. Pour les femmes dont la vie sexuelle n'est pas particulièrement intense — sans doute la majorité — un paquet de trois ovules de prostaglandines devrait suffire pendant des années consécutives. Son utilisation relativement désagréable pourrait renforcer d'autres formes de régulation tout en supprimant le poids de l'angoisse qui les accompagne. Aujourd'hui, les prostaglandines sont couramment utilisées dans les IVG à l'hôpital, directement instillées dans l'utérus ou introduites comme une pastille silastique et placées avec un applicateur comme un stérilet. Les gels à la prostaglandine constituent la méthode la plus sûre de provoquer les avortements du deuxième trimestre.

Les prostaglandines ont été synthétisées avec succès, et ne sont plus les dérivés coûteux de liquides organiques qu'elles étaient autrefois. Les brevets appartiennent en grande part aux laboratoires multinationaux, qui ne montrent aucune hâte à déclencher l'effondrement de leur gigantesque marché de contraceptifs oraux en remplaçant trois cents et quelques pilules par femme/année par une moyenne six ou neuf fois moins élevée. Pendant ce temps, les contrôleurs des populations s'arrachent les cheveux, car dans des pays où les avortements répétés sont de loin plus traumatisants que ne le seraient les nausées, diarrhées, frissons et diaphorèses provoqués par les prostaglandines, la mise à la portée de tous de cette méthode rendrait un service considérable. Le Dr Reimert Ravenholt s'était intéressé avec passion aux prostaglandines dès les premières expériences de Karim. Il m'a ouvertement déclaré qu'il avait l'intention d'utiliser les fonds de l'AID pour distribuer les prostaglandines dans les pays sous-développés en sa qualité de directeur des services démographiques et qu'il les ferait fabriquer en Italie ou dans tout autre pays ne prenant pas en considération les brevets pharmaceutiques[47]. Malheureusement peut-être, il fut relevé de ses fonctions avant d'avoir pu mettre son plan à exécution. Si quelques femmes ont été sauvées, bien d'autres ont perdu la vie.

Jusqu'ici le débat s'est exclusivement porté sur l'interruption précoce de la grossesse, que l'on confond parfois de manière inexcusable avec la contraception, et que l'on distingue en d'autres occasions de la contraception et de l'avortement en la qualifiant d'interception. D'un point de vue technique, qu'elle soit pratiquée par aspiration, médication lutéolytique ou sous forme d'ovule à la prostaglandine, l'interception est possible, mais en termes pratiques, ce n'est pas une option viable. L'obscurantisme et l'inertie du personnel médical ont pour conséquence de transformer l'interception en projet illusoire, lui préférant la pratique d'un avortement sans équivoque. Pour ceux qui voient une différence essentielle entre interception et avortement, promouvoir des méthodes interceptives peut signifier faire campagne contre l'avortement. Pour ceux qui préfèrent appeler un chat un chat, l'interception a seulement l'avantage considérable de ne pas tourmenter les femmes avec un retard inutile. C'est une intervention minime avec un taux de complications extrêmement faible, moins coûteuse qu'une intervention chirurgicale, exigeant moins de contribution de la part du médecin et pouvant être pratiquée à domicile ou en ambulatoire. Si la viabilité du fœtus est prise en considération, ce qui devrait toujours être le cas, l'interception a l'avantage supplémentaire de ne pas laisser la vie se développer davantage qu'il n'est absolument nécessaire.

Il existe, paraît-il, des tests peu coûteux et précis bien qu'effectués à peu de jours d'aménorrhée, mais dans la réalité, les praticiens préfèrent pourtant attendre le 42e jour après les dernières règles ou plus, et prennent ensuite une semaine ou dix jours supplémentaires pour communiquer les résultats. Les femmes dans les programmes expérimentaux peuvent avoir des expériences différentes, mais celle qui aborde le problème de l'aménorrhée fait surtout l'expérience de la confusion et de l'atermoiement. Tous les contrôles du taux d'avortements, qu'ils consistent à ne pas autoriser plus d'avortements par vingt-quatre heures qu'il n'y a de lits autorisés, à demander le consentement d'autres médecins ou psychiatres, ou à maintenir des services hospitaliers insuffisants, créant ainsi une liste d'attente de neuf mois, ont pour effets de prolonger les grossesses non désirées et de rendre leur interruption plus problématique qu'il n'est nécessaire. Peu de maladies demandent une décision aussi précipitée qu'une grossesse non désirée ; dans tout autre cas, le retard et la confusion responsables d'interruptions de grossesse du 2e trimestre seraient jugés comme un manque de probité de la part du médecin. En refusant une opération mineure qui se transformera nécessairement quelques semaines plus tard en une intervention plus importante avec anesthésie générale, il n'agit pas dans l'intérêt de sa patiente. Pas plus qu'il ne se conduit de manière responsable envers le fœtus, dont la faculté de souffrance augmente à mesure que se développe sa viabilité[48].

Les défenseurs les plus éclairés du droit des femmes à choisir partent d'un point de vue curieusement étroit, peu significatif de l'histoire des femmes du monde entier et de leur lutte avec la vie et la mort. Thomas Szasz est un homme d'une grande perspicacité, mais il expose le problème sous une forme ethnocentrique et institutionnalisée :

> L'avortement relève de la morale et non de la médecine. Sans nul doute la procédure est-elle chirurgicale ; mais cela n'en fait pas plus un problème médical que la chaise électrique ne fait de la peine capitale un problème d'électricité[49].

Pour lui retourner sa propre comparaison, nous pourrions dire que l'avortement chirurgical a le même rapport avec l'avortement en général que l'exécution par électrocution avec la mort. Les avortements peuvent être spontanés, comme ils le sont dans leur grande majorité, ou provoqués par le DIU, des médicaments, la maladie ou même par des massages. On estime que 80 % des avortements en Thaïlande sont provoqués par une technique dont on retrouve la pratique en Malaisie et aux Philippines.

> Chun est une avorteuse de 20 ans qui a pris la succession de sa mère dans le village. Ses clientes — elle en voit environ sept par mois — s'allongent par terre sur le dos, jambes écartées, un coussin ou un vêtement roulé sous le dos pour relever le bas du ventre. Chun localise la masse fœtale par palpation externe et pousse sur l'utérus avec ses talons nus placés juste au-dessous de l'os pubien.
>
> La masse est délogée par un mouvement de pression et de traction qui part de l'os pubien jusqu'au nombril, puis la région de l'abdomen au-dessus de l'embryon est massée avec le pouce et la base de la paume. L'opération entière peut prendre vingt à trente minutes ou plus dans le cas où Chun s'arrête parce que sa patiente se plaint de douleurs trop fortes ; si nécessaire, elle reprend le lendemain...
>
> Les cas rencontrés en Thaïlande sont très divers et comprennent aussi bien des femmes célibataires que des femmes mariées, de catégories professionnelles qui s'étendent des milieux agricoles aux étudiants et aux fonctionnaires. La plupart des avortements s'effectuent au cours du premier trimestre, bien qu'on en pratique occasionnellement au 7e ou 8e mois et parfois aussi

sans attendre l'absence de règles... Le prix d'un avortement s'élève de 170 baht (65 F) à 660 baht (230 F) — très peu d'avorteuses pratiquent des prix abusifs[50].

L'avorteuse de village en Thaïlande est une experte dans son domaine ; à Harley Street, ses mains vaudraient de l'or et elle aurait soixante-dix patientes par semaine. Par contre, son travail serait peut-être plus difficile, car ses patientes viendraient de plus loin, terrifiées et tremblantes, angoissées à l'idée de payer le prix abusif prétendument dû à un expert et justifié par la garantie qu'il n'y aura pas de complications. L'avortement par massage entraîne des complications, dans la même mesure que l'avortement spontané après les premières semaines nécessite un curetage. Il a surtout l'avantage d'avoir lieu en dehors de tout cadre institutionnel, dans une ambiance familiale, et de répondre uniquement à la pression de la demande. Les Thaïlandaises qui n'ont pas accès au réseau du village peuvent se rabattre sur l'avortement institutionnel, légal en cas de viol ou d'inceste, de menace grave pour la vie ou la santé de la mère, ou avec le consentement de deux médecins ; en 1975, on ne compta que 1 200 cas d'avortements de ce type. Maintenant que les hôpitaux thaïlandais traitent les complications de l'avortement, spontané ou provoqué, l'élément de risque que comportait l'avortement au village a diminué : sur 3 500 femmes qui ont eu des avortements septiques, incomplets ou à complications traités dans un seul hôpital de Bangkok, il faut compter celles qui ont fait appel aux avorteuses et d'autres qui ont utilisé des préparations à base d'herbes vendues dans la plupart des épiceries de village.

> Ce n'est pas une question de justification médicale et psychiatrique de l'avortement, mais d'éthique et de politique sociale. Si nous croyons réellement que, dans une société libre, le spécialiste devrait être à la disposition du public et non aux commandes, il faut placer le pouvoir de décider du moment et du lieu de l'avortement entre les mains des femmes enceintes et non entre celles de l'Eglise, de l'Etat, de l'American Medical Association ou de l'American Law Institute[51].

La suite du raisonnement de Szasz est de la même veine. La lutte pour le contrôle de l'incontrôlable représente l'héritage de milliers d'années au cours desquelles la société humaine a été gouvernée et officiellement organisée par le sexe qui ne menstrue pas.

La femme enceinte a évidemment tort de passer outre l'avis professionnel ou personnel de l'« expert » quant à la voie à suivre. Utiliser la compétence, l'intelligence et le zèle du praticien contre sa propre volonté revient à le réduire à l'état de machine. Et il est inconcevable de réduire quiconque à l'état de machine, que ce soit pour faire des bébés ou pour tuer des bébés. C'est pour cette raison même que fut entreprise la lutte pour le droit à l'avortement[52]. La démarche de Szasz pour donner à l'avortement une valeur supérieure au droit de l'individu à refuser son intervention reflète sa propre foi dans le pouvoir des institutions, mais les femmes ont toujours vécu et sont mortes en dehors de la légalité, de la religion, de la morale établie et de l'idéologie de la vertu. C'est pourquoi on les qualifie de primitives, pragmatiques et autres adjectifs. La seule mesure sensée à prendre dans l'exemple thaïlandais est de fournir à l'avorteuse de village ce dont elle manque, des soins de première urgence en cas de complications, un environnement de travail conforme à l'hygiène, des assistantes et la liberté d'opérer sans crainte de poursuites.

Dans des pays comme l'Italie, la législation sur l'avortement est souvent aussi mal adaptée qu'en Thaïlande. Dans la majorité des cas, les avortements sont pratiqués par des sages-femmes dont le seul critère est le désir de leur patiente et qui demandent un prix très modeste. La nouvelle loi italienne sur l'avortement permet seulement aux cliniques de luxe de fonctionner ; les sages-femmes qui font de leur mieux pour offrir un service nécessaire travaillent toujours hors de la légalité.

Au temps de la dilatation et du curetage, les chirurgiens préféraient attendre les deux dernières semaines du premier trimestre parce que le contenu utérin était alors plus facile à extraire. D'autres formes primitives d'avortement se pratiquaient au cours du deuxième trimestre ; cela pouvait aller de la rupture de l'amnios par massage exécuté par des sages-femmes en Asie à la méthode incroyablement brutale des Indiens Yanomanös, chez lesquels la femme enceinte couchée sur le dos était piétinée par une amie qui « lui sautait sur le ventre pour rompre l'amnios ». Chez d'autres, on plaçait une planche sur le ventre de la femme enceinte, et deux personnes la piétinaient à tour de rôle. A des degrés moindres de brutalité, nous avons la gamme des insertions d'objets pointus dans l'utérus accompagnées d'instillations de toutes sortes de liquides, formes plus primitives de la méthode habituelle d'interruption de grossesse au cours du deuxième trimestre qui se fait en deux stades, instillation et évacuation.

Nous pouvons seulement nous incliner devant l'héroïsme des femmes qui ont subi de telles tortures et admirer la détermination qu'implique leur courage. Les Indiens Yanomanös pratiquaient aussi bien l'infanticide que l'avortement, et sacrifier un nouveau-né semblait préférable au risque de mettre en péril la vie et la santé d'une mère de famille active qui avait d'autres bouches à nourrir ; mais les femmes enduraient cette épreuve plutôt que de tuer leurs bébés[53]. Certaines étaient forcées d'avorter par des maris qui craignaient que l'enfant ne fût pas d'eux. D'autres se laissaient ainsi martyriser parce qu'elles ne pouvaient pas sevrer prématurément le dernier-né, ou qu'elles n'avaient pas de quoi nourrir un enfant de plus. Le taux de complications ne pouvait qu'être énorme. Lésions utérines, déchirures et hémorragies se produisaient sûrement plus souvent que l'expulsion réussie de tout le contenu utérin. Ce qui en résulte est clair : les femmes risqueraient la mort plutôt que de mettre au monde un enfant non désiré.

L'aspect sentimental de la maternité a brouillé la véritable nature de la fonction maternelle telle qu'elle s'est exercée depuis la préhistoire. En réalité la maternité est une fichue histoire, depuis les premières menstruations jusqu'aux grossesses, naissances, fausses couches, morts infantiles et morts de la mère. En plus des vertus de tendresse, patience et oubli de soi, une mère devait faire preuve de courage et de détermination. Mettre des enfants au monde au service de son peuple ne suffisait pas. Il lui fallait être attentive à ce que le nombre de ces enfants restât en équilibre avec la population adulte et la quantité de vivres nécessaires. A elle d'ordonner à sa servante de ne pas laver l'enfant péniblement mis au monde, ou de s'assurer qu'il ne respirait pas. A elle de lui défoncer le crâne avec une pierre, de le jeter par terre ou contre un arbre, de l'étrangler ou de l'étouffer.

De tels actes de violence étaient les plus cléments ; le destin d'enfants jetés dans les fossés ou dans les décharges, abandonnés et morts de froid dans la nature était plus cruel, comme peuvent en témoigner ceux qui ramassèrent les enfants des soldats américains dans les caniveaux au Viêt-nam. Plus cruel encore est le sort de ces millions de petites filles qui succombent peu à peu aux maladies infantiles rendues mortelles par des années de malnutrition chronique. Lorsque le garçon est un atout et la fille une charge condamnée à une vie de labeur, de misère et de soumission, lorsque la nourriture est rare, le fils mange et sa sœur ne mange pas. Quand les garçons sont malades, les parents pauvres parcourent des centaines de kilomètres pour chercher de l'aide ; les filles détournent seulement la tête du côté du mur. Les missionnaires bien intentionnés qui remuèrent ciel et terre pour inciter les autorités à lutter contre l'infanticide réussirent en fait à déséquilibrer la population et à condamner les enfants de sexe féminin à une mort lente[54]. La leçon est claire : *si vous ne voulez pas les nourrir, ne les condamnez pas à vivre*, mais elle ne fut jamais suivie.

La pratique observée de l'infanticide chez les peuples à économie de chasse et de cueillette, comme les Bushmen du Kalahari, les aborigènes australiens, les Esquimaux et les Indiens Yanomanös, nous oblige à considérer l'infanticide comme le mécanisme qui permit à l'homme de l'âge de pierre de réguler les membres de sa famille et de maintenir le rapport optimal avec son environnement[55]. Si de nombreux anthropologues s'indignent que l'on explique par l'infanticide le taux étonnamment lent de la croissance des populations préagricoles, Marvin Harris a bâti ses théories de l'histoire sur cette base et il déclare sans équivoque :

> En fait, la méthode de contrôle de la population utilisée pendant une grande partie de l'histoire de l'humanité fut probablement une forme d'infanticide féminin. Même si le prix à payer sur le plan psychologique pour tuer ou affamer ses propres nouveau-nés de sexe féminin peut être amorti en les définissant culturellement comme des non-personnes (de même que les défenseurs de l'avortement... définissent le fœtus comme un non-enfant), le coût de neuf mois de grossesse ne s'élimine pas si aisément. On peut sans risque de se tromper supposer que la plupart des peuples qui pratiquent l'infanticide préféreraient ne pas voir leurs enfants mourir. Mais l'alternative — réduction drastique des normes nutritionnelles, sexuelles et physiolo-

giques du groupe entier — a généralement été estimée plus indésirable encore, du moins dans les sociétés primitives[56].

Certains aspects de la thèse de Harris, il en conviendrait lui-même, sont un peu trop schématiques et généralisateurs. L'importance qu'il attache à une norme de vie sexuelle associée à la liberté du plaisir érotique est une extrapolation moderne, surtout dans des circonstances où l'homosexualité rituelle et naturelle était admise par ces sociétés dites primitives. L'abstinence sexuelle est loin de terrifier les illettrés autant qu'elle épouvante les générations postreichiennes. Néanmoins, lorsque les méthodes d'avortement sont dangereuses et rudimentaires, l'infanticide paraît plus raisonnable. Même en termes de morale chrétienne, on doit faire le calcul : l'avortement tue l'un et met la vie de l'autre en danger ; l'infanticide n'en tue qu'un seul. Harris ne prend pas en compte la fragilité du nouveau-né face à la vie dans beaucoup de sociétés, une fragilité aggravée par des pratiques apparemment dénuées de sens qui ont pour effet d'éliminer l'enfant, par exemple couper le cordon ombilical avec une faucille pleine de terre si bien qu'il meurt du tétanos des nouveau-nés ou envoyer les femmes accoucher dans des conditions de saleté dangereuses, comme on le fait encore dans les sociétés traditionnelles hindoues[57].

L'élément de décision individuelle et de sentiment de culpabilité dans l'infanticide peut être réduit si l'on a recours au hasard (exposition à la maladie, piétinement par des animaux) ou à des superstitions diverses ; on dit par exemple que les Tswanas du Botswana tuaient les nouveau-nés qui se présentaient à la naissance par le siège. Les peuples à économie de chasse et de cueillette tuaient un des jumeaux, parce que la femme préposée à la cueillette ne pouvait se charger de plus d'un enfant pendant ses longs déplacements. La stérilité de la lactation et l'abstinence permettaient d'éviter la naissance d'enfants trop rapprochés, mais lorsque ces méthodes échouaient, l'infanticide prenait le relais. Un enfant dont la mère mourait en couches était condamné à mort, ne trouvant personne d'autre pour le nourrir ; parfois un enfant dont le père était mort n'avait pas le droit de vivre. Parce qu'ils auraient représenté une trop lourde charge, les enfants contrefaits étaient tués. Ceux dont la mère n'avait pas de lait mouraient de faim. Dans les sociétés où existait un tabou sur le rapport sexuel pendant l'allaitement, la naissance d'une fille pouvait retarder l'arrivée d'un garçon et elle devait mourir.

Dans la plupart de ces cas, il y avait toujours une sorte de raison surnaturelle pour démontrer que de tels actes n'étaient pas voulus mais prescrits, afin que la mère trouvât le courage de les accomplir en gardant le sentiment de remplir un devoir coûteux et horrible de la seule façon possible. L'élément de stress était réduit par l'acceptation d'une volonté supérieure. Le nouveau-né exécuté faisait office de criminel ou de créature néfaste, un non-humain qui n'entre dans la vie qu'après l'accomplissement d'un rituel dont le baptême moderne, en lavant la tache du péché originel, n'est peut-être qu'un pâle reflet. La fréquence de la mort infantile renforce

l'attachement des peuples infanticides à leurs enfants survivants. Paradoxalement, l'infanticide caractérise fréquemment des cultures où la relation
maternelle est très forte ; la perte d'un enfant affligerait tellement des
parents qui ont tué leurs autres enfants que celui-là peut avoir une chance
de survie. On enterrait parfois les frères et les sœurs décédés sous le seuil
ou le sol de la maison, afin qu'ils restent membres de la famille, collective-
ment représentés par les survivants. Une étrange survivance du concept de
la continuité consiste à donner aux enfants le nom de leurs aînés décédés,
comme si un enfant en remplaçait un autre.

L'homme primitif ne pouvait se permettre de consacrer une part importante de ses ressources à la survie d'enfants chétifs ; l'homme moderne,
dont les chances de mettre au monde des enfants génétiquement inaptes
sont probablement plus grandes, est moralement obligé de garder ses
enfants en vie, aussi longtemps qu'il est humainement possible, même si ces
malheureux doivent passer leur existence dans l'isolement d'espaces stériles. Le meurtre d'un nouveau-né est incompatible avec la sensibilité d'aujourd'hui, ou du moins est-il censé l'être[58]. Nous croyons respecter la vie
humaine parce que notre morale est supérieure, alors qu'il nous manque la
notion d'un bien commun nourri par ces choix difficiles. Nous acceptons
uniquement une sorte de bien abstrait qui a des impératifs arbitraires et
parfois destructeurs. Nos concepts seraient plutôt légalistes que moraux,
dans la mesure où le terme « moralement » s'applique plus spécifiquement
à la responsabilité envers les autres qu'au respect de la loi. Si nous considérons notre attitude dans le cas de l'enfant mongolien cité dans le chapitre
premier, nous ne sommes pas autorisés à afficher une supériorité morale
sur ceux qui auraient considéré le mongolisme comme la marque du diable
et tué l'enfant, ou qui l'auraient en toute innocence asphyxié en lui donnant
le sein.

Notre économie capitaliste en expansion, où n'existe virtuellement
aucun lien apparent entre la population et le montant des ressources, ne
permet pas la définition d'un bien moral que suscitait la vie dans des
communautés distinctes avec des ressources stables. Le développement de
l'agriculture a sans doute été stimulé par les besoins d'une production
intensive, accrue par le refus croissant des peuples à survivre grâce à
l'infanticide et à la guerre. De nombreuses religions, dont l'islam et le
bouddhisme, ont attiré en partie leurs fidèles en offrant un moyen d'échapper à l'infanticide, tandis que l'idéologie de la production encourageait
celle de la reproduction. Les familles sont devenues impérialistes alors que
les individus privés du droit de se reproduire, adultères et fornicateurs,
supprimaient leur progéniture.

L'« infanticide déguisé » était un moyen de limitation qui prévalait en
Europe de l'Ouest à la fin du dix-huitième et au début du dix-neuvième siècle
(Darwin, 1871, vol. 1, p. 129 ; von Öttingen, 1882, p. 236). Langer (1972,
p. 6-8) fournit une documentation très précise de cette pratique répandue en
Angleterre et en France. Après l'établissement de l'admission gratuite en

1756, qui entraîna l'hospitalisation de quelque 15 000 enfants au cours des quatre années suivantes, le London Foundling Hospital fut comparé par l'un de ses directeurs à « un abattoir de nouveau-nés », car la mortalité y était presque aussi élevée que le nombre d'entrées. Il existait bien sûr des moyens plus directs de se débarrasser d'un enfant non désiré. Les sanctions légales étaient légères et sans effet. En 1862, le médecin W. B. Ryan écrit que non seulement l'infanticide n'est pas considéré par le public en général sous le même jour que les autres crimes, mais qu'on ne rencontre aucun autre meurtre qui « bénéficie d'autant de compassion ». Et l'infanticide était également répandu sur le continent. Entre 1824 et 1833, une seule décennie, 336 297 nouveau-nés furent confiés à des hospices en France, pour y subir le même sort que leurs semblables en Angleterre. Il semble qu'à la fin du dix-huitième et au début du dix-neuvième siècle, 80 % des enfants trouvés moururent dans leur première année[59].

Les faiseuses d'anges en Europe à la fin du dix-huitième et au début du dix-neuvième siècle ont peut-être eu des analogues plus anciens, mais leur existence semble correspondre à l'établissement d'un prolétariat urbain. Avant la législation du travail, on employait de préférence des femmes dans les usines, parce qu'elles étaient plus fiables que les hommes et moins portées sur la boisson. La survie de leur famille dépendait de leur présence à l'usine et leurs fréquentes grossesses dues à la détresse et au déracinement étaient simplement ignorées. Nombre d'entre elles faisaient des fausses couches à l'usine, d'autres mettaient leur bébé au monde et retournaient sur-le-champ accomplir leurs douze à seize heures de travail quotidien, le corsage taché de lait. Les nouveau-nés étaient placés chez une nourrice qui apaisait leur faim avec du laudanum et il mourait ainsi des dizaines de milliers de bébés chaque année dans les villes d'Europe occidentale.

Les crimes des faiseuses d'anges n'étaient pas considérés comme des infanticides[60]. Les mères devaient travailler, les enfants attendre, et le laudanum était le bienvenu. De nombreuses données établissent d'autre part que la loi ne poursuivait pas sévèrement l'infanticide, à moins qu'il ne fût l'objet d'un scandale. Le sort cruel de tant d'enfants d'ouvrières pauvres ne soulevait qu'un minimum de commentaires, ou bien on attribuait le taux élevé de mort infantile dans la classe laborieuse à l'ignorance et à l'apathie. En 1903, un quart des enfants nés dans les villes industrielles mouraient[61]. L'éventualité que les mères de familles où un enfant mourait de faim (y compris dans la propre famille de Marx) pratiquaient une sorte de sélection *ad hoc* est atroce ; elle laisse entrevoir une angoisse démesurée. Mais dans le regard vide de ces milliers de femmes qui restent assises avec leur enfant mourant sur les genoux au moment où j'écris ces lignes ne se lit pas l'apathie, mais l'épuisement consécutif à des décisions surhumaines conçues dans la peur, l'incertitude et l'espoir de trouver une solution[62]. On fait la charité, on ne résout pas les problèmes ; les *peace workers* seraient horrifiés de découvrir que le plus fort prend toute la nourriture et que celui qui a faim n'a rien à manger. La maternité, comme la nature, peut se montrer sanglante.

Les démographes peuvent s'acharner avec une habileté étonnante à calculer le temps nécessaire à une famille pour remplacer un enfant mort, leurs statistiques ne rendront jamais compte de la différence entre la mort d'un enfant désiré et celle d'un enfant qui ne l'est pas, entre la mort d'un garçon et celle d'une fille[63]. Tant de nuances distinguent la résignation devant la mort inévitable d'un nouveau-né et le meurtre délibéré d'un enfant qu'il est impossible de connaître la signification réelle de la mort infantile dans chaque cas particulier ; si le lait maternel fait défaut, on trouvera une autre source de nourriture pour un garçon, tandis que pour une fille la mort sera le meilleur sort.

L'infanticide n'est plus alors une simple histoire de filles déshonorées qui jettent leurs bébés dans la cuvette des toilettes sous l'effet d'un déséquilibre post-partum ; c'est une part sombre et secrète de la maternité elle-même. En créant l'image d'une femme inhumaine, ou sous-humaine, les hommes ont pu établir d'éclatantes superstructures idéologiques d'où les femmes sont exclues, mais leur vain idéalisme est bâti sur la réalité brutale de la lutte des femmes avec les forces de la vie et de la mort qui sont entre leurs mains[64].

En conséquence, dans de nombreuses cultures, les femmes considèrent les hommes comme des enfants qui passent leur journée à fumer et à parler de politique et de morale ; et pendant qu'ils délibèrent sur l'avortement, elles achètent dans leur *souk* des douzaines de poisons abortifs, connaissent une femme qui utilise une racine particulière et une autre experte en massage. Et si ces mêmes hommes se montrent incapables de nourrir les enfants qui sont la preuve de leur virilité, ce sont les femmes qui les conduiront doucement hors d'un monde où ils n'auraient jamais dû venir. Ces femmes n'envient pas l'univers masculin ; elles le considèrent comme un monde dérisoire, le plus souvent absurde. Quant à leurs propres souffrances, elles ont appris à les affronter, à endurer toutes sortes d'atrocités et de tortures mentales, y compris la mort, sans crier grâce. Mais si cette grâce est possible, nous, nous n'avons pas le droit de la leur refuser au nom de notre attachement de privilégiés à un code moral moins sévère, mais arbitraire et confus.

La promotion de la contraception comporte une intrusion dans l'intimité de ceux dont les possibilités de défense sont très limitées, parfois réduites à la seule pudeur. Elle comporte des hypothèses grossières sur la fréquence des rapports sexuels, l'endroit où ils ont lieu, les lits, les chambres, l'eau courante et une vie sexuelle « hygiénique ». La situation est trop tragique pour se contenter d'une solution aussi superficielle, et ce ne sont pas les statisticiens qui résoudront le problème de la surpopulation qu'ils ont créé de toutes pièces. C'est le problème de la naissance d'enfants non désirés, l'échec des systèmes endogènes de contrôle après des siècles d'intervention malencontreuse. Les anciens freins à l'accroissement de la population ne seront jamais remis en vigueur ; entre-temps, la technologie occidentale a dû s'employer à combler les brèches dans des systèmes qui sont loin d'être totalement périmés. La mesure la plus immédiate, utile et efficace serait de pratiquer des méthodes d'avortement susceptibles de passer pour des méthodes contraceptives. Les mères elles-mêmes et les sages-femmes traditionnelles prescriraient le traitement et on éviterait la mise en scène et la noble résistance qui caractérisent l'avortement aux yeux mêmes de ses partisans, alors que l'aspiration n'a cessé de se pratiquer depuis dix ans et que le DIU fait avorter ce qu'on veut au petit bonheur.

Le grand épouvantail de la campagne contre l'avortement a toujours été l'interruption tardive, lorsque les enfants crient avant d'être jetés dans l'incinérateur. Les féministes s'éreintent à répéter que les femmes devraient avoir le droit de tuer leur fœtus à n'importe quelle phase de la grossesse tandis que les anti-avortement confondent toutes les interruptions de grossesse avec l'avortement du dernier trimestre. Il y a quelque chose de macabre dans cette hantise de l'avortement après les mouvements actifs du fœtus, et quelque chose de foncièrement absurde à vouloir prétendre que tous les fœtus, qu'ils soient de 10 jours, de 10 semaines ou de 20 semaines, sont identiques.

Il reste peu d'absolus après Einstein et l'avortement comme bien d'autres choses est une histoire de pour et de contre. Lorsqu'un avortement est retardé au point de devenir plus dangereux que la naissance, le pratiquer malgré tout est de la mauvaise médecine, antiféministe par surcroît ; néanmoins des pauvres gosses de 16 ans subissent des avortements du troisième trimestre par hystérotomie, dont elles porteront la marque toute leur vie. Les défenseurs du fœtus s'inquiètent uniquement des souffrances intangibles de l'enfant, mais la détresse, le désarroi et la peur qui ont tourmenté la mère depuis la conception sont tout aussi intolérables. Au lieu de porter toute l'attention sur le droit légal d'avorter aussi tard que possible, on devrait s'attaquer à l'obscurantisme et à la présomption qui rendent les interruptions de grossesse tardives si fréquentes. Dans chaque avortement provoqué joue un élément inacceptable de retard causé par l'inaccessibilité de l'information, le bon vouloir des médecins, la compétition avec les autres pratiques médicales, le charlatanisme, l'hypocrisie et le manque de pitié. Retard qui ajoute cinq ou six semaines à une grossesse non désirée, auxquelles se joignent des complications psychologiques, émotionnelles et médicales, tandis que le fœtus se développe inexorablement vers la viabilité[65].

On insiste sur les séquelles émotionnelles de l'avortement, comme si elles étaient créées par l'avortement en lui-même, ce qui n'est évidemment pas le cas, sinon toutes les porteuses de stérilet ou de tout autre dispositif abortif seraient en cabanon. La preuve la plus criante que le brouhaha autour de la consultation d'IVG n'est qu'hypocrisie est l'incapacité des services sanitaires à fournir l'aide psychologique nécessaire aux femmes qui ont perdu des bébés désirés en fin de grossesse. L'épuisement et la dépression qui suivent la fausse couche sont incomparablement plus pénibles que la tristesse et le chagrin consécutifs à l'interruption d'une grossesse non désirée, mais en guise de traitement, les femmes ont généralement droit au conseil de retourner en vitesse chez elles et de recommencer[66].

Bien sûr, la consultation d'IVG est nécessaire, comme l'est toute consultation avant n'importe quelle intervention chirurgicale, qu'il s'agisse de l'extraction d'une dent ou d'une opération à cœur ouvert. Les femmes qui avortent devraient savoir ce qu'elles font ; on se contente de leur raconter que les os du fœtus peuvent être brisés par une interruption à 12 semaines, que plus tard il sera écartelé, le crâne écrasé. De telles informations font sans doute plus que de pieuses exhortations pour obliger les femmes à éviter l'interruption tardive. Le fœtus ne leur est pas présenté comme une dent arrachée, et c'est aussi bien, car ce n'est pas leur faute si ce qui est extrait de l'utérus est plus bouleversant que ce qu'elles rejettent chaque mois. Un fœtus de 10 semaines n'est pas de la gelée rose, mais seule la femme qui perd son bébé spontanément sera à même de savoir ce qu'il y avait d'humain dans cette minuscule créature et de le regretter douloureusement pendant le reste de sa vie. Les femmes qui demandent à avorter (excepté bien sûr celles que des avorteuses illégales font rester assises sur un seau avec de l'eau savonneuse dans l'utérus jusqu'à l'expulsion) sont à l'abri du chagrin qui serait normal, et de la culpabilité qui ne l'est pas. Sont seules coupables la maladresse et la lenteur des mesures prises pour la libérer de la grossesse : la femme fait la seule chose possible ; ceux qui devraient l'aider rendent l'opération plus douloureuse, plus traumatisante, plus dangereuse et plus coûteuse qu'elle ne devrait l'être. Ce sont les uniques coupables, car seuls les meilleurs soins médicaux sont acceptables ; mais la profession ne les prescrit pas et ne le fera jamais tant qu'elle ne s'engagera pas totalement à pratiquer l'avortement immédiat sur demande.

Jusqu'ici nous avons présumé que les seules grossesses qui sont avortées sont accidentelles et que les seuls fœtus éliminés sont ceux dont les mères ne peuvent envisager qu'ils deviennent enfants. Dans un monde juste, ce serait le cas, mais le monde est loin d'être juste. Trop de femmes sont forcées d'avorter par la pauvreté, par leur partenaire ou par leurs parents. La pauvreté a plusieurs visages ; elle peut être la pauvreté de la jeune fille, de la célibataire, de l'étudiante, de la chômeuse, du sexe féminin ou une combinaison de ces cas. Lorsque sir Keith Joseph s'étonna de ce que les bébés illégitimes semblaient naître en grande majorité dans des groupes sociaux 5 et 6, Barbara Castle lui rappela vertement que les mères célibataires appartiennent toutes à des classes sociales 5 et 6, qu'elles y soient nées ou non. Victoria Greenwood et Jock Young résumèrent brièvement la situation :

> L'avortement par nécessité économique est une tragédie. On doit l'exiger du gouvernement non comme une dispense accordée aux femmes mais comme une conséquence de l'échec de l'Etat à donner les moyens d'élever des enfants et de subvenir aux besoins de la mère. L'avortement par choix, où n'intervient aucune pression économique, est un droit fondamental pour les femmes de contrôler leur propre fécondité, c'est la constatation de l'insuffi-

sance de la technologie contraceptive, c'est une nécessité pour l'égalité sociale des femmes[67].

L'avortement est un prolongement de la technique contraceptive et c'en est le prolongement le plus prometteur. Ce n'est pas une alternative à la contraception, car cette dernière est trop souvent un avortement déguisé. Qui plus est, si nous prenons en considération le droit des femmes à vivre, les formes les plus primitives de contraception, le condom et le diaphragme, jointes à l'avortement précoce sont les moyens les plus sûrs de contrôler sa propre reproduction en fonction de l'espérance de vie. L'avortement n'est pas un bouche-trou entre aujourd'hui et quelque futur contraceptif parfait ; il peut très bien être la méthode de contrôle des naissances préférée pour un nombre de plus en plus élevé de femmes.

Il peut être exact qu'en Bulgarie et en Hongrie, par exemple, où le taux d'avortements est extrêmement élevé, respectivement 98,5 %, 122,8 % de naissances vivantes, les chiffres diminueraient si une contraception satisfaisante était disponible[68]. Il est évident que dans les circonstances actuelles, les femmes choisissent l'avortement, et au lieu de regretter ce choix, le plus intelligent semblerait de leur fournir les meilleurs services en la matière. L'avortement peut être associé à une méthode au choix. Il peut par exemple pallier les échecs du coït interrompu, et en cela se rapporter à un ensemble complexe de valeurs et de préférences qui constitue la caractéristique culturelle des groupes humains. Pourtant il ne manque pas de planificateurs de la famille pour considérer qu'une part de leur rôle est de réduire le nombre des avortements dans une communauté, plutôt que de les améliorer, croyant résoudre la question en promouvant des méthodes contraceptives qui n'offrent pas plus de garanties que les anciennes pratiques. Cela résout aussi peu les problèmes des femmes dans ces pays que ne le faisaient les missionnaires en prônant la chasteté.

Les gouvernements du tiers monde dans leur ensemble sont prisonniers des règles de l'ancienne autorité coloniale : leurs agissements en matière d'avortement n'ont rien à voir avec les pratiques locales, et les planificateurs familiaux se retrouvent piégés entre des lois locales hypocrites et leurs propres supérieurs hostiles à investir dans la construction d'usines à avortement. Seule une thématique radicale peut véritablement aider les femmes dont les corps dévastés sont le champ de bataille sur lequel se vide la querelle entre les partisans de la vie et les partisans de l'avortement. L'ironie de la situation, c'est que les deux partis devraient lutter côte à côte.

8
Concepts de la sexualité

> « Donnez-moi l'antique saveur salée de l'amour !
> Comme je suis écœuré du sentiment et de la noblesse et
> de tout le gâchis baveux des adorations modernes. »
>
> D. H. LAWRENCE, *Sardaigne et Méditerranée*

L'homme moderne émancipé ne se reconnaît dans aucun grand destin, et ne se prosterne devant aucune image. Il se félicite de surmonter la peur et la superstition et affirme être entré dans les eaux calmes du rationalisme. Il regarde d'un œil mi-attristé, mi-amusé l'agitation des fanatiques et des dévots si facilement mobilisés pour combattre ses libertés chéries, lui-même trop indolent pour les défendre avec autant d'ardeur et de ténacité. Les libertés survivent néanmoins, car elles ne sont que des leurres destinés à le détourner de l'activité politique et des actions qui pourraient briser la vitesse acquise du pouvoir établi. Sans se douter qu'il est lui-même un gage, il prétend qu'elles sont le produit de la pensée rationnelle, et donc justes. Guidé par cette pseudo-rationalité, il juge arriérés, superstitieux et barbares les pays et les cultures où les mêmes droits ne prévalent pas. Le libéral moderne est un sectaire et son sectarisme résonne dans les couloirs de toutes les organisations internationales, les trusts humanitaires qui cherchent à étendre l'hégémonie culturelle de l'Occident chaque fois qu'ils accordent une miette d'« aide ».

L'*Homo occidentalis*, on l'a souvent dit, fait trop confiance à la raison et à sa capacité de l'utiliser, devenant de cette façon aussi arrogant et messianique que ceux qui se croient visités par l'Esprit saint et dotés de la sagesse suprême. L'autre aspect du rationalisme est plus rarement perçu. L'homme moderne est profondément religieux, mais sa religion n'est plus centrée sur la propitiation des puissances célestes ou infernales, mais sur la propitiation de lui-même. Michel Foucault avait raison : ce que nous avons toujours cru être une façon de briser un mutisme et de donner une attention longtemps refrénée à la sexualité humaine n'est en fait que la promotion de cette sexualité, la création d'un foyer des préoccupations de l'individu[1]. L'affirmation de Freud selon laquelle toutes les névroses s'accompagnent d'un dérèglement de la génitalité doit être interprétée au sens large, impliquant le devoir de maintenir la génitalité en bon ordre pour conserver le statu quo.

Le développement de l'approche freudienne par Reich, qui voit dans l'individu un système d'énergie fermé ayant besoin de décharger régulièrement l'énergie sexuelle accumulée pour bien fonctionner, est opposé à ses théories de la révolution[2]. Lorsqu'on transfère le centre d'attention du politique à l'érotique, la motivation de l'action politique est détruite. Parce que la mise en avant de la génitalité requiert la fidélité au principe du plaisir, elle s'oppose concrètement à la constitution du pouvoir politique conformément au principe de réalité. Reich lui-même l'a fort bien compris ; il a décrit comment toute révolution sociale trahit instantanément la révolution sexuelle, mais sans comprendre à quel point son concept faisait le jeu de l'économie de consommation et de l'Etat-monopole. Il finit par rejeter toute politique, et se tourna de plus en plus vers le mécanisme physique de l'orgasme, jouant inconsciemment le jeu de la commercialisation du sexe, même s'il était horrifié par ses manifestations. Comme Paul Robinson le décrit dans *The Sexual Radicals*, un texte parfaitement conforme à la religion du sexe de la deuxième partie du vingtième siècle :

> Il était obsédé par la pensée que des hommes dépravés allaient faire un mauvais usage de son autorité et déclencheraient une épidémie de « baisages effrénés ». Une fois de plus il modifia sa terminologie dans l'espoir de barrer la route à l'exploitation pornographique de ses découvertes. Le mot « sexe », devenu un horrible cauchemar de pénis froids fonctionnant à l'intérieur de vagins desséchés, fut totalement abandonné, et à l'expression « rapports sexuels » il substitua « étreinte génitale »[3].

Les idées de Reich furent adoptées par l'avant-garde à la fin des années 50 et devinrent la morale non avouée de la fin des années 60. Leurs défenseurs n'avaient aucun pouvoir politique, bien qu'ils fussent extrêmement en vue. Leurs idées influencèrent la législation et les coutumes non parce qu'elles étaient partiellement justes, mais parce qu'elles étaient adaptées à la perpétuation des mécanismes de pouvoir dans la société de consommation. Le sexe est le lubrifiant des rouages de l'économie de consommation, mais pour remplir cette fonction, la sexualité humaine doit subir un conditionnement particulier. Il faut rompre son rapport à la production, potentiellement destructeur, et éliminer ses aspects antisociaux, la passion, l'obsession, la jalousie et la culpabilité. La sexualité, composante de la personnalité, doit être localisée et contrôlée ; les fantasmes, au contraire, développés, enrichis et exploités. La promotion du sexe a commencé avec Sade et atteint son apogée dans une civilisation qui donne droit de cité à toutes les formes de la sexualité humaine, à toutes les perversions — sauf la passion. Leur terrain est la chambre à coucher du couple monogame peu fécond ; dans la mesure où elles prolongent la survie de la cellule de consommation, toutes les formes d'associations sexuelles sont acceptables, même l'adultère pardonné ou partagé.

> Le dispositif de sexualité a pour raison d'être non de se reproduire, mais de proliférer, d'innover, d'annexer, d'inventer, de pénétrer les corps de façon de plus en plus détaillée et de contrôler les populations de manière de plus en plus globale… La sexualité est liée à des dispositifs récents de pouvoir ; elle a été en expansion croissante depuis le dix-septième siècle ; l'agencement qui l'a soutenue depuis lors n'est pas ordonné à la reproduction ; il a été lié dès l'origine à une intensification du corps — à sa valorisation comme objet de savoir et comme élément dans les rapports de pouvoir[4].

Le nouvel opium du peuple, comme toute religion, a ses propres rites. La discipline imposée est celle de l'orgasme, non pas l'orgasme en soi, mais l'orgasme parfait, régulier, spontané, puissant et fiable. La fonction cathartique du sexe a remplacé tous les autres rituels de purification. En parfaite harmonie avec eux-mêmes, les bienheureux ne se dérobent pas à la pénétration, ils ne ressentent aucune violation de leur moi, ne craignent rien et ne regrettent rien, ils échappent à la jalousie. La fréquence régulière de l'orgasme prouve qu'ils sont en état de grâce. Objecter que cet orgasme est insuffisant pour la réalisation de ce grand dessein consiste à révéler sa propre impuissance orgastique, car la religion du sexe, comme toute religion, s'appuie sur l'accomplissement automatique des prophéties. Pour le fidèle qui croit que l'orgasme soulagera les tensions, rendra accessibles toutes les possibilités, dissipera l'agressivité et l'insatisfaction et stabilisera l'ego dans sa relation au monde, tous ces buts sont atteints une fois le devoir sacré accompli. Ceux qui sortent de l'orgasme déprimés ou irrités, déçus ou abattus, sont coupables. Ils ont dissimulé quelque chose, entretenu un profond scepticisme ; ils sont autodestructeurs.

Ceux qu'animent de telles convictions n'ont pas tous lu Reich, et beaucoup seraient en désaccord avec lui s'ils le faisaient. La religion du sexe s'est répandue insidieusement malgré ses prophètes dont les œuvres sont rarement lues, et de toute façon peu comprises, même lorsqu'elles ne sont pas contradictoires. Chacun croit comprendre ce que signifie le mot « sexe », alors qu'il réagit avec une idée préconçue. Le sexe est en fait une représentation magique, suggestive et totalement indéfinissable. Il comporte les notions de genre, d'érotisme, de génitalité, de mystère, de lubricité, de fécondité, de virilité, d'excitation, de neurologie, de psychopathologie, d'hygiène, de pornographie, et de péché, toutes planant au-dessus d'une expérience irrémédiablement subjective, et offrant par conséquent un terrain idéal pour la religion.

Certains sexologues, fatigués de travailler dans le brouillard, consacrent leur temps et un équipement extraordinaire pour découvrir comment fonctionne la machine. Reich a passé trois ans à mesurer la charge bioélectrique des organes génitaux. Masters et Johnson ont installé des caméras, des électrodes et autres appareils dans le but de découvrir quelle était la manifestation de l'orgasme parfait. Ils ne réussirent pas, et c'est aussi bien, car le dogme orgasmique avec son caractère religieux a besoin de paroles. Cependant tous les sexologues ont attribué plus d'importance au rôle du corps. Autrefois, les amants s'enflammaient avec des mots, parlés, écrits ou chantés, aujourd'hui ils savent quel bout de peau tripoter, comment et dans quel but. Ils peuvent également avoir recours sans honte ni dégoût à des moyens électriques, à des drogues, des excitants pornographiques vendus dans le commerce.

Nous rions aujourd'hui de ces peuples persuadés que jouir gaspillait une substance vitale qui aurait dû être mise de côté et ménagée comme des économies à la Caisse d'épargne ; bien que nombre de nos héros aient affirmé que l'abstinence sexuelle renforçait leurs exploits, nous pensons qu'une telle règle ne s'applique pas à nous. Nous ne croyons plus que l'énergie psychique déchargée au moment de l'orgasme soit soustraite d'une autre activité. Nous soutenons au contraire que la santé physique et la puissance spirituelle dépendent du déblocage des circuits afin de laisser circuler librement les courants vitaux.

Aucune de ces notions ne peut être démontrée expérimentalement, précisément parce que chacune est associée à une image de soi qui cherche à s'affirmer. Lorsque l'on croyait la masturbation débilitante, elle débilitait probablement celui qui la pratiquait, et la culpabilité autant que la peur du scandale nourrissaient les signes neurasthéniques, symptômes de l'activité. Prescrire la masturbation comme tranquillisant à l'heure du coucher ou pour rétablir le tonus utérin n'est pas moins irrationnel que supprimer les clitoris pour mettre fin à la manie masturbatoire : dans les deux cas, le résultat sur les patients a toutes les chances d'être satisfaisant.

L'activité sexuelle, généralement comprise comme l'activité sexuelle génitale, devrait commencer tôt et se poursuivre tout au long de la vie de l'homme moderne. Les mass media contribuent activement à promouvoir les rapports sexuels chez les vieillards et ces derniers croient aujourd'hui devoir s'y intéresser, aussi catégoriquement que les vieillards dans les civilisations rurales trouvent du dernier risible de s'intéresser au sexe passé l'âge de la reproduction. Lorsqu'il n'y a pas de petits-enfants avec lesquels exprimer ses élans de tendresse ni de pouvoirs à exercer dans la famille, le sexe est le leurre qui masquera la marginalité économique et l'impuissance des vieux. Si l'activité génitale vient à cesser ou diminuer, il faudra modifier l'environnement afin de rétablir le rythme ; les changements recommandés comprennent généralement le recours aux artifices sexuels, strip-tease en chambre avec ses accessoires, danse du ventre, costumes, vibrateurs, pornographie, films érotiques, partouzes, échangisme, sans oublier les piments plus grossiers du sado-masochisme, de la sodomie, de la bestialité et de la pédérastie. Les mystiques du sexe ne refusent aucune épreuve imposée par le devoir sacré de l'orgasme.

Celui qui cherche la félicité corporelle ne doit pas se laisser décourager par des questions de goût, de réactions émotionnelles, de famille ou de loi. Les mariages que ne couronnent pas des orgasmes fréquents et accomplis retrouveront leur jeunesse à l'aide d'accessoires, de sexologues, de conseillers conjugaux, et de stimulants de toutes sortes, ou seront rompus car être non orgastique correspond à un état de péché et de déshonneur. Poursuivre gentiment une inactivité sexuelle sans orgasme consiste à « vivre dans le mensonge », et les divorcés font volontiers état de cette situation avec horreur. L'adultère, s'il est commis dans un but aussi hygiénique que le rapport sexuel conjugal, est parfaitement acceptable, mais l'adultère avec un partenaire qui jouit difficilement dans la culpabilité ou le secret ne remplira pas son rôle de purification. Pour l'homme moderne, Tristan et Iseult étaient des névrosés.

Obstacle à l'orgasme, l'anxiété doit être éliminée, malgré l'obstination de certains à chercher des affaires douteuses dans les bas quartiers alors que l'on peut avoir des occasions superbes chez soi dans des draps de soie, avec accessoires rutilants, drogues ou cocaïne. Parce que l'orgasme est un droit et un devoir sacré, les couples modernes se recommandent réciproquement l'adultère et en commentent librement les bienfaits, chacun jouant pour l'autre le rôle de thérapeute. Cela s'appelle « être d'avant-garde » et agit en général au détriment des partenaires inconscients qui ignorent que leurs actes les plus intimes sont disséqués par le couple cannibale en train de se nourrir de leur influx, comme le guerrier primitif mangeait le cœur et le foie de son adversaire.

L'incapacité d'atteindre l'orgasme signifie pour certains être en *désaccord avec soi-même*, terme qui trahit l'égocentrisme fondamental de tout le culte, ou ne pas se sentir *dans son élément*, qui révèle que l'individu est détourné des centres d'intérêt sociaux et politiques. Les femmes dans ce cas se sentent aussi coupables qu'au temps où elles éprouvaient un désir sexuel naturel. Si elles veulent échapper au blâme ou à la pitié, elles sont dans l'obligation d'atteindre l'orgasme, et avec lui la décharge orgastique. La femme qui exige tous les moyens pour obtenir l'orgasme est remarquable, même si son partenaire n'est pour elle que le succédané d'un vibrateur. Si elle s'endort paisiblement sans avoir été « satisfaite », elle est incurable.

Tant que les femmes restaient relativement inaccessibles, la virilité ne pouvait être mise en doute : maintenant que le droit au plaisir érotique leur est reconnu, les hommes ne peuvent plus se raconter que leur libido est supérieure à ce que l'on exige d'elle. Ignorant la fréquence de l'activité sexuelle requise par la tradition établie, les hommes ne peuvent savoir si leur capacité orgastique est normale ou non. Autrefois troublés par une tumescence involontaire, ils auraient tendance aujourd'hui à s'inquiéter d'une détumescence embarrassante et réfractaire. Aucun sexologue ne conseillera à son patient de cesser de scruter ses sous-vêtements et de passer à une autre activité. Au contraire, il le soignera pour dysfonctionnement. Le traitement exige plus des hommes que des femmes, car ils sont à un certain degré responsables de l'orgasme de leur partenaire. Aujourd'hui où le sexe est devenu un devoir social qui remplace dans une large mesure la conversation et le flirt, et d'où les préliminaires psychiques ont par conséquent disparu, l'excitation érotique est dévalorisée. Le sexe, gymnastique rythmique détaillée dans une multitude de manuels sexuels, devient chaque jour plus mécanique. En promulguant l'extase universelle et régulière, les apôtres du sexe ont placé hors de portée la sublimation de l'acte sexuel.

En mars 1982, le correspondant scientifique de l'*Observer* rapportait que « les spécialistes du sexe ne sont pas parvenus à se mettre d'accord sur les causes du déclin de l'activité sexuelle dans le mariage ». Il est à noter qu'ils n'étaient pas en désaccord sur la réalité du déclin de l'activité coïtale dans le mariage ; le phénomène était supposé exister. Selon le Dr William James de l'University College de Londres, les résultats d'une récente étude en donnaient la preuve.

> Nous avons découvert que la majorité des couples avaient des rapports sexuels environ vingt fois au cours du premier mois de leur mariage. Un an après, la fréquence était tombée à dix, et ensuite elle déclinait d'année en année[5].

Le Dr James travaille au département du développement des mammifères à l'University College. Il aurait pu se baser sur une étude intéressante du singe rhésus pour éclairer quelque peu le problème, car il exclut la théorie développée par ses pairs à l'université de Caroline du Nord selon laquelle une baisse de l'activité hormonale chez la femme est responsable du phénomène. Richard P. Michael et Doris Zumpe au département psychiatrique de l'école de médecine d'Emory ont découvert que :

> les éjaculations diminuaient et les périodes de latence entre les accouplements augmentaient lorsque les mâles étaient régulièrement accouplés durant une période de trois à cinq ans (3 180 tests) avec des femelles castrées par ovariectomie et rendues constamment réceptives par des injections quotidiennes d'œstradiol. La diminution de l'appétence sexuelle était brutalement et complètement inversée en substituant aux premières un groupe de femelles nouvelles mais traitées de la même manière[6].

Nos cousins les singes étaient confrontés à des femelles toujours réceptives, comme le sont les maris modernes. Il est évident qu'ils souffraient d'ennui : le seul remède était l'adultère. Cela paraît assez proche de notre modèle du mariage stérile et de la monogamie en série. Peut-être certaines hormones faisaient-elles défaut aux femelles, et les mâles frustrés ont démontré sur l'une ou l'autre de leurs partenaires l'impossibilité de la fécondation. Peut-être le divorce pour cause de stérilité fait-il partie intégrante de la société des singes ; toute l'expérience rend plus improbable que jamais la position de Desmond Morris selon laquelle l'homme anthropoïde est une espèce fondée sur la constitution d'un couple même stérile.

On peut se demander si dans les sociétés où la monogamie est institution-nalisée, la vie sexuelle ininterrompue de l'homme moderne — isolée des facteurs extéroceptifs saisonniers — pourrait créer des conditions dans les-quelles des phénomènes similaires seraient observés. Dans ce cas, on pour-rait s'attendre : à une tendance à rompre et recréer de nouveaux liens (avec de nouveaux partenaires); à l'utilisation d'artifices culturels pour renouveler périodiquement les réactions à certains stimuli (habillement, ornements, coiffure et odeur); à une restriction périodique de l'activité sexuelle (tabous relatifs à la menstruation et à la grossesse, carême, périodes d'abstinence postnatale, etc.). Beaucoup des interdits et des coutumes qui se rapportent au sexe dans les sociétés humaines sont traditionnellement des mesures destinées à protéger chaque sexe de l'autre et la femme des exigences sexuelles constantes de l'homme. On pourrait aussi considérer qu'elles fonc-tionnent pour maintenir la puissance sexuelle du mâle. Les études sur le rhésus, peut-être inapplicables à l'homme, permettent de faire l'hypothèse qu'à défaut de facteurs responsables du rythme et de la fréquence de l'acte sexuel la puissance sexuelle mâle n'est pas totalement maintenue[7].

On ne fera pas de cette expérience sur les singes la clé de la sexualité humaine, mais d'une certaine façon, le scénario répond à notre attente. Nous aurions été stupéfaits si les singes s'étaient accouplés avec leurs femelles réceptives jour après jour, éjaculant aussi facilement à chaque fois. Bien sûr la période de latence s'allongeait (c'est-à-dire que les singes mettaient plus longtemps à être excités et à parvenir à l'orgasme). On ne dit rien des pauvres femelles dont les veines étaient remplies d'œstradiol. Les singes rhésus contractent le cancer de l'endomètre lorsqu'on leur inocule des doses fortes de DMPA, mais ils ne peuvent pas apprendre le strip-tease et la danse du ventre. Si les molles étreintes des animaux dans les laboratoi-res sont une image des mariages modernes, alors ce qu'elles nous appren-nent à ce sujet n'a rien de réjouissant. Dans certaines cultures, le mariage débute lentement ; le mari ne saute pas sur sa femme dès que la loi le lui permet, mais il l'approche peu à peu. Tous deux jugeraient humiliant de lire ensemble des ouvrages érotiques ou qu'elle se livre au strip-tease devant lui. Par sa réserve, la femme entretient le mythe de la virilité sans limite de l'homme.

Il est aujourd'hui hérétique de prêcher que la répression sexuelle a pour conséquence première d'intensifier le sexe, c'est-à-dire que le mystère et le danger rendent plus attrayante une expérience essentiellement banale. Il est maintenant universellement reconnu, dans l'Occident séculaire en tout cas, que toute forme de répression sexuelle est mauvaise en soi. Pour la plupart des Occidentaux, par exemple, la méthode des températures est tellement restrictive qu'elle est impossible à observer. S'abstenir de rap-ports sexuels pendant la menstruation est pusillanime. Les hommes croient sincèrement qu'entre trente et quarante ans la production séminale est si forte qu'un ou deux jours de chasteté les obligeraient à chercher une forme d'assouvissement. On affirme, avec quelque raison, que la règle de la chasteté est imposée aux membres de certains groupes comme une mesure de contrôle, et qu'ils passent leur temps à lutter pour maîtriser leurs pulsions. En fait, la chasteté est l'un des devoirs du religieux le plus facile à respecter ; mais apprendre que les partisans de la chasteté ne sont pas plus déréglés, incompétents, malheureux ou en mauvaise santé que toute autre catégorie de la population n'ébranlera pas d'un iota la foi du fanatique de l'orgasme. Beaucoup croient simplement que le vœu de célibat n'est jamais respecté, que les prêtres ont des liaisons avec les nonnes et le reste, tout comme les protestants au seizième siècle affirmaient que les mares des couvents étaient remplies de squelettes de fœtus[8]. Pour la religion moderne du sexe, le sexe est la force la plus puissante du monde, et son pouvoir est inéluctable.

Cette religion comporte sa propre forme de répression, à savoir une effrayante orthodoxie sexuelle. Toutes les cultures qui n'exaltent pas le sexe sont par essence mauvaises et leurs membres gagnés par un syndrome de névrose auquel il faut s'attaquer. Selon Freud, les êtres humains ont en eux un fort degré d'énergie sexuelle que les civilisations jugent destructrice et s'efforcent de réprimer : les riches oppriment les pauvres par essence inaptes, les plus âgés écrasent la saine et joyeuse activité des jeunes et la religion fait planer sur un acte innocent un ensemble terrifiant de phobies et de vieilles doctrines. John H. Gagnon et William Simon ont conclu de leurs études des populations en prison que les niveaux de l'activité sexuelle différaient d'un établissement à un autre, et ils avancèrent la théorie révolutionnaire que le niveau de l'activité sexuelle était déterminé par des conditions sociales et culturelles[9].

Nous savions depuis longtemps que les cultures différentes expriment différemment l'activité sexuelle ; alors que certains ont un « affect fort » (à savoir qu'ils sont obsédés par le sexe en pensée et en parole) et une activité sexuelle faible (c'est-à-dire des contacts génitaux peu fréquents), d'autres ont un « affect faible » (une attitude détachée à l'égard du sexe) et un degré élevé d'activité sexuelle. En 1971, Donald S. Marshall et Robert C. Suggs publièrent une série d'essais sur l'*Human Sexual Behaviour* où ils étudient certaines de ces variations et leur causes éventuelles, mais en supposant toujours que la totalité de l'énergie sexuelle en tant que possibilité d'expression est uniforme dans toutes les cultures[10]. L'étude de Gagnon et de Simon, ainsi que celle de Heider sur les Danis de Grand Valley — qui ont un affect faible, une activité sexuelle faible et ne font preuve d'aucune sublimation dans la guerre ou dans l'art — laissent supposer que l'énergie sexuelle de l'animal humain n'est pas une constante panculturelle mais qu'elle répond à des stimuli culturels complexes, à des niveaux variables et dans des cultures variées[11]. Lorsque Freud fait de l'humain une créature à sexualité très développée, il se fonde peut-être sur sa propre expérience des victimes d'une culture caractérisée par un affect extrêmement fort, s'exprimant principalement à travers des interdits multiples et une forte sous-culture pornographique jointe à une fascination médicale pour le sujet, et une faible activité sexuelle.

Conscients que l'expression tangible du sentiment diffère de l'apparence, les anthropologues se montrent très prudents pour émettre des jugements de valeur sur la vie émotionnelle et sexuelle des peuples qu'ils étudient. Confrontés, par exemple, à une société dans laquelle hommes et femmes sont strictement séparés, où les époux ne s'adressent jamais la parole en présence d'étrangers, où aucune manifestation de lien érotique n'est jamais observée par un intrus, aucun anthropologue digne de ce nom n'affirmerait que la tendresse et la passion sont absentes des relations maritales. Dans de nombreuses cultures, l'intimité entre les époux est trop sacrée pour qu'on l'expose en public. Dans d'autres, un homme dira du mal de sa femme, par pudeur ou pour feindre des sentiments contraires à ceux qu'il éprouve. Les hommes peuvent être plus excités par une femme enveloppée dans ses voiles de la tête aux pieds qu'à la vue des cuisses nues d'une joueuse de tennis.

L'affect fort des sociétés puritaines est reconnu même par les observateurs les plus bornés, qui vous diront entre autres que les musulmans sont obsédés par le sexe, capables de suivre une femme occidentale légèrement vêtue pendant des kilomètres. Mais pour les Occidentaux, c'est une preuve d'arriération mentale et de privation et non le signe d'un usage différent du sexe. L'excitation chez l'étranger est prise comme l'expression d'un pur désir sexuel inassouvi. On peut aussi la considérer comme une insulte ou une provocation. En exposant son corps, l'étrangère défie la notion de virilité, car les voiles et les harems font partie de l'amplification de la libido masculine. Faire preuve d'un manque de pudeur, c'est provoquer cette présumée virilité.

Les manifestations amoureuses auxquelles on assiste dans le métro anglais choquent profondément beaucoup de visiteurs, parce qu'elles sont censées aboutir à la pénétration dans un délai très bref. Le Méditerranéen s'étonnera que le Britannique ne montre aucun signe d'érection ; et il en tirera la preuve de l'impuissance relative des Anglo-Saxons, ce dont il était d'ailleurs intimement convaincu au départ. L'organisation sexuelle est une part fondamentale de toute culture ; les groupes qui vivent dans un même lieu et dépendent des mêmes influences économiques et climatiques développeront des modes de sexualité très différents, et se définiront à leur avantage d'après ces modes.

Les femmes masaïs qui avaient subi l'ablation du clitoris s'estimaient supérieures à celles d'une autre tribu dans un village voisin, du fait qu'elles restaient silencieuses pendant les rapports sexuels. Les femmes voilées se considèrent en général supérieures à celles qui ne le sont pas et appartiennent la plupart du temps aux classes laborieuses. La suppression du voile ne les libère pas. Après l'interdiction du port du voile en Iran en 1937, les femmes les plus âgées refusèrent de quitter leur maison car leur image d'elles-mêmes était liée au fait de rester dissimulées aux yeux de l'étranger. Aujourd'hui encore, après des années de révolution sexuelle, aucune femme n'aime qu'on la trouve « facile » et une expérience sexuelle laissée au hasard peut provoquer des troubles sérieux de la personnalité. Les formes de destruction de la personnalité attachées aux contacts sexuels sont étroitement liées à des systèmes de prestige et de privilège. D'une certaine manière, la femme moderne a une tâche plus difficile que la femme qui sait son intégrité protégée aussi longtemps qu'elle restera voilée hors de chez elle ; elle doit être sexuellement active, prête à prendre l'initiative et néanmoins elle reste en butte à l'exploitation délibérée et à l'humiliation publique que ne peut réparer le châtiment infligé par ses frères au coupable.

La plus jeune génération croit toujours avoir inventé le sexe ; traditionnellement, on parle de sexe entre semblables et on le pratique souvent pour s'affirmer face aux aînés, ce dont ces derniers sont parfaitement conscients. Aujourd'hui, après des fouilles sans fin dans la vie sexuelle des « patients », nous n'avons qu'une idée très vague de la signification du sexe pour nos parents et grands-parents. Nous avons même perdu la clé des indications fournies par leurs formes de culture populaire : leurs références sexuelles apparaissaient sous forme censurée dans les films, les livres et les chansons qu'ils appréciaient. De nos jours, au lieu de la passion immatérielle de *la Valse dans l'ombre,* on nous offre la description littérale de l'association sexuelle, avec tous ses mouvements et l'étalage de chaque zone érogène. Le remake de *Le facteur sonne toujours deux fois* est typique de notre attitude documentaire à l'égard du sexe ; l'image subliminale a été remplacée par une description explicite, les stars ont perdu leur charisme et leur pouvoir suggestif. Trop de fermetures Eclair, de barbes mal rasées et de relents de cigarette ont détruit le pouvoir érotique de la photographie, et le public indifférent s'en va retrouver chez lui ses propres fermetures Eclair, ses barbes mal rasées et ses relents de cigarette.

Comme *Tristan et Iseult, Le facteur sonne toujours deux fois* est une histoire d'amour fatal, mais la tradition de la passion héroïque est morte. L'union d'Eros et de Thanatos a été rompue, la musique du grand amour n'est plus qu'un accompagnement ironique sur l'accouplement de tant de Woody Allen et de tant de Shelley Duvall. Dans le trajet d'un affect fort lié à une faible activité vers un affect faible lié à une forte activité, que nous avons accompli pour des raisons d'hygiène, nous avons perdu toute chance d'atteindre à une transcendance occasionnelle. Les réformateurs voulaient la transcendance pour tous ; ils ont obtenu le sexe pour tous.

> Et aujourd'hui la sexualité est devenue une denrée principale. Les peuples qui souffrent de la faim et de la répression sexuelle représentent un marché considérable pour les marchands de sexe. Précédemment restreint par les interdictions chrétiennes et aujourd'hui libéré du secret par la révolution sexuelle, le commerce des denrées sexuelles inonde le marché et devient le domaine le plus rentable du capitalisme avec celui de l'agression — l'industrie de l'armement[12].

Freudien et reichien convaincu, pour qui « même les organes internes ont une cathexis sexuelle »[13], George Frankl s'avoue déçu devant ce que sont devenus les beaux rêves de destruction de la personnalité autoritaire par la libération de la libido, mais il ne va pas jusqu'à remettre en question son hypothèse fondamentale. On décèle une certaine myopie délibérée dans sa brève déclaration. Les marchands de sexe ne sont pas uniquement les pourvoyeurs de la pornographie, ils sont aussi les annonceurs, les éditeurs, les promoteurs de tout ce qui est vendu. Frankl pourrait argumenter que tous les amateurs de pornographie sont par définition sexuellement refoulés, mais il n'est pas vrai que les refoulés sexuels sont exploités par le marché du sexe. Les acheteurs de vibrateurs, par exemple, passent à l'acte. Le principal débouché pour les accessoires sexuels est celui de l'actif qui désire étendre ses activités. Les collections les plus fournies et les plus recherchées de pornographie appartiennent à des individus qui privilégient le sexe et non à des frustrés. Le sexe a de tout temps été une marchandise, depuis que les jeunes gens rivalisaient avec leurs aînés pour rassembler le prix de la mariée, et il y a toujours eu une lutte permettant aux plus forts de se réserver les stimuli sexuels les plus efficaces. La prostitution est le plus vieux métier du monde ; la vente des services sexuels est le modèle de toute l'industrie tertiaire. Rien dans la situation actuelle n'est nouveau, excepté son étendue et son intensité. Le trafic basé sur le sexe s'est développé comme la bureaucratie s'est transformée en système de contrôle le plus poussé, en pouvoir de pénétration le plus élaboré qu'on ait jamais inventé.

Le radicalisme sexuel postfreudien a pour prémisse que l'Etat autoritaire est formé sur le modèle de la famille patriarcale et montre les mêmes structures caractéristiques au niveau national, affirmant par conséquent que libérer la libido du plaisir-anxiété est une condition préalable à la destruction des structures patriarcales et à leur remplacement par le modèle coopératif. Cette condition fut pendant si longtemps un truisme pour les radicaux sexuels que la remettre en question donne le vertige ; pourtant le phénomène de cooptation qui caractérise la révolution sexuelle ne peut être compris qu'à ce prix. Supposons que l'Etat bureaucratique n'est pas conçu sur le modèle de la famille attachée à la terre, enfermée dans la notion d'alliance et incapable des ajustements rapides que demande la vie d'entreprise, mais plutôt sur l'imitation de deux anciennes bureaucraties essentiellement extérieures à la famille et en conflit avec elle, l'armée et l'Eglise.

Ces deux organisations interdirent à leurs membres de fonder une famille en refusant l'autorisation de se marier et encouragèrent tacitement (mais pas toujours) toutes les formes de tolérance. « Mieux vaut pour un prêtre une centaine de prostituées qu'une femme », estimait-on, et les prêtres profitaient du sexe sans obligation, de la même manière qu'y sont encouragés les époux sexuellement actifs et peu féconds du capitalisme monopolistique. Bien des prêtres avaient (et ont encore) une connaissance suffisante de la contraception ; la plupart se contentaient d'abandonner leurs enfants à d'autres foyers. Etant donné que tout rapport sexuel était péché mortel, peu importait la forme de satisfaction sexuelle qu'ils y trouvaient, qu'elle soit naturelle ou surnaturelle. Similairement, l'armée admet l'accompagnement inévitable de la troupe en campagne par un bataillon de prostituées et considère que les maladies vénériennes font partie des risques du métier ; pédérastie, viol et concubinage ont toujours été les privilèges des hommes au feu. Prêtres et soldats sont délibérément éloignés de la région où ils ont des liens de parenté ; comme le cadre moyen, ils doivent être prêts à faire leurs paquets et à quitter leurs foyers au gré de leurs supérieurs. Aucun attachement ne peut entrer en conflit avec les exigences de l'employeur.

L'Eglise, l'armée et l'Administration emploient chacune à leur manière la sexualité comme moyen de contrôle, et il est particulièrement intéressant à ce propos de constater que Foucault voit dans le confessionnal, qui exige une mise en discours sans fin du comportement sexuel, le véritable antécédent de l'intensification du corps au vingtième siècle[14]. De son côté, la famille cherche à aménager plutôt qu'à dissiper l'énergie sexuelle dans le développement de l'alliance. Son extension est la tribu, non l'Etat-nation avec lequel elle se trouve souvent en conflit. La famille est inextricablement soumise à l'idée de patrimoine, habituellement sous forme de propriété terrienne, et elle existe au-delà de l'individu à la fois en temps et en pouvoir. La volonté de la famille est accomplie bon gré mal gré par ses membres qui n'ont pas de responsabilités personnelles, et sont de ce fait à l'abri des techniques de manipulation employées par le capitalisme.

En tant que cellule de consommation, la famille de plusieurs générations est peu satisfaisante sur le plan du rendement économique. Ce qui est acquis est utilisé à sa capacité maximale : s'aligner sur les voisins ne signifie pas acquérir et jeter davantage de biens de consommation, mais devenir plus nombreux qu'eux et finir par les absorber. Le mouvement coopératif moderne s'inspire de la manière dont la famille élargie met en échec l'entreprise capitaliste, mais il ne peut compter sur les heures de travail non rétribué que comporte le travail familial. La famille élargie exige plus de discipline de la part de ses membres que l'Etat administratif et certains d'entre eux, souvent les plus entreprenants, n'attendent que l'occasion de fuir vers les villes pour échapper à une vie de labeur. Le plus grand attrait qu'offre l'environnement urbain est la possibilité d'avoir des relations sexuelles illimitées, que ce soit avec son épouse dans l'intimité d'un appartement, ou dans les bordels dont regorgent tous les bidonvilles.

Une telle généralisation est dangereuse, car les formes de l'organisation familiale sont aussi diverses que les républiques capitalistes se ressemblent ; les mettre en parallèle pourrait seulement faire ressortir qu'il existe une opposition fondamentale entre l'éthos de la famille et la société de consommation. Rejeter l'autorité patriarcale au-dedans et en dehors du moi, aussi désirable que cela puisse paraître, revient à se rendre vulnérable à des formes plus insidieuses et dégradantes de contrôle. La structure fondamentale de la famille affirmée par les freudiens est une triade : père, mère, enfant.

Dans la famille conservatrice typique, la formation de la sexualité revêt un aspect défini constituant la base d'une mentalité « matrimoniale et familiale ». En effet, par l'attention excessive accordée aux fonctions alimentaires et excrétoires, l'enfant se trouve fixé aux stades érotiques prégénitaux, tandis que l'activité génitale est fermement inhibée (interdiction de la masturbation). Fixation prégénitale et inhibition génitale opèrent un déplacement de l'intérêt sexuel dans le sens du sadisme. De plus, la curiosité sexuelle de l'enfant est activement réprimée[15].

Telle est la description que fait Reich de l'éducation sentimentale de la classe dirigeante. Toutefois, dans ses préjugés sur la structure familiale, lui-même est dans une large mesure leurré par une contingence qui passe pour une règle inéluctable. Il note que la découverte de la génitalité est moins bloquée dans les familles des classes laborieuses que dans les classes bourgeoises, mais persiste à affirmer que la sexualité localisée et concentrée — l'intromission avec orgasme pratiquée par le couple hétérosexuel —, dont l'enfant ne fait pas partie, est le but ultime du développement émotionnel. En fait, le phénomène peut être interprété de façon différente. L'« accentuation excessive sur les fonctions de nutrition et d'excrétion » ressemble à une attaque de l'érotisme mutuel de la mère et de l'enfant. Si nous prenons les Bushmen du Kalahari en exemple, nous remarquons que la mère garde son bébé (nu) près d'elle (nue) et ne lui refuse jamais le sein[16].

Dénigré pendant des siècles, le plaisir mammaire est pourtant un phénomène relativement fréquent. Le contact des mains du bébé pendant l'allaitement est associé à une caresse : les doigts de l'enfant remuent lentement, mouvement régulier de va-et-vient sur la peau de sa mère. Les bébés regardent souvent leurs mères droit dans les yeux lorsqu'ils tètent. Si le couple primaire est ainsi vu, alors c'est le père qui est en surnombre. Dans les pays où les femmes dorment avec leurs bébés, que ce soit dans leurs propres quartiers ou dans la maison commune, les hommes sont géographiquement exclus d'un monde de satisfaction mutuelle, qui si elle n'est pas génitale n'en est pas moins extrêmement érotique. Le premier refoulement de cet érotisme charnel est le refus de donner le sein, soit à certains moments, soit définitivement au sevrage. Le sevrage est un traumatisme que la psychologie a peu fait pour expliquer ou adoucir ; il est souvent aggravé par des pratiques irrationnelles qui peuvent avoir un rapport quelconque avec la revanche du père.

L'attaque contre l'érotisme dans la relation mère-enfant a pris sa forme la plus définitive dans la société de consommation moderne ; l'allaitement fut proscrit, les seins maternels réservés au plaisir fétichiste du mari. En même temps, les bébés étaient isolés, couchés seuls dans des lits froids et abandonnés à leurs pleurs. A l'autre bout du monde, les mères indiennes continuaient à masser le corps nu de leurs petits (y compris les parties génitales) et en Nouvelle-Guinée elles étiraient les petites lèvres de leurs filles pour les aider à s'élargir et accroître leur futur plaisir sexuel. Même dans l'hémisphère occidental, certaines mères méditerranéennes prennent le pénis de leur petit garçon dans leur bouche pour sécher les larmes.

En même temps que l'on retirait à l'enfant le plaisir du contact avec le corps maternel, l'apprentissage de la propreté prenait des proportions démesurées. Pourquoi les Européennes du Nord ont-elles décidé que la défécation et la miction devaient avoir lieu sur un pot est un mystère, car la position n'est ni confortable ni anatomiquement efficace. C'est à croire qu'elles voulaient imposer une dépendance humiliante à l'enfant en le plaçant sur ce piédestal de porcelaine qu'il ne peut atteindre seul. Pour aggraver les choses, l'enfant est incapable d'ôter seul ses vêtements compliqués. Résultat immédiat de procédés aussi peu rationnels, il est forcé d'annoncer le moment de l'excrétion à l'avance — beaucoup trop à l'avance pour des sphincters de bébé.

Dans des sociétés plus sensées, les enfants n'ont d'abord qu'à s'accroupir pour ne pas se souiller ; ils apprennent ensuite à s'accroupir au moment voulu à l'endroit convenable. Les mères méditerranéennes vêtent encore leurs enfants de culottes avec une fente afin qu'ils puissent satisfaire leurs besoins sans se salir. Les cuvettes des cabinets sont au niveau du sol, et comme l'enfant aime qu'il y ait une place pour chaque chose et que chaque chose soit à sa place, il apprend vite à les utiliser sans l'aide de personne. Lorsqu'il n'y a pas de systèmes d'égouts, il ira dans les champs. Même si l'on admet le bon sens de tels systèmes, on peut créer une atmosphère d'anxiété autour de l'excrétion et beaucoup de sociétés primitives ne s'en privent pas ; la différence est que la logistique occidentale ne permet pas de faire autrement. Ces mamans dans l'âme prêtes à applaudir chaque fois que l'enfant apporte fièrement son pot au salon feraient mieux d'aménager les toilettes de l'appartement, d'enlever les vêtements de leur rejeton et de le laisser se débrouiller.

On nous a appris à ne plus faire tout un plat à la vue des petites filles qui cachent des perles et des cailloux dans leur vagin et des petits garçons qui s'agrippent toute la journée à leur pénis, mais nous avons fait peu de progrès en ce qui concerne la satisfaction des besoins érotiques oraux ou tactiles de l'enfant. C'est comme si nous obligions l'enfant à la génitalité en lui permettant uniquement la satisfaction génitale ; et il n'est pas certain, à mes yeux en tout cas, que l'attention génitale soit satisfaisante pour les petits enfants et que la manipulation génitale ne soit pas une activité de déplacement dérivée d'autres frustrations. Les petits garçons qui agrippent leur pénis le font comme ils sucent leur pouce, par besoin. La seule petite fille dont j'ai pu étudier le comportement masturbatoire sur une longue période ne m'a jamais paru atteindre une satisfaction d'aucune sorte. Son comportement semblait né d'une grande solitude ou du fait d'avoir à plusieurs reprises assisté à la scène primitive : le plus étonnant est qu'elle faisait semblant d'imiter les deux partenaires. La thérapie qui consista à remplacer les objets fétiches qu'elle utilisait dans ses rites par les gens réels, à ne jamais la laisser éveillée seule dans son lit, et à la traiter comme un petit enfant avec tendresse, cajoleries et caresses donna des résultats satisfaisants.

La soumission totale aux exigences de l'érotisme du nouveau-né n'est aujourd'hui plus possible. La plupart des mères vivent dans une société où la seule façon d'acquérir la nourriture nécessaire à l'enfant est de la payer, donc de participer au travail. Les travailleuses agricoles peuvent aller aux champs avec leurs enfants sur leur dos et leur donner le sein à volonté, mais pour l'ouvrière en usine il n'en est pas question. Les aliments pour bébés sont commercialisés dans le monde entier non seulement parce que les notions occidentales d'agrément changent les valeurs traditionnelles, mais parce que les femmes doivent trouver hors de chez elles un travail rémunéré. Alors qu'autrefois la relation mère-enfant était plus importante que la relation sexuelle entre les époux, que la jeune mère se rendait dans la maison maternelle parfois pendant deux ans après la naissance, pour se donner tout entière à son enfant, aujourd'hui la femme préfère ne pas quitter son mari. Au lieu de s'abandonner aux besoins de son enfant et à son propre érotisme maternel, elle se concentre sur les désirs de son mari auquel ne la lie plus le système de l'alliance, mais seulement l'attachement sexuel. Le rôle de *geisha* a remplacé l'ancien rôle matriarcal. Les liens entre les générations qui faisaient la caractéristique principale de la famille se sont atrophiés et seul demeure le couple, uni par le fragile lien sexuel. Pour le consoler d'avoir perdu l'intimité privilégiée qui le liait à sa mère, on couvre l'enfant de biens et d'avantages sociaux — plus la permission d'exprimer librement sa génitalité.

La relation mère-enfant ne fonctionne que dans la mesure où la femme accepte les manifestations d'un érotisme charnel, où elle est réceptive aux demandes de son bébé. Elle doit éprouver une totale jouissance dans les moments où elle le caresse, joue et s'endort avec lui, même si ce plaisir n'aboutit pas à l'orgasme ; trouver naturel que l'allaitement provoque une stimulation génitale devrait faire partie d'une réponse sexuelle globale si les femmes n'étaient pas aussi soumises à un conditionnement sexuel. Il semblerait pourtant que les Occidentales n'aient pas perdu toute capacité de plaisir charnel au contact de leurs bébés si j'en crois le cas de la superstar Viva qui ne pouvait supporter de sevrer sa petite fille et lui a donné le sein pendant des années à l'insu de son entourage, mère et fille ayant recours l'une à l'autre en cachette, comme des amoureuses coupables[17].

On nous a appris que l'érotisme doit passer par les stades oral et anal avant d'aboutir à la génitalité ; qu'il est mauvais de rester au stade prégénital et bon d'atteindre la génitalité. On comprend par contre moins souvent que la génitalité est l'aboutissement de la sexualité qui achève son développement chez l'adulte. Elle ne remplace pas les premières formes de la sexualité, mais les complète. Les techniques de contrôle ont fait de l'homme, pour ainsi dire, un système monoproduit : la sexualité du mâle adulte se trouve localisée et concentrée dans une fonction mécanique, le spasme banal qui accompagne l'éjaculation. La tendance à la localisation a dès le début tourmenté les freudiens, peut-être parce que l'étude de la sexualité s'est développée à partir de la médecine allopathique et de sa dispositon intrinsèque à isoler fonctions et dysfonctions. Si la machine fonctionnait correctement, elle produisait un phénomène tangible que l'on pouvait mesurer, classer, quantifier. Tout en prenant en compte les éléments psychiques et même spirituels et moraux, les prophètes du sexe se sont mis en quête d'un signe concret : l'aspect perceptible de l'orgasme dans l'organe externe. La femme, sembla-t-il, était une productrice d'orgasmes moins efficace. Alors qu'une simple manipulation donnait immédiatement un résultat tangible chez l'homme, il fallait à la femme une stimulation mentale et affective en plus de la manipulation la plus experte, patiente et sensible.

On a beaucoup dit que les femmes ne sont pas génétiquement programmées pour l'orgasme, en se basant sur le fait que l'orgasme mâle était nécessaire à la propagation de l'espèce contrairement à celui de la femme[18]. Mais on pourrait aussi penser que le plaisir causé par l'allaitement est une nécessité biologique et que les femmes sont programmées pour une réponse érotique non génitale que l'homme ne peut pas connaître. Si l'attachement de la femme à la fonction maternelle doit être rompu, il est évident qu'il lui faut trouver une autre source de satisfaction.

> Les chercheurs ont pour la plupart été frappés par le rôle dominant du conditionnement, de l'apprentissage et de l'expérience dans la détermination de la réponse érotique de la femme[19].

Daniel G. Brown résume ici quarante années de recherches sur l'orgasme féminin, depuis l'époque où « il était honteux pour une femme d'avouer qu'elle éprouvait du plaisir dans les rapports sexuels » jusqu'à aujourd'hui, « où beaucoup de femmes ont honte d'avouer qu'elles n'ont pas d'orgasmes[20] ». Ces paroles sont d'Eustace Chesser, et le plus intéressant est qu'il confond le « plaisir dans le rapport sexuel » et l'orgasme. Brown et ses collaborateurs sexologues affirment volontiers que l'objet de leur étude est en quelque sorte une partie de l'anatomie, alors qu'en réalité la sexualité est une matière si mouvante qu'elle réagit au simple fait d'être étudiée. Si une femme (et beaucoup sont exhibitionnistes) est le sujet de l'attention d'une équipe d'experts désirant étudier son orgasme, l'atteindre devient une expérience qui la comblera.

Les observations de Masters et Johnson ne sont pas toujours et partout vraies pour l'être féminin, néanmoins en observant la réponse orgastique elle-même, ils durent constater que les stimulations clitoridienne et vaginale pouvaient chacune mener à l'orgasme, et que chez certaines femmes l'excitation des mamelons suffisait. Bien plus, ils ont fourni la preuve objective d'un fait que les sexologues masculins ont furieusement nié, à savoir la capacité de la femme d'atteindre plusieurs orgasmes simultanés. Il semblerait prouvé que la sexualité féminine diffère du cycle masculin tension-détente, qu'elle est plus diffuse et plus continue, même chez les femmes qui s'efforcent d'atteindre l'orgasme tel qu'il est défini par les autres.

Les femmes ne descendront pas dans la rue pour le droit à un plaisir sexuel diffus, vague, continu et non abouti ; cela ne leur serait d'ailleurs d'aucun profit, car tout jeune homme apprend aujourd'hui dans son manuel sexuel comment manipuler le clitoris avec les égards les plus bienveillants, s'il veut être considéré comme un amant attentionné et expérimenté. D'autre part, la manipulation du clitoris peut dissimuler efficacement un manque de savoir-faire au niveau phallique. Que les femmes l'apprécient ou non, les mœurs sexuelles courantes les conditionnent à se focaliser sur l'orgasme clitoridien : leur sexualité devrait s'aligner à la réponse de l'homme et devenir en quelque sorte sa contrepartie. Le processus a tout pour plaire, car il rend les hommes et les femmes compatibles. Il ne laisse chez la femme aucun surplus de capacité orgasmique ou de mystère qui puisse inquiéter. Une fois la sexualité féminine soumise, des concessions peuvent être faites sans crainte d'abus. Rien maintenant n'empêche une femme de ressembler davantage à un homme. La sexualité féminine a été façonnée pour s'adapter à l'insuffisance de l'homme. La femme rejoint l'homme dans sa dimension unique.

Depuis que Masters et Johnson ont les premiers publié leurs travaux sur la sexualité humaine dans les années 60, la sexologie s'est développée ; elle est devenue aujourd'hui un vaste et respectable champ d'études sur le comportement humain. L'O.M.S. subventionne des congrès internationaux sur la sexualité humaine. En 1964, le Sex Information and Education Council of the United States (SIECUS) fut constitué avec pour but d'assurer à la sexologie une place permanente dans les programmes d'instruction d'hygiène publique aux Etats-Unis. Vers 1976, pas moins de cinquante-huit institutions proposaient des ateliers d'été sur la sexualité humaine et l'éducation sexuelle.

A l'université du Minnesota figuraient douze cours sur la sexualité en plus de ceux qui faisaient partie de l'enseignement des sciences sociales, de la famille, de la sociologie, de l'hygiène publique, de l'économie domestique, plus des classes de perfectionnement pour adultes[21].

L'université du Québec à Montréal est allée encore plus loin. A partir de 1969, elle a créé un programme « pour entraîner les enseignants en sexologie à intervenir, informer, enseigner, animer, éduquer ou aider les différents groupes d'étudiants ou d'adultes intégrés dans la vie active affectés par des problèmes sexuels ». Les étudiants pouvaient se glorifier d'une licence en sexologie après avoir pris trente cours sur un total de trente-sept options comprenant le développement de la personne (avec des expériences de sensibilisation, d'interaction, de bioénergétique et de méditation transcendantale), la sexopathologie, l'éthosexologie, sexe et civilisation, et tout un extraordinaire assortiment de biologie, psychiatrie, psychologie, psychanalyse, sociologie, criminologie, anthropologie et philosophie[22].

Comme il fallait s'y attendre, les expressions les plus élaborées de la religion sexuelle se manifesteront en Californie. L'un des plus beaux festivals du genre fut le congrès intitulé « Amour humain : sexualité et intimité ; approche holistique multidisciplinaire », organisé par le modestement dénommé Institut pour le progrès du comportement humain, association bénévole à vocation éducatrice... « fondée dans le but de contribuer au développement de la condition humaine » et basée à Portola Valley, en Californie. Les pèlerins qui débarquèrent à la Cabana Hyatt à Palo Alto purent entendre Masters et Johnson, un couple ou deux d'hétérosexuels, ou quelques jeunes docteurs en philosophie barbus discourir sur la sexualité, la bioréaction ou la méditation ; ils eurent également droit à « Intensification de la sexualité dans la vie », « Sexe et agression », la thérapie du corps, l'hypnose, le tout pour la modique somme de 75 dollars. La même manifestation se répéta au Sheraton Universal à Hollywood, le week-end suivant[23].

La plupart des sexologues continuent à lutter contre les forces de l'ignorance. Pour Mary S. Calderone, l'une des fondatrices du SIECUS, l'adversaire ne fait aucun doute :

> Historiquement, le principal agent du contrôle de la sexualité est, et continue à être, la religion. Bien que la sexualité humaine ait toujours constitué un thème dominant dans l'art et la littérature des différentes cultures, la plupart des religions ont toujours trouvé nécessaire le contrôle (c'est-à-dire la répression) de ce facteur prétendu « effréné » et « incontrôlable », même s'il est universel, de la vie humaine et restreint son usage à sa seule fonction dite primaire, la procréation[24].

Que la procréation serve l'intérêt des religions n'est nulle part mis en doute. En réalité, beaucoup de religions ne placent pas la procréation au-dessus de la chasteté — le bouddhisme et le catholicisme, entre autres — et on doit envisager l'éventualité que l'une des fonctions de la religion dans le passé était d'accroître au maximum le potentiel humain reproducteur étant donné le taux élevé de mortalité infantile et maternelle et les armes de dissuasion très efficaces pour la survie du groupe que ces expériences pouvaient offrir. Pour survivre et se développer, une religion doit remplir un but social utile. La fonction sociale de la religion a été supplantée par un mécanisme séculier de contrôle du comportement et le Dr Calderone et ses troupes ont été officiellement dépêchés ici et là pour se plaindre de leurs ennemis au nom de la liberté et de l'amour.

Le Dr Calderone a sans nul doute raison de s'élever contre la répression sexuelle exercée par les parents et les institutions, mais dans son discours sur le contrôle de la sexualité, elle laisse entendre qu'une meilleure façon de contrôler la sexualité ne consiste pas à utiliser clandestinement la répression mais à sortir de la réserve et à agir par l'intermédiaire d'abord de l'éducation et ensuite seulement du traitement. L'autorité des éducateurs et des médecins est à notre époque plus sacro-sainte que ne l'a jamais été le dogme religieux. Les éducateurs sexuels sont certainement tous des hommes et des femmes honorables et, dans la mesure où les mœurs sexuelles leur semblent plus libres que celles qu'ils ont connues dans leur jeunesse, ils peuvent être les champions de la liberté, mais pour les jeunes gens qui grandissent dans la morale de l'hygiène sexuelle, cette liberté s'apparente déjà à une servitude.

Un exemple illustre assez bien ce point. Une jeune mère libérale voulut un jour avoir avec sa fille de 14 ans un petit entretien sur le sexe, l'importance de la tendresse, la contraception, etc. Elle commença par vanter les charmes des premiers rapports sexuels — lorsque tout se passe bien. « Je croyais que c'était la barbe », dit froidement l'enfant et elle quitta la pièce. La mère fut bouleversée et on la comprend : elle avait cru bien faire. Sa fille n'avait aucune raison de faire des mystères, aucune raison d'être confrontée froidement avec le sexe ; le mariage de ses parents était exemplaire... il ne faisait aucun doute qu'elle aurait des mauvaises notes à son cours d'éducation sexuelle si elle se comportait de la même façon. Et pourtant la rébellion de cette enfant est typique de son âge et de son groupe social. Si on doit inculquer le sexe aux adolescents comme on leur apprend la dissection des lapins ou la nutrition, baiser suivant les règles devient une forme d'orthodoxie. Leur sexualité est livrée à l'examen minutieux de leurs aînés et l'excitation n'existe plus. Bien sûr, la découverte secrète du sexe avec ses semblables est un chemin périlleux et sinueux, mais c'est un chemin terriblement excitant où l'on se risque par accès, revenant à la sécurité de l'enfance et de l'innocence auprès de ses parents non avertis. L'enfant de mon histoire a vu son escapade réduite à néant et son chemin secret éclairé par le projecteur du savoir et de l'expérience supérieure de sa mère. Couper court au discours maternel revenait à lancer cette prière si peu écoutée de l'adolescent, « laisse-moi tranquille ».

Lorsque les éternels chiffres de l'augmentation du taux des naissances chez les adolescents dans les pays les plus développés font leur apparition, les éducateurs sexuels montent en scène et réclament l'introduction de cours de sexualité dans les écoles afin d'apprendre aux enfants à éviter les périls du plaisir charnel goûté au petit bonheur. Ils arrivent bardés de statistiques démontrant que le taux de grossesses juvéniles diminue lorsqu'il y a éducation sexuelle, oubliant que là où il y a éducation sexuelle, il y a habituellement des parents de la classe bourgeoise qui font en vitesse avorter leurs filles avant qu'elles ne fassent partie des statistiques. Pour chaque adolescente rebelle, on trouvera une enfant docile qui considérera le sexe comme une pratique d'hygiène mentale et qui, le jour où elle aura des problèmes, ira les faire soigner dans une clinique spécialisée, acceptant avec la même confiance le DIU ou l'hystérectomie.

Il y aura aussi (elle existe déjà) une révolte, révolte contre le professeur plein de bonnes intentions qui tente de réduire la magie des mots obscènes en les utilisant dans ses cours, de dissiper l'anxiété liée à la taille du pénis et à l'odeur corporelle, qui encourage les enfants à expérimenter le contact charnel et ainsi de suite. Actuellement, cette révolte, qui peut aller de la chasteté la plus sauvage jusqu'au sadisme, est étayée par la jalousie sexuelle des aînés et la répression aveugle des religions, mais elle est vouée à l'échec[25]. Mis à part la religiosité superficielle des dirigeants politiques, la religion est une forme dépassée. Elle a dû absorber la forte pénétration du marché du sexe. Le phénomène gigantesque de la religion audiovisuelle aux Etats-Unis a adopté les méthodes de la publicité subliminale. Son contenu dogmatique est minimal ; son évangile est purement une autre version de la satisfaction extrême.

Une semblable critique de l'idéologie de la libération sexuelle, habituellement appelée permissivité, doit sembler choquante de la part d'une extrémiste de la sexualité que prétend être l'auteur de cet ouvrage. Il est irritant de se retrouver dans le camp des bigots et des ennemis du corps lorsque l'on combat la religion sexuelle moderne dans son aspect monotone, limité et sans imprévu de la libido humaine. La libido humaine est la seule force qui puisse renouveler le monde. En permettant qu'elle soit détournée, piégée dans le rituel domestique, nous préparons le terrain de notre propre anéantissement, nous nous laissons abêtir par des satisfactions insignifiantes, indifférents à l'extase et à la souffrance. Si notre anéantissement était seul en question, ce serait de peu de conséquence, mais l'évangile de la satisfaction du consommateur s'étend jusqu'aux limites que peut atteindre notre système de marketing, c'est-à-dire sur toute la planète. Les jeunes couples souriants qui ornent les panneaux publicitaires des villages à structures familiales polynucléaires offrent un message séduisant au jeune adulte impatient. Les caractéristiques du désir satisfait qu'il y voit deviendront les siennes s'il abandonne sa terre et sa famille, s'il part gagner sa vie et se divertir. Se divertir signifie s'adonner pleinement au plaisir sexuel, sans crainte de la grossesse, avec une femme toujours disponible pour laquelle les orgasmes tiennent lieu de terre, de famille et d'enfants — les orgasmes et les denrées de consommation.

Ce sont encore les enfants qui procurent les plus intenses satisfactions dans un grand nombre de pays, et non des parties de jambes en l'air. La plupart des femmes passent de longues heures auprès de leurs bébés et il est courant de voir des hommes tenir leur petit garçon contre eux tandis qu'ils bavardent sur le pas de la porte ou sous les arbres. Dans la plus grande partie du monde, l'érotisme englobe l'immense sensualité dont rayonnent les enfants et qu'apprécient plus que nous les trop bien nourris, ceux qu'une vie de labeur et de privations a prématurément vieillis et fatigués ; mais l'offensive est en cours.

« Qui aimeras-tu le plus lorsque tu seras marié, ta mère ou ta femme ? » La plupart des jeunes garçons dans la classe répondent avec conviction : « Ma mère, bien sûr. » Le meneur de jeu demande alors aux filles : « Et qui aimeras-tu le plus, ton enfant ou ton mari ? — Ce sont toujours les enfants que l'on aime le plus, répondent-elles. — Pas étonnant que les couples ne restent pas ensemble à Panama ! » gronde le chef de groupe, et les adolescents de San Miguelito, une ville surpeuplée de 180 000 habitants des faubourgs de Panama, apprennent avec surprise que l'éducation sexuelle est plus que la simple réalité de la vie[26].

Visiblement, cette forme d'éducation ne s'intéresse pas à la réalité des faits, car dans cette communauté la relation parentale est plus importante que la relation sexuelle.

Le meneur de jeu est le seul à ne pas accepter la réalité telle qu'elle est. Il s'apprête à enseigner l'évangile du couple, et justifie son action en soulignant que les valeurs traditionnelles de Panama se sont tellement affaiblies qu'un sur cinq des 50 000 bébés nés chaque année a une mère de moins de 19 ans, et que l'on retrouve la même proportion pour les avortements. Une fois rompues les restrictions traditionnelles qui portaient sur l'activité sexuelle des jeunes, il faut les remplacer par quelque chose pour achever le processus de la colonisation culturelle. Les mots du prédicateur ont moins de force que les circonstances économiques qui useront la relation mère-enfant. Dans les bidonvilles et les banlieues industrielles du tiers monde, on rencontre des jeunes femmes auxquelles les enfants n'apportent aucune joie. Elles travaillent de longues heures dans les usines et dépensent une part importante de leurs maigres revenus à acheter des aliments tout préparés pour bébés : pour elles, dès sa conception, l'enfant n'est qu'un fardeau. Elles n'ont connu aucun des privilèges de la grossesse et aucun des plaisirs de la maternité. Il y aura toujours pour ces femmes découragées un centre de planning familial ou une consultation en sexologie qui leur vanteront la panacée. Des orgasmes, pas de bébés, tel est le slogan. Si tout le plaisir que nous donnent les bébés a été détruit, il ne reste que l'orgasme.

En fait, toute l'affaire paraît ridiculement mal adaptée. La femme de Bombay qui se rend à la consultation hebdomadaire du sexologue a toutes les chances d'être une jeune bourgeoise privilégiée et libérale. Les travailleuses donneraient tous les orgasmes de Masters et Johnson pour une bonne nuit de sommeil. En réalité, l'acte sexuel est expédié, et c'est tant mieux. C'est une situation terrible et triste, mais elle ne serait pas moins triste si l'orgasme automatique forçait ces gens à s'y résigner. Où dans les faubourgs surpeuplés le couple sacro-saint peut-il trouver le temps et l'espace nécessaires à ses petites affaires ? Dans de telles circonstances, comment ne pas voir le rapport de l'évangile de l'hygiène sexuelle avec la consommation ? Le couple de Bombay est privé de satisfaction sexuelle parce qu'il n'a pas les moyens de se l'offrir. Et les panneaux d'affichage continuent à offrir leur version de la félicité, la femme en sari et le mari en costume occidental qui contemplent amoureusement leur dernière acquisition matérielle. En tournant le dos à l'icône, les pauvres récalcitrants confirment qu'ils sont arriérés et inaptes.

Il est assurément rétrograde de s'opposer à la propagation de la connaissance du sexe chez des gens dont l'existence est généralement trop privée de plaisirs, mais mon objection est que cette prétendue connaissance est en fait une croyance sexuelle qui inclut un système de valeurs uniquement appropriées à une société de consommation. En promulguant ces valeurs comme faits scientifiques, nous promouvons en réalité les méthodes de manipulation et de contrôle qui maintiennent nos propres pseudo-démocraties et nous le faisons surtout au niveau de la classe dirigeante, représentante de la monoculture occidentale dans les sociétés traditionnelles. L'attaque portée contre l'identité culturelle issue des valeurs traditionnelles est mortelle, même dans un pays comme l'Inde qui a mené un effort concerté pour préserver des modes de vie jugés méprisables et sans signification par la classe dirigeante du monde. Les réformateurs du sexe, qui ne montrent aucun respect pour les valeurs traditionnelles, et s'occupent de la sexualité sans attacher ni intérêt ni compréhension au reste de la personnalité, sont les pourvoyeurs du capitalisme.

La certitude occidentale a été succinctement et inconsciemment résumée par Paul A. Robinson :

> Dans l'esprit du peuple… l'orgasme est la couche de sucre avec laquelle le Créateur (ou la Nature) a fait passer l'amère pilule de la reproduction[27].

Etant donné que l'on peut atteindre l'orgasme par la masturbation ou par les relations homosexuelles, la Nature ou le Créateur sembleraient s'être montrés assez peu soucieux de condamner l'homme à se reproduire et lui avoir laissé trop d'échappatoires. D'après l'hypothèse non vérifiée de Paul A. Robinson, la reproduction est une amère pilule. Bien sûr, c'est une pilule qui fut, et est encore pour beaucoup, relativement dangereuse, mais la reproduction est-elle un simple moyen de parvenir à l'orgasme et les enfants rien d'autre qu'un sous-produit ? Soupçonner que les psychologues en vogue n'ont peut-être rien compris ne me serait jamais venu à l'esprit si je n'avais eu l'occasion de vivre parmi des gens pour lesquels les bébés représentaient le bonheur.

En fait, ce soupçon m'est d'abord venu devant le comportement de mes chattes, qui geignaient lamentablement lorsqu'il était temps de subir le viol collectif que représente le rapport sexuel des félins, mais ne cessaient de ronronner dès qu'elles mettaient bas jusqu'au moment où les chatons étaient sevrés. Le matou triomphant avait peut-être savouré sa brève éjaculation, mais les femelles en avaient pour huit semaines à ronronner. Dans mes rapports avec des paysannes italiennes, des Indiennes du Sud et des aborigènes, j'ai eu maints exemples du plaisir sans condition que les enfants donnent aux non-matérialistes, pour lesquels ils représentent le seul divertissement et la seule raison de supporter les épreuves qui sont le lot de leur vie quotidienne. Nous tenons d'une source inattendue la preuve que les Occidentaux ont autrefois partagé cette attitude. Dans l'étude historique d'Emmanuel Le Roy Ladurie du *Registre d'Inquisition de Jacques Fournier, évêque de Pamiers* (1318-1325) qui a retracé la vie des paysans de Montaillou au début du quatorzième siècle, l'hérétique Jacques Authier explique aux paysans comment Satan les a induits à quitter le Paradis et à venir sur terre.

Satan entra au Royaume du Père, et donna à entendre aux Esprits de ce royaume que lui, le diable, possédait un paradis bien meilleur encore... Esprits, je vous emmènerai dans mon monde, ajouta Satan, et je vous donnerai des bœufs, des vaches, des richesses, une épouse comme compagne, et vous aurez vos propres ostals, et vous aurez des enfants... et vous vous réjouirez plus pour un enfant, quand vous en aurez un, que pour tout le repos dont vous jouissez ici au Paradis[28].

La plus grande tentation pour les croyants n'était pas le plaisir sexuel ou les divertissements des riches, mais la possibilité de se reproduire. Les cathares de Montaillou n'auraient pas compris M. Robinson et sa notion d'amère pilule. Etant le fait du plus grand plaisir, la grossesse était le pire péché dans l'esprit cathare, que l'on ne pouvait expier qu'en refusant de nourrir le nouveau-né, pour le laisser mourir *in endura*. Comme les sexologues modernes, les cathares pensaient que toute forme d'activité sexuelle était permise tant qu'elle ne menait pas à la reproduction. Que la permissivité moderne et la règle cathare médiévale puissent avoir des effets aussi similaires est un des paradoxes de l'histoire. La douleur et la confusion des femmes qui protestèrent contre la règle hérétique leur interdisant de donner le sein à leurs bébés peuvent se comparer aux sentiments de ces malheureuses à qui l'on propose des avortements gratuits plutôt que la nourriture et le repos qui rendraient l'accouchement moins dangereux et son aboutissement plus joyeux. Une grande partie du monde a encore plus de points communs avec les paysans pyrénéens du treizième siècle qu'avec nous. Comme les cathares, nous cherchons à faire du plaisir qu'ils prennent avec leurs enfants un péché.

9
Le destin de la Famille

> « Si nous en avions le pouvoir, nous pourrions casser
> et reconstruire, mais le pouvoir de l'homme est limité et
> il faudrait reconstruire prudemment, en prenant garde
> de ne pas briser ce que nous ne pouvons réparer. »
>
> NAFIS SADIK[1]

A la veille du référendum qui devait s'opposer à la loi sur l'abrogation du divorce en Italie, je me trouvais dans le train entre Rome et Tarente. En face de moi était assise une élégante jeune femme d'une quarantaine d'années. Parce que nous étions en Italie, où l'on peut discuter politique et philosophie entre étrangers, nous parlions du référendum.

« *Signorina*, dit la jeune femme, après l'inévitable coup d'œil sur mon annulaire, je suis bien placée pour comprendre ce référendum. Je suis moi-même divorcée. » Elle soupira.

« Ne vaut-il pas mieux être divorcée que de vivre séparée *a vincolo* suivant la loi de l'Eglise ? demandai-je.

— *Lei dice*... Nous nous sommes séparés après la naissance de notre second fils et nous le sommes restés pendant quinze ans. Le divorce ne m'a rien apporté de mieux. Lorsque nous étions séparés, je faisais partie de la famille de mon mari. Mes fils aussi. Si j'avais des problèmes, je téléphonais. Quand il s'agissait de choisir l'école des enfants, ce genre de chose, nous prenions la décision ensemble. La famille nous invitait aux réceptions, aux fêtes, aux mariages, dans la maison de vacances... » Ses yeux s'emplirent soudain de larmes. « Je n'avais aucune raison de considérer que j'avais raté ma vie. »

Elle resta silencieuse pendant un moment.

« Et maintenant ?

— Rien. Je reçois régulièrement la pension alimentaire, tous les quinze jours. Si j'ai besoin de quelque chose, je dois passer par les avocats. Ils m'ont congédiée. Depuis le divorce, nous ne nous sommes plus parlé. Pas une seule fois. J'ai ma propre famille, bien sûr, mais ils m'en veulent... Je me suis mariée contre leur gré — par amour. La famille de mon mari était plus fortunée. » Elle eut un rire ironique, sans amertume. « Nous pensions être modernes, mon mari et moi. Qu'avions-nous besoin du consentement des parents ? Nous nous aimions. »

« Pourquoi la famille de votre mari a-t-elle adopté cette attitude ? »
Elle tendit les mains dans un geste d'impuissance.

« Mon mari s'est remarié. Mes fils et moi n'existons plus. Nous sommes rayés de cette maison.

— Alors, qu'allez-vous voter ? demandai-je au bout d'un moment.

— Oh, je vais voter non, comme tout le monde. Mais c'est trop tard. »
Elle avait raison. Les Italiens votèrent en masse pour garder leur loi sur le divorce et les femmes nouvellement divorcées comme mon amie d'un jour ont probablement voté comme eux.

J'ai cité cette histoire pour illustrer les oppositions qui règnent dans la famille ou plutôt entre deux sortes de familles. Etablir en quoi consiste la famille, en quoi elle diffère de ce qu'elle a été ou de ce qu'elle sera fait l'objet de maintes discussions contradictoires. Les familles se font et se défont, acquièrent de nouveaux membres par le mariage et la procréation et les perdent par la séparation et la mort. Bien évidemment, l'union d'un homme et d'une femme est nécessaire à la conception d'un enfant, et nous pourrions admettre sans mal qu'un tel lien constitue le corps central d'un ensemble que nous appellerons la famille, le couple procréateur étant le noyau de la structure familiale. Je parlerai de famille nucléaire uniquement lorsque les relations internes impliquent plus de temps et d'attention donnés à ses membres qu'à tout autre parent ; dans l'objet de cette discussion, j'exclurai même du noyau familial les enfants, à qui l'on accorde moins de temps dans les familles nucléaires que celui que s'attribuent les époux entre eux, et qui ont d'autres compensations. Les enfants de la famille nucléaire deviennent des visiteurs occasionnels dans la maison familiale, visiteurs moins aimables et moins communicatifs à mesure qu'ils se sentent devenir adultes. Lorsque les enfants adultes recherchent la compagnie de leurs parents, la famille, si l'on s'en tient à notre définition, n'est plus nucléaire.

Toutefois, ce n'est pas parce que la famille nucléaire consacre plus d'attention et d'énergie à la relation entre les époux qu'elle privilégie l'interaction conjugale. Les relations avec l'employeur prennent la priorité en termes de temps, d'énergie, de concentration et de fidélité. Même dans le cas de plus en plus rare de la femme au foyer, la relation avec l'enfant importe moins que la relation avec le mari (et avec l'employeur du mari). Dans la plus grande partie du monde, les femmes font passer leurs enfants avant leurs maris, et y sont encouragées par leur famille et par la famille de leur mari, et la majorité des femmes n'appartiennent pas à la famille nucléaire ainsi définie. Donc, s'il peut être vrai que le couple mari-femme forme le noyau de la famille et que les familles peuvent être composées de cellules produites à partir de ce noyau, il est absurde de prétendre que chacun vit dans une famille nucléaire. La famille devient nucléaire lorsqu'elle est réduite à cette fonction, une fois atrophiées ou éliminées toutes les autres relations de sang et d'affinité.

Si nous prenons le cas de mon amie dans le train, nous pouvons considérer que sa situation est la conséquence d'une capitulation de la Famille au sens plus large, que j'identifierai par la majuscule F, devant les revendications de la famille nucléaire. Peu à peu, l'idée a fait son chemin que chaque homme a droit à la satisfaction sexuelle avec la femme de son choix. Aujourd'hui, cette notion a acquis le statut de droit civique. Dans le cas cité, la Famille a succombé à ses propres sentiments de culpabilité et d'anachronisme, et pour se punir, s'est séparée de l'un de ses parents par alliance et de deux de ses parents par le sang. En développant la notion de Famille, je m'efforce de décrire une structure organique qui peut être représentée en termes de génétique, de patrimoine et d'état civil, mais dont l'existence se situe principalement dans les cœurs et les esprits. On a accusé les historiens qui ont tenté de décrire la famille comme une *mentalité* de faire preuve d'une abstraction excessive ; néanmoins, c'est précisément dans des formes de savoir, des normes de sentiments, des concepts du moi que la Famille trouve son existence. Lorsqu'elle est forte, ses membres choisissent leurs amis, puis leurs amours à l'intérieur de sa sphère d'influence. Lorsqu'elle règne en maître, ils se définissent comme les membres cadets ou aînés d'une hiérarchie de sang.

La Famille qui conserva ses liens avec mon amie du train était forte, mais pas suffisamment. Lorsqu'elle et son mari avaient décidé de vivre séparément, quinze ans auparavant, c'était une Famille qui privilégiait les liens consanguins sur le lien conjugal. Dans de telles Familles, si le lien conjugal venait à se relâcher pour une raison ou pour une autre, il pouvait devenir une simple formalité permettant aux époux de vivre ensemble dans la mésentente ou de se séparer. Ce genre de dégradation n'est pas considéré comme une catastrophe, parce que le foyer est étayé par des supports autres que le seul lien conjugal, principalement des réseaux de responsabilité existant en dehors du lieu de résidence. Ma compagne de voyage resta un membre de la Famille de son mari longtemps après que leur relation fut réduite à une simple tolérance. Ses beaux-parents savaient comment elle vivait, quel âge avaient ses fils, comment se déroulait leur scolarité et quelles étaient les mesures nécessaires pour l'aider à conserver un niveau de vie digne de leur belle-fille et de leurs petits-enfants. Si elle avait vécu dans une société polygame, le remariage de son mari n'aurait provoqué aucun trouble et aucune rupture. Nous avons évoqué ce qu'elle aurait éprouvé en devenant simplement la première femme de son mari, mais à son avis c'est la nouvelle femme qui n'aurait pu s'accommoder de son maintien et du maintien de ses fils dans le cercle familial. Craignant peut-être l'échec du second mariage de leur fils, les parents avaient renoncé à leur affection pour leur ancienne belle-fille. Elle, pour sa part, n'avait rien à se reprocher et ne désirait pas se transformer en une voix plaintive au téléphone.

La Famille s'était inclinée devant les exigences du nouveau lien conjugal au détriment de ses propres liens structurels. Les historiens de la famille affirmeront que les Familles se sont toujours comportées ainsi, qu'elles s'amputent d'un membre ici ou là pour permettre à la tige centrale de se développer. L'histoire démographique, qui occupe aujourd'hui des centaines de statisticiens à rassembler une foule d'informations inutilisables, traite à tort la Famille comme une organisation statique plutôt que comme une structure évolutive. Sa méthode exige des données quantifiables. Jusqu'à présent, personne n'a trouvé comment quantifier la différence entre les états d'esprit. La différence superficielle correspond à une distinction radicale.

Pour en revenir à la jeune femme du train, l'interdiction de divorcer fit passer les exigences sexuelles des époux après leurs liens en tant que parents. Qu'importait leur mésentente ou leurs liaisons avec d'autres partenaires sexuels, à l'égard de la loi ils étaient uniquement les parents des enfants qu'ils avaient mis au monde. Ils n'étaient pas tenus de se rendre heureux. Le bonheur ne faisait pas partie intégrante de leur mariage. Les Italiens dans leur majorité n'acceptèrent le divorce qu'après avoir admis que le mariage était le berceau du bonheur et que la Famille était un système d'entraves. Une fois cette idée ancrée dans les esprits, les efforts de l'Eglise et des démocrates-chrétiens pour remettre les pendules à l'heure furent vains. Même ses sentiments maternels ne suffirent pas à persuader mon amie du train de s'opposer au changement radical qui avait bouleversé la vie familiale italienne en l'espace d'une seule génération.

On pourrait répondre que la force irrésistible de l'industrialisation avait depuis longtemps préparé le changement des comportements, incitant les individus à quitter la terre, jonction longitudinale entre les générations, par l'idéologie de l'amour sexuel, le charisme de certains apôtres du libéralisme ou même par l'horreur de deux guerres mondiales et la menace d'anéantissement qui rendait absurde toute notion de continuité. C'est pour ces motifs que les vieux paysans européens accrochés à leurs parcelles de terre improductive — parce qu'il n'y avait plus ni fils ni belles-filles pour les travailler — craignent tant de mourir seuls et ruinés comme cela arrive si souvent. C'est le facteur qui découvrit le corps d'Angiolina, la meilleure conteuse de toute la Toscane, longtemps après sa mort. Terrassée un soir par une attaque et sentant la mort venir, elle n'avait pu prévenir personne. La police rassembla ce qui restait d'elle dans un sac en plastique et les voisins tentèrent de cacher les traces d'ongles sur les murs avant l'arrivée de son fils. Les enfants qui écoutaient pendant des après-midi entières les histoires que racontait Angiolina sont dispersés aux quatre coins du monde. Du temps où ils s'asseyaient autour d'elle, tout le monde dans la vallée était parent ; aujourd'hui, les maisons appartiennent à des étrangers en villégiature.

Néanmoins, malgré la certitude écrasante que les bouleversements provenant du monde occidental ébranlent chaque communauté traditionnelle, les démographes prétendent qu'il s'agit d'une impression, et d'une impression erronée. La Famille a toujours été ce qu'elle est aujourd'hui, disent-ils, la famille sacrée, composée d'un père, d'une mère et d'un ou deux enfants vivant sous le même toit. Tout système plus large, toute organisation sociale plus complexe a été composée à partir du couple. Cela ne représente sans doute pas l'entière vérité, mais hypnotisés par le souci exclusif de ce qui se passe dans la couche conjugale, nous ne voyons pas que l'existence de lits à deux dans des appartements séparés ou des maisons séparées ne constitue pas une preuve irréfutable de la nature de la famille. (En fait, les informations sur la disposition de lits doubles seraient de meilleures indications que la plupart de celles qui sont utilisées.)

Je peux citer l'exemple d'un foyer constitué aujourd'hui d'un homme et de sa femme, une seule génération, car les filles sont mariées et parties. Au moins une fois par semaine, celle qui vit à proximité vient dîner chez ses parents et reste dormir dans son ancienne chambre ; aucune des filles n'imaginerait passer ses vacances ailleurs que dans la petite maison familiale. On pourrait considérer qu'il s'agit là d'un noyau qui a tissé des liens plus forts que de coutume avec les noyaux qui en sont issus, un noyau renforcé par les moyens de communication modernes, le téléphone entre autres si la femme ne craint pas de l'utiliser. Disons que cette famille est caractérisée par certaines variables que les démographes accepteront comme la norme de la famille nucléaire, puisque leurs critères les entraînent à s'attacher au nombre de personnes qui mangent au même pot et dorment sous le même toit. Ils seront passés à côté du principal. Cette famille est une Famille, composée de Marisa (nous appellerons l'épouse Marisa), et de ses filles. Parce que ses gendres et ses petits-enfants sont solidement attachés à sa maison, Marisa est à mes yeux une femme qui a indiscutablement réussi sa vie.

Les démographes ne prendront pas en compte des bribes d'information de type subjectif. Ils ne s'intéresseront pas à la réaction de Marisa lorsque son frère aîné et sa femme ont quitté la maison familiale, abandonnant leurs parents trop vieux pour garder les enfants ou entretenir la maison. Pour Marisa, sa belle-sœur n'était qu'une *budella*, une salope. Lorsque sa mère était devenue infirme, Marisa l'avait prise chez elle, dans sa petite maison de deux pièces, et dans son propre lit que son mari avait abandonné pour le temps qu'il fallait. Elle avait veillé ainsi sur le sommeil de sa mère, espérant qu'elle mourrait dans ses bras. Ce désir ne fut pas exaucé ; mais sa mère fut transportée dans la vallée d'où la famille était originaire pour y être enterrée près de son fils aîné fusillé par les nazis.

Néanmoins Ferdinand Mount, l'héritier de Pangloss pour qui la famille a toujours été ce qu'elle est aujourd'hui, nous dira catégoriquement que le comportement de Marisa est inhabituel.

> ... il existait peut-être une coutume suivant laquelle les couples mariés avec enfants devaient aussi s'occuper de leurs parents en les prenant chez eux ; mais dans la plupart des sociétés, c'était une coutume à laquelle on dérogeait le plus souvent, pour la simple raison que les couples mariés n'avaient

généralement pas les moyens d'entretenir leurs parents. Les vieux mouraient souvent seuls à l'asile ou dans une misère abominable[2].

Peu de paysans européens furent plus pauvres que la famille de Marisa qui a grandi au milieu de la famine et de la confusion dans la Toscane de l'après-guerre, mais où il n'existait pas d'asiles et où l'on se tenait chaud à plusieurs dans un seul lit. Lorsque les gens vivaient de châtaignes, de glands et d'herbes sauvages, plus il y avait de bras, meilleure était la récolte. M. Mount a peu de connaissance de la pauvreté, semble-t-il, et l'idée qu'il se fait de « la plupart des sociétés » semble fondée sur le genre de distinctions faites par le journal *The Tatler*.

Il est peu de gens plus pauvres que les habitants des faubourgs de Bombay et pourtant, dans des pièces que M. Mount trouverait trop petites pour un seul adulte, il y a de la place pour accueillir la mère ou le père du mari, ou les deux si besoin est ; c'est-à-dire dans le cas où les vieux sont trop faibles pour vivre seuls ou si la maison de famille du village a disparu. Les mouvements de la ville vers le village et vice versa peuvent continuer pendant des générations. Les démographes risquent de sous-estimer à la fois le degré de mobilité des êtres humains et le degré de leur attachement à leur patrie et à leur patrimoine. Qui plus est, lorsque la connaissance est acquise par l'expérience (plus que par la scolarité), les vieux sont indispensables dans une maison, autant que le seraient le gaz et l'électricité aux yeux de M. Mount. Les membres des sociétés traditionnelles, spécialement les pauvres (ce qui signifie pratiquement tous ceux qui vivent dans les sociétés traditionnelles aujourd'hui), ne peuvent faire confiance qu'aux membres de leur famille, car ils ont été exploités par tous les autres. Ils sont, hélas, souvent exploités impunément par leurs propres parents. On trouve autant de bon que de mauvais sang dans les familles, mais la lutte reste à l'échelle humaine.

Pour le pauvre, la Famille reste la seule ressource ; là uniquement il pourra jouir du pouvoir, de l'autorité, du succès et du respect. Seule la Famille donne un sens à la vieillesse ; seule elle peut donner une forme et une cohérence à toutes les phases de sa vie. Pour ces services, la Famille exige un prix, un prix que certains paieront de grand cœur et que d'autres trouveront trop élevé. A certains stades de la vie professionnelle de tout individu, les contraintes paraissent insupportables. La Famille a ses victimes, les jeunes mariées étrangères immolées à leurs fourneaux, celles qui ont fui le domicile conjugal, le prostituées, les exploités, les mal adaptés, les difformes, les maladroits, les sans-enfants. Tous ceux qui ont vécu sous le joug de la Famille ont à un moment donné rêvé de s'enfuir ; les haines les plus fortes y ont couvé en même temps que l'amour le plus fervent. Mais la Famille se développe lentement, ses racines s'enfoncent dans des temps immémoriaux. Lorsque prévaut la règle de la satisfaction immédiate, elle ne peut que dépérir. Si la Famille s'oppose au pouvoir des apôtres de la satisfaction immédiate, elle fait figure d'obstacle à la constitution de la société de consommation qui a les moyens de réduire à néant cette structure quasi permanente. Parmi ces moyens, il y a les intelligentsias de toutes colorations, rouges, roses ou bleues, qui se sont attaquées à la Famille de toutes parts.

L'attaque contre la famille qui eut le plus d'influence dans les temps modernes fut celle menée par Engels, qui rassembla les commentaires de Marx sur les « Recherches sur le progrès humain de l'âge primitif à la civilisation en passant par le barbarisme » de Lewis H. Morgan, qu'il publia sous le nom de *l'Origine de la famille, de la propriété privée et de l'Etat* en 1884. Les prémisses et les déductions d'Engels sont fausses, mais il est surtout intéressant de constater qu'à l'instar de tous ceux qui étudient l'origine, la nature et l'histoire de la famille il parle en fait du mariage et des rapports sexuels entre les époux, et non de la famille. Le grand apôtre de la fraternité humaine ne s'intéresse pas à la fraternité en elle-même, sans parler de la sororité ou de la maternité. Comme tous ses amis experts ès familles, Engels dirait qu'il ne s'intéresse pas aux liens de parenté qui constituent un sujet d'étude différent. C'est faire preuve d'ethnocentrisme, car c'est précisément le fait qu'elle soit constituée d'un réseau vivant de parents et non pas seulement d'un dortoir de lits doubles qui distingue la Famille des familles nucléaires.

Quoi qu'il prétende sur les phases du développement de la famille, Engels la considère en fait en terme de mari/femme, vue sous l'angle de la relation employeur/employée/produit, ou propriétaire/moyen de production/marchandise. Son sexisme inconscient est frappant ; les femmes sont passives, les hommes sont jaloux, les femmes sont désirables, les hommes sont prédateurs, quatre postulats sur lesquels repose tout son discours. Si l'on en croit l'extrême gauche, les mesures soviétiques destinées à affaiblir la famille par la création de crèches publiques, l'idéologie de l'amour libre, la légalisation du divorce, de la contraception et de l'avortement, furent modifiées parce que l'on découvrit que la famille était le terrain idéal pour entretenir la passivité du citoyen. C'est exact, mais pas dans le sens où l'entendait l'orthodoxie révolutionnaire marxiste. Le capitalisme d'Etat a en fait compris que la famille nucléaire est l'unité sociale la plus malléable ; les maisons sont construites pour elle, les services sociaux la prennent en charge, et sa progéniture est embrigadée dans son système d'éducation, tandis que ses parents bénéficient de l'Etat providence. Le capitalisme d'Etat et le capitalisme monopolistique nécessitent les mêmes modèles de consommation, de mobilité et de désir. L'idée est simple et irréfutable ; si tous les hommes doivent être frères, personne ne peut être le frère de l'autre. C'est aussi vrai pour l'Europe de l'Ouest et l'Amérique que ça l'est pour les pays d'Union soviétique où la famille a éclaté. Le déroulement du processus est peut-être plus grossier, plus brutal, chez les Soviétiques que, disons, en Australie, mais il a seulement un peu moins de chances de réussir.

L'idéal de la fraternité universelle est difficile à atteindre ; de même que chaque réformateur brûle d'instituer l'harmonie et d'abolir la souffrance, il brûle d'étendre l'altruisme du groupe familial à la société au sens large (tel

qu'il la définit). Engels cita les théories de Fourier, qui appelait la monogamie et la propriété privée « une lutte du riche contre le pauvre ».

> Nous avons comme lui l'intime conviction que les familles individuelles (les
> familles incohérentes) sont les cellules économiques de toutes les sociétés
> imparfaites divisées par des intérêts contraires[3].

La famille a toujours en tête son propre développement et son propre
agrandissement ; elle constitue un groupe de pression en conflit avec les
autres groupes, mais la force de pression qu'elle peut exercer est en relation
directe avec sa taille et la solidité de son organisation. Si nous réduisons la
Famille à la famille nucléaire, les noyaux continueront à agir dans leur
propre intérêt, mais par cette division le quotient des intérêts individuels
sera réduit à un niveau acceptable. Si nous nous concentrons sur le couple,
et si nous le persuadons que le coït fréquent et prolongé est son bien
principal, alors nous avons peu ou rien à craindre de ses intérêts individuels
canalisés dans le lit double avec son cortège de biens de consommation
amoureusement rangés autour de lui.

Les chefs de file de tous les utopistes, depuis Thomas More qui a voulu
nous faire rentrer dans une grande famille heureuse, ne supportent pas
l'idée déplaisante que le genre humain soit incapable d'harmonie. Nous ne
pouvons pas tous baigner dans l'accomplissement de nos désirs mutuels,
mais on peut nous persuader de nous concentrer sur notre propre satisfaction en laissant à quelqu'un d'autre le soin de décider ce qui est le mieux
pour nous tous. Enracinée dans la territorialité, pratiquant l'autodéfense,
formée à résister à l'agression, la Famille lutte contre toute autorité qui
n'est pas la sienne, tandis que la famille nucléaire soumise est incapable de
s'opposer aux besoins constants de satisfaction de ses enfants sans éprouver
un sentiment de culpabilité, parce que la recherche des plaisirs est le credo
de sa micro-organisation sociale. L'attaque marxiste-léniniste contre la
Famille était inévitable, mais son attaque contre la famille nucléaire fut
timide et vite abandonnée.

Il est en partie exact que le christianisme est hostile à la famille, mais l'on
comprend moins souvent que le christianisme est avant tout hostile à la
Famille : le champion de la famille nucléaire, Ferdinand Mount, fait remarquer avec justesse que Jésus-Christ n'était pas marié, et qu'il montre par là
où il se situe vis-à-vis de la Famille. Plus remarquable encore, le Christ
n'avait ni frère ni sœur, et sa mère n'avait ni frère ni sœur[4]. Il n'est dit nulle
part que le Christ ait eu un oncle ou un cousin, bien que d'après des sources
plus anciennes la parenté de Jésus fasse partie des caractéristiques qui ont
été supprimées par la bureaucratie catholique. La Sainte Famille est la
famille nucléaire ; fasciné par le fait indicible que Joseph et Marie n'avaient
pas eu d'orgasmes simultanés (en fait pas d'orgasme du tout, si l'on s'en
tient aux Ecritures), M. Mount ne voit que l'attaque chrétienne contre la
sexualité et l'interprète comme une attaque contre la famille. Le pouvoir de
l'image de la Sainte Famille dans la montée du capitalisme n'est pas

exagéré ; l'emblème le plus puissant est celui de la Madone et de l'Enfant, où la Madone est toujours vierge, l'enfant toujours de sexe mâle, et les fixations œdipiennes de la foi adroitement satisfaites. Vue de l'autre côté de l'océan, cette sanctification de la famille nucléaire semble d'une évidence aveuglante ; à l'intérieur de la sphère anglo-saxonne, elle semble naturelle, inévitable et totalement invisible.

> ... Car Je suis venu mettre la division entre l'homme et son père, entre la fille et sa mère, entre la belle-fille et sa belle-mère ; et l'homme aura pour ennemis les gens de sa maison. Celui qui aime son père ou sa mère plus que Moi n'est pas digne de Moi, et celui qui aime son fils ou sa fille plus que Moi n'est pas digne de Moi.
>
> Matthieu, x, 35-39

M. Mount a préféré ne pas souligner que ni la femme ni le mari ne sont compris dans cette liste de parents inférieurs, pas plus qu'il ne relève que c'est la partie des paroles du Christ qui a été totalement accomplie ; toutefois ce n'est pas le Christ qui est aimé au détriment des parents proches, c'est l'Epoux. Bien que le premier miracle du Christ ait pris place au cours d'un mariage, M. Mount ne le considère pas comme un champion de la famille nucléaire, l'accusant de montrer peu d'empressement envers elle[5]. Il ne voit pas que Jésus est l'architecte de la famille nucléaire, tant sa représentation de la relation conjugale a dû sembler inhabituelle à ses premiers auditeurs :

> C'est pourquoi l'homme quittera son père et sa mère, et s'attachera à sa femme, et les deux deviendront une seule chair. Ainsi ils ne sont plus deux, mais ils sont une seule chair. Que l'homme donc ne sépare pas ce que Dieu a joint.
>
> Matthieu, xix, 5-6

Cette injonction ne satisfait pas M. Mount car elle ne permet pas le divorce, si bien que notre couple, même amputé de tout autre lien familial, pourrait ne pas être un couple véritablement copulateur[6]. Les Epîtres confirment le message, réitérant le devoir des époux l'un envers l'autre, et omettant de mentionner les devoirs qu'ils pouvaient avoir envers les autres. Tout est parfaitement clair si nous nous rappelons la manière dont se sont déroulées les conversions et l'opposition implacable qu'elles ont rencontrée de la part des familles. Le christianisme a survécu parce qu'il était parfaitement adapté aux systèmes socio-économiques qui se sont développés dans l'Europe prémédiévale et médiévale, mais avec la montée du capitalisme, la faiblesse du mariage, que l'Église médiévale avait toujours considéré comme une condition inférieure, devint sa force...

> ... et celui qui est marié s'inquiète des choses du monde, des moyens de plaire à sa femme... (I Corinthiens, VII, 32-33.)

La lutte idéologique pour faire du mariage la plus élevée des conditions offertes aux aspirations humaines fut lancée au seizième siècle, au moment où naissait le capitalisme moderne. Malgré les exemples que nous offre la littérature de la confusion qui entretient cette polémique, on pense généralement qu'il n'y a pas de preuves d'un changement dans la structure familiale en Europe du Nord à cette période. L'Europe du Nord a probablement toujours été unique dans le fait que le mariage était célébré tardivement, entre partenaires d'un âge sensiblement égal, que la fécondité était peu élevée, et que le foyer abritait plus souvent des domestiques que des parents ne faisant pas partie du noyau et de sa progéniture[7].

Nous devrions alors considérer la Réforme et son insistance en faveur du mariage monogamique comme une fissure qui se transforma en rupture du fait que l'Eglise de Rome était mal adaptée aux coutumes des pays non méditerranéens. L'hypothèse est loin d'être confirmée ; les Irlandais refusent de s'adapter à ce schéma et il nous faudrait présupposer un *Rassensinn* survivant obstinément parmi les descendants des hordes germaniques célèbres pour leurs appétits lubriques, si nous voulons expliquer ce trait distinctif qui n'est probablement pas partagé par les Celtes et leurs alliés. L'hypothèse est vaste et osée et je n'ai aucune chance de la vérifier ou de l'infirmer dans le temps qu'il me reste à vivre. Il est simplement supposé que les pays d'Europe occidentale du Nord ont des caractéristiques uniques d'agressivité, de mobilité, d'intolérance à l'égard de tout ce qui ne concerne pas le sexe et la parenté minimale. Si cela est vrai, il s'agirait d'une simple curiosité que pourraient relever des anthropologues orientaux de la même façon que Robert Suggs a catalogué les caractéristiques du Marquisien et son processus de socialisation[8] — si ce n'est que le succès phénoménal des peuples germaniques a créé un précédent irrésistible, rabaissant par comparaison les sociétés fondées sur la parenté qui arrivent à se considérer comme des sociétés arriérées et dont les enfants rêvent d'un appartement de deux pièces en banlieue, avec la femme de leur choix, apte à satisfaire toutes leurs fantaisies.

La thèse des historiens démographes est résumée par leur doyen, Peter Laslett, dans sa préface aux études intitulées *Household and Family in Past Time*, une préface qui se propose d'être également une introduction analytique à l'« histoire de la famille »[9]. Malheureusement, l'ouvrage traite essentiellement des personnes résidant au foyer et non de la famille, excepté dans le sens étroit de gens qui vivent sous le même toit. La dimension et la structure du « groupe domestique résident » constituent le véritable objet de son analyse et aucune autre donnée que la stricte énumération des habitants de foyers uniques et de leurs relations n'est prise en considération. La technique du recensement, comme le savent tous ceux qui la pratiquent, s'éloigne étrangement de la réalité, car elle doit permettre la comparaison de ce qui n'est pas comparable. Qui plus est, les paysans sont rarement prêts à dire l'entière vérité aux représentants de l'Administration, même lorsqu'ils comprennent le langage bureaucratique, ce qui est rarement le cas. Les prénoms figurent plus souvent que les noms sur les actes publics ; le nom du père plus souvent que celui du mari, et ainsi de suite. Les enfants absents ne sont pas nommés, mais ils peuvent subvenir aux besoins de la famille par leur salaire d'ouvrier émigrant. Même l'adresse est souvent trompeuse ; les autorités italiennes, déconcertées par l'aspect protéiforme des bâtiments de ferme, ont fini par mettre en place un système *ad hoc* qui comptait chaque porte extérieure comme habitation. A trois reprises, elles ont obtenu des résultats totalement différents, car il est toujours possible de murer les portes, même lorsque la municipalité interdit toute modification sans permis de construire. Un recensement basé sur de telles données aurait indiqué que la plupart des habitations étaient abandonnées. En examinant le genre de données sur lesquelles Laslett et ses confrères fondent leurs évaluations de la dimension des foyers, nous constatons qu'elles sont simplement comparables à une technique de recensement, en plus numérique et plus abstrait[10]. Il n'est pas surprenant alors que l'objet de la discussion tende à disparaître.

> On pourrait se demander si la forme de la famille a en fait joué un rôle aussi important dans le développement humain que celui que les sciences sociales lui ont attribué ; si nos ancêtres se souciaient de la forme des familles dans lesquelles ils vivaient, si elles étaient grandes ou petites, simples ou compliquées, et même si elles contenaient des membres de la famille, des domestiques ou des étrangers[11].

Il est toujours possible de se poser la question, mais l'idée que les foyers de nos ancêtres étaient organisés n'importe comment ne paraît pas plus crédible que les généralisations à propos des effets de l'urbanisation et de l'industrialisation sur la famille, que Laslett s'empresse de réfuter. Laslett affirme qu'il ne parle pas de la parenté, mais il utilise le terme famille de telle façon qu'il déborde sur l'idée de parenté.

> Sans doute la forme de la famille a une influence sur le comportement des individus et sur la structure de la société. Mais cette influence peut avoir eu une signification réduite. En effet, on décèle des variations si faibles de l'organisation familiale dans l'histoire de l'humanité qu'il y a peu de chance de jamais trouver des exemples de sociétés qui ont changé de caractère en relation avec des changements dans la famille[12].

On imagine mal ce que pourrait être un fait d'une signification illimitée. Admettons que la forme de la famille ait une influence déterminante, on peut se demander si le Dr Laslett consentirait à reconnaître que l'attitude des individus et la structure de la société ont une influence, et peut-être une influence déterminante, sur la forme de la famille. Il n'est pas facile de déterminer ce qu'il accepte comme une variation ; s'il persiste à voir une distorsion significative dans les diagrammes historiques, il a probablement raison de supposer une petite variation, mais s'il veut dire différence plutôt que variation, la façon dont les familles sont organisées n'est pas seulement différente, mais en opposition. Néanmoins, nous retournons toujours à l'observation, faite par Jack Goody à partir de son interprétation de G. P. Murdock et de Talcott Parsons, que

> l'opposition entre « famille » et « parenté » (ou systèmes familiaux étroits et élargis) est parfaitement insuffisante à moins de reconnaître explicitement que toutes les sociétés avec des systèmes de parenté plus étendus ont aussi, au centre de leur univers, des petits groupes qui sont impliqués dans le processus de production, reproduction, consommation et socialisation[13].

Une fois de plus, l'argument peut être retourné contre lui-même. Le professeur Goody semble croire que pour être décrit en tant que famille élargie, un groupe d'individus liés par les liens du sang et du mariage doit vivre sous le même toit, se nourrir au même pot et répondre à l'unisson aux prénoms de Paul, Pierre ou Jacques. Pour lui, la « famille » est le joyau de l'alliance reproductrice, qu'il identifie en déformant son argumentation comme l'unité de production et de consommation, même s'il décrit les femmes dans son échantillon africain préparant individuellement la nourriture à partir de greniers collectifs. Il note sans parti pris que certaines habitations comptent plus de cent personnes, mais tient à souligner qu'elles ne diffèrent pas par leur nature de celles qui comprennent moins de vingt personnes, comme s'il décrivait les habitants d'un gratte-ciel de Kensington. En réalité, apprendre que tous les habitants d'un gratte-ciel (qui habitent contre leur gré sous le même toit) étaient liés par le sang et le mariage nous laisserait confondus si cela devait se passer quelque part dans le monde occidental.

Au cours de son difficile cheminement à travers les écueils du discours familiographique, le Pr Goody découvre son jeu par inadvertance. Il décrit le groupe de parenté qui vit dans les appartements privés d'un homme et de ses femmes comme le « groupe actif élargi », « unité morphologique » à peu près du même type que la « famille élargie » telle qu'elle existe parmi « toute communauté de petite dimension ayant une population relativement stable[14] ». Même si le Pr Goody considère le « groupe actif élargi » uniquement comme une famille élargie entre guillemets, il en fait la même description que les autres commentateurs. Certaines de ses conclusions sont même plus excessives, lorsqu'il affirme qu'elle existe dans *toute* communauté de petite dimension, ce qui peut seulement signifier que la famille élargie se rencontre *exclusivement et obligatoirement* dans les communautés de petites dimensions ayant une « population relativement stable. »

D'autres anthropologues feront remarquer que l'on peut difficilement décrire les tribus pastorales transhumantes comme stables, mais qu'elles ont souvent des réseaux de parenté très étendus. Les migrations saisonnières des aborigènes australiens suivent des trajets traditionnels qui couvrent des milliers de kilomètres, mais leur arbre généalogique familial s'étend encore plus loin. Comme le sait tout employé des services publics chargés de l'aide aux communautés aborigènes, même aujourd'hui le devoir de coopération et d'aide mutuelle s'étend à des parents éloignés qui se rencontrent pour la première fois. Dans l'adversité, la mobilité de la population aborigène a augmenté, mais le métissage forcé, la pauvreté et l'humiliation n'ont pas détruit l'éthos de la Famille.

En fait, par sa remarque imprudente, le Pr Goody trahit un secret qui n'en est plus un. Il y a toutes sortes de façons de rassembler les informations sur la Famille, et l'approche numérative est l'une des pires, car elle prend uniquement en compte un ensemble de manifestations concrètes — logement, structure du village, religion, rituels, rivalités, loi écrite et non écrite — et de statistiques. Nous cherchons quant à nous à établir une qualité que, le jargon étant la règle dans ce genre d'étude, nous pourrions appeler la familialité. Une société qui possède un degré élevé de familialité sera une société dans laquelle les Familles exercent plus de pouvoir réel et d'influence que les administrations, dans laquelle les pouvoirs publics ne peuvent intervenir dans les domaines qui appartiennent à la Famille, dans laquelle les Familles peuvent s'enrichir aux dépens l'une de l'autre et aux dépens des finances de l'Etat. A un bout de notre échelle de la familialité, il y aurait une société composée de groupes étendus mais étroitement liés, qui se marient et donnent en mariage suivant les intérêts du groupe pris comme un tout, avec un éthos sexuel construit pour favoriser cette procédure. Les têtes de file de tels groupes seront généralement les membres de la génération la plus âgée, encore capables de faire preuve d'autorité, et le pouvoir suprême doit vraisemblablement être exercé par une seule personne, sans doute un homme.

Une semblable Famille est une unité agissante, consolidée par une combinaison de gestion habile et d'oppression, et subsistant grâce au travail non rémunéré de ses membres actifs qui lui permettent de surmonter des facteurs de désintégration, comme l'inflation. Une telle structure est particulièrement dynamique, en constante évolution, accompagnée par les rivalités entre frères pour le pouvoir, les luttes pour l'élimination d'un patriarche sénile, la maladie, l'infécondité, la guerre et autres désastres. Les Familles qui se développent se divisent, celles qui stagnent meurent.

Ces Familles subviennent à leurs besoins par un usage adroit de la main-d'œuvre et des ressources ; il est probable qu'elles mettront aussi peu d'enthousiasme à accepter une aide de l'État qu'à payer des impôts, mais elles s'empareront des subventions qui leur seront offertes. Le corps social et la notion de bien public n'ont probablement pas grande signification dans les sociétés où la Famille tient une grande place : tout programme public destiné à aider les pauvres ou à élever le niveau de vie général sera probablement détourné et le « groupe coopératif élargi » trouvera les moyens d'en être le bénéficiaire sans qu'il lui en coûte rien. Les missionnaires américains à Haïti découvrirent avec indignation que les programmes d'aide alimentaire mis en place par CARE avaient été totalement cooptés :

Dans le village où nous vivons une seule famille contrôle toute la communauté et les services administratifs, y compris le juge, le maire, le président du conseil général, etc. Outre le fait de posséder de vastes étendues de terre, « la famille » spécule sur le café et contrôle tout l'abattage des arbres dans la région. Lorsque CARE pénétra dans le village avec son programme de rémunération du travail par des produits alimentaires, il coula de source que la famille devînt l'administrateur local du programme. « La famille », sous les auspices du président du conseil général, se chargea également de la distribution des vivres...

Les bénéficiaires du programme ne furent pas les paysans pour qui il avait été mis en place ; ceux-ci travaillèrent trois jours par semaine pour le programme, un jour sur les routes pour le conseil général et un dans le jardin des chefs de la communauté (c'est-à-dire « la famille ») en échange des vivres qu'ils auraient pu produire eux-mêmes[15].

Le pouvoir de « la famille » dans ce cas est réel ; aucun programme ne pourrait être mis en place sans son consentement. Les missionnaires sont des étrangers dont l'influence concurrence celle de la famille qu'ils considèrent comme criminelle. Les paysans, très vraisemblablement, considèrent que « la famille » a simplement réussi et espèrent rester dans ses bonnes grâces. Des exemples du même type pourraient être recueillis dans toutes les sociétés familiales d'Amérique latine, dans le monde musulman, en Asie ou en Afrique. Les gouvernements sont formés par des familles puissantes qui s'efforcent de garder le pouvoir en paralysant leurs rivaux, tombent et sont remplacées par d'autres tout aussi avides de saigner à blanc l'Etat pour augmenter leur propre puissance. Le réseau est si large et s'est si bien infiltré que son existence est imperceptible de l'extérieur.

La souplesse d'adaptation est un élément nécessaire à la réussite de la famille élargie, mais cette souplesse doit s'accompagner de fermeté et de fidélité, afin que les troupes de choc infiltrées dans l'administration et dans les affaires ne soient pas elles-mêmes cooptées. Dans la société à forte structure familiale, un homme qui devient, disons, membre du service du personnel d'une société fournira du travail aux membres de sa famille et personne ne songera à le lui reprocher, personne sauf son employeur, et même celui-ci (s'il n'est pas lui-même un membre de la famille) ne se plaindra pas tant qu'il n'aura pas affaire à des idiots. Dans ces sociétés, la morale de la famille est la seule valable. La ligne de conduite et la crédibilité d'un homme politique ont probablement moins d'importance qu'une mise en place réussie de membres de sa famille et que la solidité de ses alliances. En fait, nous pourrions énoncer ce principe : plus une société est familiale, moins son administration est efficace. Dans la formation de toute élite professionnelle, qu'elle soit militaire, religieuse ou civile, il est particulièrement nécessaire de briser les attaches familiales. Dans tout mouvement qui a réussi à instituer un instrument bureaucratique efficace, les organes humains de l'instrument ont été de façon décisive éloignés, non de leurs femmes et de leurs enfants, mais de leurs parents et amis.

L'attaque contre la Famille vient de toutes parts ; chacune de ses fonctions est prise en charge par des institutions et son indépendance envers elles est battue en brèche par la loi. Si nous devions commencer par le début de la vie de l'homme, nous pourrions remarquer que dans les sociétés non familiales, la naissance elle-même a été institutionnalisée. Ce n'est pas un événement familial auquel assistent les parents, et l'enfant n'est pas présenté à la Famille dont il est le membre le plus récent, mais il est soumis au contrôle des institutions et la programmation de son existence commence. La seule personne autre que les professionnels qui soit admise dans la salle d'accouchement est le partenaire sexuel de la mère, et cela en fonction d'une preuve très mince de son lien de parenté. Sa mère, ses sœurs et ses autres enfants ne sont pas admis. Les soins au nouveau-né sont également pris en main par les institutions, à tel point que la mère est soumise à une surveillance constante de la part du corps médical ; elle verra probablement plus souvent la personne chargée de sa santé que sa mère ou ses sœurs ou que sa belle-mère ou ses belles-sœurs. Même si elle bénéficiait d'un certain soutien de la Famille, les décisions du corps médical seraient considérées par lui-même comme supérieures à la sagesse traditionnelle.

L'institutionnalisation de la naissance est un phénomène plus nouveau que l'institution de systèmes d'éducation publique obligatoire qui empêche les membres les plus jeunes de la famille de participer à sa prospérité pour leur donner des connaissances qu'ils ne partagent pas avec leurs aînés, affaiblissant par conséquent l'autorité qui assure l'action commune des membres de la famille. Bien sûr, les enfants instruits ne méprisent pas automatiquement des parents qui ne le sont pas, mais l'inégalité crée des contraintes supplémentaires dont ne viendront à bout que les chefs de famille les plus avisés. Les contraintes seraient moindres si les responsables de l'enseignement prenaient en compte le savoir traditionnnel et la sagesse des aînés, mais quiconque observe ceux qui sont chargés de l'enseignement public dans les sociétés traditionnelles se rendra vite compte que c'est rarement le cas. Qu'il s'agisse des brillants jeunes sujets de la nouvelle bourgeoisie ou des derniers membres sous-payés de la classe dirigeante dépossédée, ils n'auront probablement aucune envie de respecter la culture qu'ils s'acharnent à remplacer. Dans les Familles où l'amour est l'élément conducteur, les jeunes les plus instruits reviendront de leur plein gré mettre leur nouveau savoir-faire au service du groupe communautaire. La Famille pour sa part peut décider qui encourager et à qui barrer la route dans l'acquisition de ce savoir, et les nouveaux médecins, enseignants, ingénieurs retourneront alors travailler dans l'orbite de la Famille, et épouseront les filles choisies pour eux lorsqu'ils étaient étudiants. Bien sûr, les sociétés à tradition familiale développée ont absorbé la nouvelle culture et l'ont tournée à leur avantage, mais ces Familles qui ne peuvent fonctionner sans le travail des enfants et ne peuvent faire face au coût de la scolarisation ont toutes les chances de connaître une baisse écrasante de statut économique ainsi qu'une diminution de leur influence dans leurs propres communautés « de petites dimensions, relativement stables ».

Supplantée dans son rôle d'éducateur, la Famille se trouve également menacée dans son rôle de patron. Lorsque travailler la terre familiale, faire prospérer le commerce familial ou exercer les compétences familiales sont les seules options, les membres valides de la Famille n'ont d'autre choix que de travailler pour subvenir aux besoins de leurs aînés et des enfants de leurs frères, sœurs et cousins. La possibilité de choix est source de tension ; les jeunes, impatients de nature, sont séduits par la perspective de gagner de l'argent pour eux-mêmes. La Famille est alors confrontée à un grave dilemme, soit encourager certains de ses membres à quitter les métiers traditionnels pour apporter de l'argent à la maison, soit tenter de rendre le travail pour la Famille plus attirant que le travail de salarié. Dans le cas où les liens de la Famille sont forts (ce qui diffère de l'autoritarisme), les membres valides peuvent être autorisés à partir affronter seuls les risques d'appauvrissement, car l'argent retournera à la Famille sous une forme ou sous une autre.

La situation est source d'inquiétude, car elle entame le tissu fragile des engagements mutuels qui doit d'une certaine façon absorber et neutraliser le risque de désintégration. Les Familles qui surmontent les difficultés, et doivent continuellement les surmonter, étendent de longs tentacules derrière leurs fils absents ; les groupes de villageois font faire des prières par l'intermédiaire d'un prêtre de leur secte dans la ville éloignée. Les membres de la même caste, les groupes de même statut ou de même âge s'efforcent de rester unis étroitement dans le monde étranger de la grande ville, en parlant leur propre dialecte, portant leurs insignes traditionnels distinctifs, bravant les sarcasmes. Plus la pauvreté les oppresse, plus les distances parcourues par les fils augmentent ; des employeurs qui offrent de moins en moins, des dortoirs bondés, des lits où l'on dort à tour de rôle, des salaires insuffisants pour nourrir les travailleurs s'ils doivent envoyer de l'argent à leur famille. Les domestiques originaires de l'Uttar Pradesh avec femmes et enfants à la maison dorment dans les escaliers et dans les placards à balais, sur le trottoir et sur les bancs publics partout dans Bombay, afin d'économiser les cinq cents roupies nécessaires à la construction d'une vraie maison lorsqu'ils reviendront chez eux.

Tant que les employeurs exploitent la Famille chez elle, en traitant les travailleurs comme des biens personnels irresponsables sans enfants ni attaches, la Famille reste le havre des valeurs humaines où les travailleurs rêvent de revenir, même si le chemin devient plus long et plus pénible, à mesure que passent les années à peiner dans l'enfer des usines qui constitue le legs du monde industrialisé au monde en voie de développement. Si un salaire véritable permet à un travailleur de faire venir sa femme et ses enfants auprès de lui de façon permanente, c'est le premier coup porté à l'organisation de la famille.

Tant que la ville ne représente rien de plus qu'un travail pénible parmi des étrangers, son impact sur la Famille reste négligeable ; mais bien qu'elle soit sale, surpeuplée, bruyante et dangereuse, la ville est toujours davantage. La ville est stimulante autant que terrifiante, et les jeunes paysans les plus vigoureux et les plus courageux qui viennent en ville sauront affronter son défi. Ce sont eux qui sauteront un repas pour acheter un billet de cinéma, qui joueront de l'argent, fréquenteront les prostituées, qui se vêtiront avec soin et se mesureront à tous ceux qui vivent du commerce de la rue. Ils absorberont le message de la société de consommation, apprendront sa langue, ses habitudes et ses valeurs. Le foyer leur fera alors honte, un bled rempli d'ignorants qui respectent les animaux et considèrent leurs enfants comme la chose la plus distrayante qui soit. La femme effacée et assidue au travail paraîtra gauche, sans attrait et ennuyeuse, et sa pudeur passera pour de la frigidité. Les visites à la maison se feront de plus en plus rares et brèves ; les relations avec les aînés deviendront de plus en plus matière à dissimulation et à faux-fuyants. La Famille observe, se désole et se tait. Un passage en prison pourra sauver la situation ; faire rentrer le fils prodigue à la maison, triste et assagi, ou lui donner l'impression qu'il est déshonoré et renié. La migration de la main-d'œuvre donne lieu à plusieurs scénarios. La plupart d'entre eux sont tragiques, même lorsque le travailleur revient épuisé auprès de sa femme, de ses enfants et de ses parents et qu'il n'a pas épousé une blonde ou acheté un bar dans un faubourg de Munich.

Les Familles survivent aux pires difficultés. Nous pouvons prendre pour exemple la famille de Karam Chand que décrit Jane Morton dans ses articles sur la famille anglaise parus dans *The Times* ; la première impression produite par Karam Chand et sa femme Chint Kaur est qu'ils sont tous les deux admirables[16]. « Toute la famille » paya le prix du voyage de Karam Chand pour l'Angleterre où il vécut et travailla pendant dix ans avant de faire venir sa femme et ses enfants auprès de lui. Le récit ne fait pas état des expériences vécues par Chint Kaur lorsqu'elle quitta son Pendjab natal et traversa les épreuves d'un voyage terrifiant et les humiliations injustifiées des agents de l'office de l'immigration britannique à son égard et à celui de ses filles, mais on peut admirer une extraordinaire photo de treize visages heureux, francs et bien différenciés, qui ne sont probablement pas tous des membres de la famille de Karam Chand.

Morton ne parle pas des liens qui existent encore avec la maison de la Famille à Jullundur ; dans l'exemple de Chand, nous voyons une Famille élargie qui s'est scindée à partir d'une autre Famille élargie ; pendant une période, il n'y a peut-être eu que le mari, la femme et leurs enfants, mais cela n'a sans doute pas duré, car à présent Karam Chand a 65 ans, sa femme 59 et l'aîné de leurs enfants n'a que 32 ans. Pendant quinze ans ou presque ils ont vécu au sein de la Famille à Jullundur, pendant dix ans ils sont restés séparés, et ils vivent maintenant avec leurs enfants adultes. Nous ignorons également si Karam Chand a été poussé à émigrer pour trouver des dots à ses trois filles dont l'une, âgée seulement de 19 ans, n'est pas encore mariée. Dix personnes vivent aujourd'hui sous le toit de Karam Chand ; lui, sa femme, le fils aîné, la femme et le seul enfant du fils aîné, le plus jeune fils, la femme du plus jeune fils, une fille non mariée, la belle-mère veuve du plus jeune fils et son fils de 13 ans. Les enfants des fils mariés viennent fréquemment séjourner à la maison.

Toutefois, les difficultés qui pèsent sur le foyer de Karam Chand augmentent. Leur pavillon de trois chambres se révèle beaucoup trop petit pour tout ce monde, et Morton souligne à quel point Karam Chand regrette la « spacieuse » maison familiale de Jullundur. Je doute en fait qu'il la trouve spacieuse en elle-même ; il est seulement probable que les différentes normes d'utilisation de l'espace ne sont pas les mêmes à Jullundur qu'à Wolverhampton, pour diverses raisons dont la moindre n'est pas climatique, et que les critères de la famille Chand ont changé au point qu'à présent ils réclament des chambres individuelles et un degré d'intimité inconnu des coutumes indiennes. Les règlements municipaux sur la surpopulation ont aussi joué. Ainsi la Famille a dû chercher une autre maison, qui malheureusement n'est pas contiguë à la première et ne peut être transformée en maison familiale.

> Nombre de familles dans le quartier ont conservé un mode de vie familial qui s'étend à plusieurs maisons voisines. Les membres de la famille de Sat Pal prennent la plupart du temps leurs repas ensemble. Mais Siso Pal est inquiète. Même si elle a envie de plus d'espace, elle a peur de se retrouver seule dans une maison[17].

Là-dessus, la belle-mère veuve est partie habiter dans une H.L.M. Karam Chand est maintenant trop âgé pour travailler et ce sont les deux fils qui font vivre toute la Famille. Reste à savoir combien de temps ils continueront à croire que c'est le meilleur arrangement, car en matière d'impôts, de loyers contrôlés et autres indemnités, leur lutte pour rester indépendants et ensemble n'est pas rentable. Ce qu'ils éprouveront lorsqu'il sera temps de contribuer à la dot de Krishanda est une autre histoire ; comment Krishanda acceptera d'être obligée d'attendre leur décision aussi. Beaucoup de filles du Pendjab à Wolverhampton n'acceptent plus que leurs parents aient un droit sur leur mariage : l'étonnant est que beaucoup sourient de l'obsession anglaise pour le véritable amour et restent attachées en dépit de tout à leurs vieilles coutumes. La mort de Karam Chand apportera une nouvelle source de difficultés à la Famille, car non seulement elle perdra un membre remarquable dont le courage et la fidélité lui ont permis de rester unie pendant si longtemps et d'attirer la belle-famille dans son orbite, mais les droits de succession pourraient lui coûter très cher.

> Sat Pal (le fils aîné), qui s'occupe de la paperasserie de la famille, secoue la tête avec un sourire à l'idée d'affronter l'administration. Pour son père, toutefois, c'est une question de principe. « Ils décrètent ce qui me revient et ce qui leur revient, s'exclame-t-il. Nous préférons penser différemment — nous ne connaissons que l'argent de la famille[18]. »

Dans la société familiale, il y a mille façons de s'arranger avec l'administration ; à Wolverhampton, l'habileté des Indiens à gérer leur argent peut tirer d'affaire la Famille de Karam Chand, mais elle peut aussi ne pas suffire.

Même si la Famille de Karam Chand en fait peu de cas, les pressions qui s'exercent sur elle augmentent. Chaque Famille élargie doit surmonter des crises internes, et c'est dans ces moments de fragilité et de tension que la pression externe peut provoquer une faille. Tant que les adultes mâles peuvent constater qu'un travail même ardu leur procure un niveau de vie plus élevé que celui qu'ils connaîtraient à Jullundur, ils n'auront pas l'idée de se révolter et de considérer la Famille comme un organe parasite, mais il en sera différemment de leurs fils élevés en Angleterre. Les fils de Karam Chand ont encore l'impression d'être plus efficaces en tant que groupe communautaire. L'altruisme de la Famille doit coïncider avec l'intérêt personnel pour continuer à prévaloir, mais il est clair que les fils de Karam Chand comptaient nombre de valeurs immatérielles dans leurs avantages, valeurs qui peuvent devenir de peu d'importance aux yeux de la génération suivante. De plus en plus, les avantages tangibles de la vie familiale doivent être procurés par l'Etat.

Lorsque des lois s'opposent à ce que la propriété soit concentrée entre les mains des chefs de famille, elles détruisent les fondements du pouvoir du patriarche, à moins que la Famille ne s'allie pour détourner la loi, ce qui est fréquemment le cas. Si l'impôt favorise les foyers les moins nombreux et pénalise les plus nombreux, il devient moins rentable de vivre dans une Famille élargie ou de partager les gains d'une famille avec laquelle on fait caisse commune. Les obligations de la Famille ne seront plus remplies si l'argent nécessaire pour le faire est revendiqué par l'Etat sous prétexte qu'il en assume la responsabilité ; pourquoi, par exemple, subvenir aux besoins des vieux, si l'Etat a déjà pris l'argent de leurs enfants pour s'en charger à leur place, même si c'est d'une façon mal adaptée et bureaucratique ? Si les systèmes d'aide au logement auxquels la Famille est contrainte de contribuer favorisent des pavillons et des appartements de deux chambres, la Famille va se morceler pour en bénéficier. Si la loi déclare que les enfants ont le droit de se marier sans le consentement de leurs parents et que les médias proclament que le lit double indispensable à l'orgasme représente un droit pour tout individu, construire une famille avec les alliances appropriées est hors de question. Lorsque le divorce permet de rejeter l'épouse des années de jeunesse, et que le plaisir sexuel est devenu la condition *sine qua non* du bonheur humain, la Famille doit s'accrocher pour ne pas se laisser entraîner sur cette pente dangereuse. Lorsque les polémistes de tout bord, d'Ezra Pound à David Cooper, la jugent triste, puritaine, tyrannique, ignorante, conservatrice, réactionnaire et assommante, la Famille perd ce qui lui reste de prestige.

Une telle vision de la Famille est en fait fondée sur des comportements qui se sont développés à l'intérieur de la famille nucléaire. Parce que nous sommes très peu — élevés dans l'éternelle confrontation parent-enfant — à aimer encore réellement nos parents, la famille élargie n'est pour nous qu'une multiplication de comportements négatifs. A la vue de vingt parsis qui prennent place dans un restaurant chinois autour d'une vieille femme du clan, nous nous attendons à une atmosphère de contrainte et de formalisme sans comprendre que l'aïeule est au contraire le centre du rire et de l'attention, le pivot du groupe, entourée d'un cercle de visages admiratifs, même si elle se montre parfois critique. Aucune manifestation d'ennui ou de contrariété ; en fait, c'est nous qui paraissons franchement lugubres en comparaison de l'hilarité qui règne à leur table.

Il peut sembler étrange pour une féministe du vingtième siècle de se retrouver aux côtés des quelques apôtres de la Famille en tant qu'organisation plus large que la dyade suburbaine, car la plupart des Familles sont dirigées par des hommes qui y jouent un rôle décisif, ou du moins semblent le jouer ; mais il y a des raisons à cette attitude. En premier lieu, si la famille doit être le domaine de la femme, mieux vaut pour sa santé mentale et sa sérénité d'esprit qu'elle n'y soit pas isolée, comme elle l'est dans la famille nucléaire. La Famille est un modèle pour la collectivité féminine ; elle nous montre des femmes qui agissent ensemble pour donner de la dignité à leurs vies, alléger leur travail réciproque, cultivant l'amour véritable et la sororité, mot que nous utilisons constamment sans avoir aucune idée de ce qu'il représente. A la vue de trois petites filles dans une maison près de Bengalore, qui s'étaient hâtées de venir aider leur mère à piler le riz, et sautaient joyeusement en cadence avec leur bâton en se moquant de la malheureuse invitée de leur oncle (moi, en l'occurrence), assise cérémonieusement sur le divan comme un homme respectable, je compris que je voyais pour la première fois le dynamisme de la sororité en action. Leur mère était la fille du maître de maison, et non sa belle-fille. Elle avait épousé un homme dont la propre famille s'était désagrégée, et l'avait amené ainsi que ses filles dans la maison de ses parents. La plus petite fille mettait son matelas dans le couloir, où elle dormait près de son grand-père, vêtue de son sari, comme le veut la coutume. La maison était une grande bâtisse solidement construite, mais occupée comme l'avait été la vieille maison en terre des origines. Il y avait des appartements pour les trois couples, mais deux époux seulement dormaient ensemble. Dormir, en Inde, n'est pas une activité intime.

J'ai une autre raison de prendre fait et cause pour la Famille, c'est qu'elle paraît créer un meilleur environnement pour les enfants, et pas uniquement parce que la pauvreté les empêche de devenir des consommateurs et d'entretenir le gaspillage dès leur plus jeune âge. Comme autre exemple, je décrirai une petite réunion d'anniversaire à laquelle je fus conviée à Khartoum. Assistaient à la cérémonie, en dehors de l'hôtesse, ses trois enfants, sa belle-mère, sa sœur et ses quatre enfants, sa sœur divorcée et une fille. C'était l'anniversaire du plus âgé des enfants. Mon cadeau, un poisson sculpté en bois de l'île Melville, le laissa en apparence indifférent car les cadeaux d'anniversaire sont d'importation occidentale au Soudan. Le grand jeu pour les huit enfants consistait à attraper les pommes que le héros du jour faisait monter et descendre au bout d'une ficelle. Bientôt les adultes se joignirent à leur hilarité. Le plus joli souvenir qui me reste à l'esprit est celui du jeune garçon soucieux de faire participer au jeu un petit bout de chou de 3 ans en lui tendant une pomme au bout d'une très longue ficelle.

La fête se poursuivit dans la joie. L'ensemble de la Famille aurait été invité s'il s'était agi d'une fête familiale et non d'une petite réunion d'anniversaire. En réalité, en l'espace de quelques semaines, 86 d'entre eux devaient venir faire la connaissance de la future fiancée de l'un des cousins de mon hôtesse. Il me reste une impression très gaie de cette soirée passée avec des femmes et des enfants, sans boire, goûtant une nourriture très simple au milieu des rires, des chants et de la bonne humeur. Le jour de mon départ, le fils aîné vint me faire un gentil petit discours en anglais, me laissant à penser que le poisson après tout avait été apprécié. Trop beau pour être vrai, direz-vous. Pour mes amis soudanais, c'était naturel. Ils sont très fiers de leurs Familles, et leur président, par souci de garder intacte la structure de la famille, refuse les formes d'aide qui obligent à soigner les indigents et les infirmes hors de leurs familles. Non qu'il soit facile d'éloigner de leurs familles des individus qui souffrent, car elles ont tendance à les suivre jusqu'à la London Clinic, où les femmes restent assises par terre autour des lits des patients pendant que leurs enfants jouent auprès d'elles et que les hommes de la tribu fument dans le couloir. Ce que pensent les infirmières de la situation, les Familles ne s'en soucient guère. La London Clinic n'est qu'un des innombrables lieux où la société traditionnelle familiale et la société administrative se trouvent en opposition.

Les femmes dans la Famille élargie ne sont pas dépendantes de leurs maris ; en fait, leurs rapports avec les autres femmes, en particulier avec leur belle-mère, sont souvent plus importants, avec des conséquences variables. Dans les comptes-rendus médicaux à Jamkhed, par exemple, le mal le plus couramment cité était l'« anxiété » se rapportant presque exclusivement à la tension ressentie par les jeunes épouses mal à l'aise avec leur belle-mère. L'histoire de Ruth, qui s'expatria pour suivre sa belle-mère, est typique de la Famille élargie. Les observateurs les plus instruits ont rarement compris que chaque rôle assigné à l'intérieur de la Famille est une fonction que chacun peut remplir bien ou mal selon sa personnalité et ses capacités. L'égoïste dans la Famille sera malheureux comme le seront le cupide, l'avare, l'orgueilleux et le paranoïaque. La Famille ne répond du succès de personne et ne jette aucun voile sur la situation, si bien que l'égoïsme et la futilité ne peuvent prendre l'apparence du bonheur et que la beauté n'a aucune valeur marchande. Il n'existe aucun élément de compétition dans les enjeux du mariage, car le choix des époux dépend du standing familial et social, et non du pouvoir de séduction. En conséquence, l'un des aspects qui sème la discorde dans le monde moderne est éliminé, ou mieux n'a jamais existé. Il n'y a pas de Miss Université, pas de reine du bal : strabiques, vérolées, la poitrine plate, complaisantes, dures à la peine, les filles ont des vies plus heureuses que les reines de beauté, ce qui paraîtra juste à l'ensemble des femmes ordinaires et actives. L'atout le plus précieux dans la Famille est un cœur aimant pour qui le bonheur consiste à voir les autres heureux.

La femme dans la Famille élargie n'est pas un objet mais un agent responsable ; la prospérité et la cohésion du foyer dépendent d'elle. Elle n'est ni la maîtresse enflammée de son mari, ni la mère gémissante d'un ou de deux enfants avant de devenir la femme la plus exécrée de toute la race occidentale, la belle-mère veuve aux cheveux teints ; elle s'épanouira et jouera un rôle de plus en plus important pour un nombre croissant de gens jusqu'à ce que l'infirmité la prive de ses fonctions. Même alors, elle gardera tout son prestige auprès de ses belles-filles.

John Demos, dans l'enquête de Laslett déjà citée, suppose que :

> Un foyer de « famille élargie »... crée avant tout un ensemble radicalement différent de conditions émotionnelles. Par exemple, il offre une forte probabilité d'un certain type de « maternage multiple » (avec des conséquences importantes pour l'éducation des enfants) et des rapports considérablement édulcorés entre les époux. Ces possibilités semblent maintenant en grande partie inexistantes dans le cadre de Plymouth[19]...

John Demos (au nom prédestiné) a découvert qu'on ne trouvait pas de foyers de « famille élargie » à Plymouth ; ce n'est qu'un autre exemple de la façon dont les démographes prennent les problèmes à l'envers : comment sa découverte aurait-elle pu exclure la possibilité d'existence de structures de personnalité radicalement différentes à Plymouth s'il y avait réellement rencontré des familles élargies ? Dans les exemples que j'ai eu l'occasion d'observer, les enfants vivaient le plus souvent dans la maison de la belle-mère de leur mère du fait que celle-ci était obligée de travailler sur la propriété familiale. De plus, les belles-filles commencent leur vie de femmes mariées comme des étrangères dans la Famille, et l'éducation des enfants est confiée aux aînés. Cela ne signifie pas que les rapports avec la mère biologique s'en trouvent affaiblis (car les enfants dorment le plus souvent avec elle). En fait, les enfants sont la joie de la Famille, et chacun est avide de leur consacrer du temps, même leurs semblables plus âgés. Tout comme la petite dernière qui apportait sa natte auprès de celle de son grand-père, j'ai vu de jeunes oncles protégeant des mouches le sommeil de leurs neveux dans la chaleur de l'après-midi, et des petites filles venir s'enrouler dans le *taub* de leur grand-mère pour faire la sieste à ses côtés.

Dans les familles occidentales, les enfants dorment généralement seuls dans leur lit ; la différence entre eux et nous ne concerne pas seulement les personnes avec lesquelles les enfants sont en relation, mais aussi le type de ces relations. Quant aux différences de structure de personnalité qui en résultent, je dirais qu'elles sont indiscutables, sans les définir, mais en faisant seulement remarquer qu'elles rendent les relations d'affaires avec les Orientaux très difficiles pour les Occidentaux. Peut-être puis-je citer cette femme de la haute société indienne mariée à un éditeur anglais, qui passe la moitié de sa vie à Londres et l'autre dans sa famille à Delhi. « Ma chère, me dit-elle un jour, aucun de ces Anglais n'a de réalité pour moi. Ce ne sont que des noctambules. Je n'ai jamais rencontré aucun de leurs parents. »

La rencontre avec une culture où règne la Famille peut être charmante et vivifiante ; la surprise a lieu lorsque l'étranger se rend compte que les manifestations d'affection ne lui sont pas destinées personnellement et que l'amitié chaleureuse en laquelle il avait cru est oubliée. En fait, il doit savoir que la plupart, si ce n'est la totalité des démonstrations de séduction et de générosité que sa présence avait fait naître sont conformes à l'image que la Famille se fait d'elle-même, et ne sont en aucun cas liées à sa personne. C'est en partie à cause de ces différentes structures émotionnelles qui rendent les membres des sociétés familiales si difficiles à manipuler qu'il existe une aversion aussi forte pour la familialité de la part de l'homme non familial.

Ce serait une présomption intellectuelle insupportable que d'imaginer l'*Homo sapiens* réparti en deux espèces, familiale et non familiale, qui ne se rencontreront jamais ; pourtant les efforts combinés des démographes semblent aller dans ce sens. Selon le Pr Goody :

> Une étude des données disponibles pour l'Angleterre révèle toutefois, suivant Laslett, que la dimension moyenne du foyer... a été relativement constante du seizième siècle jusqu'au début du siècle actuel. Cela signifie-t-il que des conditions spéciales en Europe occidentale ont contribué à l'émergence des systèmes de production industriels (c'est-à-dire non familiaux) ?
>
> L'hypothèse est tentante, surtout en référence aux théories qui ont été émises sur les rapports éventuels entre le mariage tardif et l'accumulation du capital[20]...

Le Pr Goody tend à la rejeter, mais il n'existe jusqu'à aujourd'hui aucune école indépendante de démographie orientale pour appliquer les méthodes des démographes historiens à sa propre histoire sociale et en conséquence le discours paraît défectueux. Même la terminologie de base est sujette à discussion. Il manque trop de maillons dans la thèse de Laslett ; il ne prend pas en compte l'intérêt des parents dans le mariage des enfants, ni la nécessité de leur consentement pour toute alliance, question fort controversée en Angleterre pendant plus de cent ans, pas plus qu'il ne considère le comportement sexuel séparément de l'acte du mariage, même s'il est manifestement intéressé par la question de « l'amour illicite ». « On peut se demander », pour parler comme lui, s'il se serait formé une image différente de la société polynésienne en utilisant des critères aussi grossiers. Néanmoins il est surprenant de découvrir que Nicholas Bacon, le tonnelier de Clayworth, chassa sa mère, Joan, et sa sœur, Anne, de sa maison lorsqu'il devint chef de famille en 1688, les condamnant à s'installer à l'hospice de la paroisse. Les archives de la paroisse ne disent pas si Joan et Nicholas se sont ensuite jamais adressé la parole[21].

Pourtant, sans oublier que la description historique de la famille anglaise

est partielle, et que nous ne pouvons généraliser des cas typiques simplement du fait qu'ils sont seuls à apparaître dans les archives, il nous faut bien
voir que la thèse d'anthropologues comme Leach et Goode, suivant
laquelle

> ... partout où le système économique se développe par l'intermédiaire de
> l'industrialisation, les modèles de la famille se transforment ; les liens de
> parenté s'affaiblissent, les schémas généalogiques s'estompent, et une ten-
> dance vers une forme de système conjugal se dessine[22]...

n'a pas été prouvée. Prétendre à partir des données actuelles que l'Europe
occidentale du Nord a été exclusivement organisé en foyers conjugaux
depuis des temps immémoriaux est un pas que l'on ne peut franchir. Mais il
est probable qu'il en a été ainsi depuis le début du dix-septième siècle et
peut-être même depuis le début du seizième. A supposer que cette hypothèse se trouve vérifiée, il est étonnant de constater que notre élite,
l'aristocratie britannique, soit restée un système de parenté élargie qui ait
si bien réussi, à quelques exceptions près, à garder son emprise sur ses
terres et sa fortune, en dépit des efforts concertés de toutes les administrations pendant le siècle dernier pour lui faire lâcher prise. Les liens créés par
la *public school* ne sont après tout qu'une autre version du système de
parenté.

Il est encore plus paradoxal que les Anglais démocrates se montrent
toujours aussi fascinés par les agissements de la famille royale élargie, et
que les Américains le soient tout autant par la Mafia, les dynasties du
pétrole, et toutes autres représentations de la Famille élargie. Soit dit en
passant, toutes, y compris la famille royale, vivent plus ou moins en marge
de la société, puisqu'elles édictent leurs propres lois. La reine doit être
l'une des Big Sisters les plus puissantes du monde, puisque la plupart
considèrent qu'elle s'est opposée à l'amour de sa sœur pour un roturier
divorcé. La famille royale élargie ne loge pas sous le même toit, mais elle vit
dans des propriétés qui appartiennent à la Couronne, c'est-à-dire dans des
propriétés familiales, et ne peut faire ce que bon lui semble. Soucieuse de
démocratiser son image, elle ne se charge plus de l'instruction de ses
enfants, mais ses membres savent qu'ils devront travailler dans l'entreprise
familiale. Les manifestations publiques auxquelles participe la reine font
partie du métier. Les divertissements auront lieu à l'intérieur de la famille
élargie, et ce seront les fêtes traditionnelles, baptêmes, fiançailles, mariages et enterrements. En tant que dynastie, la famille royale doit exercer un
certain contrôle sur les alliances qu'elle contracte, mais parce que le commun des mortels est sentimental, il doit croire qu'en choisissant une femme
pour épouse l'héritier présomptif le fait par amour, même s'il s'agit de
raison d'Etat. A Dieu ne plaise que je donne à entendre que les époux
royaux ne s'aiment pas sincèrement ; j'affirmerai plutôt que si vous aimez
et honorez votre Famille, vous aimerez son choix légitime. Il est beaucoup
plus facile d'adapter l'amour sexuel qu'on ne nous l'a appris.

Cependant, la presse britannique, par accord tacite, a caché au grand public les noms des partenaires sexuelles du prince Charles avant son mariage. Curieuse hypocrisie qui prétend que les riches, avec le pouvoir et les avantages de l'héritage culturel, appartiennent à un groupe de dynasties étroitement reliées entre elles, et soutient cependant que la famille royale est une toute petite famille nucléaire comme vous pourriez en trouver dans l'H.L.M. du coin. En fait, la reine est reine seulement parce que son oncle a exigé d'épouser la femme de son choix et d'aller vivre heureux et sans enfant hors de la Famille.

La famille royale échappe aux présomptions qui pèsent généralement sur les vieilles Familles parce qu'elle s'arrange pour garder secret son esprit de corps, même si les simples mortels qui gravitent dans son entourage s'en plaignent fréquemment. Comme toutes les autres Familles, elle n'est concernée que par elle-même. Les éléments recrutés à l'extérieur de sa sphère d'alliances ne sont pas acceptés sans mal. De même, les fonctions de la reine à l'intérieur de la famille ne sont pas connues du public ; certains disent qu'elles sont déléguées au prince consort, suivant un arrangement subtil et complexe.

C'est par envie que les Américains se passionnent pour l'existence de dynasties milliardaires qui se déroulent sur leurs écrans, mais on réalise moins souvent que leur fascination pour la Mafia, Cosa Nostra, la Camorra, l'*Onorevole Fraternità*, Black Hand, la *Ndrangheta* ou autre sobriquet est teintée d'admiration. Beaucoup considèrent que les réseaux de parenté de l'Italie du Sud sont liés à l'organisation du crime ; en réalité, la Mafia est de nature administrative et utilise la Famille élargie méditerranéenne avec son code de l'honneur pour des fonctions seulement mineures. La Mafia fonctionne sur le principe que « la fidélité envers la famille supplante toute autre fidélité. Pour cette raison, la parenté ne peut-être qu'ennemie de l'administration. » Alors que les syndicats, comme le reste d'entre nous, exigent « qu'un homme fasse passer sa profession avant sa famille », ceux pour qui la fidélité à leur famille l'emporte sur toute autre considération sont d'une utilité limitée ; ni l'organisation du crime, ni son plus proche parent, l'Etat, ne peuvent risquer des alliances aussi hypothétiques. Pourtant la Mafia a peu d'autres solutions, étant virtuellement condamnée au délit, puisque

> Cette fidélité instinctive, centrée sur la parenté, est en opposition avec les lois de l'Eglise et de l'Etat et avec les exigences de la société industrielle[23].

Pour l'Américain moyen, la classe politique, vaste ensemble de groupes disparates, est manipulée par un groupe étroitement lié, de mêmes gènes, langue, religion et culture. Les exigences de l'intérêt commun, de la morale, de la décence ou de la liberté ne peuvent entraîner la nation polyglotte dans une action décisive ; elle regarde avec une fascination horrifiée les gangsters se livrer à des guerres tribales et au *giustiziamento*. La *famiglia* ne s'emparera jamais du vaste territoire contrôlé par le crime organisé qui vole, exploite, corrompt, pille, terrorise et tue par ordinateur ; mais elle ne sera pas détruite tant que le mafioso préférera se soumettre à sa discipline plutôt que de travailler toute la journée et de payer ses impôts. Les actions criminelles d'aujourd'hui sont une triste fin pour l'organisation qui fut à ses débuts l'*Onorevole Fraternità*, destinée à protéger les intérêts locaux contre les représentants des pouvoirs étrangers, le plus récent étant le gouvernement centralisé du nouvel Etat-nation italien. De tout temps attachée à ses propres valeurs, la Mafia a toujours méprisé les codes moins rigoureux que les siens, se montrant plus soucieuse d'exercer un pouvoir réel que de jouir de la protection de l'autorité légale, si bien que le pouvoir *de jure* a souvent dû pactiser avec elle. Ce n'est que depuis soixante ans que la Mafia est devenue une organisation criminelle et méprisable, prédatrice de ses propres membres.

La Famille sans les richesses et le pouvoir est plus méprisable que la Mafia qui est supposée avoir les deux. Nous connaissons tous le cliché de ces brutes qui envahissent la colonie protestante organisée en familles nucléaires. Le héros, célibataire ou sous-fertile, les abat comme des mouches. Il est Hercule, elles sont l'hydre, affreusement semblables et sous-développées. Le plus effrayant chez les *whitehead boys*, ou quel que soit leur nom en l'occurrence, c'est leur manque d'individualité, leur sinistre uniformité et leur solidarité irrationnelle. Ils sont engagés dans une querelle territoriale, s'opposant de toutes leurs forces à l'Etat et à l'autorité légale, parfois jusqu'à en perdre la vie. L'une des dernières versions de cette histoire (*Délivrance*) les a conduits dans les terres incultes où ils vivent comme des brutes, pillant et violant les étrangers.

Dans l'imagination occidentale, la Famille est soit riche et puissante, soit pauvre et arriérée ; la réalité n'est peut-être pas si loin de marquer les mêmes contrastes. Véritable oligarchie, la Famille riche et puissante consolide son pouvoir en contrôlant l'économie des nouveaux Etats hâtivement assemblés à partir de sociétés familiales et fragmentées. Sa première nécessité est de rester au sommet en s'alliant aux éventuels rivaux, ou en s'assurant qu'aucun autre groupe n'ait assez d'influence pour la remettre en question. Les Familles n'encourageront probablement pas la familialité. Elles se verront plutôt comme un groupe exceptionnel et spécifique et chercheront à prendre les autres en otages.

Les Familles qui conservent le pouvoir à l'époque industrielle créent une classe d'employés qui, contrairement aux serviteurs traditionnels du système de castes, ne trimbalent pas leurs familles sur le dos et ne pratiquent pas de commerces familiaux. Elles détruiront les autres Familles aussi bien que n'importe quelle administration anonyme, et utiliseront toutes les méthodes de cette dernière pour accroître la portée et l'intensité de leur contrôle. Peut-être verrons-nous dans les prochaines décennies la Famille se concentrer à chaque extrême de l'échelle économique, parmi les très riches et parmi les très pauvres, les premiers parce que l'argent et le pouvoir consolident leurs liens, les seconds parce qu'ils n'ont d'autre choix que de se serrer les coudes.

Bien que les Familles aient prouvé qu'elles survivent en dépit des migrations vers les banlieues urbaines, dues en grande partie à la rareté accrue des terres disponibles, il semble impossible qu'elles puissent subsister longtemps face à des conditions urbaines de plus en plus difficiles. J'ai à l'esprit ces familles réparties dans des tours d'habitation en Inde, mais aussi les Indiens qui sont partis vivre au Canada ou en Australie avec leur femme, convaincus d'y trouver une vie meilleure. Se développer signifie s'adapter aux standards occidentaux de consommation, d'espace et d'intimité. Combien de temps les Familles mettront-elles à encombrer les pièces de leurs nouveaux appartements avec des meubles sans utilité véritable, des produits durables et des stocks de provisions, au lieu de garder l'espace nécessaire par terre pour y dérouler chaque nuit un nombre indéterminé de nattes ? Pendant combien de temps les bébés continueront-ils à être la joie de leurs parents fatigués, alors qu'ils ne constituent plus une richesse, mais un surcroît de responsabilités, de dépenses et d'espace à leur céder à la maison ? Pendant combien de temps encore des paysans comme Marisa préféreront-ils les fêtes familiales aux divertissements publics si les petits enfants chéris font du roller-skate, écouteurs aux oreilles, isolés dans leur monde de musique ? Le point le plus fragile de la Famille fut toujours son lien avec la jeune génération, âge charnière où la contribution individuelle est la moins importante et le rendement minimal. La société de consommation distribue aux jeunes ses faveurs les plus clinquantes. Le jour où ils s'aperçoivent qu'elle ne leur offre que les frissons éphémères du plaisir, il est trop tard.

Le développement de la famille nucléaire pourrait accroître le bonheur humain ; telle est, en tout cas, la conviction des nombreux défenseurs du foyer comportant un homme, une femme (à la fois) et un minimum d'enfants sous un même toit, mode de vie dont on ne s'écarte qu'en cas de nécessité ou parce que les membres les plus âgés refusent de laisser partir les jeunes qui sont sous leur domination. Si la famille de plusieurs générations devait fleurir dans nos sociétés où les personnes âgées forment une proportion importante de la population totale, nous penserions à une conjuration des gérontologues, mais elle ne fleurit en fait que dans des pays où la vieillesse s'accomplit rarement. Qui plus est, pour réaliser sa nature plurigénérationnelle, la Famille a dû marier ses enfants très jeunes, parfois même avant la puberté, au cas où les aînés ne survivraient pas. Les défenseurs du bonheur érotique devraient y voir une tentative de satisfaire les désirs naturels au bon moment, c'est-à-dire lorsqu'ils sont à leur plus fort, au lieu de forcer des jeunes adultes à attendre que les parents soient morts et le capital amassé pour commencer leur activité sexuelle. Mais tous semblent approuver l'image de l'homme plus très jeune blotti sous les draps avec la femme de son choix, sans personne pour entendre leurs cris de plaisir à travers les minces cloisons de la maison. Le plus important pour le couple est d'être seul. Une féministe cynique dirait que cette situation donne au mari un pouvoir illimité tant pour battre sa femme que pour la rendre heureuse. Il est certain qu'il n'y a pas plus de frein à la tendresse qu'à l'agressivité.

Jamais la Famille élargie n'a fait naître les cris de rage et de haine provoqués par la famille nucléaire. Il serait dangereux de dénoncer la famille nucléaire d'après les descriptions d'un David Cooper qui fournit contre elle des exemples effroyables, tel le récit de ce jeune homme qui fit sauter un avion parce que sa mère se trouvait parmi les passagers. Elle portait sur elle la carte qu'il lui avait écrite pour la fête des Mères, et où l'on pouvait lire : « A quelqu'un qui fut une mère pour moi[24]. » Cooper et son maître, R. D. Laing, sont convaincus que la famille autoritaire a dominé la formation du caractère de l'individu au point d'en détruire l'indépendance sexuelle et spirituelle. La solution mise en avant par ces théoriciens est d'avoir le moins de famille possible, ce qui en fait les avocats d'une totale spontanéité et des rapports non structurés, quitte à faire périr les enfants s'il y en a. Lorsque sir Edmund Leach se répand en invectives contre la famille, nous nous trouvons en face d'un autre type d'affirmation :

> Loin d'être le fondement de la bonne société, la famille, avec son intimité réduite et ses secrets démesurés, est la source de tous les griefs...

Cette famille la plus réduite, la plus secrète, et qui laisse à ses membres le moins d'intimité, c'est bien la famille nucléaire. Lorsqu'un anthropologue comme Leach nous dit que :

> L'histoire et l'ethnographie fournissent très peu d'exemples de sociétés contruites autour d'un assemblage lâche de groupes isolés de parents et d'enfants...

on ne peut le contredire en utilisant les données provenant d'états civils ou de statistiques générales et qui concernent la dimension des foyers britanniques pendant les trois cents dernières années, simple instant dans l'échelle du temps de l'anthropologue.

S'il affirme que la famille nucléaire est « un mode d'organisation extrêmement inhabituel » et va jusqu'à « prédire qu'il s'agit seulement d'une phase transitoire de notre société », on ne peut se contenter de répliquer que les familles ont toujours eu un père et une mère au lit en train de lire le supplément du dimanche, tandis que leurs deux enfants cassent leurs beaux jouets dans une autre pièce, à moins d'être trop pauvres ou trop peu instruits ou d'avoir besoin de bras pour cultiver la terre. Je connais mal les autres systèmes dont Leach est familier, mais je préférerais sans doute avoir faim à 12 ans à Pul Eliya qu'être obèse au même âge à Tulsa, Oklahoma. Je crois qu'il a raison, que les enfants « ont besoin de se développer à l'intérieur de groupes domestiques plus larges, centrés sur la communauté plutôt que sur la cuisine maternelle[25] », mais je ne suis pas sûre qu'une communauté ou qu'un kibboutz fassent l'affaire, surtout constitués suivant le modèle de David Cooper qui exige une totale abnégation de la part des participants.

Il me semble évident que les mères aussi ont besoin que leurs enfants se développent au sein de groupes élargis ; Marisa me demandait pourquoi sa petite fille se comportait différemment lorsque sa mère n'était pas dans les parages. L'enfant n'était plus seulement la fille de sa mère, le problème de sa mère. A quoi bon pleurer quand elle tombait, par exemple, puisque sa mère n'était pas là pour se sentir coupable. Elle était libre sans être délaissée, entourée par tout l'amour de la famille. Lorsque la mère entre en scène, l'horizon se referme sur l'enfant, et toutes deux se retrouvent enfermées dans le terrible combat de l'amour possessif. Comme le dirait David Cooper, la mère est la personne qui connaît quelqu'un « à l'endroit et à l'envers », mais seulement lorsqu'elle a été entraînée dans une relation obsessionnelle, causée par la suppression des contacts avec les autres adultes, ou par une incapacité de se dégager de son enfant qui provoque une tension et un sentiment de culpabilité effroyables.

Au sentiment de culpabilité de la mère dans la famille nucléaire il faut ajouter les craintes et les remords qui pèsent sur les parents qui « font de leur mieux » pour leur enfant, d'abord en lui refusant des frères et des sœurs, puis en s'efforçant de lui offrir une vie meilleure que celle qu'ils ont connue, car la société de consommation n'est jamais satisfaite. Il faut plus d'espace pour jouer et pour dormir, plus de soins médicaux, plus d'aliments équilibrés ; il faut des stimulants : livres, musique, conversation, participation à l'école, excursions, voyages, développement des talents, sport, équipement sportif, distractions, appareils électroniques et ainsi de suite. Les perdants sont les parents des « enfants pauvres » : leur progéniture tombera au-dessous du niveau de subsistance et se transformera en statistiques pour bénéficier d'un traitement spécial, de repas gratuits à l'école, ou toute autre humiliation de ce style. Pour garder les coucous au nid, mère et père doivent travailler, au détriment de l'activité parentale.

Ne nous étonnons pas alors de voir les couples se concentrer encore davantage sur eux-mêmes et sur leurs orgasmes, et le taux de natalité européenne, malgré les efforts des populations immigrées, décroître lentement tandis que grimpent les chiffres de vente d'aides sexuelles. Au bout du compte, les parents nucléaires modernes ont ce qu'ils méritent, une longue vieillesse, ingrate et dénuée de sens, situation aggravée par leur incapacité à rester liés avec leur propre groupe. Les riches meurent alcooliques dans des villages de retraités ; les pauvres vont pourrir dans des logements délabrés au fond de banlieues déshéritées. Espérons que ce mode de vie ne concerne que les esclaves de la société de consommation et qu'il ne pourra supplanter des organismes domestiques plus complexes ; les démographes peuvent seulement démontrer que, sur la courte période de leur étude, le phénomène de la famille nucléaire s'est intensifié. Si, comme il y a seulement dix ans, il était encore possible de croire que le capitalisme est sur le point d'imploser et que les nations et les administrations vont peu à peu glisser avec lui dans le néant, cette tendance ne signifierait rien. Alors que le capitalisme continue à dominer, son caractère change. Il demande de moins en moins de travailleurs esclaves et la loi d'airain de Ricardo commence à fonctionner d'une façon particulière ; le travailleur est encouragé à dépenser de plus en plus pour son propre plaisir afin de se reproduire de moins en moins. Le problème est à présent de maintenir le nombre de consommateurs esclaves ; la solution est de transformer la masse des travailleurs du monde non industrialisé en adeptes des manières et modes de consommation occidentaux.

Le véhicule le plus efficace du consumérisme est la famille nucléaire. C'est la seule cible que puissent atteindre les fabuleux rouages de notre marketing ; sa première tâche est par conséquent de la créer. Et cela à partir de jeunes adultes qui se libèrent des entraves familiales ; le chant des sirènes électroniques s'élève à tous les coins du monde.

10
Eugénique

Les bébés sont les ennemis de la race humaine
ISAAC ASIMOV

Dans les mois qui suivirent la publication de *De la descendance de l'homme* en 1871, les partisans de Darwin commencèrent à faire un mauvaise usage de ses théories sur les races et les classes humaines. Tout comme la religion avait justifié l'oppression et l'extermination des groupes étrangers aux débuts de l'expansion de l'Europe, on s'empara de la nouvelle religion de la science pour légitimer une rivalité de race et de classe alors que rien dans les travaux de Darwin ne laissait penser que le genre humain comprend plusieurs espèces d'un genre supérieur ou inférieur. Le révérend George Arthur Gaskell alla jusqu'à communiquer ses propres théories sur le sujet à Darwin lui-même, alors retiré à Down. Darwin répondit de manière vague et cérémonieuse, espérant visiblement décourager son correspondant. Gaskell lui fit parvenir une autre lettre dans laquelle il s'exprimait avec plus de clarté :

> L'amoindrissement de la fécondité de certaines races est un danger ; en d'autres termes elles risquent d'être anéanties par la pression d'autres races. Le ralentissement de la fécondité agit d'abord parmi les races à forte structure sociale. Les nations guidées par la raison ne peuvent plus longtemps se résigner à voir leur standard de confort diminuer ou leurs ressources s'amoindrir par l'accroissement d'une race inférieure[1].

C'était en 1878. Impressionnée par leur bien-fondé, Jane Hume Clapperton publia les lettres de Gaskell dans son ouvrage *Scientific Meliorism* en 1888. Il ne lui vint pas à l'esprit de remettre en question l'hypothèse de base selon laquelle il existe des ordres supérieurs et inférieurs dans l'humanité, ni qu'ils se distinguent, comme c'est le cas de certains ordres évolutifs, par leur mécanisme de reproduction. Gaskell ne parvint pas à extorquer l'approbation de Darwin, mais il obtint un fort courant d'opinion en sa faveur, entraîné par des écrivains comme Robert Knox, James Hunt et Thomas Huxley. Les lecteurs de Darwin ignoraient qu'ils n'étaient pas en droit de mener la vie supérieure de l'esprit en profitant du labeur des autres. Les membres des professions libérales européennes étaient convaincus de se distinguer non seulement des habitants de toutes couleurs du reste de la planète, mais aussi des membres des classes laborieuses de leur propre pays qu'ils estimaient moins malléables et moins éducables que les étrangers à l'extérieur de leurs frontières.

Avant que l'Empire britannique n'eût atteint son apogée, l'élite vit peu à peu décroître son énergie. Tandis que certains s'évertuaient à mettre sur pied les réformes nécessaires dans les domaines de l'éducation, de l'hygiène publique et de la santé, d'autres contemplaient de loin la misère des bas quartiers industriels, songeant qu'il aurait mieux valu pour les pauvres travailleurs ne jamais naître. Dès l'instauration de l'impôt obligatoire, les classes dirigeantes nourrirent le soupçon qu'on les pillait pour entretenir des paresseux dégénérés. Les propos du poète Matthew Arnold sur les enfants des pauvres sont pour le moins choquants :

> Tant qu'il y aura des enfants dans ces masses pourrissantes, tant que leur nombre ne cessera d'enfler, ils resteront toujours condamnés à la misère... et il faut apprendre à stopper leur développement, ne serait-ce que pour leur donner une vraie chance de croissance et de vie morale... Mettre des individus au monde quand on n'a pas les moyens de leur offrir une vie décente et stable n'est... en aucune façon un accomplissement de la volonté divine ou des simples lois de la nature... mais contraire à la raison et à la volonté de Dieu[2].

Ces lignes dénotent une confusion intéressante. En effet, Arnold y évoque peut-être son propre cas. Issu d'une famille de neuf enfants, il dut lui-même entretenir une nombreuse famille au prix d'un travail mal rétribué d'inspecteur d'école, alors qu'il s'estimait appelé à de plus hautes destinées. Beaucoup dans sa situation sentirent le besoin d'acquérir le savoir auquel il fait allusion, et beaucoup l'acquirent. L'utilisation du mot « enfler » peut révéler son ressentiment à l'égard des fréquentes grossesses de sa femme, et lorsqu'il passe à l'utilisation du pronom impersonnel, fréquemment utilisé par les auteurs anglais pour se désigner eux-mêmes, on peut supposer qu'il abandonne la position du spectateur humanitaire convenant au contexte de l'essai. Le critère approprié à la fécondité figure dans l'emploi de l'adjectif « décente ». Les notions d'Arnold en matière de décence pouvaient aussi bien inclure l'obligation d'entretenir des domestiques, une grande maison, des jardins... alors que pour le travailleur le mot signifiait seulement être propre, correctement vêtu, ne plus souffrir de la faim et du froid, dormir sous un toit qui ne fuit pas.

Parce qu'ils en étaient l'un et l'autre issus, Gaskell et Arnold prétendirent que le confort et la santé étaient réservés aux classes libérales. Que la plupart de leurs semblables les aient approuvés semble *a priori* vraisemblable. En 1869, quand Arnold publia ses observations, il n'existait aucun moyen systématique d'étudier le comportement reproducteur des différents groupes qui composaient la société britannique ; plus tard, les instruments statistiques confirmèrent les impressions d'observateurs comme Gaskell et Arnold. Les classes supérieures produisant de moins en moins d'enfants, la génération montante dut se recruter dans les classes inférieures de la société. Certains ont pu ne pas y attacher d'importance, et comparer comme le fit Havelock Ellis la société à une lampe qui brûle au sommet, sans cesse alimentée par le fond. D'autres, par contre, virent dans le taux élevé de croissance des pauvres une preuve de dégénérescence, car la fécondité élevée signifiait moins de responsabilité, moins de prévoyance, plus d'appétits sexuels. Cette hypothèse, au demeurant absurde, leur paraissait évidente en soi. Mlle Clapperton, qui se considérait comme la dernière représentante d'une lignée de femmes réalistes et courageuses, issue d'Harriet Martineau, fit face au phénomène dans toute son horreur :

> La croissance la plus rapide de notre population prend place dans les grands centres industriels... et le type qui y domine affecte nécessairement la race britannique... c'est précisément dans ces centres où règne la plus grande misère que le type racial est le plus dégénéré... c'est dans les localités les plus pauvres que les enfants abondent et que la prudence n'a *aucun contrôle* sur la multiplication des espèces inférieures de l'humanité[3].

La thèse de Clapperton suivant laquelle l'excès de fécondité dans les bas quartiers est contraire à l'amélioration de la race prête à confusion, car elle laisse entendre que l'infériorité de l'habitant des quartiers pauvres n'est pas innée. D'autres consolidèrent ses arguments. Le naturaliste A. R. Wallace, qui découvrit le rôle de la sélection naturelle, émit une constatation similaire d'une façon plus rigoureuse dans son essai, *The Action of Natural Selection on Man,* cité par Clapperton :

> Au jour présent, il semble impossible que la sélection naturelle puisse assurer la progression permanente de la morale et de l'intelligence, car c'est indiscutablement le médiocre si ce n'est le plus bas, sur le plan de la morale et de l'intelligence, qui réussit le mieux dans la vie et se multiplie le plus rapidement[4].

Lorsqu'un homme de science prétend « indiscutable » une question qui n'a pas été prouvée et ne pourra probablement pas l'être, il est clair qu'il s'agit de conviction personnelle ou de foi plutôt que d'observation avertie. Wallace et les autres scientifiques qui se sont patiemment penchés sur les mécanismes de l'évolution de l'espèce l'ont fait dans une atmosphère d'impatience houleuse. Herbert Spencer exposa sans méthode le concept de la race ; ses élèves ne mirent pas longtemps à inventer des systèmes de « sociologie dynamique » qui leur permettraient de voir se développer des sociétés organisées sur des principes rationnels, pour l'« avancement de la race ». Clapperton proclame à son de trompe un moyen très nouveau et radical de réaliser l'Utopie.

> Il ne faut pas que le sang racial soit empoisonné par la maladie morale. Les gardiens de la vie sociale dans le présent ne peuvent que prendre à cœur le bonheur des générations futures, et donc empêcher le criminel de perpétuer sa mauvaise espèce. En conséquence... le type disparaîtra ; tandis que les natures bien équilibrées, le généreux, le noble d'esprit, l'intellectuel deviendront les parents des générations futures ; et le sang purifié dans les veines de l'Anglais rendra la race capable de s'élever bien au-dessus du niveau actuel de la morale naturelle.
>
> Pour satisfaire les besoins sexuels des criminels congénitaux dans leur prison, où ils sont détenus à vie, on pourrait proposer une alternative au célibat, à savoir une intervention chirurgicale qui empêche le sexe masculin de se reproduire[5].

Pour appuyer sa proposition, Clapperton renvoie ses lecteurs au *British Medical Journal* du 2 mai 1874. Son livre est dédicacé à George Eliot, qu'elle considère comme l'inventeur du terme de « mélioriste ». Peut-être Clapperton avait-elle entendu débattre de ces questions dans le salon d'Eliot, bien qu'aucun des biographes de l'écrivain ne mentionne son nom. Quoi qu'il en soit, il est évident que de telles idées étaient dans l'air. Clapperton prenait de toute évidence moins de risques en les faisant publier qu'Harriet Martineau lorsqu'elle soutint les thèses de Malthus en 1832. Cinquante ans plus tard, selon elle, on reconnaissait non seulement que l'Angleterre était surpeuplée, mais qu'elle l'était devenue à cause de la multiplication des dégénérés. L'amélioration de l'avenir et de la société passe par la sauvegarde de la qualité génétique, ou eugénique. L'application des principes de Darwin à l'organisation sociale entraînait la suppression des races inférieures et la reproduction à partir des plus aptes. L'humanitarisme faisait figure de politique de myope, suicidaire même. Typique de ces observateurs de l'humanité convaincus que le bon sens appelait une certaine dose d'intervention dans le comportement reproducteur de l'homme, William Rathbone Greg affirme :

> Chez les sauvages, seuls survivent ceux qui ont une constitution saine et robuste ; chez nous, les maladifs et les faibles survivent aussi bien... Des milliers d'hommes et de femmes de constitution défectueuse, affaiblis par la maladie ou la misère, atteints de malformations cérébrales héréditaires, sont appelés à transmettre leurs gènes aux autres générations, ou à les répandre dans tout le pays[6].

A l'époque où Francis Galton commença son étude de l'hérédité, ses lecteurs étaient avides de voir approuver leurs préjugés. Galton ne les déçut pas. En 1865, le *MacMillan's Magazine* publia « Hereditary Talent and Character ».

> Ses constatations le poussèrent à proposer le projet, l'un des plus auda-
> cieux jamais formulés par un homme de science sain d'esprit, selon lequel
> l'Etat devait sélectionner ses jeunes hommes et ses jeunes femmes les plus
> brillants dans le but de procréer des génies. Il alla jusqu'à écrire le discours
> que la Senior Trustee of the Endowment Fund adresserait aux « dix jeunes
> gens rougissants de vingt-cinq ans » qui avaient passé avec succès le test
> prouvant qu'ils possédaient « au plus haut degré ces qualités de corps et
> d'esprit qui honorent notre race[7] ».

Dix jeunes femmes de vingt et un ans devaient être unies aux jeunes gens par une cérémonie au cours de laquelle on leur ferait don de 5 000 livres « pour leur permettre d'élever leurs enfants ». Selon Arthur Keith, Galton « ne fut jamais plus sérieux que le jour où il proposa son projet, qui devait selon lui placer ceux qui l'adopteraient à la tête du progrès humain ». Tout au long de sa vie, Galton s'intéressa davantage aux possibilités qu'offrait l'eugénique positive qu'à la nécessité de l'eugénique négative. Il fut l'inventeur du terme « eugénique », et pendant des années l'Eugenics Education Society apposa sa définition sur la couverture de l'*Eugenics Review* :

> L'eugénique est l'étude d'agents sous contrôle social capables d'améliorer
> ou d'entraver les qualités raciales des générations futures, que ce soit physi-
> quement ou mentalement[8].

Tant que l'eugénique reste du domaine de l'étude, on peut espérer qu'elle ne touche personne, en dehors des agents étudiés (étudiants, soldats et pensionnaires des prisons, hôpitaux et asiles), constamment observés, surveillés, testés, pour fournir des preuves à toutes sortes d'hypothèses. Galton avait une véritable passion pour les étalonnages et les collections de statistiques ; le caractère incertain de ses catégories ou la nature essentiellement subjective de ses critères ne l'arrêtaient pas. Sa foi dans les tests était attendrissante si l'on considère qu'il n'obtint jamais les honneurs académiques ; et sa confiance dans la sélection et la reproduction paraît touchante pour un homme qui, après avoir choisi une épouse issue d'une lignée remarquable, fut incapable d'être père. Après tout, la contradiction venait peut-être de sa propre lignée : il était le petit-fils d'un quaker qui avait fait fortune en vendant des armes portatives. Après avoir étudié pendant un an la médecine au King's College de Londres, puis les mathématiques à Cambridge, Galton voyagea en Egypte et en Syrie, se consacra un temps au sport, avant de partir en Afrique équatoriale où il se fit un nom comme explorateur. Il se passionna ensuite pour la météorologie et prit part au développement de cette nouvelle science, s'attachant plus particulièrement au concept (et au nom) de l'anticyclone[9]. Lorsqu'il se mit par hasard à s'intéresser à l'hérédité, il y consacra quarante ans de sa vie.

Galton aurait pu se contenter de rassembler et de codifier des données, mais il avait entrepris l'œuvre de sa vie avec le sentiment qu'une action était nécessaire. Malgré sa fortune personnelle, il n'était heureusement pas en position d'effectuer la mise en œuvre des méthodes eugéniques. Il montra peu d'intérêt pour la notion et la pratique de la limitation des naissances et ne voulut pas entendre parler de la stérilisation des criminels et des anormaux. Il se limita à conseiller le célibat pour les individus qui souffraient d'une lourde hérédité, espérant qu'un nouveau sens religieux de la responsabilité s'implanterait dans l'âme de l'homme moderne, matérialiste et rationnel.

> L'eugénique doit passer par trois stades. En premier lieu, devenir un sujet académique courant jusqu'à ce que son importance exacte soit comprise et acceptée en tant que fait ; en second lieu, être reconnue comme un sujet dont la mise en pratique exige une réflexion rigoureuse ; et enfin, pénétrer dans la conscience de la nation comme une nouvelle religion[10].

Convaincu qu'il fallait encourager le meilleur et le plus intelligent à procréer, il voulut persuader les autorités d'émettre des certificats aux jeunes gens qui montraient les plus grandes qualités génétiques, et alla même jusqu'à proposer un exemplaire de certificat qu'il envoya à son disciple Havelock Ellis. L'eugénique négative y était incluse, mais Galton ne prit pas la peine de la décrire en termes concrets.

> La sélection naturelle repose sur l'excès de production et sur la destruction à grande échelle ; l'objet de l'eugénique est d'empêcher que ne vienne au monde plus d'individus que le nombre qu'il est possible de prendre en charge, et de favoriser ceux qui sont issus des meilleures souches[11].

Si la sélection naturelle est une loi de la nature, elle ne peut être annulée par un quelconque agent surnaturel. Galton aurait dû savoir que le seul système d'eugénique possible devait lui-même faire partie du processus de la sélection naturelle. Manifestement, il se prétendait capable de sélectionner les vainqueurs de la course de la sélection naturelle avant le début même de la course, et d'éliminer sans mal des perdants qui n'étaient jamais nés. Il était pourtant parfaitement conscient que les classes dites supérieures ne maintenaient pas leur rang du point de vue de la reproduction, sinon ses propositions en faveur des priviliégés n'auraient eu aucune raison d'être. Malgré son intelligence reconnue, Galton semblerait avoir manqué à la fois de bon sens et d'imagination ; il paraissait d'une part ne pas se rendre compte que ses plans pour gérer les vies des autres étaient irréalisables, et d'autre part tout ignorer de l'amplitude et du mystère du processus génétique. Toutefois, si ses théories font l'objet de nos critiques, il faut reconnaître qu'il passa la plus grande part de son temps à rassembler et interpréter des données pour lesquelles il inventa des systèmes d'analyse mathématique qui forment la base de la statistique moderne. Fondateur d'un laboratoire biométrique à l'University College, et de son journal *Biometrika*, il créa en 1904 un laboratoire d'eugénique et subventionna une bourse de recherche.

A la mort de Galton, la réflexion eugénique était admise par tous les courants d'opinion libéraux et progressistes, aussi bien que par les conservateurs comme lui. Dans son testament, il laissa un legs pour la création d'une chaire à l'University College, et nomma son propre candidat, le brillant mathématicien et biologiste Karl Pearson.

Pearson se targua d'adopter une approche scientifique scrupuleuse et voulut transformer l'eugénique en discipline académique ; mais il fut également responsable d'études qui reposaient sur des critères impossibles à quantifier, impressions d'enseignants sur la « vivacité, le caractère dominateur, l'introspection, la popularité, la droiture, le sang-froid, l'habileté et l'écriture » de leurs étudiants. Dans une conférence sur Huxley en 1903, il traita de la « détérioration nationale » qui devait devenir le sujet d'une série d'études financées par la Worshipful Company of Drapers.

> Les souches qui présentent les meilleures caractéristiques ne se reproduisent pas dans la même proportion que les autres ; les moins aptes et les moins énergiques sont plus fécondes. Aucun système d'éducation ne fera remonter un niveau d'intelligence héréditairement faible à un niveau élevé. Le seul remède, s'il en est un, est d'agir sur la fécondité relative des bonnes et des mauvaises souches dans le pays[12].

Avec son confrère et disciple David Heron, Pearson entreprit de « prouver » le rapport négatif entre la fécondité et le statut social et il établit en 1913 le « rapport entre la fécondité et la valeur sociale[13] ». Souscrivant à la doctrine de la pluralité de l'homme, il commença une série d'études sur l'immigration qui donnaient libre cours au racisme le plus agressif. *Le problème de l'immigration en Grande-Bretagne illustré par un examen des enfants russes, polonais et juifs*, fut publié en 1925 ; ses arguments racistes trouvèrent alors un terrain fertile[14].

Pearson se méfiait des vulgarisateurs et, inconscient de ses propres préjugés, se montrait exaspéré par ceux des autres. Peu concerné par les desseins et idéaux de l'Eugenics Education Society, il préféra dès le début s'en tenir à l'écart. Parce que ses travaux l'avaient convaincu que l'alcoolisme était la conséquence comportementale d'une tare mentale innée, et qu'il s'était attiré l'opposition des membres de la Société persuadés que l'alcool était un « poison racial », il s'en prit publiquement à eux. Il passa sa vie à se brouiller avec Bateson et les mendéliens et, au lieu de profiter de leur savoir mutuel, les deux partis perdirent leur temps et leur énergie en vaines querelles.

La première tâche du Laboratoire d'eugénique fut évidemment de vérifier l'hypothèse de l'hérédité. Il y avait deux voies d'enquête radicalement différentes. L'une, scientifiquement valable, consistait à étudier des organismes simples avec un cycle reproducteur court et d'identifier les véritables mécanismes du transfert génétique ; l'autre, présomptueuse et peu respectable, à collectionner les pedigrees humains, passe-temps favori de Galton, mais démarche totalement non concluante. Pendant trente ans, en Angleterre, en Amérique, en Allemagne, en France, en Scandinavie et en Suisse, des étudiants arpentèrent les lieux fréquentés par les pauvres, les ignorants et les consanguins, amassant des données dans le but de prouver non seulement que l'alcoolisme, la dégénérescence, la folie, la tuberculose, l'arriération mentale et la criminalité étaient répandus dans les familles, mais aussi que toutes ces manifestations dérivaient d'un seul gène, c'est-à-dire qu'elles faisaient toutes partie d'un « trait commun ». Les données rassemblées ne pouvaient conduire à une telle conclusion, qui résultait en fait d'un désir passionné de croire que l'injustice sociale était ratifiée par la nouvelle divinité, la science. Les noms des familles sélectionnées furent dans toutes les bouches. Tous les chercheurs connaissaient l'histoire des Jukeses, sujet d'une étude menée par R. L. Dugdale, qui établissait que 600 cas à problèmes, parmi lesquels des criminels et des idiots congénitaux, étaient venus au monde à partir d'une femme arriérée mentale.

Le mouvement en faveur de la ségrégation des arriérés mentaux était bien établi en Amérique, où en 1923 quarante Etats avaient déjà ouvert des asiles d'aliénés. Même ainsi, la ségrégation et la mise sous surveillance semblèrent insuffisantes. Certains individus pouvaient sortir des établissements, et d'autres s'arrangeaient pour ne pas y entrer. Pressés par une urgence peu explicable, quelques praticiens n'attendirent pas que fût établi un consensus sur l'intérêt de supprimer les souches défectueuses ou sur les méthodes à utiliser pour pratiquer les stérilisations à tout va.

> En 1898, le conseil d'administration de la Kansas State Institution pour enfants arriérés approuva par résolution les travaux du Dr F. Hoyt Pilcher qui avait castré 44 garçons et 14 filles. L'opinion publique prit part à la controverse qui suivit et la pratique fut stoppée[15].

En 1899, le Dr Harry Sharp, membre de la Purity Society of Indiana et médecin-chef de la maison de redressement de Jeffersonville, pratiqua des vasectomies de sa propre initiative ; en 1912, il écrit à l'*Eugenics Review* à Londres, décrivant triomphalement son activité philanthropique :

> Quant aux applications de cette loi dans l'Etat d'Indiana, je dois dire qu'elles sont très satisfaisantes... Dans plusieurs cas, nous avons opéré contre le gré et en dépit des protestations des patients. Depuis octobre 1899, je pratique une intervention connue sous le nom de vasectomie... Je le fais sans anesthésie générale ni même locale... Deux cent trente-six sujets m'ont offert des occasions exceptionnelles d'observation postopératoire, et je n'ai jamais constaté aucun symptôme défavorable... Le patient devient de caractère heureux, plus intelligent et cesse ses pratiques masturbatoires excessives[16]...

A l'époque où Sharp entreprit son action, il n'existait aucune loi permettant la stérilisation ; huit ans plus tard, en 1907, une loi portant sur la stérilisation obligatoire était votée en Indiana, mais en 1911, le gouverneur de l'Etat menaça de supprimer les crédits aux établissements qui expérimentaient la stérilisation et la pratique cessa. Entre-temps, on avait pratiqué 873 stérilisations. Malgré toutes les garanties du Dr Sharp sur l'immense satisfaction obtenue par une petite stérilisation forcée, la loi était anticonstitutionnelle.

Le bon docteur semble avoir tellement perdu contact avec la réalité qu'à la lecture de ses exploits certains eugénistes auraient dû se demander s'il n'était pas lui-même candidat pour cette opération miraculeuse. Ils auraient dû aussi être les premiers à faire remarquer que la ligature du canal déférent n'avait pas la moindre chance de rendre un homme plus intelligent ; ou sinon que l'opération n'avait plus de justification d'un point de vue eugénique puisque l'intelligence était considérée comme innée. La première loi en faveur de la stérilisation des arriérés mentaux, des fous, des syphilitiques, des alcooliques, des épileptiques et des criminels fut votée dans le Connecticut en 1896. En 1918, 22 Etats en Amérique avaient voté la loi sur la stérilisation, lorsque la Cour suprême s'aperçut que le décret de New York était contraire à la Constitution. C'était la septième fois que cette loi était remise en question. Comme à chaque fois, on établit un autre projet de loi qui fut à nouveau voté[17].

Tandis que d'importants travaux sur la génétique se poursuivaient à la Station for Experimental Evolution du Carnegie Institute de Washington[18], son directeur, C. B. Davenport, avide de se retrouver à la tête du nouveau monde de l'eugénique, persuadait en 1910 Mme H. I. Harriman de subventionner un département des statistiques eugéniques à New York. Des équipes, composées pour la plupart de jeunes étudiantes, furent chargées de rassembler des tables généalogiques et de les classer. Le premier rapport, publié en 1913, fut rédigé par H. H. Laughlin qui devint plus tard le chef du centre psychiatrique du tribunal municipal de Chicago. Laughlin nota que les universités de Columbia, Cornell, Brown, Wisconsin et North-Western avaient organisé des cours totalement ou en partie consacrés à l'eugénique, et que l'eugénique faisait fureur auprès du public.

> Les faits et « pseudo-faits » se répandent rapidement en Amérique. Dernièrement, le sujet de l'eugénique est devenu l'un des sujets favoris de la presse... Tout ce qui se rapporte de loin ou de près à l'hygiène sexuelle, la mortalité infantile, les nævi, le développement des bébés, le contrôle sexuel, la prénatalité, ou aux soins, « cures » ou traitements des malformations, rentre sous la rubrique « eugénique »[19]...

On comprend la confusion du public, car les eugénistes eux-mêmes étendaient sans cesse le champ de leurs actions, assimilant toutes sortes de comportements à des caractéristiques déterminées par la génétique.

Davenport inclut les vagabonds (qu'il préférait appeler nomades) dans la catégorie des « inhibés mentaux » et mena des études sur l'hérédité du caractère, spécialement dans le cas des jumeaux et des suicidés. Pour lui et Laughlin, le mariage entre individus de race différente était génétiquement nuisible et l'immigration devait être sévèrement limitée ; les arguments de Laughlin sont en fait moins virulents que bien des écrits qui soutinrent cette thèse.

Il n'est pas de nation dont les souches familiales inférieures soient biologiquement supérieures aux meilleures souches d'autres nations, pas plus qu'il n'est de nation ou de race dont le sang ne puisse être amélioré par une sélection à l'intérieur de ses propres souches. D'autre part, il n'existe aucune nation dont l'intégrité et les caractéristiques raciales ne puissent être détruites soit par un croisement radical avec des races biologiquement différentes, soit par absorption de souches inférieures des meilleures races étrangères, généralement très assimilables. Dans l'exercice de ses droits et en établissant son propre lignage, la nation réceptrice doit opter pour l'amélioration des valeurs humaines de ses générations futures. L'immigration est un investissement à long terme. Chaque nation doit considérer son intérêt dans ce domaine[20].

Laughlin tint lieu d'expert en eugénique au Committee on Immigration and Naturalisation de la Chambre des représentants de 1921 à 1931. Le lobby eugénique américain était puissant. Dès le début, l'action fut politique ; on élabora des projets de loi destinés à permettre la stérilisation des idiots et des criminels. En 1913, l'American Breeders' Association prit le nom d'American Genetic Association et son journal celui de *The Journal of Heredity*, que nous lui connaissons encore aujourd'hui. Le nom du premier rédacteur du journal, Paul Popenoe, restera à jamais associé à celui de la Fondation pour l'amélioration de l'homme à Pasadena, créée en 1927 par le philanthrope E. S. Gosney pour analyser l'efficacité et le rendement du programme californien de stérilisation au cours duquel 6 000 individus furent privés de leur fécondité. Mais la folie de la stérilisation n'atteignit pas uniquement les Américains. Les pays scandinaves édictèrent des lois plus brutales encore : en une seule année, les Suédois pratiquèrent au total autant de stérilisations que les Américains. La loi danoise fut franchement punitive. La Suisse édicta une loi sur la stérilisation eugénique en 1907[21].

Le principal historien du mouvement eugénique est C. P. Blacker ; son étude *Eugenics : Galton and After* est un ouvrage de référence fondamental. Etant donné qu'il consacra trente ans de sa vie à la Société eugénique, il n'est pas surprenant qu'il se soit attaché à la justifier. S'il est relativement facile de prouver historiquement qu'Hitler n'était pas un disciple de Galton, par contre bien des membres de la Société eugénique étaient plus proches d'Hitler que de Galton. Beaucoup croyaient sincèrement, avec preuves à l'appui, que le type racial était altéré à cause de la fécondité élevée des classes inférieures. C'est ainsi qu'en 1904 nous voyons un

homme aussi intelligent que George Bernard Shaw annoncer la fin prochaine de la civilisation :

> Nous ne pouvons légitimement refuser de faire face au fait que seule...
> l'eugénique peut sauver notre civilisation du destin qui a frappé toutes les
> civilisations précédentes[22].

Tout le monde se demanda en quoi au juste le destin avait frappé les
civilisations précédentes, mais l'idée se répandit très vite qu'une marée de
débiles mentaux avait englouti les classes dirigeantes des grands empires
grecs et romains. Parce qu'ils se reproduisaient rarement, les fous furieux et
les idiots profonds ne représentaient pas un danger réel. Le vrai risque pour
la race était le cas limite. Plus il semblait capable de se débrouiller seul, plus
le débile mental représentait un péril racial.

> ... dans l'abâtardissement, les aspirations saines n'existent plus, la lutte
> pour la survie du supérieur contre l'inférieur a cessé et les cellules se soumet-
> tent en masse à un degré inférieur d'être..,
> Il n'existe pas de plus grand péril pour une race que celui représenté par
> des dégénérés vigoureux[23].

Ces vigoureux dégénérés n'auraient pu être éliminés qu'en appliquant
systématiquement un procédé assez nouveau, le test d'intelligence, l'une
des seules méthodes eugéniques à avoir survécu. Galton fut le premier à
effectuer une étude systématique de la population scolaire. Il choisit Mal-
borough, et y trouva ce qu'il cherchait, la preuve des facultés supérieures
de l'enfant de parents privilégiés. Les motivations qui déterminèrent la
pratique des tests de Q.I. dans les premières décennies du vingtième siècle
furent différentes ; elles faisaient la preuve que les enfants des classes les
plus défavorisées étaient moins intelligents que ceux des classes supérieures, et qu'ils venaient de familles plus nombreuses. L'évidence semblait
irréfutable ; même ceux qui connaissaient et respectaient les classes laborieuses en Angleterre se laissèrent impressionner. Etablie dans un quartier
d'ouvriers de Rotherhithe, Anna Martin résista pendant un certain temps à
l'influence des eugénistes ; elle savait que les femmes des classes populaires
accomplissaient des exploits mathématiques d'une complexité considérable en parvenant à nourrir toute leur famille sur les maigres salaires de leurs
maris. Elle savait aussi que gérer ces foyers était extrêmement compliqué
et qu'en terme d'intelligence pratique, sans parler de sagesse et de courage,
ces femmes l'emportaient souvent sur leurs semblables des classes bourgeoises. En 1911, elle publia un article dans *The Nineteenth Century and
After* où elle rejetait implicitement les affirmations des eugénistes :

> L'établissement du minimum vital est la seule réforme qui touche les cœurs
> et les esprits des femmes du n° 39 et de leurs semblables. Elles ne demandent
> ni la charité ni une subvention, mais revendiquent la possibilité pour un

homme de subvenir aux besoins de sa famille. Le niveau de vie augmenterait automatiquement dans toute la classe laborieuse, et on ne vivrait plus dans la crainte de voir la nation dégénérer[24].

Deux ans plus tard, après avoir lu le rapport du Ier Congrès international d'eugénique, Anna Martin faisait marche arrière, tout en posant une question :

> Jusqu'où l'expérience acquise dans les foyers concorde-t-elle avec les conclusions de ces hommes éminents venus de tous les coins du monde et dont les années de travail patient ont trouvé leur expression dans des statistiques aussi élaborées et des diagrammes aussi ingénieux[25] ?

Elle continua à dénoncer les grossesses non désirées et les effets de l'alcoolisme sur la lignée de la classe laborieuse, plaidant pour une limitation des heures de distribution de l'alcool. Les eugénistes anglais finirent par obtenir une taxation importante sur les alcools. Aux Etats-Unis, ils soutinrent la prohibition avec le même succès. Les socialistes prétendent volontiers qu'ils restèrent à l'écart de la paranoïa eugénique, travaillant à l'amélioration du bien-être public, mais historiquement il en est autrement. La thèse du suicide racial semblait établie ; même l'économiste britannique Sidney Webb se prétendait eugéniste.

> En tant qu'eugénistes, nous avons réussi à mettre au rebut l'ancienne « Poor Law » avec son secours non discriminatoire aux déshérités, et à la remplacer par une politique intelligente qui a pour but de modifier l'environnement social et pour résultat de décourager ou de prévenir l'accroissement de ceux qui se trouvent au-dessous du minimum national d'aptitude[26].

Pour les eugénistes, le contrôle social de l'individu était essentiel et ils soutinrent les formes les plus abusives de classification, de repérage et de statistiques ; néanmoins, Bertrand Russel crut pouvoir accepter leurs prémisses, bien qu'il en ait tiré des conclusions qu'ils jugèrent perverses :

> L'état actuel de la loi, de l'opinion publique et de notre système économique tend à réduire la qualité de la race en laissant la moitié la moins valable de la population engendrer plus de la moitié de la nouvelle génération... Il faut trouver un nouveau système si les nations européennes ne veulent pas dégénérer[27].

A l'époque où furent écrites ces lignes, l'Europe était plongée dans la folie barbare et dysgénique de la Grande Guerre ; pourtant, lorsque la mort eut effectivement stérilisé l'élite virile, il se trouvait encore des hommes et des femmes pour ratiociner sur « les meilleures méthodes pratiques pour supprimer les germes défectueux dans la population humaine ». La preuve que la version galtonienne de l'hérédité était erronée finit par s'établir, mais les eugénistes semblèrent incapables d'en saisir les implications, à savoir tout simplement que stériliser les inaptes aurait très peu d'effet sur la fréquence de la déficience mentale à la génération suivante. En 1940, des eugénistes comme L. Burlingame soutenaient encore :

> Il est probable qu'en empêchant tous les individus qui ont un Q.I. au-dessous de 90 de se reproduire, on éliminerait les débiles mentaux en une seule génération[28].

En 1926, C. P. Blacker publia un traité en faveur de la législation eugénique sur le modèle américain. Si, comme il le fit observer, 1 000 professeurs n'ont que 95 enfants, 1 000 pasteurs de l'Eglise d'Angleterre 101, 1 000 médecins 103 et 1 000 paysans 231, la conclusion était claire. D'autre part, selon lui, « les débiles mentaux sont généralement très prolifiques ». Si Roosevelt crut en la possibilité d'un suicide racial, on ne peut reprocher à Blacker d'avoir fait remarquer ceci

> … Un individu, même sans valeur, pourrait difficilement mourir de faim aujourd'hui, et ceux qui dans le cours ordinaire de la nature auraient péri parce qu'ils sont de lignée déficiente ou en mauvaise condition physique sont artificiellement gardés en vie pour perpétuer leur espèce[29].

Le concept d'individu sans valeur faisait partie du courant intellectuel eugénique, et au cours des années son application s'élargit et les termes employés pour le décrire se firent plus grossiers et plus agressifs. Le zoologiste E. W. McBride était sans doute un expert dans son domaine, mais lorsqu'il se permettait de critiquer l'économie politique il perdait tout bon sens :

> … l'histoire prouve que la lignée est toute puissante et qu'aux qualités de chaque souche correspond un certain degré de culture. Les races inférieures peuvent être amenées à adopter les coutumes d'une civilisation supérieure tant qu'elles restent sous la surveillance et la direction d'une race supérieure, mais abandonnées à elles-mêmes, elles régresseront régulièrement, comme le montre l'histoire d'Etats tels que Haïti, le Liberia et le Mexique. Bien plus, si nous étudions les souches à l'intérieur d'une seule race, les mêmes faits nous sautent aux yeux. Les recherches sur l'hérédité de la déficience mentale montrent que la prostitution, l'alcoolisme et la criminalité sont en grande partie héréditaires. Car le vice et le crime sont tous les deux dus en dernier ressort à un manque de contrôle de soi — la dernière acquise de toutes les qualités et la plus décisive dans la lutte pour la survie. Aucune amélioration permanente n'aura lieu dans une société tant que de tels individus auront le droit de procréer et que l'on jettera de l'argent par les fenêtres pour leur éducation. Chez les anciens peuples virils, on les éliminait sans pitié[30].

Bien que ses disciples aient toujours pris soin de dissocier les thèses de

Galton de ce genre d'élucubrations, il ne faut pas oublier que pour lui l'homme moderne ne valait pas mieux que le Grec médiocre, soi-disant parce que le recours à des actions eugéniques aussi louables que l'abandon des nouveau-nés ou l'esclavage avait cessé de prévaloir. Etant donné ses idées sur l'élimination sans pitié, McBride ne pouvait que trouver des avantages à la stérilisation et il semblait n'attendre aucune protestation au sein de la Société eugénique en exprimant cette opinion comme si elle était unanime :

> Il nous semble que, tôt ou tard, la société sera amenée à adopter des mesures de stérilisation obligatoire : on peut actuellement la pratiquer sans douleur au moyen de rayons X... Personne ne semble se rendre compte que des parents incapables d'élever les enfants qu'ils mettent au monde sont « inaptes » dans le sens économique du terme — et que la sanction devrait être la stérilisation[31].

Exactement comme les Spartiates exigeaient l'infanticide des nouveau-nés auxquels on n'avait pas assigné de terre ! Le professeur McBride exprimait ses idées éclairées en janvier 1921. Si nous en croyons le Dr Blacker, la Grande Dépression et les théories de Mendel firent oublier cette forme de pensée bien avant que le programme eugénique nazi ne fût institué en 1933. Autant que puisse en juger un observateur éloigné, la crise économique submergea beaucoup d'âmes diligentes et estimables sans que les eugénistes aient appris quelque chose de l'expérience. En 1936, nous retrouvons McBride de nouveau à l'ouvrage. Il faut cependant faire remarquer que sa paranoïa et son mépris à l'égard des autres créent à cette époque des dissensions parmi les membres de la Société eugénique. Pendant quinze ans, il va continuer à prêcher la nécessité de la stérilisation obligatoire, mais cette fois-ci avec une nouvelle justification démographique :

> Il n'existe sans doute qu'un remède à la surproduction d'enfants à laquelle nous assistons, et c'est un remède impopulaire ; aussi faudra-t-il du temps avant que sa nécessité ne s'impose à l'opinion publique. Il s'agit de la stérilisation obligatoire, infligée aux parents qui doivent avoir recours à l'assistance publique[32].

Si la stérilisation est un châtiment pour avoir mis des enfants au monde, elle n'a aucune chance d'abolir la pauvreté en empêchant les pauvres de naître. Mais avant de traiter McBride de cinglé, nous devrions considérer que les programmes de stérilisation obligatoire aujourd'hui mis en place dans les pays pauvres qui ont une croissance démographique élevée souffrent des mêmes carences de raisonnement. Dans un monde où le nombre de paysans sans terre s'accroît d'heure en heure, l'idée que l'on naît pauvre au lieu de le devenir est une dangereuse illusion ; pourtant beaucoup la soutiennent.

En 1930, La Société eugénique entama une campagne pour une proposition de loi sur la stérilisation eugénique. Le projet de loi fut rédigé par le major A. G. Church et la campagne financée par lord Riddell, le magnat de la presse. Lancelot Hogben et H. G. Wells, tout comme le major Leonard Darwin, fils de Darwin et président de la Société eugénique de 1911 à 1929, encouragèrent la propagande menée par la société. Le professeur Julian Huxley, membre du comité, déclara :

> Je considère que le projet de loi rédigé par le major Church renferme une proposition intéressante sur le plan pratique. Renforcer la ségrégation des débiles mentaux par la stérilisation dans certains cas est à mon avis important, pour ne pas dire essentiel, si nous voulons empêcher la détérioration graduelle de notre race. En exigeant que la stérilisation soit volontaire dans tous les cas, ce projet de loi prévient les abus de pouvoir de la part des autorités locales et protège les droits des individus et de leurs parents[33].

La notion de stérilisation « volontaire » peut surprendre, si l'on sait que le projet était d'abord destiné à des faibles d'esprit en principe incapables d'émettre un avis. Par contre, plus le détenu est intelligent, plus il cherchera à plaire à ses geôliers en acceptant la stérilisation. Certains pays trouvèrent opportun de proposer la stérilisation à la place de la ségrégation. Dans le cas des débiles profonds, le consentement devait s'obtenir des parents qui, selon la logique du processus, auraient dû eux-mêmes être mentalement déficients. Dans ces circonstances, l'emphase mise sur le consentement était un pur sophisme. Comme l'expliqua le Dr F. Douglas Turner à Lionel Penrose :

> Je dirais même que je n'aurais pas été apte à remplir ma fonction de médecin-chef d'un établissement pour déficients mentaux si je n'avais su convaincre chacun de mes patients d'accepter ou de refuser une opération suivant ma propre décision[34].

En 1934, le comité de la Société eugénique pour la légalisation de la stérilisation eugénique se joint au Comité pour la stérilisation volontaire pour publier le « Report of The Departmental Committee on Sterilisation ». En 1935, la Société eugénique récompensa R. B. Cattell pour ses travaux sur l'intelligence de la population scolaire en milieu urbain et en milieu rural dans le but de déterminer une taille moyenne de famille par niveau d'intelligence. Cattell fut un fervent supporter de la campagne pour la stérilisation qui avait échoué au moment où il publia ses conclusions. Le Report of the Departmental Committee avait été rejeté par le London County Council par 63 voix contre 44 après un débat que Cattell qualifia de « totalement irresponsable[35] ». Lorsqu'il publia sa controverse, *The Fight for Our National Intelligence*, le médecin de la famille royale, lord Horder, n'hésita pas à la préfacer, parce que :

Le niveau de l'intelligence nationale baisse régulièrement. Dans une proportion telle que, d'après notre auteur, la moitié de la population sera mentalement déficiente dans 300 ans[36].

L'histoire ne dit pas si sa royale clientèle se montra embarrassée qu'il eût accepté de préfacer un ouvrage dans lequel l'Allemagne avait « le mérite d'être la première nation à avoir adopté la stérilisation avec un résultat positif sur l'amélioration de la race[37] », mais l'histoire oublie les rôles joués par certains hommes éminents dans cette campagne déshonorante. Dans l'histoire de la Société eugénique qui fut publiée dans le dernier numéro de l'*Eugenics Review* (avant qu'elle ne prît le nom de *Journal of Bio-Social Science*), on ne trouve aucune mention de la campagne menée pendant dix ans par son président pour une loi anglaise de la stérilisation eugénique.

La stérilisation eugénique avait toujours donné lieu à des écrits polémiques, mais l'opposition ne s'était jamais déclarée sous une forme scientifique jusqu'à ce que les généticiens s'en mêlent. C'est l'un des plus brillants, J. B. S. Haldane, qui entra le premier dans la bagarre en 1938.

Dans ces cinquante dernières années, nous avons beaucoup appris sur la biologie humaine, et en particulier sur l'hérédité. Cette connaissance a jusqu'ici trouvé peu d'applications en Grande-Bretagne et en Amérique. Mais elle a été utilisée pour appuyer des transformations drastiques dans la structure de la société. Et les mesures radicales prises en Allemagne, à la fois pour expulser les juifs de nombreux domaines d'activité et pour stériliser de nombreux Allemands, prétendirent se fonder sur des faits biologiques.

Je ne crois pas que notre connaissance actuelle de l'hérédité humaine justifie de telles mesures[38].

Haldane attaque l'Allemagne, mais aussi Cattell et même Blacker, qui voulait aussi stériliser les individus possédant un Q.I. au-dessous de la moyenne. Il fit remarquer que l'interdiction des mariages entre cousins germains aurait constitué une mesure plus eugénique que la stérilisation et alla jusqu'à demander aux biologistes d'en soutenir la proposition.

La connaissance des parents d'une personne ne permet jamais de prédire avec certitude si il ou elle sera un membre plus ou moins adapté à la société que la majorité[39].

Prédiction sinistre, il cita un article rédigé par Suchsland dans *Archiv für Rassen- und Gesellschaftahygiene* sur l'effet eugénique des bombardements des centres urbains surpeuplés[40].

Dans son historiographie, Blacker ne retrace pas la bataille avec les généticiens, mais cherche plutôt à convaincre ses lecteurs que la théorie mendélienne et les effets de la Dépression ont modéré la vieille et cruelle pensée eugénique. En réalité, elle ne fut que momentanément étouffée.

Ecœurés de l'usage grossier que l'on faisait d'une science encore hésitante, Haldane et son confrère Hermann Muller se rebellèrent. Haldane rejoignit le parti communiste, Muller prit un poste en Union soviétique. Quant à Blacker, toujours aussi aveugle, il proposa à son confrère Cyril Burt, professeur de Cattell, de produire des données sur l'intelligence et la fécondité devant la Royal Commission on Population en 1946. Burt était alors professeur de psychologie à l'University College de Londres. Avec Flügel, partisan de la loi sur la stérilisation eugénique, il avait effectué les premiers tests d'intelligence de Pearson. Il était persuadé de mesurer une « faculté intellectuelle, innée et générale ».

> Pendant les quarante dernières années, les travaux sur les tests ont établi : qu'il existe un facteur général dans toute forme de faculté intellectuelle ; que ce facteur peut être estimé avec une précision raisonnable par des tests individuels et de groupe ; que les différences dans l'intelligence ainsi définie sont largement dues à la constitution héréditaire de l'individu.
>
> Comme en témoignent les données : il semble presque certain qu'il y a dans ce pays un rapport négatif entre l'intelligence innée et la taille de la famille et que ce rapport (environ 0,20) appelle une attention immédiate ; il semble probable que la diminution du niveau moyen de l'intelligence dans la population pourrait provoquer des effets cumulatifs sérieux si elle se poursuivait au même rythme[41].

Visiblement le vieux discours de « la race » ne pouvait plus servir, mais sans lui, l'argument de Sir Cyril ne tient pas debout. La seule mesure pratique qui puisse être prise pour prendre en compte le rapport négatif entre la taille de la famille et l'intelligence est de donner aux parents avec un seul enfant le choix de ne pas en avoir plus (ce qui ne rendrait pas celui-ci plus intelligent) à moins de traiter la fécondité comme un trait héréditaire et de limiter celle des individus féconds. En fait, la fécondité n'est pas une caractéristique héréditaire, contrairement à ce qu'en pensent les eugénistes. Si Burt avait été un simple clergyman de campagne, ses préjugés n'auraient eu aucune importance ; étant donné son poste élevé dans l'enseignement, ils affectèrent la carrière de centaines de milliers de jeunes gens dont les aptitudes furent définies selon ses critères.

Nous savons aujourd'hui que les données de Burt étaient truquées. Il ne testa pas les parents de ses sujets, mais fit sa propre appréciation subjective, ce qui amène à mettre en doute ses conclusions. Sa foi dans la supériorité innée de sa classe suffisait à le convaincre de la justesse de ses conclusions. Il mourut, couvert d'honneurs, avant que des psychologues plus scrupuleux n'aient pu le dénoncer[42]. La principale attaque contre cette religion de droite vint des pays socialistes qui minimisèrent l'importance de l'élément héréditaire. Les errements de Lyssenko leur portèrent une atteinte irrémédiable. Encore plus découragés, Muller et Haldane revinrent au bercail capitaliste.

Même après les batailles légales qui avaient eu pour conséquence l'introduction de clauses portant sur le consentement dans les lois américaines sur la stérilisation, il était évident que l'esprit d'une telle législation était contraire à la Constitution. Le sujet fut porté devant la Cour suprême en 1926. Le juge Holmes prononça un jugement aujourd'hui célèbre :

> Le jugement déclare établi par les faits que Carrie Buck « est la parente probable d'une progéniture socialement inadaptée, comme elle l'est elle-même, qu'elle peut être stérilisée sans préjudice pour sa santé générale et que sa stérilisation sera bénéfique à son bien-être et celui de la société », et dans ces conditions la cour ordonne que... Nous avons constaté plus d'une fois que le bien public peut exiger leur vie des meilleurs de nos citoyens. Il serait anormal qu'il ne puisse exiger de moindres sacrifices de ceux qui affaiblissent la force de la nation, afin d'empêcher l'inadaptation de nous submerger. Au lieu d'exécuter cette descendance dégénérée pour ces crimes ou de la laisser croupir dans son idiotie, il est infiniment préférable que la société ait les moyens d'empêcher ceux qui sont manifestement inaptes de perpétuer leur espèce. Le principe qui permet la vaccination obligatoire devrait permettre la ligature des trompes de Fallope. Trois générations d'imbéciles suffisent[43].

Le juge Holmes avait accepté les principes fondamentaux de la religion eugénique, à savoir que la débilité mentale est héréditaire, que la fécondité des débiles mentaux peut submerger la société, et que la criminalité fait partie du même « trait commun » héréditaire. Des verdicts semblables furent rendus dans l'Ohio et le Nebraska jusque dans les années 60. En fait, le jugement prononcé par Holmes dans *Buck versus Bell* prévaut encore dans la législation américaine, en dépit du jugement contraire du juge Whitehead[44]. Tout aussi vaine fut la sagesse chèrement acquise des généticiens, y compris de ceux qui avaient participé aux programmes de stérilisation. Gunnar Dahlberg avait exprimé le dilemme en des termes clairs en 1943 :

> La stérilisation des inadaptés ne donnera jamais de résultats valables sur le plan pratique. En attendant, traiter inconsidérément le problème peut seulement créer des souffrances inutiles pour une petite partie des individus. Si nous en stérilisons quelques-uns, nous pouvons éviter d'avoir à nourrir un nombre insignifiant d'inadaptés. Si nous allons trop loin, particulièrement si nous adoptons la stérilisation obligatoire, nous rendrons malheureux un nombre inutilement élevé d'individus[45].

On peut difficilement accuser Dahlberg de faire preuve de sentimentalité. Si les partisans américains de la stérilisation étaient peu enclins à accepter l'opinion d'un étranger, ils auraient pu prêter attention à celle d'un de leurs concitoyens enthousiaste de la vasectomie, Paul Popenoe, qui, après avoir étudié pendant des années la stérilisation à Pasadena, se trouva dans l'obligation de conclure que toute cette mobilisation était en partie vaine :

> ... La fécondité de l'aliéné mental est refrénée en partie par l'internement, en partie par une action volontaire de sa part, en partie parce que sa vie est écourtée par la maladie... On doit attribuer le flot constant de nouvelles admissions, dans la mesure où elles sont dues à l'hérédité, à l'accouplement de personnes qui ne sont pas atteintes d'aliénation elles-mêmes, mais qui en portent le germe[46].

Si Popenoe n'ose pas mener ses propres observations à leur conclusion logique et remettre en question la notion de la contamination de l'aliénation, il ne révèle pas les tentatives malencontreuses qui furent prises pour contrôler la contamination. Les impressions d'une psychiatre anglaise qui se rendit en Caroline du Nord en 1949 sont plus effrayantes :

> D'un point de vue sociologique, la loi sur la stérilisation empirique votée il y a dix-neuf ans en Caroline du Nord et l'établissement de services contraceptifs publics huit ans plus tard ont eu une action puissante sur l'accélération du taux d'évolution sociale et sur la cristallisation de conflits sans cela non formulés[47].

Maya Woodside note soigneusement un taux de natalité et d'illégitimité plus élevé dans la population noire, et elle ajoute que le taux de déficients mentaux y est le plus élevé des Etats-Unis.

> Il est certain que la femme noire faible d'esprit, avec des enfants illégitimes, est un problème que rencontrent souvent les organisations de la santé[48].

Sans doute était-elle aussi, fréquemment, une candidate pour la stérilisation « volontaire ». L'eugénique a toujours englobé le racisme de la pire espèce, mais à mesure que les minorités se firent entendre, on mit au rancart les vieilles notions sur les effets nuisibles de l'intermariage, la limitation de l'immigration et les origines des différentes « races » humaines. Lorsque les Etats-Unis furent entraînés dans le conflit avec l'Allemagne, les eugénistes comme Leon F. Whitney eurent quelque raison d'être embarrassés par des déclarations comme celle-ci :

> Nous ne pouvons qu'admirer la prévoyance (stériliser 400 000 personnes) du plan (germanique), et reconnaître que par cette action l'Allemagne devient une nation plus forte. Les juifs américains soupçonnent naturellement que le chancelier allemand a décrété la loi dans un but précis, mais à mon avis rien n'est plus éloigné de la réalité[49].

Les arguments de Whitney, selon qui on trouvait « six fois plus de déficients mentaux dans la population noire à New Haven que dans la population blanche[50] » n'étaient plus possibles. Que Woodside préfère éviter les déclarations racistes ne nous surprendra pas, mais il faudrait être aveugle pour prétendre qu'elle et les responsables des hôpitaux publics et des « maisons de redressement » chargés d'appliquer les méthodes de stérilisation ne nourrirent pas de sentiments racistes. La Caroline du Nord vint tardivement à la stérilisation : 49 personnes avaient été stérilisées en 1929 avant que la loi ne fût déclarée anticonstitutionnelle, puis proposée sous une autre forme et votée à nouveau en 1933.

> La Commission de l'eugénique a une juridiction qui porte uniquement sur les cas de débilité mentale, lèpre (*sic*) ou maladie mentale. Elle ne peut autoriser la stérilisation d'après les conditions sociales ou physiques d'une personne normale, et n'est pas habilitée à s'occuper des malformations physiques transmissibles... Un quotient intellectuel de 70 et au-dessous définit la débilité mentale... L'obligation d'instituer des méthodes de stérilisation est prescrite au responsable de tout établissement public pénitentiaire ou charitable[51].

L'état physique et mental de l'individu, son passé social et un consentement sous serment (signé par lui, un parent ou un geôlier), telles étaient les conditions requises pour la stérilisation. Les cas plus ou moins typiques présumés par Woodside sont intéressants à ce sujet. Comme il fallait s'y attendre, elle s'attache à des détails significatifs sans prendre conscience de l'étendue génétique de la situation.

> Une femme mariée, 24 ans, mère de cinq enfants de 6 ans à 4 mois. Condamnée plusieurs fois pour promiscuité sexuelle et déclarée coupable de mauvais traitements et d'abandon de ses enfants.
> Diagnostic : épilepsie avec crises fréquentes. Formulaire de consentement signé par elle-même et son mari[52].

En Caroline du Nord, évidemment, on a plus de chance de se retrouver au tribunal pour promiscuité sexuelle que pour mauvais traitement et abandon d'enfant. Aucune preuve de malformation héréditaire n'est apportée : l'épilepsie est un terme qui recouvre plusieurs phénomènes, certains provoqués par un traumatisme. Woodside s'intéresse davantage à la fécondité de la femme et à son activité sexuelle qu'à tout autre aspect de son comportement. Il y a de fortes chances qu'elle-même ait considéré la procédure comme punitive, ce que le missionnaire eugéniste des premiers jours cherchait à tout prix à éviter. Dans le cas cité, un observateur cynique pourrait penser qu'un homme et une femme dont la famille a atteint la taille désirée utilisèrent l'autorité officielle pour s'assurer une méthode gratuite et efficace de contraception.

Dans un autre cas, on ne trouve aucune preuve que la victime désirait la stérilisation.

Une femme mariée, 36 ans, mère d'un fils aîné illégitime de 12 ans. Hospitalisée pour une psychose qui s'est développée depuis trois mois. A souffert de troubles semblables il y a dix-huit ans. D'apparence négligée, volubile, d'une grande irascibilité, souffre d'hallucinations et de tendances destructrices. Sans jugement ni perspicacité.

Diagnostic : démence précoce — paranoïa. Formulaire de consentement signé par le mari qui ne veut plus d'enfant[53].

Encore une fois, nous sommes loin de la stérilisation eugénique. Si la femme n'a qu'un enfant de 12 ans, il semble qu'elle soit sous-fertile ou infertile. En tout cas, un homme qui ne veut plus d'enfants ne devrait pas avoir le droit de prendre cette décision pour sa femme, surtout si l'on sait que la vasectomie posait moins de problèmes que la salpingectomie dans les années 40. Des symptômes de psychose qui remontent à dix-huit ans ne constituent pas un diagnostic de *démence précoce*, surtout chez une femme qui se trouve visiblement dans un état d'extrême détresse. A moins d'avoir un tempérament de violeur, son mari n'aura probablement aucun rapport sexuel avec elle avant qu'elle n'ait retrouvé la raison. Si l'hospitalisation est nécessaire, elle n'a aucune chance d'être exposée à la grossesse. Comment ne pas considérer la stérilisation dans ce cas comme un outrage sur une personne qui semble en avoir déjà subi un bon nombre ? Cette femme ne se relèvera pas de cette crise aussi rapidement que de la première. La chirurgie forcée ne peut qu'empirer les choses.

On trouve un cas encore plus bizarre dans les échantillons de psychotiques choisis par Woodside :

Un garçon célibataire, âgé de 13 ans, admis au centre d'apprentissage pour cause de délinquance et agression. Responsable de troubles à l'école, sujet à des crises de colère, il battait ses parents, et faisait preuve d'un caractère indisciplinable. Sur un test mental, on lui attribua un Q.I. de 43[54].

Se voir *attribuer* un quotient intellectuel « sur un test mental » est une relation sémantique qui serait du plus grand comique si elle n'était cruelle et stupide. Woodside ne précise pas la nature du test. Etant donné l'attachement de la Caroline du Nord à la tradition, on peut imaginer qu'il s'agit du même test qui a démontré que deux tiers des soldats américains de la Première Guerre mondiale étaient des imbéciles[55]. Nous pourrions nous demander en premier lieu comment un individu aussi indisciplinable avait pu passer le test. Il est rassurant d'apprendre qu'il n'était pas marié à l'âge de 13 ans, mais il y a tout lieu de croire qu'il ne le sera jamais, car si on ne trouve aucun moyen de le discipliner, il finira dans les cellules des condamnés à mort où l'on a peu souvent l'occasion de procréer. Espérons qu'une fois stérilisé, il ne sera pas relâché dans la nature avec les mêmes impulsions au vol et au meurtre. Si son état était guérissable ou contrôlable, comme pourrait l'être un dérangement cérébral biochimique, le stériliser était inutile. A nouveau, Woodside ne mentionne aucun élément génétique. En le stérilisant, on a établi clairement qu'il était irrécupérable.

De juillet 1933 à juin 1947, on pratiqua 1 901 stérilisations « eugéniques » en Caroline du Nord. Bien que la population noire de l'Etat ne constitue que 27,5 % de la population totale, on stérilisa autant d'hommes noirs par vasectomie et castration que de Blancs[56]. Woodside note le fait sans commentaires. Si les dispositions concernant les stérilisations en Caroline du Nord ne lui parurent pas suffisantes, elle imputa cela au laisser-aller des directeurs d'établissement sans réfléchir à la cause principale de leur soi-disant négligence : le coût de l'intervention, même pratiquée avec le minimum d'anesthésie et de soins postopératoires. Si la Caroline du Nord avait eu un système de santé publique subventionné par l'Etat, la situation eût été différente.

Entre-temps, les sociétés eugéniques battaient de l'aile. La génétique était une science trop compliquée pour s'adresser au grand public, spécialement quand les applications pratiques des idées eugéniques avaient cessé d'exister. La seule façon de liquider les malformations dans la population humaine aurait été d'empêcher la reproduction de tous les hétérozygotes. Cela signifiait que 2 % des êtres humains auraient pu transmettre leurs gènes et que 2 % n'auraient pas été coextensifs à l'élite dirigeante, ou aux familles des généticiens eux-mêmes. Les groupes de pression se désintégrèrent.

Pourtant, l'eugénique était une religion séculière ; il aurait fallu plus que des faits scientifiques pour détourner les fidèles de la révélation galtonnienne et plus que des faux prophètes comme Hitler pour leur faire honte. A son apogée en 1932, la Société eugénique britannique comptait 768 membres ; en dépit de deux campagnes de recrutement, elle n'en comptait que 456 en 1956. Le Dr Blacker suggéra trois lignes de conduite pour l'avenir. La première était :

> ... que la Société poursuive ses fins par des moyens moins visibles, c'est-à-dire par une politique crypto-eugénique, qui jouissait apparemment d'un certain succès aux Etats-Unis[57]...

La suggestion ne fut pas suivie, mais en 1960, quatre responsables du comité adressèrent un mémorandum à leurs membres en les appelant à considérer un certain nombre de suggestions. La seconde clause en était :

> Poursuivre les actions crypto-eugéniques, et spécifiquement augmenter le soutien financier de la Société à la FPA et à l'IPPF, prendre contact avec la Society for the Study of Human Biology, en vue d'éventuels projets communs[58].

La Société abandonna toute idée de répandre son évangile et se mit à travailler en secret, utilisant « son influence par une relation étroite avec les organisations analogues ». L'ensemble des priorités de Galton était donc réduit à néant. La Société renonça à instituer des réformes pratiques et se déclara organisation de charité. En accord avec Blacker, elle devint un organisme de promotion et de subvention pour la « science biosociale ». Le nouveau nom de l'eugénique n'était autre que le vieux nom germanique *Gesellschaftsbiologie*, mais personne ne fit le rapprochement. La même année, l'*American Eugenics Quarterrly* prit le nom de *Social Biology*.

On ne doit pas oublier que les eugénistes firent œuvre de pionniers dans l'étude des populations ; ils furent les premiers à étudier méthodiquement la société humaine par des procédés numériques, étendant le processus de réification et de contrôle commencé avec l'application des mathématiques à d'autres aspects de la physique. Ils furent aussi les premiers à soutenir que le monde se porterait mieux si des groupes entiers de gens n'étaient pas nés. Peu importe les groupes ou classes qu'ils choisirent ou que leur choix fût basé sur des erreurs scientifiques. Ce qui importe, c'est qu'ils se crurent autorisés à porter un jugement. L'homme n'est pas un animal rationnel, mais seulement un *rationis capax*. La biologie devrait nous enseigner à douter de nous quand nous sommes tentés de limiter la capacité de repro duction de ceux qui n'appartiennent pas à notre groupe. L'alliance avec les planificateurs familiaux devint inévitable dès que les eugénistes commencèrent à expliquer que la stérilisation était un bienfait. Nous verrons dans le chapitre suivant à quel point les eugénistes ont pu influencer les planificateurs de la famille.

En découvrant la mutation au début des années 40, Hermann Muller mit fin aux arguments qui permettaient à la chirurgie de nettoyer l'Etat sous couvert de respectabilité scientifique. Il eût été rassurant d'imaginer que toute l'énergie consacrée à la stérilisation eugénique s'emploierait immédiatement à combattre le plus grand ennemi que le gène humain ait jamais connu, à savoir la prolifération des agents mutagènes dans l'environnement, mais historiquement ce n'est pas le cas. Muller entreprit une croisade antiradiations qui n'eut pas sur le public l'impact qu'avait déclenché la possibilité d'action sur la génitalité des étrangers. Une action si largement approuvée, même si elle était discréditée, avait peu de chance de disparaître. Personne aujourd'hui ne conteste plus les stérilisations eugéniques. Elles sont pratiquées couramment dans le monde entier. Les médecins apprennent peu de choses sur la génétique et beaucoup sur la stérilisation chirurgicale. Ils deviennent ensuite les arbitres moraux de la vie des citoyens et n'ont aucun scrupule pour choisir leurs clients. Bien sûr, le consentement est légalement exigé pour toute intervention chirurgicale à froid, mais il n'est possible que dans le cas d'une proposition et non dans celui d'une incitation. Le médecin, qui refusait autrefois son aide à une femme déformée par de nombreuses grossesses et désireuse d'être stérilisée, n'exige aujourd'hui qu'un minimum de critères, stérilise sans remords adolescentes et femmes sans enfants, surtout si elles sont pauvres, célibataires, portées sur le sexe et « sous-développées »[59]. J'ai entendu des médecins préconiser des ligatures tubaires sur des adolescentes qui se présentaient pour des avortements répétés, sans se soucier du fait qu'elles ignoraient les conséquences radicales de l'intervention sur leurs vies. Ils partageaient aussi l'opinion que les femmes étaient « intellectuellement sous-développées », euphémisme moderne pour « faibles d'esprit ».

L'eugénique négative refait aujourd'hui surface aux Etats-Unis sous forme de projet de loi permettant la stérilisation des femmes assistées avec un certain nombre (arbitraire) d'enfants. En vérité, la classe bourgeoise stérile s'irrite de casquer pour subvenir aux besoins, même maigres, des enfants des autres. Lui démontrer qu'elle casque tout autant pour les machines à tuer les enfants des autres ne l'apaisera pas. Jusqu'ici la pression pour la stérilisation obligatoire a échoué, mais l'opinion publique est versatile et la loi passera dès qu'on trouvera une bonne formulation. Le mécanisme prendra la forme d'un ultimatum pour les pauvres féconds, du genre « cesser la reproduction ou supprimer l'assistance publique » ; la difficulté sera de transformer l'ultimatum en chirurgie plutôt qu'en classe de mendiants. Dans la pratique, le problème n'existe pas. Les médecins ont un pouvoir illimité, surtout sur des individus en plein désarroi ou qui souffrent. Proposer la stérilisation aux multipares après plusieurs césariennes est une pratique courante. Tant qu'ils appliquent des méthodes *ad hoc* sans discrimination, on ne peut déceler une pensée crypto-eugénique, mais les statistiques montrent que ce n'est pas le cas. Des femmes stérilisées dans les programmes démographiques subventionnés par l'Etat, 43 % sont noires ; 20 % des femmes mariées noires sont stérilisées contre seulement 6 % de blanches. On offre la stérilisation aux patientes « incapables » d'utiliser une méthode de contraception. D'après le Dr Connie Uri, plus de 25 % des Indiennes en Amérique sont stérilisées. A l'hôpital indien d'Oklahoma, on stérilisa 132 femmes en une seule année[60]. Entre 1963 et 1965, l'argent des contribuables américains paya la stérilisation de 40 000 femmes en Colombie, plus quelques tubes de rouge à lèvres, perles artificielles et menue monnaie en guise de compensation. La promesse de soins gratuits fut sans doute plus convaincante pour les Colombiennes que ces bricoles.

A l'issue du procès de *Katie Relf and the National Welfare Rights Organisation et al, versus Caspar W. Weinberger et al*, le juge Gerhard A. Gesell rendit le jugement suivant :

> Peu de gens savent que plus de 16 % des couples mariés entre 20 et 39 ans ont subi une stérilisation chirurgicale. Dans les dernières années, on a stérilisé annuellement de 100 000 à 150 000 personnes à bas revenus avec les fonds fédéraux... Des données irréfutables prouvent que des mineurs et des incapables ont été ainsi stérilisés et qu'un nombre indéterminé de pauvres a été forcé d'accepter la stérilisation sous la menace de la suppression de l'assistance publique. Les patients bénéficiant de la Sécurité sociale à la naissance sont évidemment les premières cibles de cette pression, comme l'illustre l'exemple des plaignants Brown et Walker...
>
> La délimitation entre planning familial et eugénique est floue. Et le secrétaire d'Etat, par les décrets mis en cause, cherche à autoriser l'une des

méthodes les plus drastiques de contrôle démographique — la stérilisation irréversible des hommes et des femmes — sans aucun principe législatif[61].

Dans une « Etude de la stérilisation chirurgicale », le Health Research Group de l'hôpital public de Los Angeles établit que les formulaires d'acception utilisés n'étaient qu'une « farce », que de nombreuses femmes ignoraient l'aspect irréversible du procédé et que les stérilisations étaient systématiquement proposées au moment de l'opération césarienne dans les hôpitaux de Baltimore, New York, La Nouvelle-Orléans, Nashville, Chicago et Louisville — établissements que ne fréquentaient pas les riches. L'étude cita le président de l'Association pour la stérilisation volontaire :

> En tant que médecins, nous avons des obligations envers nos patientes, mais nous avons aussi des devoirs envers la société dont nous faisons partie. Le chaos de l'aide publique appelle des solutions, dont l'une est le contrôle de la fécondité[62].

D'après le président de l'Association pour la stérilisation volontaire, la Human Betterment Foundation, les médecins avaient le devoir envers la *société* de préempter le droit de l'individu sur le contrôle de sa propre fécondité ; s'il avait employé le mot nation au lieu de société, la sonnette d'alarme sémantique aurait peut-être sonné. Les médecins hollandais moururent dans les camps pour avoir refusé de signer le protocole nazi selon lequel la prise en charge de la santé du patient était un « devoir public »[63]. Si un tel concept se répandait chez les techniciens de la médecine, notre civilisation irait sur la voie du déclin. En 1972, le *Family Planning Digest* rapporta que 94 % des gynécologues interrogés estimaient que les mères bénéficiant de l'aide publique avec trois ou quatre enfants illégitimes devraient être stérilisées[64].

Les problèmes soulevés par la crypto-eugénique dans les programmes de planning familial sont aussi inhérents à la consultation génétique, parfois appelée « nouvelle génétique ». Ceux qui courent le risque de mettre au monde des enfants appelés à endurer des souffrances peut-être terribles et à causer le chagrin et le malheur des autres sont en droit d'être prévenus de ce danger. Les premiers eugénistes pensaient qu'il fallait obliger les individus à fournir leur ligne généalogique avant de leur délivrer leur certificat de mariage. En 1938, l'Eugenics Education Society établit un exemple de la liste des informations considérées comme nécessaires pour déterminer le profil génétique. Les candidats devaient communiquer des détails sur la santé du père et de la mère, des grands-parents, frères et sœurs (y compris les fausses couches et les mort-nés), oncles et tantes ; et indiquer des antécédents tels que nervosité, dépression nerveuse, arriération mentale, folie, syncopes, convulsions, suicide, toxicomanie, alcoolisme, tuberculose, diabète, asthme, cécité ou surdité, ou toute maladie pouvant être considérée comme héréditaire. Eux-mêmes devaient indiquer s'ils souffraient de maux de tête, indigestions, goutte, crises de dépression.

Souffrez-vous de phobies telles que la peur de la foule, de l'altitude, du noir, de la solitude, des lieux clos, des animaux, de la maladie, de la folie, de la mort[65] ?

A quoi devaient servir ces informations ? Personne ne semble le savoir exactement. Idéalement, l'Etat aurait dû les rassembler et refuser de délivrer des certificats aux gens affligés de trop de maux. En réalité, les médecins ne purent pas coopérer. Il est évident qu'amasser des impressions subjectives incompatibles ne servait à rien, à supposer que les futurs époux sachent tout sur les fausses couches de leurs mères, les syncopes de leurs tantes ou le Q.I. de leurs oncles. Face à ces matériaux, un spécialiste de la génétique n'aurait eu qu'à souhaiter bonne chance aux époux ! Entre ce fatras et le cas des parents porteurs de gènes de la maladie de Tay-Sachs se trouve le domaine de la consultation de génétique, mais on ignore comment la déterminer. Une solution serait de prescrire l'établissement des profils génétiques de toute la population afin d'identifier les groupes à risque et de les informer qu'ils peuvent mettre au monde un enfant malformé.

Une telle proposition comporte des inconvénients majeurs : identifier les cas coûterait incomparablement plus cher que de les traiter comme d'habitude. Il faudrait mettre sur pied une administration énorme pour dépister une quantité aussi volumineuse de matériaux, une organisation si vaste que le secret professionnel en pâtirait. Notre connaissance de l'étiologie des maladies congénitales est imparfaite[66], et une grande partie de l'information rassemblée deviendrait hors d'usage en l'espace de deux ou trois ans. Le syndrome de Down, ou mongolisme, en est un parfait exemple. On crut que le mongolisme était une affection malformative génétique jusqu'au jour où fut étudié l'âge relatif des mères de mongoliens. Nous ignorons encore en partie par quel mécanisme se produit l'aberration chromosomique, si l'ovule lui-même est altéré ou si un blastocyste défectueux n'a pas été avorté, mais il semblerait que le mongolisme ne soit pas une malformation héréditaire, bien que l'on découvre plus souvent cette forme d'aberration chromosomique dans certaines souches. Le dépistage génétique ne nous aiderait pas à cibler les fœtus mongoliens avant leur conception. Néanmoins, les cytogénéticiens de l'hôpital pour enfants retardés à Adélaïde ont demandé l'enregistrement obligatoire de tous les cas.

Actuellement, il n'existe pas en Australie de chiffres sur les risques du syndrome de Down qui soient ventilés par intervalles annuels d'âge maternel provenant de diagnostics prénatals basés sur de larges échantillons. Il est à espérer que ces chiffres seront disponibles très prochainement, car leurs données sont utiles pour la consultation de génétique[67]...

On a tenté de rendre obligatoire la déclaration de cette malformation et de centraliser les données. Un diagnostic prénatal s'obtient par amniocentèse qui n'est pas une pratique de routine. On voit mal quels détails dans les taux de malformations aux différents âges de la mère viendraient en aide à la consultation de génétique. Le plus que puisse faire un conseiller est de proposer à la femme enceinte de subir une amniocentèse, ce qu'elle peut accepter ou non. Les difficultés se présentent lorsque l'on considère de qui dépend la décision primordiale. Une femme peut demander une amniocentèse qu'on lui refusera parce que cela n'entre pas dans la politique des services de santé de la proposer à des femmes de sa catégorie. D'autre part, on ne la mettra pas toujours au courant de toute l'information obtenue du liquide amniotique. Dans certains cas, les autorités médicales ne dévoileront pas le scxe de l'enfant de peur d'influencer la décision d'avorter. La pratique comportant un risque pour le fœtus, l'hôpital peut vouloir préempter cette décision pour éviter les procès en responsabilité dans le cas d'un enfant né avec des lésions provoquées *in utero*. Si les cytogénéticiens obtenaient l'enregistrement de tous les cas de syndromes de Down, ils pourraient établir les catégories de femmes auxquelles on devrait proposer une amniocentèse. Cependant, si sur une période de dix-sept ans, des mères âgées de 16 à 17 ans ont une proportion plus élevée d'enfants malformés que celles qui ont 29 ans et que ces dernières en ont moins que les mères âgées de 24 à 28 ans, on ne voit pas comment ils pourraient arriver à ce résultat.

Par consultation de génétique, on entend généralement un examen prénatal approfondi. En théorie, il est mené dans l'intérêt des parents et de l'enfant à naître ; mais la notion que les parents ne devraient pas encombrer l'Etat de la charge de leurs enfants anormaux joue aussi un rôle. Il faut également prendre en compte l'intérêt des services d'hygiène qui financent les équipements. Un service qui a investi dans l'établissement d'un programme de dépistage prénatal doit le rentabiliser. Naturellement, les femmes veulent supprimer les éléments approximatifs quand il s'agit de leur grossesse, et les médecins sont tout prêts à prétendre que leurs estimations sont des certitudes. Certaines anomalies à la naissance ne se décèleront ni à l'examen cytologique du liquide amniotique, ni à l'échographie. Certaines mères refuseront d'avorter, même si ces anomalies existent. La patiente et les professionnels luttent pour contrôler l'incontrôlable et il semble que la première doive perdre, car elle est seule contre tous.

L'ironie la plus amère est que les plus graves malformations à la naissance sont le résultat de mutation directe ; nous avons perdu tout espoir de les contrôler. Entre-temps le degré de tolérance pour les malformations visibles diminue ; préconiserions-nous l'avortement dans le cas de fœtus qui ont des fentes palatines ou des doigts palmés ? La sténose du pylore chez le nouveau-né, autrefois mortelle, est aujourd'hui en augmentation parce que les bébés grandissent et transmettent leur malformation. Nous devrions répliquer : « Et alors ? » Mais les obstétriciens semblent attendre une réaction différente. Va-t-on supplier ceux qui furent sauvés par une intervention abdominale à la naissance de s'interdire d'apporter plus de désagréments au monde ? Devrait-on leur refuser l'intervention et les laisser mourir de faim ? C'est ce que l'on faisait autrefois, lorsque l'enfant était mongolien[68].

L'eugénique négative n'est pas morte ; elle traîne dans les couloirs des établissements de santé, fait des incursions brutales contre la tradition d'Hippocrate. Elle est imposée pour des dérèglements rares dont certains, comme la phénylcétonurie, sont moins dommageables s'ils sont traités chez le nouveau-né, et d'autres, comme l'hématie falciforme, sont asymptomatiques et incurables. On ne demande pas l'autorisation du bébé ni celle de ses parents. Qu'apporterait à un garçon de savoir qu'il a une hématie falciforme ? Mènera-t-il une existence plus facile s'il ne donne rendez-vous aux filles qu'après leur avoir fait subir un test sanguin ? Les moyens de mettre en œuvre les mesures eugéniques existent déjà dans les règlements qui exigent un test sanguin pour obtenir un certificat de mariage. Pour cela aussi, nous devons remercier les eugénistes. On était censé analyser le sang par le test de Wassermann pour diagnostiquer la syphilis ; légalement, on peut l'analyser pour tout ce qu'on veut, et en tirer n'importe quelle information. C'est ce même statut qui orienta la décision d'Olivier Wendell Holmes dans le procès de Carrie Buck. Il est à présent moins probable que jamais qu'on l'attaquera.

Assainir l'ensemble des gènes ne suffit pas ; l'espoir n'a pas quitté ceux qui croient pouvoir en améliorer la composition par l'apport de meilleures souches. Avec l'insémination artificielle par donneur (I.A.D.), les eugénistes crurent trouver *la solution*.

En 1910, les membres de la Peithologian Society de l'université de Columbia eurent le privilège d'assister à la conférence du biologiste Hermann J. Muller sur « Les révélations de la biologie et leurs significations » ; ils apprirent ainsi que l'insémination artificielle permettrait d'accroître de façon exponentielle la descendance d'hommes exceptionnels. L'idée ne cessa de fasciner Muller, qui l'exposa à nouveau publiquement en 1925 à l'université du Texas. En 1935, elle refit surface dans *Out of the Night* ; le livre était sous presse, quand l'article d'Herbert Brewer « Eutélégénétique » sortit dans l'*Eugenics Review*[69]. Les sociétés ont souvent donné aux individus les plus brillants des possibilités accrues de reproduction, mais elles n'ont jamais supposé que le bénéficiaire n'accomplirait pas son devoir de reproducteur. Muller voulait sans doute éviter de se couvrir de ridicule comme von Ehrenfels lorsqu'il avait affirmé en 1907, dans un article des *Archiv für Rassen- und Gesellschaftsbiologie*, que les meilleurs élèves

> ... devaient avoir droit aux privilèges d'autrefois où les grandes qualités morales, le courage, l'idéalisme et la vaillance étaient glorifiées pour conquérir les femmes, et que quelques jeunes gens soigneusement choisis... devraient avoir plus d'une compagne[70].

L'insémination artificielle éliminait l'hypothèse de subversion de la morale sexuelle et supprimait les difficultés d'ordre pratique qu'était appelé à rencontrer un éminent gentleman désireux de féconder une jeune étrangère, en lui permettant de transmettre indirectement ses gènes. L'eutélégénétique avait trouvé son temps ; comme la stérilisation eugénique, elle n'était pas plutôt née qu'on la mit en pratique. Les mâles furent choisis dans des groupes spécifiques, la plupart du temps parmi des étudiants en médecine. On hésita à payer leurs services mais l'opportunité d'une possibilité accrue de reproduction tint finalement lieu de récompense. L'I.A.D. fit tellement de bruit qu'en 1948 l'archevêque de Canterbury fit élire une commission pour en étudier les implications morales. En 1958, la Société eugénique désigna un comité chargé d'examiner le statut existant et les futurs développements de l'insémination artificielle d'un point de vue médical, légal et social. Le comité scientifique de la British Medical Association et le Moral Welfare Council de l'Eglise d'Angleterre se penchèrent sur la question. Les recherches eurent pour principal résultat de démontrer que l'I.A.D. était pratiquée sur une échelle trop petite pour permettre de rassembler des données valables.

Il en ressortit toutefois que l'on aurait sensiblement diminué les difficultés rencontrées par l'I.A.D. et accru son efficacité, s'il existait un procédé pour préserver le sperme humain sur de longues périodes, et si l'on constituait une banque de sperme[71].

Les possibilités ouvertes en accumulant le sperme de donneurs sont infinies ; voilà enfin un moyen de court-circuiter la sélection naturelle et de placer le destin de la race humaine sous le contrôle de l'homme. Si la constitution des individus pouvait être totalement changée en exploitant le potentiel reproducteur d'une poignée de mâles, la constitution de la race humaine aussi. Les quelques hommes qui dominent la vie politique et culturelle des sociétés technocratiques deviendraient les seuls pères des générations futures. En 1962, 27 hommes éminents se rencontrèrent à la Fondation Ciba à Londres pour discourir de l'avenir de l'homme. L'allocution fut prononcée par celui qui fut d'abord l'avocat de la stérilisation eugénique, Julian Huxley, à présent sir Julian et âgé de plus de 70 ans.

L'explosion démographique nous force à nous poser la question fondamentale — si fondamentale qu'on ne la pose généralement jamais — à quoi sert l'homme ? Quelle que soit la réponse, atteindre plus d'efficacité ou plus de pouvoir, ou, comme je le crois, un plus grand accomplissement, il est clair que la qualité générale de la population mondiale n'est pas très élevée, qu'elle commence à se dégrader, et qu'elle pourrait et devrait être améliorée. Elle est imparfaite, à cause des arriérés mentaux héréditaires maintenus en vie alors qu'ils auraient dû mourir, et des nouvelles mutations dues aux retombées atomiques. L'évolution génétique de l'homme moderne est en train de passer du positif au négatif, du progrès à la régression ; nous devons la remettre sur la voie traditionnelle de l'amélioration[72].

On peut répliquer que le changement est la seule chose certaine de toute évolution, et que lui attribuer une notion positive ou négative consiste à lui conférer une valeur subjective. Même si le mécanisme de la sélection naturelle a changé dans les sociétés riches, la sélection naturelle en elle-même ne cesse de fonctionner, et cela signifie que ce sont toujours les plus adaptés qui survivent. Si l'on entend par là que les nations pauvres où les faibles et les handicapés sont éliminés par la maladie et la malnutrition finiront par être dominées par les riches, le résultat est encore la survie des plus adaptés, le rétablissement de la norme. Si l'homme technologique devait annihiler son espèce, ne laissant debout qu'un « lièvre mutant », dans une version postnucléaire des visions de D.H. Lawrence, la sélection naturelle aboutirait au même résultat. La norme n'est peut-être pas suffisamment « élevée » pour sir Julian, mais peut-être sir Julian est-il trop « élevé » pour elle. Si les souches supérieures sont moins prolifiques que les inférieures, cela signifie qu'elles sont moins adaptées ; sir Julian l'avait compris, aussi proposa-t-il que la fécondité des hommes de sa catégorie fût accrue de façon exponentielle.

> L'amélioration de la qualité génétique humaine par les méthodes eugé-
> niques devrait soulager l'humanité en évolution d'un grand poids de souf-
> france et de frustration, accroître à la fois le plaisir et l'efficacité. La sélection
> eugénique pourrait en théorie relever le niveau général de l'intelligence
> héréditaire ; même une légère hausse augmenterait de manière significative
> le nombre d'individus éminemment intelligents et capables dont nous avons
> besoin pour diriger nos sociétés de plus en plus complexes. Une augmenta-
> tion de 1,5 % du quotient intellectuel moyen (Q.I.) de 100 à 101,5 améliore-
> rait la production de ceux qui ont un Q.I. de 160 et plus d'environ 50 %[73].

La seule façon d'améliorer le Q.I. génétique serait la sélection de la reproduction ; comme il n'existe pas de façon fiable de mesurer l'intelligence innée, le seul recours serait de sélectionner comme parents les individus qui réussissent. C'est-à-dire ceux qui ont toujours eu les avantages considérables de leur éducation et de leur position, deux conditions plus dépendantes de la politique et de l'économie que de la génétique. A moins qu'on nous prouve le contraire, il faut plus d'intelligence à un gamin colombien pour survivre dans le *barrio* qu'il n'en faut pour sortir major d'Oxford. Sir Julian poursuivit :

> Comment effectuer une telle politique est une autre question. Se contenter
> d'encourager les individus potentiellement doués à avoir plus d'enfants et
> vice versa agirait trop lentement sur l'évolution psychosociale moderne.
> L'eugénique devra finalement avoir recours aux méthodes de l'insémination
> artificielle par donneurs de qualité génétique supérieure, comme le recom-
> mandait le professeur Muller il y a un quart de siècle, et comme je le
> recommandais dans ma récente conférence sur Galton. Une telle politique
> serait difficile à mener. Toutefois j'attends avec confiance l'époque où l'amé-
> lioration eugénique deviendra un des desseins principaux de l'humanité[74].

Comment le professeur Muller ne se serait-il pas réjoui de voir sa vieille thèse de l'eutélégénétique remise à l'honneur ? Il n'était plus l'homme qui avait expliqué la corrélation négative de la fécondité avec le statut social, devant un public hostile à New York en 1937 :

> Tout d'abord, il est indéniable que le système du profit laisse peu de place aux enfants. Ceux-ci généralement ne représentent pas un investissement rentable : leur coût est trop élevé, les dividendes incertains, ils ont tendance à se déprécier, ne sont pas aisément transférables, et prennent tard leur pleine valeur... pour les masses... chaque enfant supplémentaire signifie une charge supplémentaire pour les parents... et au fur et à mesure que le statut des classes moyennes va diminuant, les parents hésitent à élever des enfants qui seront moins privilégiés qu'eux-mêmes.
>
> Quel peut être le poids des considérations eugéniques dans la détermination de la ligne de conduite des individus ? Faut-il s'étonner qu'une enquête auprès des généticiens eux-mêmes ait révélé chez eux une incapacité alarmante à se reproduire en dépit du fait qu'ils s'impliquent au maximum dans leurs propres doctrines[75] ?

Si Muller avait poussé son argument un peu plus loin, il en serait arrivé au fait que si stocker et fournir du sperme d'hommes célèbres peut être profitable, un Américain trouverait le moyen d'y parvenir. Son souhait de voir conserver le sperme pendant une période de vingt ans avant d'en permettre l'usage est clairement destiné à contrebalancer les effets de la publicité et de la popularité, mais le coût en serait prohibitif. Si cette possibilité était offerte, une génération entière descendant d'Henry Kissinger et de Frank Sinatra deviendrait une réalité. Les conséquences sur la diversité génétique des Américains seraient désastreuses. En 1962, Muller s'exprima dans la meilleure veine galtonienne, exposant en détail l'idée d'un réceptacle pour le « libre choix de la sélection germinale », et définissant son mode d'opération :

> Il existe plusieurs conditions préalables à la réalisation d'un système de choix germinal, même sur une base expérimentale. Un choix n'existe que s'il s'agit d'un choix multiple, effectué dans le cadre dc prévisions les meilleures possibles des possibilités en cause, et freiné aussi peu que possible par des conditions matérielles ou par une implication personnelle directe. De plus, pour éviter au maximum un choix dicté de l'extérieur, la décision finale devrait rester la prérogative du couple concerné. Ces conditions ne peuvent être remplies que si de nombreuses banques de sperme ont été constituées, représentant ceux qui ont prouvé une valeur particulière dans les domaines du cœur, de l'esprit et du corps. En outre, cette possibilité de stockage devrait être ouverte à chacun pour le prix coûtant du service. Des données actualisées devraient être conservées pour chaque donneur, fournissant les résul-

tats de divers tests mentaux et physiques, en même temps que des renseignements caractéristiques de leur vie, et de celle de leurs parents[76].

Pour arriver au même résultat, c'est-à-dire une augmentation du potentiel de reproduction pour les mâles les plus remarquables, Muller doit
mettre en place un formidable système de vérifications et de contrôles, qui
comprend non seulement le père putatif, mais aussi ses parents et ses
descendants. Muller, en tant que biologiste, n'était peut-être pas au courant du manque de fiabilité des tests mentaux, mais de par ses propres
contacts avec des hommes éminents, il aurait dû se rendre compte que des
traits parfaitement indésirables font souvent partie de leur stock génétique.
Sir Julian Huxley lui-même, cet eugéniste devant l'Eternel, avait un passé
génétique pour le moins discutable. La famille Huxley semblerait démontrer les théories aujourd'hui controversées de Lombroso, suivant lesquelles
le génie, la folie et la criminalité seraient presque alliées. Les bonnes
manières interdisaient à ces vieux gentlemen de critiquer leurs lignes
généalogiques respectives, mais ils auraient pu se pencher sur la relation
entre la myopie et la capacité intellectuelle démontrée par les tests d'intelligence. Le stéréotype du fort en thème à lunettes repose sur l'observation ;
le bon sens nous dit que beaucoup d'enfants de ce type se plongent dans les
livres parce qu'ils ne peuvent participer aux jeux et se tiennent à l'écart de
ceux qui les traitent de « binoclards », « bigleux », etc. Une mère en
puissance qui aurait le choix entre un enfant brillant contraint de porter des
lunettes dès son plus jeune âge et un autre moins brillant mais avec une
bonne vue pourrait choisir ce dernier. De plus, si elle choisit le sperme d'un
génie myope, elle peut tout aussi bien se retrouver avec la myopie sans le
génie, ou vice versa, et même n'obtenir ni l'un ni l'autre.

L'idée de Muller d'offrir à tous ceux qui le désirent la possibilité de
conserver leur sperme pour la postérité à « faible coût » est intéressante. Il
paraît évident que l'on devrait alors garder le sperme d'hommes qui ont
subi une vasectomie, ce qui éviterait les demandes fréquentes de réversibilité qui sont devenues la préoccupation principale des spécialistes de la
fécondité. Le stockage des ovules des femmes qui subissent une ligature des
trompes devrait aussi être obligatoire. Aucune règle de ce genre n'a jamais
été édictée, ce qui souligne notre hésitation à procurer à chaque individu le
contrôle effectif de sa fécondité. La suggestion de Muller était du domaine
du rêve en 1962 ; elle est aujourd'hui parfaitement réalisable, et reste à
mettre en pratique.

Les génies d'un âge respectable qui écoutaient Muller avaient une prédi-
lection pour les calculs complexes, mais ils auraient eu du mal à calculer le
coût de la conservation du sperme sur une période de vingt ans. Or cette
règle pouvait seule neutraliser les effets de la popularité. Bien que les
chances de voir une telle organisation fonctionner correctement fussent
extrêmement faibles, la proposition de Muller fut accueillie avec enthousiasme. Francis Crick s'écria : « Je suis d'accord avec pratiquement tout ce
que dit Muller ! » Ce qui prouve que le coresponsable de la découverte de

la composition de l'A.D.N. peut se comporter en enfant naïf. La possibilité de mettre sur pied un système de contrôle génétique l'excitait tellement qu'il ajouta :

> ... les gens ont-ils vraiment le droit d'avoir des enfants ?... dans la perspective d'une éthique humanitaire, je ne le pense pas... si l'on avait un système d'autorisations, le premier enfant serait accordé à des conditions relativement aisées à remplir. Si les parents se trouvaient dans une situation génétique défavorable, on ne les autoriserait à avoir qu'un seul enfant ou peut-être deux dans des cas particuliers[77].

Le concept d'une « situation défavorable » en génétique est si vague qu'on peut en donner n'importe quelle interprétation. Crick s'était amusé à formuler un plan permettant de stériliser la population entière en incorporant des substances chimiques à l'eau potable, puis à donner à quelques individus sélectionnés un antidote. L'idée intéressa peu les autres savants, plus concernés par le projet de la conservation du sperme. N'importe quel spécialiste du comportement animal aurait vu clair dans leurs bouffonneries ; tous ces vieux matous sous-féconds se léchaient les babines à l'idée de conserver leur pouvoir sur de jeunes femelles par-delà la tombe. L'étonnant est qu'ils furent assez naïfs pour laisser poindre leur intérêt. Haldane, trente ans après, répétait ce qu'il avait déjà dit lorsque ses confrères discutaient de la stérilisation eugénique :

> Lorsqu'il affirme que, dans la plupart des sociétés, la fécondité est en proportion inverse du rang social, Muller a parfaitement raison. Le même constat fut fait il y a environ deux mille ans, quand furent prononcées ces paroles : « Bénis soient les humbles, car ils hériteront de la terre[78]. »

En fait, les paroles du Christ dans le sermon sur la Montagne sont pertinentes d'un point de vue génétique, comme l'a souligné Penrose, rappelant à ses collègues que l'homéostase génétique est basée sur la plus grande fécondité des hétérozygotes. Jacob Bronowski, qui parlait d'expérience, apporta son soutien à Haldane :

> Si le but est de modifier profondément les fréquences génétiques actuelles dans la population, aucune des propositions de Muller ne se montrera efficace. De même que Haldane a établi depuis longtemps que la stérilisation des moins adaptés serait pratiquement sans influence sur la proportion de gènes récessifs, de même la multiplication de ce que nous appelons les adaptés aurait très peu d'effet sur la présence des récessifs. (Et pour quiconque a connu des enfants de prétendus génies, la population n'aurait rien à gagner d'en compter plusieurs centaines parmi elle[79].)

Rien du discours tenu par Bronowski et Haldane n'était nouveau pour leurs auditeurs. Ces derniers savaient que l'élevage sélectif du bétail n'est couronné de succès qu'après de longues séries d'accouplements contrôlés et la suppression sans pitié des sujets imparfaits, et que les améliorations dans un domaine sont souvent coûteuses en termes de variation et d'adaptabilité. Ils savaient aussi que les caractéristiques désirables chez les êtres humains, à supposer qu'on arrive à un consensus à ce sujet, ne seraient pas du même ordre que l'augmentation du poids pour le bœuf ou la capacité de ponte chez les poules. Ils n'étaient pas sans savoir que de sérieuses affections génétiques accompagneraient la mutation, et que son accélération à notre époque était un problème sérieux, mais ils préférèrent se consacrer à leurs rêves philoprogénistes tout en imaginant sérieusement qu'ils allaient limiter la fécondité de leurs inférieurs. Si ces hommes habitués à une discipline intellectuelle et au contrôle rigoureux de leurs hypothèses pouvaient ainsi se laisser influencer par leur gènes égoïstes, comment pouvons-nous espérer plus de sagesse de la part du commun des mortels ? La plupart de ceux qui consacrent leur vie à soigner leurs semblables sont formés suivant une tradition que l'on ne trouve pas dans les serres où sont cultivés les génies et peu d'entre eux entretiennent l'illusion d'un pouvoir de contrôle. Politiciens et millionnaires ne fonctionnent pas suivant les mêmes critères qu'une infirmière de province, et ne règlent pas leur conduite suivant les mêmes principes moraux.

Prenons l'exemple de Robert Klark Graham. Inventeur des lentilles plastiques utilisées aujourd'hui dans le monde entier, extrêmement riche, agissant comme bon lui semblait, il décida en 1970 d'écrire un ouvrage qui portait le même titre que celui du symposium Ciba, *The Future of Man*. Il y développait la thèse que les mouvements révolutionnaires apparaissent lorsque les couches inférieures, plus fécondes, submergent les classes dirigeantes et s'emparent du pouvoir. La Révolution française fut accomplie par des gens peu instruits ; en Russie comme en Chine, les « masses communistes ont liquidé les plus intelligents ». Et M. Graham de poursuivre : « C'est également leur intention dans notre pays. »

> Le communisme est fondé sur un phénomène biologique ; il exploite l'augmentation rapide de ceux qui sont dotés d'une intelligence médiocre ou faible, augmentation qui advient parce que la sélection naturelle ne maintient plus leur nombre à un bas niveau. Cela donne une confiance profonde aux leaders collectivistes dans l'accomplissement de la conquête du monde[80].

L'argument apparaît ici peu sérieux, mais on peut le rencontrer sous une forme plus élaborée, et plus proche des centres réels du pouvoir. Un autre millionnaire, E. S. Gosney, proposa dans les années 20 aux présidents des universités de financer des programmes de procréation eugénique réservés à leurs meilleurs étudiants. Parallèlement à la Human Betterment Foundation fondée en 1928, nous trouvons la Foundation for the Advancement of Man, où d'après Graham on créa en 1966 « un établissement chargé de stocker la substance germinale de nos hommes les plus créatifs », qui fut « opérationnel » dès 1970[81]. Etablissement qui eut pour nom le Hermann

J. Muller Repository for Germinal Choice. Dans un endroit tenu secret des environs de San Diego, Graham a fait construire une salle souterraine doublée de plomb ; c'est là qu'il conserve le sperme de donneurs d'exception, comme celui du Dr William Shockley, détenteur avec John Bardeen et Walter Brattain du prix Nobel en 1956 pour la découverte de transistor. Le Dr Shockley est certainement un ingénieur en électronique de tout premier plan, mais le niveau général de son intelligence reste à prouver. C'est apparemment un généticien amateur enthousiaste, imbu de théories héréditaires anciennes. En 1970, il fit scandale en demandant à l'Académie nationale des sciences de lui donner son soutien pour une étude sur les populations noires et leur niveau de Q.I. Malheureusement, l'Académie ne fit pas clairement savoir que son propos n'est pas de fournir des subsides à des ingénieurs électroniciens peu qualifiés pour entreprendre de telles « études ». Shockley cria à la discrimination politique, et affirma que la liberté d'expression était muselée par des dévoyés libéraux. Il se mit alors en tête de proposer des cours d'eugénique à l'université de Stanford en 1972 ; l'offre fut déclinée et Shockley se trouva au centre d'une nouvelle controverse. Des idées écartées depuis trente ans furent remises en avant par la presse populaire, comme s'il s'agissait de nouvelles découvertes « scientifiques ».

En 1973, l'université de Leeds décida de conférer à Shockley un diplôme de docteur *honoris causa* probablement pour ses travaux en électronique. Les étudiants s'indignèrent. Embarrassées, les autorités universitaires capitulèrent. La communauté intellectuelle se scandalisa de cette abdication devant le pouvoir de la foule, et les ingénieurs électroniciens refusèrent leurs distinctions parce qu'ils croyaient en la stérilisation eugénique des Noirs. Shockley se retrouva au premier plan de l'actualité.

Qu'une personnalité aussi discutable soit le seul donneur de sperme connu de la fondation de Graham est une insulte à la mémoire d'Hermann Muller ; les quatre autres prix Nobel qui, d'après Graham, ont donné leur sperme à plusieurs reprises, préférèrent garder l'anonymat. La première femme à avoir été fécondée artificiellement dans cette institution fut choisie de manière discutable ; elle avait fait de la prison pour actes de violence sur enfant. Mais en 1980, Graham annonça que trois femmes « exceptionnellement intelligentes » avaient été fécondées. L'une d'entre elles, Afton Blake, apparut à la télévision avec le fruit de son expérience eugénique gazouillant entre ses bras.

Onze prix Nobel, interrogés par le *Los Angeles Times*, admirent que Graham les avaient contactés, et qu'ils avaient refusé son offre. En 1981, le même journal annonça que notre homme se tournait à présent vers Londres et Cambridge, où se trouvait la plus grande concentration de prix Nobel. Il semble importer assez peu à des hommes comme Robert Klark Graham que la plus grande concentration de prix Nobel jamais rassemblée ait contribué à cette catastrophe dysgénique, le projet Manhattan. La venue au monde d'une douzaine de bébés possédant la moitié de leurs gènes ne sera pas considérée comme un cataclysme, sauf par les enfants eux-mêmes, qui risqueront de développer des comportements antisociaux en réaction à la pression de la curiosité qui les poursuivra sans relâche. S'ils comprennent plus tard quelque chose à la génétique, ils sauront que des gènes exceptionnels apparaîtront plutôt chez leurs enfants que chez eux, mais ils auront peu de chance d'expliquer la situation à un public avide.

Un aveuglement sinistre frappe les hommes de science lorsqu'ils voient dans l'humanité souffrante non pas l'absence d'un potentiel génétique, mais une déficience dans le potentiel génétique même. Tout ce qui est écrit dans les instructions génétiques est oblitéré par une série d'agressions dévastatrices, dont les résultats apparaissent seulement sous une forme vague et imprécise. Le fœtus *in utero*, assailli par l'alcool, la nicotine, la caféine présents dans le sang de la mère, privé de vitamines essentielles et d'oligo-éléments, exposé aux poisons de l'environnement, tels que le plomb et les radiations, ou encore rendu aveugle par la rubéole, endommagé par des médicaments actifs, ou asexué par les stéroïdes, perd une part de son potentiel de développement. Les dégâts seront plus graves encore si le nouveau-né se débat trop longtemps dans les affres de l'accouchement, s'il est empoisonné par les médicaments, meurtri par les contractions trop fortes du travail déclenché, ou blessé au cours d'interventions obstétriques maladroites. Il y a trop d'enfants de par le monde dont les facultés innées s'amenuisent parce qu'ils sont sous-alimentés ; qui ne réalisent pas leur potentiel parce qu'ils luttent contre des infections qui les affaiblissent et les font mourir. Ils sont trop nombreux ceux dont l'énergie s'épuise dans une lutte perdue d'avance contre la pauvreté, et qui n'auront jamais le loisir de se consacrer aux choses de l'esprit. Pour moi, cependant, ces fermiers affamés qui philosophent devant un *bidi* après une journée de travail harassant tiennent un discours moins cruel et moins stupide que cette poignée de brillants esprits scientifiques réunis dans les bâtiments luxueux de la Fondation Ciba.

Les premiers eugénistes ignoraient que seule l'exploitation d'une très longue mémoire des gènes permet de limiter le gaspillage du potentiel humain. Il est insensé de supposer que la sélection des souches donnera des résultats durables, justifiant par là le sacrifice d'une quantité de potentiels non réalisés parmi les groupes sélectionnés pour une mort génétique. La dispute qui oppose nature et apprentissage est utile seulement si chaque adversaire admet que le fond du problème est la réconciliation du produit de la nature, le génotype, avec le produit altéré de l'apprentissage, le phénotype. L'eugénique appliquée rejette toutes les valeurs qui fondent notre civilisation. Quand nous aurons mieux réalisé notre ignorance dans ce domaine, nous comprendrons que l'eugénique est plus barbare que le cannibalisme et beaucoup plus destructrice. Cette attitude barbare est peut-être le résultat lointain de notre origine animale, mais c'est aussi vrai de nos penchants à l'agressivité et au meurtre ; nous sommes ce que nous sommes parce que nous avons décidé de ne pas les laisser s'exprimer. Chaque semaine on découvre une nouvelle espèce dont la survie est menacée par l'homme et nous nous efforçons d'en sauver quelques spécimens, même si cela ne nous est pas utile.

Personne ne se demande en quoi le tigre est utile ; personne n'a le droit de poser la question de sir Julian Huxley : « A quoi sert l'homme ? » Nous ne pouvons contempler les pauvres de ce monde qui rient, pleurent, se multiplient et meurent et nous demander à quoi ils servent.

11

Le lobby démographique

« Le Dʳ R. T. Ravenholt proposa un programme connu sous le nom de « Advanced Fertility Manage ment », qui avait pour but de stériliser un quart de toutes les femmes du tiers monde — projet dont la réalisation aurait pris neuf ans. Il aurait dit (en 1977) : "Si nous n'apportons pas une aide au développement économique et social de ces pays, le monde risque de se révolter contre la suprématie commerciale des Etats-Unis. L'intérêt personnel joue un rôle essentiel. Si l'on n'enraye pas l'accroissement démographique, les conditions économiques à l'étranger deviendront effroyables au point d'entraîner des révolutions, et les révolutions ne sont guère favorables à l'intérêt des Etats-Unis." »

Dʳ ZAFRULLAH CHOWDHURY,
Savar Gonoshasthya Kendra
Nayarhat via Dhamrai,
Bangladesh

S'il paraît évident que toute société lutte pour maintenir un équilibre entre sa population et ses ressources, et que les moyens qu'elle emploie dans cette lutte sont intrinsèques à sa culture, il reste à expliquer l'essor d'un groupe de pression puissant et actif qui met en avant des méthodes officielles de limitation de la fécondité. L'écriture traditionnelle de l'histoire a jusqu'ici suivi l'exemple institué par l'historiographie populaire qui consiste à couronner des pionniers. On suppose qu'avant Charles Bradlaugh et Annie Besant, ou avant Marie Stopes, la reproduction illimitée, la famille « lapin », était équilibrée par un taux de mortalité effroyable. Telle était certainement l'hypothèse de Marie Stopes lorsqu'elle entreprit sa croisade. Bien qu'elle n'ignorât pas que la bourgeoisie pratiquait depuis des générations des méthodes préventives artificielles, elle restait persuadée que la masse laborieuse pauvre lui serait éternellement reconnaissante de lui avoir apporté la lumière. Ses biographes en furent également convaincus, tout en reconnaissant ses tendances manifestes à la paranoïa. Si nous abordons l'histoire sous un angle différent, en supposant que la limitation des naissances est appliquée en fonction de ses avantages endogènes et non parce qu'elle est préconisée par des étrangers, nous pourrions en conclure que les « pionniers » gênèrent autant qu'ils aidèrent ceux qui cherchaient une forme acceptable de régulation des naissances.

Si la limitation des naissances fait partie de la vie culturelle, comment interpréter l'excès de fécondité dans le monde industrialisé du dix-neuvième siècle ? L'explication habituelle veut que le taux de mortalité ait baissé beaucoup plus vite que le taux de natalité, ce qui est manifestement exact. On pourrait lui opposer que le taux de natalité s'adapte lentement à des changements qui doivent d'abord pénétrer le corps politique et qu'un certain retard était inévitable. Cependant, nous n'aurons aucune explication complète avant d'avoir compris comment les « masses » se formèrent au départ à partir de petites communautés essentiellement agricoles, avec une mentalité profondément provinciale. L'industrialisation et l'urbanisation détruisirent en fait la culture de l'ouvrier agricole déplacé. Consacrant son temps et son énergie à s'assurer le minimum vital, il n'avait aucun moyen d'envisager une vie meilleure.

Alors que l'économie elle-même connaissait des hauts et des bas, on ne perçut que son caractère d'expansion. Les professions libérales et les commerçants se heurtèrent rapidement à la pression de l'inflation. Après une période brève de très grande fécondité et la formation des grandes familles d'industriels, la génération suivante rechigna devant les dépenses qu'exigeait l'entretien de foyers importants. A mesure que se multipliaient les possibilités de distraction à l'extérieur, la classe bourgeoise s'intéressa de moins en moins à la famille. Le nombre de ses membres se mit à diminuer. Pour les adversaires de la limitation des naissances, la frivolité et l'égoïsme motivèrent les mesures contraceptives ; pour les couples qui les adoptèrent, elles constituaient une pratique raisonnable tant au point de vue de la santé que sur un plan civique. A leurs yeux, les familles nombreuses accablaient l'homme et sa femme. Furent considérés comme grandes des familles de plus en plus réduites. Les dépressions périodiques qui frappèrent l'industrie durant la deuxième moitié du dix-neuvième siècle menacèrent d'entraîner la classe montante dans la misère où se trouvait le prolétariat. Dans un contexte aussi troublé, les enfants devinrent des charges pour leurs parents. Pour ceux qui voulaient limiter leur famille, le problème était de savoir comment.

Si les sociétés traditionnelles ont toujours su résoudre leurs problèmes de reproduction, il semble que la nouvelle bourgeoisie et le prolétariat du monde industrialisé aient oublié le savoir-faire de leurs ancêtres. Etant donné les changements massifs dans l'organisation sociale en Europe à cette époque, cela n'a rien de surprenant ; en effet, les concepts du normal et du permis dans le comportement sexuel sont dérivés de la coutume et de l'exemple du groupe. Ceux qui quittent une société stable rompent ce réseau ténu d'informations sans parvenir à le remplacer. Les vieilles méthodes, même si leur existence n'est pas mise en doute, deviennent démodées. De plus, avec l'alphabétisation, l'information écrite a remplacé la langue parlée. Les utilisateurs de méthodes traditionnelles de limitation des naissances, conscients des sacrifices et des difficultés qu'elles impliquent, se laissent aisément convaincre de l'existence de méthodes meilleures. Lorsqu'un ensemble de pratiques est exposé avec autorité par écrit, et qualifié de « moderne », « scientifique » et « médical », il a toutes les chances de remplacer les vieilles méthodes et peu de gens imagineront que ces pratiques sont en réalité moins efficaces.

Nous ne pouvons que supposer le degré de connaissance des méthodes de contraception en Angleterre au milieu du dix-neuvième siècle. Certains, peut-être nombreux, pratiquaient toujours le coït interrompu, même s'ils le considéraient comme une pratique perverse. D'autres demandaient à être mis au courant ; d'autres encore à être rassurés. Etant donné la nature du sujet, il faut nous contenter de données littéraires, nous baser sur le fait que des ouvrages comme *Every Woman's Book*, ou *What is Love ? Containing Most Important Instructions for the Prudent Regulation of the Principle of Love and the Number of a Family* du libre penseur Richard Carlile furent publiés à 10 000 exemplaires dès le début de 1828, ce qui permit à Carlile d'écrire dans sa préface :

> C'est devenu un classique... il n'est même plus besoin d'en citer le tirage[1].

Nous ne saurons probablement jamais combien de ses contemporains eurent connaissance de l'ouvrage de Carlile, ni combien étaient au courant des sujets qu'il y traitait. Carlile y décrivait deux méthodes d'avortement ; la première consistait à introduire dans l'utérus des instruments tels que des aiguilles à tricoter, la seconde à avaler de l'ergot de seigle, de la sabine et des purgatifs violents[2]. Il estimait avec honnêteté que cette dernière méthode n'était efficace qu'à la condition d'ingurgiter des doses préjudiciables à la vie de la mère. Selon lui, l'avortement était tellement répandu « que c'est une affaire de peu de conséquence ». Son but, en publiant son ouvrage, était de neutraliser les ravages de l'avortement et ceux de l'infanticide qu'il estime aussi fréquents en Angleterre que partout ailleurs dans le monde.

> Le remède est depuis longtemps connu de quelques-uns, et de l'aristocratie[3].

Ce remède était la contraception, pratiquée au moyen de l'éponge, ainsi que le recommandait Francis Place, du condom ou en observant le coït interrompu assez vaguement décrit, bien que Carlile prenne soin d'affirmer que

Le retrait total avant l'éjaculation est certainement efficace dans tous les cas, mais il n'est pas facile pour tous de le pratiquer[4].

Des trois méthodes, « cette dernière est de loin la plus sûre »,

et certaines femmes, particulièrement sur le Continent, l'exigeront lors des rapports sexuels, considérant l'homme qui ne la pratique pas cruel et malhonnête[5].

Selon Carlile, la propagande pour la contraception avait déjà commencé parmi la classe ouvrière, sous forme de « conférences données aux classes ouvrières par un gentleman bienveillant de Leeds[6] », dont l'histoire ne donne pas le nom. On peut sans risque estimer que les conseils de Carlile étaient encore des plus valables cent ans après. Il ne prétendait à aucun savoir scientifique, malgré une connaissance précise de l'anatomie féminine, et une expérience acquise chez un apothicaire des substances que réclamaient le plus souvent les femmes mariées. Il comprenait et respectait la sexualité de la femme et « ses droits érotiques ». Sans s'intéresser à de nouvelles méthodes perfectionnées, il décrivait simplement les pratiques courantes, prétendait que tout couple marié adopterait une forme de contrôle de sa fécondité, et considérait que les intervalles entre les naissances étaient aussi importants que la limitation du nombre total d'enfants. Carlile n'avait rien inventé ; il ne vendait rien, ne se vantait de rien. Ses successeurs ne se montrèrent ni aussi désintéressés ni aussi francs.

En 1832, un médecin de Boston, Charles Knowlton, publia un traité sur la reproduction humaine intitulé *The Fruits of Philosophy*. Il y désignait quatre méthodes de contraception : le retrait, correctement décrit, le condom, « qui ne peut être utilisé par tout le monde », l'éponge, jugée inefficace à moins d'être imbibée d'un spermicide, et la douche vaginale à laquelle il accorde une trop grande fiabilité[7]. Il fut poursuivi par deux fois en justice pour la publication de son ouvrage. Loin d'être un phénomène éphémère et clandestin, comme le laissa entendre l'observateur David Kennedy, le livre de Knowlton fut réimprimé neuf fois en sept ans. L'éditeur James Watson, ami de Carlile, le fit éditer en Angleterre où il en vendit une moyenne de huit cents exemplaires par an pendant quarante ans. Après la mort de Watson en 1874, Charles Watts, éditeur pour la National Secularist League, prit la suite. En 1877, un libraire de Bristol décida d'y ajouter des illustrations obscènes afin d'augmenter les ventes. L'éditeur et le libraire furent tous les deux arrêtés. Charles Bradlaugh, sous l'influence d'Annie Besant, décida de monter le sujet en épingle au nom de la liberté d'expression, mais Watts le déçut en plaidant coupable. Bradlaugh et Besant devinrent leurs propres éditeurs. Ils inclurent *The Fruits of Philosophy* dans leur premier catalogue, et le signalèrent aux magistrats du Guildhall. Cinq cents exemplaires furent vendus en vingt minutes. Bradlaugh et

Besant furent arrêtés, emprisonnés, et relâchés deux heures et demie après[8].

L'affaire divisa le mouvement de la libre pensée, mais le procès fut un triomphe de publicité, malgré le verdict de culpabilité rendu par le jury. Ils firent appel, furent relaxés. Le jugement finit par être annulé. Dans les trois années qui suivirent, on vendit 185 000 exemplaires de *The Fruits of Philosophy*[9]. Annie Besant se rendit compte que la demande était énorme et que les informations de Knowlton étaient dépassées. Elle remit le livre à jour, l'intitula *The Law of Population* et en vendit un demi-million d'exemplaires en quinze ans. L'ouvrage était en grande partie consacré au malthusianisme. Dans ses descriptions de « la prudence conjugale », Besant affiche des conceptions erronées sur la période ovulatoire et sur le cycle menstruel, de même qu'elle fait exagérément confiance à l'efficacité de la douche vaginale et de l'éponge sans spermicide. Reste à espérer que ceux qui pratiquaient avec succès le coït interrompu ne furent pas amenés à renoncer à une méthode qu'elle-même jugeait « totalement sûre[10] ».

Le procès Bradlaugh-Besant fit jurisprudence pour le développement futur de la limitation des naissances. Bravant les autorités, les partisans du planning familial amenèrent l'Etat à fournir le meilleur soutien pour la diffusion de leurs idées. En Annie Besant, ils avaient un porte-parole « de choix », le personnage idéal pour la presse, à la fois séduisante, athée, séparée de son mari, privée de la garde de ses enfants et soupçonnée d'avoir un rapport adultère avec son coaccusé. Le procès mit pratiquement fin à la carrière de Bradlaugh ; par contre Annie Besant, avec C. R. Drysdale, témoin médical au procès, devint l'une des fondatrices de la Ligue malthusienne, créée « pour mener une campagne en faveur de l'abrogation des sanctions portant sur le débat public de la question démographique » et « pour faire connaître par tous les moyens la loi démographique, ses conséquences et son rapport avec la morale et la conduite des hommes[11] ».

Au lieu de préconiser le mariage tardif et l'abstinence, ils préconisaient la limitation de la famille. Peu de temps après, la Ligue malthusienne recevait un millier de lettres par mois. Les adhérents enthousiastes, y compris notre vieil ami George Gaskell, parcoururent des kilomètres pour distribuer des tracts. Leur organe officiel, *The Malthusian*, publiait d'interminables explications sur les théories malthusiennes. Cela n'aurait pas été plus ennuyeux s'ils avaient voulu donner des preuves de leur respectabilité et de leur décence. Au verso de la page de couverture, il y avait un coupon que les intéressés pouvaient découper et envoyer afin de recevoir la liste des dispositifs recommandés, ainsi que divers manuels sur les pratiques contraceptives. Le coupon exigeait que l'utilisateur (utilisatrice) soit marié(e) et âgé(e) de plus de vingt et un ans.

Un des manuels réservés aux lecteurs de *The Malthusian* était *The Wife's Handbook*, que publia le Dr H.A. Allbutt en 1887, en y apposant son nom et son adresse. Cela lui valut d'être rayé du Royal College of Physicians d'Edimbourg, sous prétexte que le prix de 6 pence mettait le manuel à la

portée de tous au détriment de la moralité publique[12]. Allbutt fut également rayé de l'Ordre des médecins[13]. Dès 1916, *The Wife's Handbook*
s'était vendu à 430 000 exemplaires. L'industrie de la contraception le
subventionna en tant que support publicitaire pour les fournisseurs de
« préservatifs, pessaires, douches vaginales », vendus sans ordonnance.
Comme première méthode, Allbutt préconisait l'abstinence sexuelle pendant les jours qui précédaient et suivaient de près la menstruation,
méthode qui risquait surtout de rendre la conception plus probable à un
autre moment. Il joignait une statistique totalement erronée :

> Je dois cependant mentionner que cette méthode n'est pas efficace dans
> cinq cas sur cent[14].

Ce qu'Allbutt entendait par « cas » n'était expliqué nulle part. S'il
voulait dire qu'il y avait cinq grossesses pour cent fois où la période de
sécurité était respectée, il reconnaissait que sa méthode augmentait au
maximum les chances de fécondation. De toute façon, cette statistique n'a
aucun sens : si une femme peut s'exposer à la grossesse cent fois en une
année, elle n'a aucune chance d'être enceinte cinq fois par an. Si Allbutt
prétend que sur 100 cas venus le consulter après avoir appliqué cette
méthode, 5 avaient signalé un échec, il est en pleine contradiction, car
pourquoi les 95 autres cas soi-disant satisfaits seraient-ils venus le consulter ? Cette statistique n'est pas plus scientifique que le calcul de la période
de sécurité. Mais puisque Allbutt lui-même ne semble pas conscient de sa
propre ignorance, il ne faut guère s'attendre à ce que ses lecteurs soient plus
malins que lui. Comme deuxième méthode, il conseille le coït interrompu.

> Le retrait du pénis (organe mâle) avant l'éjaculation est une pratique
> répandue en France. Cette méthode (si le retrait a lieu avant le début de
> l'éjaculation) est totalement sûre. J'estime cependant qu'elle a des effets
> nocifs sur le système nerveux de nombreux individus, et préfère ne pas en
> recommander la pratique dans tous les cas. Néanmoins, elle est préconisée
> par de nombreux médecins[15].

Allbutt ne donne aucune indication sur le degré et la fréquence des
troubles causés par le coït interrompu sur le système nerveux. La baisse du
taux de natalité en France n'était un secret pour personne. Matthew
Arnold avait publié une description idyllique de la vie des paysans français
sous-féconds, et la presse relatait que le gouvernement français s'évertuait
sans succès à encourager un accroissement du taux de natalité. En citant
l'exemple de la France, Allbutt donnait de solides arguments en faveur du
coït interrompu, trop solides peut-être aux yeux des annonceurs qui subventionnaient son manuel. On pourrait se demander combien de lecteurs
masculins de *The Wife's Handbook* crurent leurs nerfs trop fragiles pour
supporter l'onanisme conjugal. En troisième lieu, Allbutt fait une liste des
diverses douches vaginales, toutes inefficaces et difficiles à employer. Il

recommande en revanche une dernière solution bon marché, peut-être plus efficace que les spermicides de marque déposée, à savoir le vinaigre. En fait, aucun de ces spermicides n'avait été testé ; si nous envisageons que ces produits, utilisés avec la douche ou l'éponge (quatrième méthode préconisée par Allbutt), aient pu remplacer le coït interrompu, il est probable qu'un bon nombre d'enfants ont vu le jour grâce à Allbutt. La cinquième méthode, le préservatif ou « capote anglaise » est décrite comme « une mesure préventive sûre ». C'était le cas lorsqu'il n'y avait pas de défaut de fabrication, mais Allbutt ne fournissait aucune information à ce sujet[16]. La sixième méthode était le diaphragme qu'Allbutt qualifie de « véritable protection contre la conception », en informant ses lecteurs qu'il a lui-même amélioré le Mensinga[17]. En même temps, les annonceurs faisaient de la publicité pour plusieurs sortes de pessaires sans indiquer clairement s'il s'agissait d'ovules, de capes cervicales ou de diaphragmes.

La Ligue malthusienne procédait de manière discrète ; elle tenait localement des réunions, prenait part aux débats publics d'organisations réformistes telles que la Rational Dress Society et la Vegetarian Society, ou de divers groupes socialistes et rationalistes, et tissait des liens avec des sympathisants à l'étranger. Un groupe de Hollandais, influencé par *The Elements of Social Science*, écrit par le père de Drysdale, se mit en rapport avec la Ligue dans l'intention de créer une Ligue hollandaise et d'ouvrir des centres de planning familial. En 1879, le premier centre s'ouvrit à Amsterdam sous la direction du Dr Aletta Jacobs. Dès 1914, la Ligue hollandaise comprenait 5 521 membres et avait fait paraître 7 200 exemplaires de son propre manuel. De 33,7 pour 1 000 en 1881, le taux de natalité dans les grandes villes était tombé à 25,3 pour 1 000 et il continuait de baisser. Le taux de mortalité infantile avait diminué de deux tiers depuis 1881, et le taux de mortalité générale de moitié. Qui plus est, les mensurations des soldats hollandais en 1914 étaient nettement plus impressionnantes que celles de leurs alliés européens. La reine Wilhelmina déclara que la Ligue hollandaise avait prouvé son utilité sociale et en accepta la présidence. Dès 1922, quatre médecins et cinquante-trois auxiliaires médicales donnaient des conseils en matière de contraception et prescrivaient des diaphragmes dans dix-neuf villes hollandaises[19].

La Ligue anglaise, qui dépendait du succès hollandais, se montra curieusement peu disposée à suivre une voie similaire. Le système hollandais fonctionnait sans règle établie. Lorsque Margaret Sanger se rendit en Hollande en janvier 1915, elle découvrit que les dispositifs contraceptifs étaient vendus dans le commerce, qu'aucune administration ne dirigeait les centres de planning et que la clientèle se recrutait de bouche à oreille[20]. Gertrude Sturges se montra surprise lors d'un séjour en Hollande en 1926 en constatant que l'administration était entre les mains de femmes qui ne dépendaient pas d'une autorité centrale. Des trois cliniques qu'elle visita, l'une était dirigée par une sage-femme, une autre par la femme d'un chauffeur de tramway et la dernière par une coiffeuse. Bien qu'elle se fût présentée aux heures ouvrables, une seule était ouverte. Les cliniques se finançaient en vendant des dispositifs avec un bénéfice de 200 à 300 %[21]. Les Hollandais étaient en fait les pionniers de ce que nous appelons aujourd'hui la distribution communautaire, et cela fonctionnait apparemment très bien.

Vers 1917, le Dr Alice Vickery, directrice la Ligue malthusienne, se rendit au foyer des ouvrières dirigé par Anna Martin pour les informer sur la contraception. Elle y rencontra des femmes qui, ayant déjà adopté des méthodes contraceptives, se montraient désireuses d'en expliquer la pratique à leurs compagnes et leur fit don d'une somme d'argent pour acheter « un stock de dispositifs nécessaires ». Margaret Sanger rencontra ces femmes en 1920 :

> Le groupe dirigé par Mme (*sic*) Anna Martin à Rotherhithe fonctionne déjà sur une grande échelle. Il s'agit de l'un des quartiers les plus déshérités de Londres. J'ai prononcé une allocution devant plus d'une centaine des femmes du quartier. Je fus étonnée d'apprendre que ces femmes avaient des familles peu nombreuses[22].

Jugeant la suite du récit de Mme Sanger déformé, Martin apporta certaines précisions dans *The Malthusian,* rendant hommage au Dr Vickery et aux femmes elles-mêmes.

> Depuis la visite du Dr Vickery, il faut reconnaître que nous avons eu droit à une propagande continue et à des démonstrations sur les moyens contraceptifs faites par des femmes qu'elle a instruites — et qui à leur tour en ont instruit d'autres[23].

Margaret Sanger vint au contrôle des naissances (elle revendiquait la paternité de l'appellation) par le socialisme révolutionnaire américain, mais elle préféra par la suite ne pas insister sur ce fait. Elle ne reconnut jamais sa dette envers Emma Goldman, prétendant avoir seule apporté la solution aux maux de ce monde grâce à son héroïsme dans la lutte pour la limitation de la famille. En vérité, Sanger découvrit le contrôle des naissances presque par accident. Ses connaissances en matière de politique étaient rudimentaires, son engagement socialiste inexistant, mais son désir de notoriété sans limites. Féministe par égocentrisme, et non par souci de ses semblables moins aptes qu'elle à utiliser leur charme, elle était capable de débiter des histoires à faire pleurer sur la misère de la condition féminine et, comme toute prima donna, s'attribuait volontiers le rôle de la bienfaitrice au grand cœur. Beaucoup diront que le mouvement pour le planning familial avait besoin d'une prima donna. Les socialistes et les féministes altruistes n'avaient pas accompli grand-chose avant l'entrée sur scène des grandes actrices Stopes et Sanger. Pourtant, tout en ayant peu de preuves à offrir pour étayer mon argumentation, je prétends que Stopes et Sanger n'ont pas fait avancer le droit de chaque individu de contrôler son destin procréateur. Par contre, elles créèrent un précédent qui fit du comportement reproductif une question publique désormais entre les mains des établissements médicaux et pharmaceutiques. Le fait qu'aucune des deux n'ait été consciente du processus et que toutes les deux aient prétendu n'avoir pas tiré profit de l'industrie de la reproduction jette une certaine confusion sur le sujet, ainsi que le fait indiscutable qu'elles rencontrèrent l'opposition des conservateurs dans les premières années de leur « lutte ». « Radicales », elles le furent peut-être, mais leur radicalisme n'était pas celui qui défend les notions de liberté et de démocratie. Stopes et Sanger étaient des radicales d'extrême droite : elles luttèrent contre la mainmise de l'Etat sur la planification des naissances poussées par une motivation personnelle et non féministe.

Ecrit en 1914, *Family Limitation* était basé sur des matériaux que Sanger avait amassés en France, « avec formules et illustrations ». Elle l'**écrivit** « pour des femmes qui possédaient un vocabulaire extrêmement restreint[24] ». Dès le début, le projet de Sanger fut de limiter la fécondité excessive des pauvres. Elle découvrit très jeune le rapport entre fécondité et pauvreté. Sixième d'une famille de onze enfants issus d'une mère tuberculeuse, elle écrit à propos de la ville où elle naquit :

> Le long du fleuve vivaient les ouvriers, pour la plupart irlandais ; sur les collines, au-dessus des nuages de fumée crachés par les usines, vivaient les patrons. Les jardins minuscules des premiers débordaient d'enfants ; dans les jardins sur les collines, seuls jouaient deux ou trois enfants. Ce contraste me frappa à jamais. Les familles nombreuses étaient associées à la pauvreté, au travail pénible, au chômage, à l'alcoolisme, à la violence, à la prison ; les familles peu nombreuses à la propreté, aux loisirs, à la liberté, à la lumière, à l'espace, au soleil[25].

Elle en resta toujours convaincue par la suite, malgré la propagande socialiste à laquelle elle fut exposée à l'époque où elle vivait à New York avec son premier mari. Pour elle, la fécondité élevée était cause de pauvreté et d'oppression et, bien qu'elle-même vînt d'une famille très nombreuse atteinte de tuberculose, il fallait réduire les souches fécondes et génétiquement inférieures. En 1920, elle publia son grand succès, *Women and the New Race*, dans la pure orthodoxie eugénique, qu'elle fit suivre par *The Pivot of Civilisation*, dans lequel elle prenait parti contre les services sociaux d'une façon que n'aurait pas reniée un eugéniste convaincu.

> D'un point de vue impartial, cette générosité compensatoire est finalement plus dangereuse, plus dysgénique, plus néfaste que l'injustice sociale qui rend les uns trop riches et les autres trop pauvres[26].

En 1926, elle écrivit dans la *Birth Control Review* :

> Il n'y a qu'une solution pour élever le taux de natalité chez les individus

intelligents : il suffit que le gouvernement se charge des fous et des débiles mentaux dont le poids pèse sur eux. La solution est la stérilisation[27].

Vers 1939, elle était déjà tellement plongée dans ce genre d'élucubrations qu'elle affirma dans son « autobiographie » (écrite en fait à son instigation et sous sa surveillance par Rackham Holt et Walter S. Hayward) :

> Les eugénistes privilégiaient la notion qu'il faut plus d'enfants pour les riches et moins d'enfants pour les pauvres. Nous sommes allés plus loin, cherchant en premier lieu à stopper la multiplication des inaptes. C'est le pas le plus grand et le plus important pour l'amélioration de la race[28].

Si l'approche de Sanger semble rudimentaire, il faut la replacer dans le contexte général d'une certaine philanthropie qui régnait à New York, où en 1915 la *Medical Review of Reviews*

> choisit plusieurs hommes des couches sociales les plus basses, et leur fit porter un placard publicitaire qu'ils devaient montrer dans les quartiers les plus surpeuplés de la ville et sur lequel on pouvait lire :
> JE SUIS UNE CHARGE POUR MOI-MEME ET POUR L'ETAT, AI-JE LE DROIT DE PROCREER ?
> JE N'AI PAS LES MOYENS DE FAIRE INSTRUIRE ET DE NOURRIR MES ENFANTS, J'EN FERAI PEUT-ETRE DES CRIMINELS.
> LES PRISONS ET LES ASILES SERAIENT-ILS REMPLIS SI MON ESPECE N'AVAIT PAS D'ENFANTS ?
> JE NE SAIS PAS LIRE. DE QUEL DROIT AI-JE DES ENFANTS ?
> VOULEZ-VOUS QUE JE METTE DES ENFANTS AU MONDE ?
> J'AI BESOIN D'ALCOOL POUR VIVRE, VAIS-JE TRANSMETTRE CE BESOIN A D'AUTRES ?
> C'est ainsi que la limitation des naissances fut placée entre les mains de la société[29].

On sait que le mouvement moderne du contrôle démographique eut des débuts aussi extravagants, mais nous tendons trop facilement à associer ce genre de cruauté à de la simple franchise. L'arrogance et la méchanceté des individus qui conçurent ce placard publicitaire n'en sont pas moins insupportables parce qu'elles ont l'air de prôner le bon sens. La propagande pour le planning familial s'est poursuivie dans la même veine, dessins animés avec les éternelles versions comiques d'enfants noirs en train de mourir de faim, de bombes explosant dans les ventres de femmes enceintes, etc. Même si socialistes, libéraux et démocrates de tout poil ont cru au contrôle des naissances et milité en sa faveur, cette cause demeure une cause de la droite, radicale et extrême.

Sanger découvrit rapidement que ses véritables alliés n'étaient pas les socialistes idéalistes comme Rose Witcop qu'elle rencontra en Allemagne en 1920. (Witcop fut poursuivie en justice en 1922 pour avoir gardé des exemplaires de *Family Limitation* dans la maison qu'elle partageait avec Guy Aldred ; elle persista, publia plus de cent exemplaires et ouvrit sa propre clinique à Shepherd's Bush[30].) Sanger préféra oublier ce qu'elle devait aux communistes et aux syndicalistes et resserrer ses liens avec la Ligue malthusienne en Angleterre et en Hollande, consciente que le soutien des riches lui apporterait le pouvoir et la notoriété. Elle épousa le roi du pétrole J. Noah H. Slee et, dès qu'elle eut accès aux grosses fortunes, se prit pour l'un des grands de ce monde. En 1922, elle se rendit au Japon, en Corée et en Chine, pour faire connaître à l'Asie la panacée, le contrôle des naissances ; en 1935, elle parcourut la Russie et l'Inde ; puis à nouveau la Chine et le Japon en 1937. Pour ceux qui s'intéressaient vraiment au développement de méthodes contraceptives sûres, elle représenta autant un obstacle qu'une aide. D'autre part, elle porta le problème sur la place publique, lui conférant une sorte de respectabilité ; de l'autre, considérant qu'elle détenait le monopole du mouvement, elle se montra si malhonnête quant au fonctionnement de ses cliniques et quant à son autorité pour traiter du sujet qu'elle réussit à s'aliéner ceux qui auraient dû être ses alliés. Il faut dire qu'elle s'opposait aux nouveaux professionnels de la planification familiale et essayait de maintenir le mouvement dans le cadre des cliniques privées, cherchant à échapper à la mainmise des institutions médicales. Par son manque de professionnalisme et son incapacité à coopérer, elle rendit cette mainmise inévitable[31].

En juillet 1915, Sanger donna une conférence au Fabian Hall sous les auspices de la Ligue malthusienne. Dans les lignes qui suivent, elle raconte comment une spécialiste de la paléobotanique devint la personnification du mouvement britannique de la limitation des naissances.

> A la fin, plusieurs personnes demandèrent à s'entretenir avec moi. Parmi elles se trouvait Marie Stopes, une spécialiste de la paléobotanique, connue pour son travail sur le charbon. Elle m'invita à venir chez elle parler du livre qu'elle écrivait.
>
> Je fus immédiatement séduite par ses manières franches et ouvertes. Elle se confia à moi, raconta qu'elle venait d'obtenir l'annulation de son mariage pour non-consommation. Son livre, *Married Love,* était en grande partie basé sur son expérience personnelle et sur le désarroi de ceux qui manquent de connaissances dans la vie conjugale. Elle espérait pouvoir leur venir en aide. Elle manifesta un grand intérêt à l'égard des méthodes de contraception et de leur incidence sur une vie conjugale réussie, bien qu'elle avouât ne rien y connaître. Pouvais-je lui faire part de ces méthodes ? Même si j'estimais que l'on pouvait faire mieux que les cliniques des Pays-Bas, l'idée en soi m'enthousiasmait, et je lui en fis la description exacte[32].

C'est ainsi que Sanger s'attribua adroitement le mérite de la contribution de Stopes au planning familial.

Ni révolutionnaire, ni féministe, Marie Stopes n'avait aucune idée des souffrances subies par les femmes qui mettaient un enfant au monde chaque année. Elle connaissait par contre les affres de celles dont le tempérament ardent se trouve confronté à des hommes sans imagination. Comme le note Sanger, c'est après un mariage non consommé qu'elle se lança dans ses recherches sur la sexualité humaine, en particulier sur le rapport du couple. « Romantique invétérée » et pleine de prétentions, elle mélangea le féminisme sexuel d'Ellen Key et l'idéalisme sexuel d'Edward Carpenter, à qui elle rendit visite en 1916 à Millthorpe où il vivait avec son amant, George Merrill. Carpenter la laissa convaincue de la « pureté » de la tâche qu'elle poursuivait et lui écrivit en mai 1916 :

> Vous embrassez plusieurs points importants ; la menstruation, les positions, l'éjaculation sans pénétration, la limitation des naissances, l'insémination — cela va terrifier Madame la Pudeur ; mais il est vrai qu'elle est déjà moribonde, si bien que cet ouvrage ne fera que précipiter sa fin[33].

Si Madame la Pudeur était sur le point de mourir, Edward Carpenter aurait pu s'enorgueillir d'en être la cause, car son livre, *Love's Coming of Age* (1896), avait contribué à populariser la religion sexuelle. Stopes allait mettre à la portée de tous un culte peu connu. Exhibitionniste, attirante, « normale » et féminine, le surnom de prophétesse du sexe lui allait à merveille et elle l'adopta de bon gré dès l'énorme succès de *Married Love,* persuadée d'être chargée d'une mission. Si Carpenter ignorait tout des rapports hétérosexuels, Stopes, qui était une *virgo intacta* au moment où elle écrivit son livre, n'en savait guère plus. Elle prit directement à Carpenter quelques notions mythiques, notamment l'hypothèse totalement fantaisiste que les femmes tiraient un bénéfice physiologique considérable de l'absorption de certains éléments de l'éjaculat par la membrane vaginale[34]. Cette hypothèse serait restée une fascinante spéculation si les premiers partisans du contrôle des naissances ne l'avaient avancée pour condamner l'utilisation des préservatifs, qui était l'une des seules méthodes parfaitement fiables.

Dans *Married Love,* Stopes se livre à des observations vagues sur la limitation de la famille. Son association avec Sanger ne transparaît que dans un simple paragraphe :

> Il faut savoir que toutes les véritables méthodes médicales de limitation des naissances ne consistent pas à détruire un embryon en train de se développer, mais à empêcher les spermatozoïdes d'atteindre l'ovule non fécondé. Pour cela, il suffit soit de repousser les spermatozoïdes à l'entrée de l'utérus, soit d'obtenir la mort de tous (au lieu de la mort naturelle de tous sauf un) les deux cents à six cents millions de spermatozoïdes qui pénètrent dans le vagin d'une femme... Tuer rapidement les spermatozoïdes éjaculés n'est pas compliqué. Plongées dans un acide faible comme du vinaigre dilué dans de l'eau, dans une solution de quinine, ou d'autres substances, ces cellules minuscules subissent une plasmolyse[35].

Laisser entendre que les « véritables » méthodes de contrôle de la fécondité sont « médicales » illustrait l'emploi que faisait Stopes d'un vocabulaire technique au milieu de son fatras sur la célébration de l'union sexuelle, qui cache souvent des arguments purement spéculatifs, comme la théorie de la périodicité de la pulsion sexuelle chez la femme. Le vocabulaire technique la mettait à l'abri des accusations de vulgarité alors que le langage fleuri dont elle revêtait ses commentaires est aussi faussement distingué qu'un petit doigt levé sur l'anse d'une tasse de thé.

> Des vagues merveilleuses gonflent en elle, embaumées et enrichies par les innombrables expériences que la race humaine a acquises des jours antiques de plaisirs et d'amours florissantes, la pressant de donner libre cours à son ivresse. La femme ose rarement, l'épouse plus rarement encore, risquer l'humiliation en offrant un amour charmant à un homme qui n'y répondrait pas[36].

Ce genre de description était on ne peut mieux adapté au goût de la classe privilégiée ; on voulait généralement que les femmes de l'aristocratie fussent plus raffinées que leurs homologues ouvrières et il est certain qu'elles se sentaient davantage attirées par l'image fictive de l'âge d'or que des esprits moins sophistiqués. Stopes couvrit les désirs lubriques de l'homme d'un voile couleur d'arc-en-ciel, ce qui eut pour effet de poser des problèmes supplémentaires aux partisans du contrôle de la fécondité. D'un côté, les manuels de pratiques contraceptives décrivaient des moyens absurdes et incommodes, préservatifs et douches, et de l'autre les fanatiques du sexe exigeaient la spontanéité totale, l'abandon au flot irrésistible de la pulsion sexuelle. Qui plus est, Stopes ajouta au préjugé qui se formait contre le coït interrompu :

> Fréquemment de nos jours, le mari, redoutant le coût de la grossesse et l'épreuve physique qu'elle représente pour sa femme, pratique ce que l'on appelle le *coitus interruptus* — c'est-à-dire qu'il se retire juste avant l'éjaculation, tellement excité que l'éjaculation a lieu involontairement... cette méthode, tout en lui évitant l'angoisse d'avoir des enfants non désirés, est nocive pour la femme ; elle est à déconseiller dans la mesure où celle-ci reste pour ainsi dire « entre ciel et terre ». Laisser la femme ainsi inassouvie peut avoir des effets contre-indiqués sur ses nerfs et sur son état général, surtout si la pratique est fréquente. La femme perd entre autres le bénéfice *(et je pense qu'il est difficile d'en exagérer le bénéfice physiologique)* de l'absorption partielle des sécrétions séminales qui *doivent* traverser l'épithélium interne avec lequel elles entrent en contact[37].

Aussi difficile qu'il soit d'exagérer l'importance de l'absorption des sécrétions séminales, Stopes y réussit à merveille. Si sa description du coït interrompu est correcte, supposer qu'il laisse la femme inassouvie est absurde, surtout dans la mesure où Stopes approuve la méthode du coït réservé décrite par le Dr Alice Stockham dans son livre *Karezza* comme une alternative pour l'homme incapable d'éjaculations régulières. Ainsi s'établit la notion, généralement acceptée, que le coït interrompu et le coït réservé étaient des formes de rapports sexuels essentiellement différentes, l'une désagréable, brutale et de courte durée, l'autre parée de toutes les vertus, et de longue durée[38]. Lorsqu'elle écrivit ces lignes, Stopes n'avait expérimenté aucune des deux méthodes, mais elle n'avait pas pour habitude de se baser sur sa propre expérience ou sur celle d'autrui. Des lettres de refoulés sexuels envahirent son existence, alimentant sa conviction qu'elle était chargée d'une mission sacrée. Persuadée sans preuves que ces missives ne représentaient qu'un petit échantillon de la communauté, elle voulut élargir son champ d'action en distribuant des questionnaires à divers groupes professionnels, y compris 2 000 pasteurs protestants. Parmi les rares réponses qu'elle reçut, aucune ne faisait état d'une vie sexuellement satisfaisante ; certains correspondants, probablement exhibitionnistes, se targuèrent d'expériences extraordinaires, comme la recherche de l'excitation manuelle avec une vieille domestique.

Six mois après l'apparition de *Married Love* sur la scène littéraire, Stopes écrivit une « suite pratique », *Wise Parenthood,* dédicacée à « tous ceux qui aimeraient voir notre race croître et embellir ». Les ventes de ces deux ouvrages atteignirent presque deux millions d'exemplaires en trente ans. Dès 1918, Stopes avait adopté une position nettement eugénique. En 1919, elle écrivit dans le *Daily Mail* un article intitulé « Mme Jones commet le pire », qui avait pour thème l'argument, aujourd'hui rebattu, que la société n'a pas pire ennemi que la mère C3, hyperféconde ; aucun partisan de mesures eugéniques vigoureuses ne se serait permis une pareille intempérance de langage.

> Ces enfants souffreteux, malingres, couverts de rougeurs, boiteux, faibles, disgracieux, diminués sont-ils donc la jeunesse d'une race impériale ? Pourquoi Mme Jones a-t-elle eu neuf enfants, dont l'un est mort et un autre anormal ? Ce n'est pas à Mme Jones de prendre l'initiative. N'est-ce pas à ceux qui en ont l'opportunité, aux sages, d'aller lui enseigner les faits de la vie, le sens de ce qu'elle fait et ce qu'elle devrait faire ?... Mme Jones détruit la race[39] !

En 1922, gagnée par la folie des grandeurs, Marie Stopes demanda aux membres de la Chambre des communes de signer la déclaration suivante :

> Je reconnais que la situation présente qui voit la majorité des naissances provenir en partie de la population C3, et accabler la classe A1, est déplorable sur le plan national. Si je suis élue au Parlement, j'insisterai auprès du ministère de la Santé pour que soient données aux cliniques prénatales, dispensaires et autres établissements médicaux publics des informations scientifiques permettant de réduire les C3 et d'augmenter les A1[40].

Les réponses souvent ironiques qui parvinrent à la Society for Constructive Birth Control and Racial Progress ne suffirent pas à freiner le fanatisme de Stopes. En 1924, ayant reçu une lettre d'un père sourd d'enfants sourds, elle écrivit au proviseur de l'institution où cet homme avait été élevé :

> Pouvez-vous m'expliquer pourquoi deux personnes élevées à la Royal Association in Aid of the Deaf and Dumb ont obtenu l'autorisation de se marier et d'avoir des enfants qui sont encore plus anormaux et dont la charge incombe au pays ?... Trouvez-vous recommandable que deux anormaux, élevés aux frais de l'Etat, aient l'autorisation de procréer quatre enfants anormaux, qui seront élevés aux frais du même Etat ? Où s'arrêtera cette progression géométrique[41] ?

Dans sa réponse, le révérend Alfred Smith lui demanda si elle préconisait l'installation d'une chambre à gaz. Au cours des années, l'intolérance de Stopes envers les malformations génétiques se fit de plus en plus violente. En 1935, condamnant son extrémisme, la commission interparlementaire sur la stérilisation volontaire lui refusa son soutien. Un journaliste juif de l'*Australian Womens's Weekly* fit une description pleine de réserve de son attitude envers le racisme :

> Nous avons abordé le sujet de la stérilisation sur lequel le docteur Stopes a une opinion des plus intéressantes. Elle estime que l'on devrait stériliser tous les métis à la naissance. Ainsi, sans douleur et sans atteinte à la vie de l'individu, empêcherait-on de se perpétuer le triste destin de celui *(sic)* qui n'est ni blanc ni noir[42].

Lorsque son fils épousa Mary Barnes Wallis, Stopes refusa de reconnaître sa bru.

> La santé est l'essentiel chez une future mère, or elle souffre d'une maladie héréditaire des yeux. En conséquence, non seulement elle doit porter d'affreuses lunettes, mais elle transmettra cette horrible tare et je songe avec épouvante que notre lignée sera contaminée et que mes petits-enfants devront eux aussi porter des lunettes... Mary et Harry sont inconscients du mal qu'ils font à leurs futurs enfants, à ma famille, et du crime eugénique qu'ils commettent[43].

Lorsqu'elle mourut, Marie Stopes légua sa clinique du 18, Whitfield Street à la Société eugénique, qui y établit la Fondation Marie-Stopes. Les bénéfices de la clinique revinrent à la Société eugénique. La Fondation Marie-Stopes, autrement dit la Société eugénique, fut la première à enseigner les méthodes contraceptives modernes aux « infirmières à l'étranger », la première à donner des conseils en matière de contraception aux célibataires, à traiter les troubles sexuels et à pratiquer la vasectomie[44]. En

1976, la clinique fut rachetée par Population Services International et devint selon certains une clinique d'avortement. Le nouveau directeur, Jan Bumstead, diplômé de psychosociologie, se donna pour but « d'étendre son action vers ceux et celles qui n'ont pas accès aux cliniques de planning familial... de rechercher de nouvelles techniques de limitation des naissances ». La contraception postcoïtale et la stérilisation faisaient partie des possibilités étudiées. Pour protester contre la stérilisation du tout-venant, lady Brook, nouvelle présidente de la clinique, et Peter Huntingford, l'un des directeurs, donnèrent leur démission[45].

Tant que le public put les exploiter à ses propres fins, les fantasmes de Marie Stopes importèrent peu. La paranoïa de certains dirigeants du mouvement n'ôte en rien sa valeur à la lutte menée pour la limitation des naissances. Cependant, il est peut-être mal venu de parler avec complaisance des effets du stopérisme. Son imagination débordante, son dogmatisme aveugle, son refus d'analyser ses propres pratiques, sa malhonnêteté évidente, sa vulgarité et ses connaissances douteuses en matière scientifique posèrent des problèmes à ses collègues qui n'avaient pas la consolation d'être adulés par le public et publiés à des milliers d'exemplaires. Grâce au succès relatif de la Ligue malthusienne et à la diffusion d'ouvrages sur la contraception, le public était largement informé sur la limitation des naissances bien avant que Stopes ne réalisât son coup de publicité, le procès en diffamation contre Halliday Sutherland[46]. Son adversaire représentait une minorité en Angleterre qui avait toujours suscité l'intolérance, les catholiques. En jouant le rôle de persécutée par les catholiques romains, Stopes gagna le soutien des derniers protestants réticents à sa religion du sexe. Les motivations politiques du procès Bésant-Bradlaugh ne lui avaient pas échappé. Les siennes étaient plus complexes. Hypersensible à la critique, obsédée par l'autojustification, elle nourrissait un désir caché de créer un événement qui la poussa peut-être à inclure des arguments incendiaires sur l'insémination artificielle dans *Married Love*[47].

Stopes aurait fait moins de tort si elle s'était contentée de ses apologies de l'amour sexuel, laissant aux associations plus qualifiées le soin de diffuser la contraception. Mais en mai 1918, elle épousa le richissime Humphrey Verdon Roe, qui avait déjà financé une clinique de planning familial à Manchester. Le contrat de mariage fut considérable : 20 000 livres et « un supplément de 10 000 livres à l'intention du contrôle des naissances[48] ». Entre-temps, *The Malthusian* se résignait à aider le planning familial. En 1920, Margaret Sanger, qui avait été arrêtée en octobre 1916 pour avoir ouvert une clinique à Brownsville dans l'Etat de New York, déclara :

> Pourquoi n'avons-nous pas de cliniques ici ? Au cours d'une conférence à Cambridge le 20 mai, on m'a instamment priée d'ouvrir une clinique dans une grande ville de province[49].

Stopes était présente à la conférence présidée par Edith How-Martyn, ainsi qu'Alice Vickery et Stella Browne. Le moment d'une collaboration était venu, mais l'équipe Stopes-Roe préféra faire bande à part. Lorsque la Mothers' Clinic s'ouvrit en mars 1921, *The Malthusian* lui consacra des articles importants et donna l'adresse et la liste complète des responsables. Le numéro suivant publia un article enthousiaste sur la conférence publique organisée au Queen's Hall pour promouvoir l'opération et fonder la Society for Constructive Birth Control. Margaret Sanger était de retour à Londres. *The Malthusian* annonça :

> Il est nécessaire d'ouvrir une maternité modèle et un dispensaire pour enfants début octobre, et dans un quartier proche de l'endroit où se déroulera la campagne[50].

Ainsi le bon peuple de Londres fut-il confronté à deux méthodes différentes de limitation des naissances ; chaque partie ne perdit aucune occasion de s'en prendre à l'autre.

L'antagonisme de Stopes envers les malthusiens était d'autant plus irrationnel qu'il était en grande partie alimenté par son amertume à l'égard de son amie et rivale Margaret Sanger. A l'époque où Sanger fut poursuivie en justice pour *Family Limitation* en 1915, Stopes avait fait parvenir une pétition au président Wilson, signée par des personnages aussi éminents qu'Arnold Bennet et H. G. Wells. Margaret Sanger, si elle rapporte dans son autobiographie que cette lettre eut un poids « inestimable », oublia curieusement de l'en remercier. D'autre part, elle fit publier *Married Love* en Amérique par le Dr William J. Robinson qui y apporta certains changements, espérant en vain éviter les poursuites judiciaires. Furieuse de voir son œuvre mutilée, Stopes en publia la version intégrale sous le titre *Man and Wife : a Study of Successful Marriage.* Les poursuites judiciaires contre Robinson traînèrent deux ans ; il fut finalement condamné à 250 dollars d'amende ou à 30 jours de prison ; l'appel fut déclaré irrecevable. Stopes lui refusa tout appui, moral ou financier. Après cela, Sanger et elle n'eurent plus rien à se dire et ne manquèrent pas une occasion de se mettre réciproquement des bâtons dans les roues. Leur brouille affecta le mouvement américain tout comme le désaccord entre Stopes et les malthusiens gêna le mouvement britannique. Mary Ware Dennett, directrice de la Volontary Parenthood League de New York, fidèle supporter de Stopes, se plaignit au Dr Robinson du langage abusif et méprisant tenu dans *Birth Central Review* à l'égard du Dr Stopes. Robinson répliqua que l'intérêt porté par Mme Stopes au contrôle des naissances n'était pas guidé par un souci humanitaire mais par la crainte de voir ses impôts augmenter à cause d'un surcroît d'enfants pauvres. Il aurait pu en dire autant de Sanger[51].

Pour Stopes, il était primordial que sa clinique fût la première établie dans l'Empire britannique, comme l'annonçait dans chacun de ses numéros le *Birth Control News,* organe mensuel de la Society for Constructive Birth Control (CBC). En fait, la clinique n'offrait rien de plus que la pose de capes cervicales. Le premier lot, gratuit, dura longtemps ; vers la fin de

1921, la clinique n'avait accueilli que 518 clientes, dont 47 « désiraient qu'on les aidât à devenir enceintes[52] ».

Le contraceptif idéal selon Stopes, la petite cape en caoutchouc, s'adaptait facilement sur le col et adhérait par effet de succion. La pose de l'appareil demandait une infinie patience de la part du médecin et de la femme. Elle comportait un examen gynécologique au cours duquel la femme devait apprendre à introduire l'obturateur « à moitié accroupie et penchée en avant », et à en vérifier la mise en place[53]. Mais de nombreuses femmes avaient un col abîmé à la suite de grossesses répétées et Stopes aurait dû savoir qu'un petit pessaire n'apportait pas toujours la protection désirée ; il existait d'autres obturateurs, capes à double rainure dont la forme approchait celle du diaphragme. Les médecins eux-mêmes étaient en plein désarroi. Sir James Barr, par exemple, témoin au procès Stopes-Sutherland, se demandait si la cape cervicale devait s'adapter ou non aux parois vaginales[54].

Une confusion plus grande encore concernait la durée de l'obturateur. Quelques médecins s'inquiétèrent que la cape cervicale pût bloquer les sécrétions d'un utérus malade et présenter un risque pour la santé de la patiente[55]. Stopes s'intéressait peu à la pathologie de l'utérus. Ni elle ni l'infirmière de sa clinique ne savaient diagnostiquer une infection utérine, en dehors des symptômes évidents. Persuadés, avec raison semble-t-il, que les sécrétions utérines se répandraient dans la cape cervicale et rompraient l'effet de succion, les gynécologues qu'elle consulta prétendirent que la cape ne devait pas rester plus de vingt-quatre heures en place. Si l'on sait que le sperme survit longtemps après dans le vagin, le dispositif perdait alors une grande partie de son efficacité. Les femmes qui se fièrent à Stopes au milieu de tant d'incohérences auraient mieux fait de prendre exemple sur d'autres utilisatrices d'obturateurs en caoutchouc et de suivre leurs instructions « non scientifiques ». De tous les spermicides que recommanda Stopes, aucun n'était efficace, et certains auraient plutôt augmenté la mobilité des spermatozoïdes. Le courrier de Stopes contient un nombre significatif de récriminations, mais elle trouva toujours le moyen d'attribuer les grossesses de ses patientes à une erreur de leur part et non à un défaut de la méthode[56].

Une fois sa méthode choisie, Stopes s'y accrocha, prétendant que les dossiers de ses 5 000 premiers cas révélaient un succès plus élevé qu'avec n'importe quelle autre méthode de contraception[57]. En fait, les dossiers de la clinique ne comportaient aucun suivi. Le service était gratuit ; les femmes pour lesquelles la cape avait été un échec pouvaient difficilement revenir porter plainte. Elles allèrent chercher secours auprès de gynécologues qualifiés ou d'avorteurs qui en conclurent que la cape n'avait pas la fiabilité que Stopes lui prêtait. Ils préférèrent prescrire le diaphragme ou grand pessaire Mensinga. Le recours exagéré de Stopes à la cape cervicale, qu'elle prétendait avoir « améliorée », discrédita ses efforts aux yeux de ceux qui auraient dû être ses alliés.

Norman Haire faisait partie de ces derniers ; né en Australie ou en

Nouvelle-Zélande, il était venu en Angleterre en 1919, et avait ouvert un cabinet de gynécologie qui pratiquait la contraception. Haire n'avait aucun complexe messianique ; son intention était de fournir la meilleure information contraceptive possible à quiconque pouvait la payer. Les réformistes lui reprochaient d'être gros, juif, homosexuel et cupide, ce qui ne l'empêcha pas de devenir une personnalité respectée de Harley Street et des congrès internationaux. Nommé médecin-chef de la clinique modèle de la Ligue malthusienne à Walworth, il la transforma rapidement en cabinet de consultation privé. L'examen des patientes qui venaient y chercher une méthode de contraception était pratiqué par un médecin, les dossiers soigneusement préparés et étudiés, afin de choisir la méthode adaptée à chaque femme.

Haire rendit visite à Stopes dès l'ouverture de sa clinique et elle lui demanda d'examiner un pessaire en fil d'or. Il l'avertit qu'il s'agissait d'un dispositif intra-utérin risquant de provoquer un avortement septique ou des infections pelviennes. Prit-elle soin de lire sa réponse ? En tout cas, le 8 juin 1921, elle le priait d'insérer le pessaire en question sur deux patientes. Haire refusa, réitérant ses explications. La réaction de Stopes montre bien son indifférence envers les droits des individus et son ignorance du code de déontologie qui s'applique aux médecins et non aux spécialistes des fossiles.

> Je vous serais très obligée si vous vouliez bien examiner deux ou trois cas. Si les résultats de votre observation se révèlent peu satisfaisants, nous les abandonnerons[58].

Haire fut cité pour témoigner au procès Stopes-Sutherland. Les partisans les plus réfléchis de Stopes furent épouvantés par les révélations faites au cours de l'audience et consternés lorsqu'elle fit appel. Le procès lui coûta une fortune, argent peut-être bien placé en termes de publicité personnelle, mais pour ses collègues du planning familial, la célébrité de Stopes était loin de ne représenter que des avantages. Elle ne perdit pas une occasion de les traîner dans la boue, déclarant que les méthodes qu'ils préconisaient étaient « criminellement dangereuses, inutilement chères, commercialement douteuses, mais qu'aucune d'entre elles n'était efficace sur le plan physiologique[59] ». Les quelques femmes que j'ai pu interroger estiment que la cape cervicale est une meilleure méthode que le diaphragme, mais peu de celles qui lisent les élucubrations de Stopes sur le sujet pourraient le deviner.

Dans son parti pris, Stopes oublia vite ce qu'elle devait à la Ligue malthusienne. Lorsque le CBC publia son mensuel en janvier 1922, il parut manifeste aux yeux de tous que la majorité des articles à la gloire de Marie Stopes étaient écrits par elle-même sous un pseudonyme ou par son mari. C'est ainsi qu'on put lire en 1922, signé par un dénommé Samkins Browne :

> Un correspondant américain écrit : « Il est amusant de lire qu'un admira-

teur dévoué de Margaret Sanger vous a déclaré que le Dr Stopes est la cause de tous les problèmes au sein du mouvement du planning familial. Il semble que Margaret ait pris l'habitude de prononcer ce genre de jugement à propos de tous ceux dont le succès la gêne. Ne la prenons pas au sérieux. » D'accord ! — d'autant que le monde partage notre conviction que Mme Sanger manifeste seulement sa mesquinerie[60] !

L'utilisation des fonds et du nom de la société pour régler une querelle personnelle sous un pseudonyme choqua profondément les partisans de Sanger.

Lorsque le CBC refusa de prendre la défense en Amérique de *Family Limitation,* Bertrand Russel écrivit vertement à Stopes :

> J'apprends que le CBC a décidé de ne pas défendre le manuel de Margaret Sanger. Cette décision me paraît très regrettable car il s'agit à mon avis d'un ouvrage remarquable. Dans ces circonstances, je me vois forcé de mettre fin à ma collaboration au CBC[61].

Pour finir, Russel et H.G. Wells donnèrent leur démission du CBC. Malgré l'obscurantisme et le caractère belliqueux de Stopes, les autres membres du planning familial tentèrent en vain de coopérer avec elle. En 1923 se dessina le projet d'amalgamer toutes les cliniques privées sous un même nom. Il fut rapidement clair que Stopes ne participerait au projet qu'à la condition de jouer le rôle de leader incontesté du mouvement. On chargea la National Birth Rate Commission de rassembler des informations fiables sur les contraceptifs. Stopes, qui s'était ridiculisée auprès des scientifiques en publiant sans aucune méthode les tests de ses premiers 5 000 cas, refusa de fournir des données[62]. On ne pouvait pas progresser avec si peu d'informations. Il fallait un système permettant de contrôler de larges échantillons de femmes utilisant des contraceptifs. Avec les 25 000 cas de sa consultation privée, l'impopulaire Norman Haire était l'expert *de facto*. Pendant ce temps, les enquêteurs découvraient que les deux cliniques du planning familial de Londres « utilisaient des méthodes différentes... chacune dénonçant l'inefficacité de l'autre[63] ». Pour des raisons humanitaires et sans oublier son propre intérêt, la profession médicale décida de prendre le planning familial en main. Exclue des commissions médicales sur la limitation des naissances à cause de son manque de formation scientifique, Stopes chercha par tous les moyens à freiner toute tentative de systématiser et d'analyser l'utilisation des contraceptifs. Si son prestige personnel parvint à dissuader certaines personnalités de participer aux enquêtes, sa jalousie maladive finit par détourner d'elle ceux qui l'avaient généreusement aidée.

Lorsque le ministère de la Santé décida de s'intéresser au planning familial en 1930, les défenseurs de la limitation des naissances s'emparèrent de l'occasion. A une réunion qui se tint chez lord Denman, Stopes proposa la création d'un National Birth Control Council. La présidence en fut confiée au médecin de la famille royale, lord Horder, secondé par John Maynard Keynes, Wells et Russel[64]. La décision du ministère fut sans doute dictée par l'acharnement que mit le travailliste Ernest Thurtle à faire passer le projet de loi[65] et par la conférence de Westminster sur le thème « Birth Control by Public Health Authorities », présidée par Eva Hubback. Par courtoisie et pour neutraliser son hostilité, on demanda à Stopes de présenter la motion pour la création du National Birth Control Council. Elle resta membre du Conseil, qui devint en 1931 la National Birth Control Association, jusqu'en novembre 1933. Après quoi, elle ne perdit pas une occasion de dénigrer l'association et ses membres[66].

En réalité, Stopes fut toujours un élément secondaire dans le mouvement de la limitation des naissances, un élément visible mais néanmoins secondaire. L'intérêt des médias pour ce que faisaient les époux au lit fut peut-être une bonne chose, mais représenta une intrusion dans l'intimité des individus et une intervention croissante de l'administration dans la famille, que ce soit l'administration du planning familial ou par la suite celle des services de la Santé. Stopes, qui avait rendu deux maris impuissants en un temps record[67], n'avait qu'une idée vague et fantaisiste de la sexualité humaine. Pourtant, même ses opposants prétendirent que son prosélytisme apportait plus de bonheur à l'humanité que tout ce qui avait été écrit précédemment. Si c'est le cas, l'espèce humaine ne peut pas se montrer trop exigeante dans ses attentes. L'épouse selon Stopes était une geisha avide, le mari un imbécile. L'histoire ne pourra juger qu'embarrassant le phénomène Stopes, si ce n'est carrément désastreux. Une réévaluation correcte exigerait une enquête complémentaire sur les femmes qui se rendirent dans les cliniques CBC du temps de Stopes. Ma propre enquête a indiqué un nombre beaucoup trop élevé d'avortements et d'enfants non désirés.

Parmi ceux qui travaillèrent pour le Birth Control Council en 1930, nous retrouvons quelques noms familiers ; les eugénistes, le major Darwin, C. P. Blacker et Julian Huxley furent présents dès le début. Cela n'a rien d'étonnant, car en 1935 lord Horder devint président de la Société eugénique, poste qu'il conserva treize ans.

La coopération des eugénistes était essentielle au développement de la limitation institutionnalisée des naissances : eux seuls possédaient à la fois la connaissance des statistiques et les hypothèses fondamentales du projet général. Ils n'avaient pas pour unique but d'abaisser le taux de natalité global, mais d'abaisser le taux de natalité des classes pauvres. De leur côté, les socialistes et des libéraux soulignèrent que leurs motivations étaient d'abord la santé de l'enfant, la santé de la mère, le bonheur conjugal, et ensuite la diffusion pour les pauvres des moyens contraceptifs déjà largement répandus dans la classe dirigeante. Convaincus que la théorie malthusienne se vérifiait perpétuellement d'elle-même, les malthusiens ne faisaient confiance qu'aux chiffres. Les eugénistes avaient un but plus précis car leur intérêt était avant tout le contrôle social. Ils éliminaient l'incertain dans le comportement humain en restreignant la fécondité différentielle et

en protégeant les couches supérieures des effets inévitables de leur sous-
fécondité. Les idéalistes fournissaient la théorie, les eugénistes se concen-
traient sur les moyens de contrôle. Il n'était plus question de tuer les
spermatozoïdes avec du vinaigre. Le Dr Blacker se chargea de convaincre
le Dr John Baker (biologiste) de poursuivre les travaux de l'Américain
Michael Guyer (eugéniste) sur les spermotoxines.

> Le Dr Blacker dut faire appel à l'imagination du Dr Baker et lui démontrer
> que cet élément particulier aurait des conséquences sociales au niveau mon-
> dial... Le choix final fut celui d'un acétate de mercure-phénylmercuriel.

La mythologie avait changé. Autrefois, on disait la paroi vaginale sensible aux substances fortifiantes contenues dans l'éjaculat qu'elle absorbait
au bénéfice de tout l'organisme ; maintenant, elle était insensible aux
effets d'un sel de mercure. Altruistes, les médecins décidèrent que la
NBCA (National Birth Control Association) ne tirerait aucun profit de la
fabrication et de la vente de « Volpar » (contraction de « voluntary parenthood »). Pour les eugénistes, il fallait le vendre bon marché si l'on
voulait atteindre la cible principale, la classe pauvre et féconde. Ce fut aux
femmes chargées des travaux courants de l'association de décider les
laboratoires britanniques à vendre les produits au prix « le plus bas possible
qui permette une distribution commerciale avec un minimum de bénéfice ». Même un bénéfice minimal sur Volpar aurait suffi à financer le
NBCA, mais il y avait d'autres priorités. Les représentants des laboratoires
pouvaient s'écrier : « Mesdames, mesdames, savez-vous ce que vous faites[68] ? » Lorsque la société capitaliste freine ses bénéfices, mieux vaut
étudier ses intentions. Volpar finit par être retiré du marché pour des
raisons qu'on ne rendit jamais publiques.

On retrouve la même identité entre l'eugénique et la limitation des
naissances lors de l'établissement du contrôle des naissances en Amérique,
admirablement résumé par Linda Gordon dans *Woman's Body, Woman's
Right : a Social History of Birth Control in America*. Les eugénistes Loth-
rop Stoddard et C. C. Little ont tous deux travaillé pour la Sanger American Birth Control League ; Guy Irving Burch écrivit dans la *Birth Control
Review* :

> En organisant la première conférence nationale sur la limitation des nais-
> sances en novembre 1921, Sanger avait tenté d'obtenir le soutien des intellec-
> tuels et des scientifiques en particulier. Elle gagna l'adhésion de... Irving
> Fisher, Edward A. Ross, Ellsworth Huntington, Warren Thompson,
> F.H. Giddings, Thomas Nixon Carver et Raymond Pearl — tous des eugé-
> nistes[69].

De la promotion eugénique et crypto-eugénique chez soi à la planification familiale à une échelle mondiale, il n'y a qu'un pas. On distingue trop
souvent les pauvres des riches non par leur niveau de consommation, mais

par leur couleur, leur langue, leur religion. Les eugénistes s'étaient tous intéressés à l'immigration qui était la preuve que les pauvres au-delà des frontières devenaient les pauvres à l'intérieur du pays. Restreindre leur expansionnisme représentait le prolongement naturel de la politique eugénique nationale. En Amérique, la compétence des eugénistes qui furent les premiers à établir des statistiques démographiques fut renforcée par le soutien financier des grandes corporations soucieuses d'amasser les connaissances qui rendraient le monde plus sûr pour leur propre espèce.

Il nous paraît étrange de retrouver aujourd'hui les principaux responsables du mouvement eugénique au plus haut niveau d'organisations démographiques, mais si nous songeons que les financiers — Ford, Mellon, Du Pont de Nemours, Standard Oil, Rockefeller et Shell — sont toujours les mêmes, il est permis de supposer que Kingsley Davis, Frank W. Notestein, C. C. Little, E. A. Ross, Frederick et Fairfield Osborn, Philip M. Hauser, Alan Guttmacher et Sheldon Segal furent récompensés de leurs services rendus dans le passé. Le Population Reference Bureau, qui avait débuté en amassant des informations pour la campagne du raciste Guy Burch contre l'immigration des non-aryens, agrandit son champ d'opération et publia le *Population Bulletin* qui annonce régulièrement encore aujourd'hui le taux d'accroissement démographique des Etats-Unis causé par l'immigration légale et clandestine.

Frederick Osborn n'avait pas lieu de craindre un conflit d'intérêt lorsqu'il créa le Population Council « à l'initiative de John D. Rockefeller III » en 1952[70]. La campagne pour la stérilisation dirigée par le Population Council en Colombie dans le milieu des années 60 était aussi eugénique qu'il l'eût souhaité : les incitations ne pouvaient motiver que les pauvres sans méfiance. Le Council possède des bureaux à Mexico, à Bangkok et au Caire. La Population Association of America, fondée pour « promouvoir l'amélioration, l'avancement et le progrès de la race humaine au moyen d'études qui portent sur les problèmes concernant les aspects à la fois *quantitatifs et qualitatifs de la population humaine* » (italiques de l'auteur), était dirigée par des eugénistes[71]. L'IPPF fut créée par Margaret Sanger, et financée au début par la Fondation Brush et les Osborn. Le siège de la société était situé dans les locaux de la Société eugénique à Eccleston Square. Lord Horder et C. P. Blacker en furent les directeurs.

Tant que les masses ignorèrent la question démographique, les eugénistes exercèrent un pouvoir limité ; dans les années 60, alimentée par une propagande qui avait auparavant fait la fortune de ceux qui commercialisaient des produits d'utilité secondaire, la menace de la surpopulation occupa le premier plan de la conscience occidentale. Cette campagne fut l'œuvre d'un seul homme, dont le nom n'est pas encore connu.

L'histoire de l'institutionnalisation du planning familial et du développement concomitant d'une industrie de millions de dollars est trop longue et trop complexe pour en donner plus qu'un aperçu. A mesure que s'affermit dans l'esprit du public la notion du droit fondamental de contrôler sa propre fécondité, le taux de natalité des classes laborieuses baissa graduellement jusqu'à égaler celui des classes privilégiées. Mais ce contrôle n'allait pas s'exercer par l'abstinence sexuelle ou le choix de certaines formes de rapports sexuels. Il nécessitait l'aide de l'industrie médicale et pharmaceutique. Si les produits et dispositifs contraceptifs devaient être fiables, il fallait tester leurs effets sur un large échantillon d'individus pendant une longue période : seuls les plus grands laboratoires eurent les fonds et les moyens nécessaires pour cela. Les petites entreprises locales qui avaient commercialisé les pessaires et les dispositifs en caoutchouc furent absorbées ou firent faillite. Les laboratoires multinationaux dominèrent un marché en pleine expansion avec des moyens illimités. Une fois la population stabilisée par l'utilisation des contraceptifs, il fallut trouver une nouvelle clientèle. Si le marché intérieur était suffisamment rentable, il devenait possible de subventionner des marchés en voie de développement. Si les gouvernements acceptaient la nécessité d'une commercialisation massive de contraceptifs, le nombre et l'importance des subventions augmenteraient. Les Stopes, les Sanger et leurs amis philanthropes, les socialistes altruistes et les fervents malthusiens durent joindre leurs forces au prestige et au pouvoir de l'industrie biochimique. Si un ensemble de priorités crypto-eugéniques fit partie du tout, on les oublia aisément dans l'élan créé par un lobby déterminé qui en moins de dix ans créa un vaste cartel démographique capable de déverser des centaines de millions de dollars à travers le monde.

Un après-midi de décembre 1909, Hugh M. Moore entra en trombe dans le bureau d'Edgar L. Marston de Blair and Company, agent de change, au moment où il buvait son café. « Savez-vous qu'il est très dangereux de boire dans une tasse qui a servi à d'autres ? » Ayant semé la panique, il l'apaisa en créant le gobelet en carton. Marston comprit rapidement le potentiel de la situation. Avec l'aide des services de l'hygiène, les fabricants de gobelets en carton avaient un marché captif. Peut-être n'est-ce pas un hasard si l'inspecteur de la santé du Kansas, Etat natal de Moore, avait demandé aux propriétaires des Chemins de fer Pullman qui transportaient des patients tuberculeux par le Kansas vers les sanatoriums du Colorado de ne plus donner à boire à leurs passagers dans les verres habituels. Marston fournit une partie du capital initial de 200 000 dollars, en obtint davantage de l'American Can Co., et le reste de Percy Rockefeller[72]. Lorsque 40 000 000 d'invividus se mirent à joncher le sol américain de gobelets en carton, Moore s'apprêtait à conquérir d'autres marchés. Il fonda une institution pédagogique appelée le Hugh Moore Fund en faveur de la paix, dont les activités demeurèrent plus ou moins imperceptibles jusqu'au jour où, ayant lu *The Struggle for Survival* de William Vogt, il comprit soudain sa vocation. La vérité de la théorie malthusienne le frappa brusquement et l'incita, comme l'aimait à dire son ami et codirecteur de la fondation, Arnaud C. Marts, « à prendre de l'avance sur les experts[73] ».

Créer une demande pour les gobelets en carton ou maîtriser la croissance démographique, le premier pas restait le même : semer la panique. La fondation publia un traité, *The Population Bomb*, et le distribua d'abord dans les universités, les collèges, aux stations de radio et à la presse. En 1968, un spécialiste des lépidoptères de Stanford inscrivit sur la page de son best-seller la note suivante :

> Le titre que j'ai choisi, *The Population Bomb,* fut utilisé pour la première fois en 1954 sur la couverture d'un traité publié par le Hugh Moore Fund, traité qui fut tiré à plus de deux millions d'exemplaires par an. Les termes « bombe démographique » et « explosion démographique », qui font aujourd'hui partie du vocabulaire courant, furent pour la première fois employés dans ce traité[74].

Le Dr Paul R. Ehrlich omet de préciser que le Hugh Moore Fund prêta également son concours à la vente de son livre[75].

D'autres moyens promurent efficacement la terminologie de cette campagne d'intoxication. Moore ne cachait pas ses intentions :

> « Qui parmi nous, aimait-il à demander lors des réunions, provoquera une conflagration[76] ? »

Les incendiaires ne manquent pas, surtout pour des gens puissants. Moore rassembla le gratin, le traita avec faste, lui vendit sa marchandise et créa le lobby démographique. Le 20 mars, au cours d'un banquet à Princeton dans le New Jersey, il lança la World Population Emergency Campaign. Il fournit lui-même les premiers fonds, aidé par Lamont DuPont Copeland. Allaient diriger la campagne : Eugene R. Black, président de la Banque mondiale, Will Clayton Jr., roi du coton et ancien sous-secrétaire d'Etat, le général W.H. Draper Jr., Marriner S. Eccles, ex-secrétaire du Trésor sous Roosevelt (actuellement au Rockefeller Brothers' Fund), et Rockefeller Prentice. Ces personnalités furent les architectes du projet pilote qui testa la contraception à Porto Rico. Joseph Sunnen, le magnat du Middle West, finança le projet.

Le général Draper, président du comité, fut chargé par le président Eisenhower d'étudier l'efficacité de l'aide étrangère. Moore obtint de Draper qu'il fît coopter son candidat Robert Cook par le comité ; en 1959 l'enquête concernant la population fut publiée. Mais Eisenhower estima que des questions aussi personnelles n'étaient pas du ressort du gouvernement et son administration ne donna aucun accord officiel à la réduction du taux de natalité durant son mandat. Il fallait remuer l'opinion publique. Le 9 juin 1960, les lecteurs du *New York Times* trouvèrent dans leur journal une page entière de publicité qui montrait le contribuable américain courbé sous un fardeau énorme intitulé « Aide étrangère ». Séduit, le *Reader's Digest* reprit le titre dans un article. Il s'agissait d'une simple campagne de vente, qui prit comme point de départ une notion commune au mouvement du planning familial, à savoir que la fécondité élevée des classes inférieures, dans ce cas précis les pauvres au-delà des frontières américaines, pèse sur la classe moyenne sous-fertile des travailleurs.

Personne au *New York Times* n'allait faire remarquer que le contenu du fardeau de l'aide étrangère était surtout celui de l'aide militaire, qu'en dehors de celle-ci, il en restait peu dont l'utilisation était libre et que de toute façon elle servait généralement à affaiblir les destinataires et à entretenir des gouvernements corrompus. La campagne de Moore se fondait sur l'hypothèse paranoïaque que les plus riches allaient être pillés par les pauvres. Il fallait arrêter de faire preuve d'une générosité stupide. Il était temps de se montrer ferme. Sous une forme ou sous une autre, on courait au désastre.

Le bourrage de crâne orchestré par Moore connut un passage difficile lors du congrès organisé par le Population Council en 1961, auquel devait participer Margaret Sanger. Parmi les invités d'honneur se trouvaient immanquablement sir Julian Huxley, Marriner Eccles et l'ambassadeur de l'Inde. Depuis longtemps droguée au Demerol, la grande dame s'effondra dès l'introduction de son discours, et on dut la porter dans sa chambre[77]. Elle ne réapparut plus jamais en public, mais la campagne se passa très bien d'elle.

L'annonce publicitaire du 9 juin fut la première de plusieurs séries qui continrent toutes, dans la meilleure tradition du mouvement, des signatures de personnalités influentes soigneusement choisies. Dès 1966, le World Population Emergency Committee accomplit son objectif principal, l'obtention du soutien du gouvernement. Lors de son message sur l'état de l'Union, le président Johnson s'engagea à investir des fonds fédéraux dans les programmes nationaux et étrangers de limitation des naissances :

> ... basons notre action sur le fait que moins de cinq dollars investis dans le contrôle démographique valent cent dollars investis dans la croissance économique.

Les mots étaient directs, la motivation claire, mais les consciences étaient moins sensibles qu'autrefois. L'alarme avait porté ses fruits. En 1967, les dispositions de la loi de la sécurité sociale qui régissent l'administration de l'aide aux familles avec des enfants à charge (AFDC) furent modifiées pour :

> exiger qu'au moins 6% des fonds alloués à la protection maternelle et infantile soient destinés au planning familial ; exiger de tous les Etats qu'ils offrent des services de planning familial aux bénéficiaires de l'AFDC, présents, passés ou potentiels, afin de réduire le nombre des naissances illégitimes et d'endiguer les dépenses de la sécurité sociale ; établir un plafond pour la proportion d'enfants en dessous de dix-huit ans qui peut profiter de l'AFDC dans chaque Etat ; autoriser les Etats à se procurer des services de planning familial auprès de sociétés privées ; fournir des subventions fédérales de même montant que celles affectées par les Etats au planning familial[78].

On déduira l'importance de la baisse du taux de natalité des pauvres du fait que, pour chaque dollar versé par chaque Etat, le gouvernement fédéral s'engageait à donner 9 dollars. Toutefois, Moore et ses amis n'étaient pas le seul lobby à avoir l'oreille du président. La guerre éclata entre eux et les catholiques, lutte de relations publiques qui fut de tout temps favorable aux « libéraux », représentants d'une majorité raisonnable contre une minorité de bigots. De son côté, un autre supporter de Moore, le démographe Philip Hauser, prévint la presse que le taux de croissance de la population américaine noire s'élevait rapidement[79]. Se basant sur son expérience à la tête de la Public Aid Commission de l'Illinois, l'industriel Arnold Maremont était convaincu qu'il fallait proposer la stérilisation aux bénéficiaires de l'assistance sociale. L'idée avait peu de chance d'aboutir dans un Etat contrôlé par les intérêts catholiques, mais le maire lui-même suggéra à Maremont de subventionner Planned Parenthood.

> Les représentants de Planned Parenthood firent le tour des maternités à la recherche de clients... En partie grâce à eux, le nombre des naissances dans l'hôpital de l'assistance publique est passé de 20 000 en 1963 à 12 000 en 1969[80].

Pendant que Moore faisait pression pour financer des programmes démographiques dans le tiers monde, les membres du Congrès organisaient la limitation des naissances dans les populations pauvres, les communautés noires et sud-américaines. Des programmes financés par l'Etat avaient déjà été établis dans le Sud, mais à la fin des années 60, ils se multiplièrent. Lorsque Burch mourut, Robert Cook (candidat de Moore), ex-éditeur de *The Journal of Heredity* et de *Eugenical News,* le remplaça à la tête du Population Reference Bureau et fit du *Population Bulletin* une publication consacrée aux faits divers consécutifs à l'explosion démographique. D'après Lader, les vieux partisans de Moore, Frank Abrams, Walter Bergam et Lawrence Wilkinson se chargèrent de convaincre la Fondation Ford et la Fondation Rockefeller de gonfler le budget du Population Council. Dès 1959, le budget fut quadruplé. Le Council établit une agence à Bogota où fut mise en œuvre la première campagne en faveur de la stérilisation de masse. Elle fonctionne encore à ce jour.

En 1964, Moore reprit la présidence de la Human Betterment Association, qu'il transforma en Association for Voluntary Sterilisation. Brock Chisholm et H. Curtis Wood y donnèrent 110 conférences par an sur la stérilisation. A la fin de 1966, les ministères de la Santé, de l'Education nationale, de la Sécurité sociale et de la Défense annoncèrent leur soutien à la stérilisation en tant que méthode de planning familial dans les programmes gouvernementaux.

> On présenta des projets de loi qui proposaient la stérilisation obligatoire après un nombre précis de grossesses illégitimes. Dans les Etats de Californie, Connecticut, Delaware, Georgie, Illinois, Iowa, Lousiane, Maryland,

Ohio, Tennessee, Mississippi, Caroline du Nord et Virginie, les législateurs proposèrent de stopper l'assistance publique pour les mères de deux enfants illégitimes ou plus qui refusaient la stérilisation. Les projets comprenant une prime pour les candidates à la stérilisation ne furent pas votés[81]...

Hugh Moore, si l'on en croit Lawrence Lader, a peut-être surestimé son rôle auprès du général Draper, mais il serait difficile de surestimer l'importance du changement d'orientation de la United States Agency for International Development.

En 1967, le Congrès ajouta le Titre X, programmes s'adressant à la croissance de la population, à la loi d'aide à l'étranger. Trois personnalités furent particulièrement influentes dans ce changement : le général Draper, qui était doué d'ubiquité pour tout ce qui avait trait au contrôle des naissances ; Reimert T. Ravenholt, le nouveau directeur des services démographiques de l'AID ; et Philander Claxton, spécialiste des problèmes démographiques au ministère des Affaires étrangères. Tous les trois formaient un trio qui liait le ministère des Affaires étrangères, l'AID et le lobby démographique, sous la direction de Draper. Non seulement le projet de loi passa et le Congrès vota 35 millions de dollars pour l'assistance démographique, mais les fonds furent affectés à ce seul projet. L'administration de l'AID s'opposa à cette décision, craignant que l'association fût incapable de dépenser correctement 35 millions de dollars dans le délai imparti. Mais Draper l'emporta, et Ravenholt obtint des fonds qui ne purent être détournés par l'administration de l'AID[82].

« Ray » Ravenholt était épidémiologiste de formation ; il aimait à dire qu'on l'avait chargé des « épidémies démographiques ». Son concept était simple : si la technique médicale des Etats-Unis avait provoqué une baisse du taux de mortalité, entraînant une explosion démographique, les mêmes moyens devaient être employés pour redresser la balance. Ce qu'il fallait, c'était un afflux massif de moyens contraceptifs et abortifs, de stéroïdes oraux, ventouses obstétricales, préservatifs, tous achetés sur les fonds publics et distribués en masse aux pays destinataires par l'intermédiaire du secteur privé et à l'échelle du village. Les ressources divisées par la population étaient égales au bien-être dans le monde merveilleusement simple de Ravenholt, et il « cherchait à abaisser le dénominateur dans cette équation ». Il s'y entendait pour persuader à la fois le Congrès et les responsables de l'agence qu'il avait besoin de plus en plus d'argent. En 1973, les services démographiques de l'USAID dépensèrent 125 millions de dollars en une seule année.

Ravenholt utilisait un argument bien connu : la menace du communisme par la surpopulation. Le contrôle démographique était nécessaire pour maintenir « le fonctionnement normal des intérêts commerciaux des Etats-Unis dans le monde entier[83] ». Les sommes dépensées parurent extravagantes à beaucoup d'observateurs mais Ravenholt démontrait, graphiques à l'appui, ce qu'aurait été la courbe de la croissance démographique sans l'USAID. Pour lui, la commercialisation était le seul moyen de développer la limitation des naissances ; le budget dépensé pour l'éducation nationale était de l'argent gâché, celui qui était attribué à des programmes de santé pour les mères et les enfants risquait d'accroître le taux de survie. Son insensibilité était démesurée. Inconscient de la défiance qui l'entourait, il montrait la même insouciance avec les femmes journalistes qui voulaient sa mort que lorsqu'il organisait des cargaisons de canules d'aspiration pour des pays où l'avortement était illégal. Sous la direction de Ravenholt, l'USAID commença à négocier avec les fabricants de techniques contraceptives et à prendre livraison de dispositifs à prix réduits pour les utiliser sur le terrain.

Reste à examiner les comptes pour connaître exactement le nombre de souffrances humaines que Ray Ravenholt acheta pour 125 millions de dollars par an ; pour l'observateur que je suis, lui et certains de ses collègues devraient être jugés pour crimes contre l'humanité, mais l'établissement du dossier et la formulation des accusations coûteraient des fortunes dont disposent uniquement les grands cartels.

Durant le règne de Ravenholt, l'USAID fournit la moitié des fonds de l'IPPF et de l'UNFPA, plus de 90% du Pathfinder Fund et des sommes considérables aux Population Council, Church World Service, Association for Volontary Sterilisation, Family Planning International Assistance (FPIA), ainsi qu'à de nombreux autres programmes. Le budget de 1981 fut de 190 millions de dollars, dont 52% furent utilisés pour acheter « des contraceptifs modernes pour les programmes démographiques dans plus de cent pays ». En 1982, « le budget des programmes démographiques se monta à 211 millions de dollars[84] ».

Selon Lader, c'est Moore qui coopta et motiva Draper. Il s'attacha à développer ce qu'il nommait une « force de frappe » à Washington sous la forme du Population Crisis Committee et mit à sa tête l'ex-sénateur Kenneth Keating qui avait toujours accès aux salles à manger du Sénat. En 1965, ce dernier quitta Moore pour devenir ambassadeur en Inde et fut remplacé par Draper. Entre-temps, Moore s'était lancé dans une nouvelle campagne.

> Il proposa un « Projet Manhattan » pour le contrôle démographique, allusion au programme choc qui développa si rapidement la bombe atomique pendant la Seconde Guerre mondiale[85].

À l'époque, personne ne fit le rapprochement, ce qui démontre bien le niveau de sensibilité générale. Une nouvelle campagne de publicité fut lancée. La Fondation Hugh Moore dépensa 500 000 dollars. Elle distribua gratuitement une émission de radio enregistrée avec les Amis de la Terre à plus de trois cents stations de radio universitaires et des bandes dessinées à tous les journaux des collèges. Les universités offrirent des prix pour le meilleur slogan sur la « popullulation ». En 1970, un autocollant apparut sur les pare-brise : « Vous avez du mal à vous garer ? Soutenez Planned Parenthood. » A cette date, le budget de 29 200 000 dollars alloué au planning familial en 1967 atteignait 218 300 000 dollars. La campagne de Moore avait porté ses fruits : les queues devant les cinémas étaient attribuées à l'explosion démographique. Au lieu de voir la pauvreté, la faim et le surpeuplement dans les pays en voie de développement, on ne voyait plus que la surpopulation. La panique était semée : les gens parlaient à nouveau de coercition et cela ne venait pas seulement d'une poignée de législateurs mais d'hommes et de femmes qui auraient dû montrer plus de bon sens.

Evidemment, attribuer la paternité du cartel démographique à Moore n'est pas plus exact que de considérer Sanger et Stopes comme les rénovatrices de la sexualité en Occident. Néanmoins, il faut savoir que Moore et d'autres utilisèrent les mêmes méthodes pour inciter les gens à utiliser des gobelets en carton que pour les persuader non seulement de limiter leurs familles (et à cet égard ils n'ont peut-être pas remporté un tel succès) mais de limiter leurs familles d'une façon propre à la culture occidentale. DIU subventionnés par le gouvernement, contraceptifs chimiques, dont certains étaient périmés, et méthodes draconiennes de stérilisation masculine et féminine, tels furent les moyens employés. La peur se fixa en Occident. Et la peur n'engendre jamais rien de bon, surtout lorsque les clameurs annonçant la fin prochaine la transforment en panique.

La transition démographique, lorsqu'elle est réelle, est un changement durable qui n'a jamais été inversé ; la manipulation des taux de reproduction ne sert qu'à la retarder aussi longtemps que les gens se souviennent des effets de la campagne qui fournit des boucles de Lippes à des femmes mal informées ou qui les stérilisa en échange de produits de beauté, d'argent ou de promesses de soins gratuits jamais tenues. Hugh Moore autant que Ravenholt gênent aujourd'hui l'establishment démographique. La Conférence internationale des Nations unies de l'Année de la population mit définitivement fin aux illusions des groupes de pression internationaux. Surpris, les philanthropes virent soudain le plus grand scepticisme s'attacher à leurs desseins. John D. Rockefeller III alla jusqu'à se rétracter publiquement, tandis que l'une après l'autre les délégations soutenaient que le problème dans le monde n'était pas la prolifération des pauvres, mais l'incroyable capacité de la minorité riche à consommer une proportion toujours croissante des richesses du monde. L'argent attribué aux programmes d'aide internationale faussement intitulés « contrôle démographique » avait été gâché. Une grande partie revint en Amérique sous la forme de bénéfices privés qui profitèrent aux laboratoires et aux compagnies qui avaient été créées pour distribuer et commercialiser dans le monde la contraception, l'avortement et la stérilisation.

12
Gouvernements, planificateurs de la famille

« Si vous désirez prendre des mesures radicales pour contrôler la fécondité, il m'en vient tout de suite quelques-unes à l'esprit, par exemple, détruire le système familial en refusant de donner aux enfants le nom de leurs parents ; en fait, en ne leur laissant même pas savoir qui sont leurs parents et vice versa. Le désir d'avoir des enfants ne mettra pas longtemps à disparaître. »

KINGSLEY DAVIS,
professeur de sociologie,
University of Southern California,
témoignant devant le US Select Committee on
Population,
9 février 1978.

Dans les chapitres précédents, nous avons vu comment la pensée politique et des préjugés sans fondement ont faussé le développement de la régulation « scientifique » des naissances dans le monde industrialisé. Les restes de la pensée eugénique et la peur des pauvres n'ont pas disparu, même dans nos sociétés dites démocratiques. Non seulement le mouvement eugénique et le planning familial avaient de nombreux acteurs communs, mais les planificateurs démographiques, qui ne furent jamais impliqués personnellement à l'origine du mouvement, se réclament en partie du même courant intellectuel. En Amérique, où le lobby catholique retarda longtemps l'établissement des programmes publics de contrôle des naissances, certaines cibles échappèrent aux considérations habituelles :

La première aide directe OEO au planning familial — une misère de 8 000 dollars — fut attribuée à Corpus Christi, Texas, Etat dont la population

comprend une forte proportion de familles mexico-américaines économi-
quement faibles[1].

Même les catholiques peuvent soutenir la promotion agressive de la
limitation des naissances, à condition que leurs communautés comprennent
des groupes raciaux différents. Une fois la xénophobie stimulée, les scrupules disparaissent. Thomas B. Littlewood donne un grand poids, pour le
développement du planning familial, à la mise en évidence de la croissance
de la population urbaine noire ; celle-ci a été soulignée par des démographes comme Philip Hauser dans son étude pour l'Académie nationale des
sciences, et tristement vérifiée par les émeutes de 1968. L'inclusion du
planning familial gratuit dans les programmes publics de santé, alors que la
distribution de moyens de contraception est manifestement entravée, est
regardée comme une tentative de génocide par les bénéficiaires. Les
pauvres ont réagi avec méfiance, les riches expliquant noblement qu'ils
agissaient par pure bonté, cherchant à les faire profiter des libertés dont
eux-mêmes jouissaient depuis longtemps. On commença à poser en principe que le planning familial était un droit civique. Cette revendication
avait été jusqu'alors inutile tant que la fécondité était régulée par des
méthodes non commerciales et non scientifiques. Comme il arrive souvent,
revendiquer ce droit signifiait dans la réalité qu'il n'existait plus. Les riches
commencèrent à réduire leurs familles au mépris de la loi et de la morale
courante.
    La commercialisation des nouvelles méthodes dites scientifiques parmi
ceux qui avaient oublié ou abandonné leurs pratiques traditionnelles eut
pour conséquence une avalanche de grossesses non désirées et d'avortements criminels. En retour s'établit le besoin de services obstétriques et
gynécologiques et la diffusion du contrôle de la fécondité. Le paradigme
américain, la reproduction désorganisée face à l'écroulement des coutumes traditionnelles, suivi par l'adoption de la régulation de la fécondité par
les privilégiés qui entraînent les moins privilégiés à les imiter, fut exporté
au niveau international. L'impact de la culture hédoniste, joint à l'assaut
des techniques modernes de production et de marketing, et l'éclatement de
la société provoqué par l'industrialisation et le travail hors du foyer boule-
versent les stratégies traditionnelles de constitution de la famille, souvent
au nom du libéralisme et du progrès. Il en résulte une augmentation du
taux de naissances illégitimes, une hausse du taux de natalité en général et
un réduction des intervalles entre les naissances. Le taux global de survie a
peut-être augmenté, mais dans ce climat de confusion morale, il joue un
rôle moins important dans l'explosion démographique que d'autres facteurs déstabilisants.
    Les nations riches sont hantées par le même cauchemar que celui qui
tourmentait les premiers défenseurs du contrôle démographique, mais sur
une échelle infiniment plus vaste. Tant que le spectre de la fécondité des
pauvres n'effraya pas nos âmes, la fécondité des populations noires ne
provoqua pas chez nous l'hystérie de Marie Stopes à l'égard de Mme Jones.

Mais la campagne des vieux millionnaires mit le spectre des bidonvilles au premier plan de la conscience bourgeoise. C'est cette « conscience » qui envahit les couloirs du pouvoir et dénature les programmes de santé qui reçoivent des fonds de la communauté internationale.

Dans le monde tel que nous le connaissons (qui a sans doute peu de rapport avec le monde tel qu'il est réellement), « les gouvernements devraient » prendre en partie la responsabilité d'éviter le cataclysme qui s'abattra sur nous si nous ne contrôlons pas la prolifération des espèces humaines. La communauté internationale qui passe son temps à proposer des accords et des plans d'action commençant par « les gouvernements devraient » croit que « les gouvernements devraient » non seulement avoir une politique démographique, mais l'énoncer clairement et franchement devant le forum international. Cela ne se fait pas de mentir devant les Etats-Unis ou toute autre autorité qui s'attribue le rôle de « donateur ». Cette règle met les gouvernements dans une situation difficile, car jusqu'ici pas un seul gouvernement au monde n'est arrivé au pouvoir sur un programme démographique, et un bon nombre d'entre eux chancelleraient s'ils introduisaient des mesures que l'opposition pourrait utiliser pour stimuler la haine ou la peur. La communauté internationale espère sincèrement qu'elle a affaire à des représentants légitimes du peuple, démocratiquement élus. En même temps elle exerce une pression pour que ces mêmes représentants soutiennent une politique pour laquelle ils n'ont pas été élus. La plupart des gouvernements, surtout dans les démocraties, durent moins longtemps que la vie d'un homme ; leurs alliances sont moins stables que les mariages ; et pourtant on exige d'eux qu'ils prennent des décisions destinées à affecter irrévocablement le cours de la vie et le mariage. Les gouvernements démocratiques ne survivent que si les politiques qu'ils appliquent coïncident avec les attentes théoriques des électeurs.

Malheureusement, beaucoup de gouvernements n'ont pas été démocratiquement portés au pouvoir ; ils ne sont généralement pas élus par un consensus véritable de la majorité, mais représentent une minorité ou une coalition instable de plusieurs groupes minoritaires. Tels quels, ils doivent protéger et renforcer la base de leur pouvoir ; les seuls groupes qu'ils peuvent se permettre d'opprimer sont ceux qu'ils prétendent ne pas représenter : il est dans ces conditions inévitable que la politique démographique qui leur est imposée par la communauté internationale soit appliquée à des groupes qu'ils estiment pouvoir persécuter impunément. Il est évident que les mesures de limitation de la fécondité s'adresseront aux groupes impopulaires et impuissants, c'est-à-dire les réfugiés, les travailleurs sans qualification, les chômeurs, les minorités tribales.

Il n'est pratiquement aucun pays au monde qui n'héberge sur son sol un groupe dont le gouvernement ne puisse contrôler la fécondité sans s'aliéner le soutien de ses partisans. Il est alors surprenant et significatif que tant de pays refusent de reconnaître que leur croissance démographique est trop rapide. L'Angola, le Bénin, le Burundi, le Cap-Vert, le Congo, l'Ethiopie, la Guinée-Bissau, le Malawi, le Mali, la Mauritanie, le Mozambique, le

Niger, le Nigeria, la Somalie, le Soudan, la Tanzanie, le Togo, la Haute-Volta, le Zaïre et la Zambie en Afrique, le Brésil, le Canada, la Colombie, Cuba, l'Equateur, la Guyane, le Honduras, le Panama, le Paraguay, le Pérou, le Surinam, les Etats-Unis et le Venezuela en Amérique du Nord et Amérique du Sud, le Bhutan, la Birmanie, le Japon, la Corée du Nord et Singapour en Asie, le Koweït, le Liban, Oman, le Qatar, l'Arabie Saoudite, la Syrie, les Emirats arabes et les deux Yémens au Moyen-Orient, l'Australie, la Nouvelle-Zélande et l'U.R.S.S., l'Albanie, l'Autriche, la Belgique, la Tchécoslovaquie, le Danemark, la Finlande, la Hongrie, l'Irlande, l'Italie, Malte, les Pays-Bas, la Norvège, la Pologne, le Portugal, la Roumanie, l'Espagne, la Suède, la Suisse, le Royaume-Uni et la Yougoslavie, tous considèrent que leurs taux de croissance démographique est « acceptable », bien qu'il varie de 4,8 % par an au Koweït à ⁻ 0,1 % en Australie et au Royaume-Uni. Les seuls de cette liste à avoir refusé l'aide internationale du planning familial sont les pays les plus industrialisés et ceux qui se trouvent dans la zone d'influence soviétique, y compris la Tanzanie et Cuba[2].

Ce que les gouvernements considèrent comme un taux de croissance démographique « acceptable » n'est ni simple ni évident. Certains prétendent accepter un taux de natalité donné et n'avoir aucune idée de ce qu'il devrait être dans les principes. Ils ne sont vraisemblablement que trop conscients des différences de taux de natalité à l'intérieur même de leurs frontières, tels les Russes chez qui les citoyens européens se reproduisent beaucoup plus lentement que les Asiatiques. Dans tout pays peuplé de groupes de religion, race et langue différentes, où l'immigration, l'émigration, l'urbanisation et la multiplication des bidonvilles atteignent une situation critique, la tentation est grande d'interpréter ces problèmes en termes de taux de natalité.

Les gouvernements acceptent donc l'aide offerte dans le contexte d'un problème universel et l'appliquent à des populations délimitées à l'intérieur de leurs frontières, tout comme le fit Margaret Sanger lorsqu'elle ouvrit sa clinique à Brownsville. Le cartel démographique international juge naturel que les cliniques soient établies dans les quartiers les plus pauvres et surpeuplés, de même qu'il considérait encore récemment comme naturel qu'elles offrent les techniques contraceptives les plus sophistiquées à ceux qui avaient un besoin extrême des soins les plus simples pour traiter les maladies parasitaires, hypovitaminoses et carences en iode, diarrhées ou anémies, sans y voir une contradiction avec leurs idéaux humanitaires. Nous évoquons aujourd'hui avec embarras la période où les bidonvilles menaçaient d'envahir les belles villas des classes libérales et préférons oublier que des hommes et des femmes par ailleurs intelligents et sensibles se sont laissé gagner par l'idée de déraciner la classe laborieuse. En même temps, nous laissons le mythe de la surpopulation faire le jeu de semblables phobies dans des pays moins engagés dans la démocratie que ne l'était l'Europe à l'aube du fascisme. Il serait de bon augure pour la race humaine que soit rejetée par principe la manipulation des taux de reproduction par les pays qui considèrent leur propre taux de croissance « acceptable ». Mais ce n'est pas le cas.

Les activités du lobby démographique dans des pays où n'existe pas de politique précise pour modifier les tendances actuelles sont variées. Elles peuvent simplement préparer le terrain pour l'établissement de données démographiques fiables et détaillées, mais il est prouvé que ces études statistiques ont toujours pour but de poser les jalons d'une stratégie de contrôle démographique. Un démographe peut inculquer à ses élèves ce qu'il considère personnellement comme une évolution démographique satisfaisante. Il est peu probable qu'un démographe formé par la Ford Foundation ou le Population Council estimera avec le gouvernement de la Somalie qu'un taux de croissance de 3,7 % par an est acceptable, ou avec celui du Nigeria qui accuse une augmentation de 3,4 %.

Les programmes internationaux peuvent enseigner de nouvelles méthodes de limitation de la fécondité aux médecins et au personnel médical et fortifier ainsi le potentiel de contrôle administratif sur la régulation des naissances. L'effet ultime de ce type d'aide est la création d'une infrastructure liée à la profession médicale occidentale et aux laboratoires multinationaux. On peut faire carrière dans les programmes d'hygiène et de planning familial financés par l'étranger et même finir brillamment dans une des grandes tours de New York, Genève ou Paris. L'impact culturel de l'aide étrangère et les changements intervenus, même si nous les jugeons nécessaires, sont énormes. Ce qui peut nous sembler une organisation rationnelle peut devenir, dans des circonstances de pauvreté et d'improvisation sociale, une discipline excessive et inhumaine. Pendant des années, le lobby démographique a conseillé de substituer la charrette à bœuf à la Rolls en matière de soins médicaux, sans voir que le salaire d'un démographe débutant dans un programme d'aide à l'étranger peut égaler celui de cinq médecins[3].

Le Brésil affirme que sa poussée démographique suit son développement économique ; pourtant le Brésil a accepté l'aide plurilatérale de l'UNFPA, de l'O.N.U., de l'O.I.T. et de l'O.M.S., de la Pan American Health Organisation, et l'aide bilatérale de la Canadian Development Agency, ainsi que huit programmes financés par l'Association for Voluntary Association, un autre par Family Life et le Population Programme of the Church World Service, plus huit programmes réduits du Development Associates Incorporated. Le Brésil a accepté trois subventions du FPIA, quatre de la Fondation Ford, et une de la General Service Foundation, deux de l'International Committee on Applied Research in Population, trois de l'International Development Research Centre, une de l'International Fertility Research Programme, une du JOICFP, trois de l'OXFAM, sept du Pathfinder Fund, huit du Population Council, quatre de la Fondation Rockefeller et trois des World Neighbours. L'IPPF subventionne la Sociedade Civil de Bem Estar Familiar no Brasil à raison de 3,5 millions de dollars par an ; les autres aides annuelles sont estimées à 7 millions de dollars par an. Il existe des programmes de toutes sortes, services de santé au niveau de la famille à Rio de Janeiro (UNFPA), amélioration du planning régional dans l'Etat de Maranhao (O.N.U.), développement d'un modèle de simulation démographique économique à moyen et long terme basé sur le modèle BACHUE (O.I.T.)[4].

En 1980-81, l'O.M.S. a subventionné des études sur l'acceptabilité et l'efficacité des contraceptifs oraux et injectables et des dispositifs intra-utérins. Elle a également subventionné des recherches sur le développement de nouveaux dispositifs intra-utérins et d'anneaux contraceptifs intravaginaux, et sur les causes de la stérilité[5].

Les anneaux intravaginaux ont été testés non seulement au Brésil, mais aussi au Chili, en Colombie, à Cuba, en république Dominicaine, en Inde, au Mexique, en Corée du Sud, et dans certains pays en voie de développement. L'anneau offre l'avantage de supprimer l'ingestion de stéroïdes. Le stéroïde devrait agir directement sur le système utérin, donc éviter la voie orale et l'accumulation indésirable de stéroïdes dans des zones étrangères au système reproducteur. Si les anneaux sont parfaitement tolérés et n'ont pas d'effets contre-indiqués sur la structure vaginale, ils représentent à coup sûr une amélioration sur la contraception chimique. La seule façon de les tester est de les utiliser sur des sujets humains. Les féministes contesteront probablement des essais cliniques pratiqués sur des femmes peu instruites, mais l'anneau vaginal possède selon elles un énorme avantage : la femme peut l'enlever quand elle le désire.

Tout ce qui diminue la dose de stéroïdes et évite une médication systématique doit être bienvenu, mais lorsque nous lisons que dans certains tests les anneaux se sont rompus, provoquant des lacérations et l'écoulement d'une trop grande quantité de stéroïdes, et que certains prescrivent le DMPA, nous aurions préféré que certains de ces tests fussent pratiqués sur des patientes privilégiées. L'un des aspects de l'anneau intravaginal est embarrassant. Mis en place en exerçant une pression sur la paroi vaginale, l'anneau en lui-même paraît encombrant; des implants à effet retard auraient plus ou moins la même fonction (bien que nécessitant une aide médicale pour les ôter) et seraient moins perceptibles. Il semble peu probable que Dow-Corning ait besoin d'un débouché supplémentaire pour ses silastics. On pourrait essayer d'autres formes ; on pourrait même envisager une cape cervicale imprégnée de stéroïde. Pour diverses raisons, la recherche s'est limitée à l'anneau intravaginal[6].

Avec 118,1 millions d'habitants, une croissance de 0,6 % par an et une moyenne de 1,8 enfant par femme, le Japon affirme avoir un taux de croissance satisfaisant et ne recevoir aucune aide internationale à l'intérieur de ses frontières. Avant l'époque Meiji durant laquelle on vit le Japon se moderniser, s'industrialiser et développer sa politique expansionniste, la population japonaise resta dans les limites imposées par la géographie de l'archipel, en partie grâce à l'infanticide, qualifié du terme horticole *mabiki*, ou « élagage »[7]. Dans les cent ans qui s'écoulèrent entre le premier et le deuxième recensement, la population demeura stable à 26 millions. Les mesures antinatalistes persistaient grâce au retour périodique de l'année de *Hinoeuma*, l'année du Cheval-Feu, pendant laquelle aucun enfant ne devait naître : la pyramide des âges au Japon montre un seul creux pour 1966, la dernière année du Cheval-Feu[8]. A la fin de la guerre, le contrôle des naissances restait toujours illégal au Japon. « Celui qui préconisait la contraception risquait la prison à perpétuité[9]. » Etant donné la pénurie de logements, de travail et de vivres, il fallait à tout prix éviter les naissances. Le Dr Ogino chercha à déterminer la date exacte de l'ovulation pour établir une période d'abstinence la plus sûre, tandis que les anneaux d'Ota et les DIU des années 30 étaient vraisemblablement encore utilisés par une minorité. La majorité des pauvres avaient recours à l'avortement. La Eugenic Protection Law de 1948 reconnut un nombre de terrains favorables à l'avortement légal, y compris la lèpre (!) mais cette autorisation officielle limitée eut surtout pour avantage de permettre aux étudiants en médecine d'apprendre les meilleures méthodes.

En 1947, le taux de natalité du Japon était de 34,3 pour 1 000 ; dix ans plus tard, il avait diminué de moitié, grâce à l'avortement illégal (non enregistré) et à l'avortement légal (enregistré). Préférant ne pas déclarer l'intégralité de ses revenus, la profession médicale se montra complice de la pratique illégale. Néanmoins, en 1967, on pratiqua 1,17 million d'avortements légaux au Japon, et probablement autant d'illégaux. Lorsque l'infirmière Miyoshi Oba se rendit dans le village de Takaho, le nombre des avortements pratiqués en un an était deux fois et demie celui des naissances. Certaines de ses patientes avaient été jusqu'à avorter cinq fois dans une seule année. Miyoshi Oba surveilla les femmes qui se rendaient au village voisin dans leur costume de cérémonie ; à leur retour, elle leur proposait de les soulager dans leur travail, afin de leur permettre de prendre un peu de repos. Gagnant ainsi peu à peu la confiance des villageoises, elle fonda le Club des Canards mandarins, du nom de ces oiseaux réputés pour leur long et heureux accouplement. Le propos du club était de répandre l'information sur la contraception, tout en combattant les effets de l'alcoolisme et de l'avortement répété. Elle-même célibataire, l'infirmière Oba commença à distribuer des préservatifs à 50 yens la douzaine. Les villageois ne mirent pas longtemps à accepter les préservatifs et à participer aux efforts que fit Miyoshi Oba pour éclairer et ventiler les habitations, trouver de l'eau potable et contrôler les maladies parasitaires. En 1954, il y eut 56 avortements ; en 1955, ce chiffre était descendu à 32 ; en 1960, on n'en compta que deux[10].

La tradition du vendeur de médicaments à domicile est l'une des pratiques japonaises qui se prête le mieux à la distribution communautaire de la contraception. Le vendeur laisse une boîte contenant tous les médicaments nécessaires pour une période de six mois ; au bout des six mois, il revient remplir la boîte et recevoir le paiement des produits utilisés. L'Association japonaise pour le planning familial, établie en 1955, distribua des condoms dans des boîtes qui circulaient de maison en maison dans les villages. Les couples prenaient ce dont ils avaient besoin et laissaient le paiement en échange ; ainsi la pression du groupe s'exerçait-elle d'une manière subtile et l'intimité restait apparemment respectée[11]. Le condom est encore la méthode préférée au Japon ; plus de 80 % des couples l'utilisent, faisant des Japonais le quart des utilisateurs de tous les condoms dans le monde ; bien que le DIU soit légal depuis 1974, seulement 8,3 % des femmes qui pratiquent la contraception l'utilisent.

Les stéroïdes contraceptifs oraux ne sont pas légaux au Japon, même si on les prescrit à une faible proportion de femmes en cas de règles irrégulières. On pourrait expliquer ce phénomène par le fait que la profession médicale a su protéger l'énorme source de revenus dérivés de l'avortement en bloquant la légalisation des autres méthodes, mais rien n'indique réellement que les Japonais trouvent la situation actuelle intolérable. Si la plupart des couples japonais pratiquent la contraception lorsqu'ils jugent la taille de leur famille suffisante, à peine plus de 1 % d'entre eux acceptent la stérilisation[12] : les médecins contrôlent les demandes de stérilisation, mais rien ne montre l'existence d'une tendance à se faire stériliser pour le même prix qu'un avortement. Apparemment, ils ne ressentent pas les mêmes besoins que nous. Et ainsi, pendant que le Japon exporte des stéroïdes contraceptifs à 15 pays, 600 000 Japonaises subissent annuellement des avortements légaux et autant d'illégaux. Plusieurs d'entre elles vont prier dans les temples de Jizo pour l'âme de l'enfant qui n'est pas né. Insondable, l'establishment japonais refuse d'expliquer le phénomène :

> Pour ce qui est de l'expérience et des méthodes d'avortement, le Japon est un pays développé et les Etats-Unis sont encore un pays en voie de développement[13],

répliqua le D\u1d63 Shiro Sugiyama en 1978, à l'allusion que le Japonais prouve sa virilité dans la souffrance de la femme.

Personne n'est prêt à intervenir au Japon pour imposer des programmes internationaux qui encouragent la vente des contraceptifs oraux et la stérilisation (bien que le terrain physiologique s'y prête probablement), en premier lieu parce que les Japonais ne sont pas prêts à l'accepter, ensuite parce que le Japon est une nation trop riche pour être sujette aux menaces ou aux marchandages, et ensuite parce que personne ne s'intéresse suffisamment à l'état de santé de la femme. Si le taux de natalité était élevé ou en hausse, ce serait un prétexte pour s'intéresser à la santé des Japonaises ; comme il est bas et qu'il décroît, ce subterfuge n'est pas nécessaire[14].

Si c'est « le peuple et non le gouvernement qui a pris la décision de réduire la taille de la famille », le gouvernement japonais pratique aujourd'hui un impérialisme négatif en s'intéressant au planning familial à l'étranger. Remplaçant la défunte Overseas Technical Cooperation Agency (OTCA), la Japan International Cooperation Agency (JICA) fut créée en 1974 pour attribuer des bourses, envoyer des experts aux pays en voie de développement, fournir les matériaux, aider le développement agricole, et administrer la coopération médicale.

> Le gouvernement japonais a conclu son premier accord d'aide bilatérale à la planification familiale avec le gouvernement indonésien en 1969, qui devait être exécuté dans le cadre du programme indonésien de cinq ans. L'aide fut mise en œuvre par le Medical Cooperation Department de l'OTCA et comprit la fourniture de bicyclettes, motos, contraceptifs, instruments chirurgicaux, équipements audiovisuels, etc., à l'Indonesian Family Planning Coordinating Board. La JICA s'intéresse en premier lieu aux pays d'Asie et aux programmes de planification familiale associés aux programmes MCH. En 1980, par exemple, la JICA fut responsable du renforcement et de l'expansion de l'aide japonaise au Bangladesh, à l'Indonésie, aux Philippines et à la Thaïlande.

Deux autres organisations gouvernementales attachées au ministère de la Santé du Japon, l'Institut des questions démographiques et l'Institut de la santé publique, sont impliquées dans les programmes démographiques d'autres pays d'Asie. Cependant, la coopération la plus importante au planning familial et aux programmes MCH dans les pays en voie de développement vient de la Japanese Organisation for International Cooperation in Family Planning Inc.(JOICFP), fondée en 1968 par « des experts du planning familial japonais et des dirigeants politiques, des hommes d'affaires et des intellectuels », et subventionnée en 1982 par « les milieux d'affaires japonais » sur la base de 8,3 millions de dollars.

> Le programme intégré de planning familial, nutrition et lutte contre les parasites est l'une des activités principales de la JOICFP. Il a été mené dans plusieurs pays en Asie et en Amérique latine en collaboration avec l'IPPF depuis 1976 sur une base expérimentale. En 1976, l'Indonésie, la république de Corée, les Philippines et la Thaïlande étaient les premiers à adopter le programme ; puis vinrent la Malaisie et la Colombie en 1978, le Népal, le Brésil, le Mexique et le Bangladesh en 1979 et Sri Lanka en 1980[15].

La JOICFP sut mieux interpréter la psychologie des pays en voie de développement que ses prédécesseurs et associa la limitation de la fécondité à deux avantages concrets et faciles à atteindre : une meilleure nutrition des enfants et la lutte contre les parasites. Cette triple approche s'intégra dans l'orthodoxie du planning familial, mais il est à craindre qu'elle soit déjà mal interprétée et mal appliquée. Comme dans tout pays qui connaît un accroissement démographique de moins de 1 %, les petites familles sont devenues la norme au Japon, sans assistance ni encouragement officiel. Comme les planificateurs de la famille occidentaux, la JOICFP traite les bénéficiaires de l'aide comme s'ils partageaient le même système de valeurs ; la différence dans leur cas est qu'ils sont plus près d'avoir raison.

Si les « milieux d'affaires » japonais investissent dans le planning familial chez leurs voisins moins développés du Pacifique, c'est qu'ils en attendent quelque chose en retour. Moins occupés à engendrer des enfants, ces pays devraient développer un pouvoir d'achat plus important. Sony, Hitachi et Mitsubishi sont probablement tout autant convaincus que la vie est bien plus douce avec des jeux vidéo et des appareils stéréo, et leurs activités dans le planning familial partent à leurs yeux d'un grand altruisme. Une autre forme d'hypocrisie consiste à affirmer qu'en aidant les pauvres à limiter leur fécondité (c'est-à-dire en les y forçant), on limitera le coût de l'aide à l'avenir, comme si les nations nanties gardaient les nations pauvres en vie, alors qu'en réalité elles les gardent pauvres. Pourquoi les programmes démographiques financés par les capitalistes n'avoueraient-ils pas qu'ils cherchent à étendre leur marché ? Leurs destinataires ne leur en voudraient sans doute pas, car eux aussi aiment avoir des jouets modernes. Mais, au lieu de cela, nous restons enfermés dans la vieille rhétorique du premier mouvement de la limitation des naissances, à savoir qu'un million de dollars investi dans le planning familial fait plus pour réduire la misère humaine qu'un million de dollars investi dans des projets humanitaires.

La classe des assistés qui effrayait tant les premiers malthusiens existe toujours, même si elle a presque disparu de nos sociétés ; elle s'est simplement retirée au-delà de nos frontières. En prenant le planning familial en main, les gouvernements firent preuve d'une bonne dose d'insensibilité. Lorsque le Sénat américain vota le Family Planning Services and Population Research Act en 1970, allouant 382 millions de dollars pour les trois années suivantes, il tira ses données de la Planned Parenthood Federation of America, mais ne consulta pas un seul représentant des pays auxquels étaient destinées ces sommes, soit une population de cinq millions d'individus, des femmes bien entendu. Chercher à savoir si les femmes pauvres avaient formulé ou ressenti le besoin de ce qu'on leur offrait était tout simplement hors de propos. C'était à quelqu'un d'autre de le leur faire accepter. La loi fut adoptée grâce à la signature du célèbre champion de la femme, Richard M. Nixon[16].

Même alors, le soutien de Nixon ne satisfit pas les malthusiens radicaux. Ils voulaient des chiffres, un plafond pour la population optimale de l'Amérique, et la promesse concrète de les respecter. Si les gouvernements, influencés par de puissants groupes de pression, peuvent montrer une telle insensibilité envers leurs propres citoyens, alors qu'il leur suffirait d'une minute de réflexion pour s'apercevoir qu'ils risquent de s'aliéner ceux mêmes dont ils espèrent modifier le comportement, il est inévitable qu'ils se montreront tout aussi insensibles envers les étrangers. Le hasard voulut que les défenseurs de l'aide étrangère au planning familial fussent les mêmes que ceux qui encouragèrent l'aide fédérale à ce même mouvement. La carrière d'Oscar Harkavy est typique en ce sens. A la tête de la Fondation Ford, pressé par les administrateurs, il inclut un programme démographique dans le champ d'activités de la Fondation. Pendant vingt ans, Harkavy administra des programmes démographiques à l'intérieur du pays et à l'étranger. Il fut l'un des auteurs du rapport interministériel qui recommandait l'incorporation d'un service démographique au Department of Health, Education and Welfare en 1967, et dépensa par ailleurs 26 millions de dollars pour une étude démographique à l'étranger. Comme d'habitude, c'est l'Inde qui fut l'objet principal de cette étude.

> Le travail de Ford en Inde devint un programme pilote de l'aide étrangère et un terrain d'étude pour les principales figures du monde démographe. Il devint aussi une source de discorde en Inde et finalement à l'intérieur de l'organisation elle-même[17].

La Fondation Ford avait commencé à agir en Inde en 1951, mais elle ne reçut pas l'appui prévu. Nehru répugnait à laisser des étrangers envahir un domaine aussi sensible, si peu de temps après que les Indiens se furent débarrassés des Anglais. En outre, la limitation des naissances n'était pas une nouveauté pour l'élite indienne.

En 1930, le maharaja de Mysore ouvrit des consultations dans trois hôpitaux qui fournissaient diaphragmes, « pessaires japonais », crèmes, mousses, éponges, et gratuitement, pour les patients les plus pauvres, du vinaigre dilué sur un tampon stérilisé. La première vasectomie fut pratiquée par le Dr D. N. Nadkarni, à l'hôpital Sassoon de Poona, sur lui-même. Aucune de ces initiatives ne s'étendit. Plus tard, le Royaume-Uni fit parvenir 318 services de consultation mobiles[18]. Pendant la Seconde Guerre mondiale et les séparations qui l'accompagnèrent, le planning familial disparut de la conscience même des Indiens progressistes, mais l'Inde suscitait l'attention des champions occidentaux de la félicité conjugale, bien avant son indépendance. Les Anglais, bien aises de l'assistance que l'élite masculine indienne leur avait apportée durant toutes leurs guerres depuis le dix-huitième et le dix-neuvième siècle, n'auraient pas jugé convenable de déclarer qu'il y avait trop d'Indiens au monde.

Mais Margaret Sanger, militante « intrépide » pour les droits des autres, accourut là où les Anglais ne voulaient pas mettre les pieds. Invitée par lady Rama Rau à participer au Congrès féminin panindien en 1935, elle interpréta cette invitation comme un mandat du ciel pour convertir toutes les Indiennes à la cape cervicale, et fut extrêmement dépitée en constatant que personne ne voulait en entendre parler, même parmi les congressistes. Elle partit à la conquête de Gandhi, et tomba sur un homme totalement insensible à ses arguments. Etant donné qu'elle n'avait aucune proposition concrète à faire, à part désigner les cotonniers et les citronniers pour prouver que Dieu nous a donné les moyens de la contraception (par ailleurs inefficaces), il est préférable que Gandhi soit resté insensible à son charisme. En fait, il la trouva grinçante, ridicule et sans aucune sensibilité. Il ne vint pas à l'esprit de Sanger que le mahatma connaissait la culture anglo-saxonne sans doute beaucoup mieux qu'elle, et qu'il l'avait rejetée ainsi que ses valeurs sexuelles[19].

Un Hindou, marié à une Américaine, et qui avait fait fortune dans le commerce des souvenirs à Hawaii, pensait comme Sanger que l'Inde était le détonateur de l'explosion démographique. Avec sa femme, il créa ce qui fut ensuite appelé la Fondation Watumull à des fins philanthropiques ; après un séjour en Inde, Ellen Watumull prit contact avec Margaret Sanger et lui demanda d'organiser une conférence internationale sur la limitation des naissances à Bombay.

> A nouveau dans son élément, elle se mit immédiatement au travail. Elle écrivit à lady Rama Rau, proposa conférenciers et délégués ; commanda du papier à en-tête spécial : *India World Conference, Margaret Sanger, World President*. Elle procura l'argent du voyage aux délégués qui n'en avaient pas et trouva même des secrétaires pour lady Rama Rau. L'argent étant le problème crucial, elle ne dédaigna aucune donation, aussi minime soit-elle, et obtint ainsi 16 000 dollars de ses seuls amis de Tucson[20].

Quelles que fussent les sommes obtenues par Sanger et dépensées par les Watumull, le budget initial de l'International Planned Parenthood Federation ne dépassait pas 5 000 dollars : dès le début, les congrès coûteux, les frais élevés de direction, d'étude et de structure devinrent la règle. De nos jours, le secrétariat coûte un quart du budget total ; seule une petite proportion des trois quarts restants est investie dans le planning familial même. Il semble raisonnable de ne pas commencer à réduire une population avant de savoir à combien elle s'élève exactement et quelle est la progression prévue. Lorsque les méthodes de saisie, de tri, de prévision et de corrélation sont elles-mêmes discutables et sujettes à des révisions constantes, lorsque les informations recueillies sont en grande partie périmées et inutilisables pour ceux qui travaillent sur le terrain, il semblerait plus raisonnable de satisfaire les besoins tels qu'ils se présentent avant de les répertorier et de confier l'évaluation de l'efficacité des méthodes employées à une organisation extérieure. Plusieurs agences internationales entreprennent des études démographiques qui se recoupent, ce qui a rendu nécessaire une multitude d'organismes de coordination qui tiennent toujours davantage de conférences dans des endroits de plus en plus exotiques. Résultats de cette activité débordante : des carrières spectaculaires pour les quelques élus qui surent se trouver là au bon moment, une énorme industrie d'études démographiques et une masse de données incompatibles exprimées dans un jargon incompréhensible[21].

L'une des sommités invitées à la demande de Margaret Sanger à la conférence de Bombay fut son vieux camarade eugéniste, C. P. Blacker, qui suggéra la division de la Fédération internationale en régions : Europe, Asie et Amériques. Le bureau central de L'International Planned Parenthood Federation se retrouva à la même adresse que celui de la Société eugénique, sur Eccleston Square. Alors que Sanger prêchait la félicité conjugale, la véritable raison d'être de l'IPPF était le contrôle démographique. Tant que ceux dont la tâche principale était d'alléger les souffrances des hommes et des femmes sur le terrain pouvaient ne tenir aucun compte des résultats attendus par l'administration, la schizophrénie de l'organisation n'était pas gênante. Les anciens eugénistes avaient pour objectif les immmigrés et les pauvres. Les nouveaux crypto-eugénistes allaient simplement un peu plus loin et orientaient leurs activités philanthropiques vers des cibles étrangères. Leur démarche n'avait guère changé.

> Il n'est pas douteux à nos yeux qu'un mari et son épouse vivant dans des conditions sordides, et ayant déjà plusieurs enfants élevés avec difficulté, doivent être considérés comme hors d'état d'en avoir d'autres. Or, plusieurs de ces parents continuent à procréer un nombre excessif d'enfants, parce que, indifférents ou ignorants, ils laissent faire la nature.
>
> Pour combattre cette situation, les eugénistes préconisent la diffusion de l'information sur la limitation des naissances[22]...

Ainsi furent exprimés les principes fondamentaux du mouvement international du planning familial. Ceux qui vivent dans des conditions sordides (les pauvres), qui sont ignorants (les analphabètes), et qui ont des enfants élevés avec difficulté (c'est-à-dire mal nourris, mal vêtus, maladifs et peu instruits), ne devraient pas être parents ; ils sont parents par ignorance et passivité, et mettent au monde des enfants non désirés. Telle est la mentalité de ceux qui croient dans l'occulte « besoin insatisfait » ; trente ans d'informations sur la limitation des naissances et de discussions acharnées sur les moyens contraceptifs n'ont pas réussi à révéler ne serait-ce que la partie émergée du besoin. La nouvelle version de la théorie classique veut que, chez la femme, les besoins insatisfaits restent intériorisés, la tyrannie de l'homme l'empêchant de les exprimer. Ainsi, avec les laparoscopies, les DIU, les implants en silastic et les anneaux intravaginaux, exportons-nous le sexisme.

Pendant dix ans, l'IPPF demeura une organisation peu importante. On doit probablement aux efforts d'Hugh Moore le choix de l'IPPF par les institutions qui, cherchant des agences pour mettre en œuvre leur politique internationale de limitation des naissances, s'adressèrent à l'IPPF. Le directeur du Hugh Moore Fund, Tom Griessemer, fut détaché à l'IPPF, devint secrétaire pour les pays de l'hémisphère occidental et l'un des éléments moteurs du mouvement[23]. Hugh Moore fournit le personnel de cette section et assura la vice-présidence du directoire de l'IPPF à partir de 1962. Lorsque le Population Crisis Committee devint le Planned Parenthood World Population, le général Draper et Lamo DuPont Copeland assurèrent les fonctions de vice-présidents ainsi que Cass Canfield. Aujourd'hui, la plus grande partie des fonds de l'IPPF vient de l'US Agency for International Development, ainsi que de contributions d'organisations membres (les associations nationales de planning familial), des Fondations Ford et Rockefeller, et de la Banque mondiale, entre autres. Au conseil siègent les représentants de DuPont Chemical, Chemical Bank de New

York, US Sugar Corporation, General Motors, Chase Manhattan Bank, Newmont Mining, International Nickel, Marconi-RCA, Gulf Oil.

> Les subventions budgétaires de l'IPPF, actuellement autour de 50 millions de dollars par an, viennent de citoyens privés, de fondations internationales, aussi bien que des gouvernements. En 1980, les dépenses s'élevèrent à 49 millions de dollars. En 1980, 59 associations nationales du planning familial reçurent des subventions de plus de 100 000 dollars chacune pour réaliser divers programmes liés au planning familial et à la population. Beaucoup de pays reçurent des subventions moins importantes[24].

La Family Planning Association of India est encore l'un des principaux destinataires du soutien de l'IPPF. La subvention prévue pour 1982 était de 2 782 600 dollars ; mais la FPAI n'a distribué ses services qu'à 138 502 nouveaux bénéficiaires et à 218 104 accepteurs permanents en 1980. La plus grande partie du budget n'est pas attribuée aux cliniques et aux unités mobiles mais « au développement de nouvelles approches et stratégies destinées à promouvoir et accélérer le planning familial particulièrement dans les régions rurales, pour intégrer le planning familial dans d'autres branches de développement en collaboration avec d'autres agences, y compris le gouvernement[24] ». Aucun de ces projets ne semble donner une réponse au « besoin insatisfait ». En Inde, les agences de planning familial ont découvert qu'elles devaient créer le besoin insatisfait en changeant l'ensemble des priorités culturelles, en transformant, si je puis dire, une population sans pouvoir d'achat en matérialistes qui ne ne tirent plus aucune joie d'enfants aussi pauvres qu'eux-mêmes. De tels changements sont possibles : si nous parvenons à persuader les individus de consacrer une part considérable de leurs minuscules revenus à acheter du Coca-Cola, ou à utiliser des aliments tout préparés pour bébés au lieu de leur donner le sein, nous pourrons aussi bien les convaincre d'accepter les préservatifs et les stéroïdes.

La FPAI possède un avantage considérable sur les autres organisations qui s'efforcent de limiter la poussée démographique en Inde ; elle est indienne. Si les organisations d'aide étrangères avaient choisi de travailler par l'intermédiaire de la FPAI, elles auraient évité leurs erreurs les plus coûteuses. D'autre part, dans une certaine mesure, la FPAI ne dépend pas de la politique du gouvernement indien. Instituée alors que le gouvernement refusait de reconnaître l'existence d'un problème démographique, elle est maintenant capable de prendre un certain recul et a su garder ses priorités et son prestige intacts après l'état d'ugence. Si quelques secteurs publics estiment que la FPAI est aux mains des brahmanes — « même les chauffeurs sont des brahmanes », m'a-t-on dit à Karnataka, ce qui était exact — c'est l'une des seules organisations qui sache comment promouvoir des programmes face aux situations les plus délicates et comment gagner la confiance, l'affection et la coopération des gens sans avoir rien à leur donner. Avec la confiance, l'affection et la coopération, vous pouvez obtenir une latrine, ou un potager autour du centre médico-social, mais vous ne parvenez pas nécessairement à faire baisser le taux de natalité.

La première tentative internationale du planning familial en Inde fut l'expérience Khanna, organisée par l'université Harvard, le Service public de santé des Etats-Unis et le Population Council, avec la coopération du gouvernement indien, du Christian Medical College de Ludhiana et de l'Indian Council of Medical Research. Les objectifs étaient les suivants :

> Déterminer si les couples en milieu rural pouvaient pratiquer une méthode de contraception d'une manière suffisamment continue pour réduire le taux d'accroissement de la population. Le but était d'augmenter l'acceptabilité et l'efficacité des contraceptifs afin de réduire le taux de natalité de 40 à 35 naissances annuelles pour mille[26].

Cette déclaration dénote une certaine ambiguïté. Au lieu de chercher si « les couples... pouvaient », on aurait dû déterminer si « les couples... voulaient », et ne jamais tenter l'expérience sans avoir obtenu de meilleurs contraceptifs que ceux qui étaient offerts. On ne pouvait guère s'attendre à ce que se développent des méthodes plus efficaces au cours de l'expérience. Le milieu diagnostiqué comme souffrant de la pression démographique n'en souffrait pas. Les méthodes pratiquées pour convaincre une population beaucoup plus évoluée et méfiante qu'on ne le soupçonnait montrèrent si peu d'efficacité que l'usage de la contraception était plus élevé dans les villages témoins que dans la zone test après sept ans d'études et un budget de 197 000 roupies[27].

Le programme Singur dirigé par le All-India Institute of Hygiene and Public Health de 1954 à 1965 connut un peu plus de succès : le taux de natalité dans la zone test diminua deux fois plus vite que dans les villages témoins, bien que l'action fût menée sans offrir de méthodes nouvelles ou fiables, et par des étrangers[28]. Au début du programme, le soutien du gouvernement fut insignifiant. Les services de l'état civil dans leur rapport sur le recensement en 1951 avaient fait remarquer que la croissance économique baisserait avec l'accroissement de la population, mais Nehru, peu convaincu de l'urgence du problème, alloua un très petit budget au planning familial dans le plan quinquennal 1951-1956. En réalité, le gouvernement n'était pas assez fort pour promouvoir une politique qui soulèverait une opposition passionnée. Aucun autre pays n'avait une politique de réduction du taux de natalité. L'Inde, avec son passé de rivalité entre ses communautés et de résistance passive, n'était pas prête à accepter des programmes de limitation des naissances en masse, même si le mode de vie de ses habitants, dont la majorité ne connaissait pas l'eau courante, avait pu être adapté aux capes cervicales, mousses, gelées, insufflateurs, douches vaginales et tous les autres moyens inefficaces de contraception des années 50[29]. Pourtant, l'encouragement de la planification familiale commença à se faire sentir dans le gouvernement de Nehru, particulièrement de la part du ministre de l'Agriculture, Subramaniam, et d'Asoka Mehta, commissaire au Plan.

En 1959, le gouvernement indien mit sur pied une organisation d'agents recruteurs chargés de faire accepter la vasectomie dans l'Etat de Madras à raison d'une prime de 10 roupies pour chaque candidat. D'autres primes récompensaient le candidat ou le panchayat du village. Le système fut critiqué, les démarcheurs donnaient une fausse idée de l'opération, choisissaient des candidats inacceptables et escroquaient les bénéficiaires de leurs primes. Le système de primes fut arrêté, le nombre de candidats diminua, mais le gouvernement avait expérimenté la façon la plus rentable d'éviter les naissances[30]. Madras servit de test à la grande compagne de 1975-1977.

Le plus grand problème pour le planning familial indien était la « faible motivation des accepteurs », ou, soyons francs, le fait que les pauvres ne désiraient pas limiter leurs familles. Au mieux, les parents étaient indécis ; si une méthode contraceptive s'avérait douloureuse, malcommode ou gênante, ou si elle demandait un minimum d'initiative, elle était tout simplement abandonnée. Les étrangers attribuaient en général cette attitude au fatalisme hindou ou à la passivité, alors que le problème était beaucoup plus complexe, et comprenait une bonne part de méfiance et de résistance. Il est d'autant plus regrettable que la boucle de Lippes ait été choisie comme méthode préventive.

Un DIU est bien adapté aux conditions indiennes s'il est invisible et reste *in situ* en permanence, ne demande aucun rituel avant de se coucher, ne peut être ôté ou abîmé par certaines personnes dans l'entourage de l'utilisatrice, comme les maris ou les belles-mères, et ne nécessite pas d'être entreposé dans un endroit hygiénique. A d'autres égards, la boucle de Lippes est mal adaptée aux conditions indiennes : elle peut provoquer des infections parfois fatales dans ce contexte, des saignements qui affaiblissent gravement l'état de santé d'une femme dont l'alimentation contient peu de protéines et de fer, et ne devrait pas être insérée sans la possibilité d'une surveillance prolongée. Le dispositif fut promu en Inde avec si peu de réflexion qu'il est maintenant complètement déconsidéré. D'autre part, il est possible que le dispositif lui-même ait été responsable de certains problèmes, car le Copper-T est aujourd'hui bien mieux toléré en Inde que ne le fut jamais la boucle de Lippes[31]. Etant donné qu'aucune étude systématique ne fut menée sur les femmes qui acceptèrent le dispositif, nous ne pouvons l'affirmer.

> Une campagne pour promouvoir les dispositifs intra-utérins (DIU) fut lancée en 1965. Le manque d'organisation, l'absence de suivi entraînèrent une publicité défavorable dans la zone test et le programme DIU fut virtuellement interrompu[32]...

Carol Vlasoff s'inquiète de la publicité défavorable pour le planning familial et non de la souffrance humaine et du fait que les motivations humanitaires des planificateurs sont trompeuses. Dans cet échec, elle ne voit qu'un handicap pour ceux qui font carrière dans la limitation des naissances. La littérature du planning familial démontre bien souvent ce genre d'attitude. Ailleurs, Vlasoff fait allusion à la réalité qui provoqua cette publicité embarrassante :

> De toutes celles qui avaient essayé le DIU, presque la moitié avait cessé de l'utiliser avant la fin de la première année. La raison principale en était les problèmes de santé, en particulier les saignements. Une femme se plaignit que le DIU avait pénétré dans son estomac ; une autre avait dû attendre un an avant qu'une infirmière lui ôtât son dispositif ; d'autres, par ailleurs sastisfaites, abandonnèrent le programme par peur d'avoir à attendre aussi longtemps[33].

J'ignore ce qu'est censée dire une paysanne lorsqu'elle croit que son stérilet s'est déplacé et a pénétré dans son estomac, surtout après avoir entendu des médecins utiliser le mot « tummy » pour « abdomen » en s'adressant à des Anglaises instruites. Le ton du compte-rendu est faussement pertinent, la faute est attribuée à l'ignorance des patientes, à l'infirmière du centre médico-social (qui prenait en charge environ 40 000 patientes) et aux autorités du Maharashtra. Nous ne saurons pas qui a fourni les boucles, qui les réclamait et comment était structuré le financement du programme. Si une organisation d'aide internationale était prête à financer l'insertion et non le suivi, et s'il était admis que le DIU apportait la solution immédiate aux problèmes d'intervalles entre les naissances et réduisait la nécessité du suivi, le gouvernement du Maharashtra n'est pas seul responsable d'un gâchis tel que huit ans plus tard on devait appeler le Copper-T « papillon » pour le distinguer de la boucle de Lippes et du DIU en général.

Les stéroïdes oraux ne furent jamais promus avec autant d'enthousiasme que les DIU, pour la seule raison que les fournisseurs étrangers de contraceptifs estimaient l'Indienne moyenne trop idiote et désorganisée pour les prendre. En 1968, l'Humanity Association et le Pathfinder Fund lancèrent un programme d'étude sur l'acceptabilité des contraceptifs oraux, dirigé par le richissime Clarence Gamble, dans le quartier de Howrah à Calcutta. Bien que deux campagnes aient à peine suffi à convaincre moins d'un tiers des femmes des bidonvilles à accepter la pilule et qu'un tiers de ces dernières l'aient utilisée encore dix-huit mois plus tard, l'expérience fut jugée positive, prouvant que les femmes analphabètes étaient capables de prendre la pilule et pouvaient y être incitées[34].

En 1967, *Central Calling* annonça un projet pilote financé par USAID pour distribuer dans chaque Etat cinq à dix mille cycles d'une pilule contraceptive contenant 1 mg de diacétate d'étynodiol, plus du mestranol. Etant donné l'échelle du projet, il est étonnant que l'on ait recueilli si peu d'informations. Le dosage semble excessivement élevé pour des femmes d'un poids au-dessous de la moyenne ; le moment choisi pourrait indiquer qu'il s'agissait de pilules périmées[35]. De telles pratiques discréditèrent la contraception orale en Inde très vite après la boucle de Lippes. Les symptômes décrits par Karan Singh pourraient être associés à un dosage trop fort d'œstrogènes :

> Encore récemment, on a utilisé les pilules dans le programme du planning familial à l'échelle expérimentale... 75 % des femmes l'abandonnèrent, à cause d'effets secondaires tels que les nausées et les saignements[36]...

Avoir risqué de discréditer la contraception orale en Inde en négligeant d'ajuster les dosages au poids et à l'état nutritionnel semble criminel, mais on peut y voir une intention à demi formulée de compenser, en surdosant, l'irrégularité de la prise de la pilule.

Comme le fait remarquer Donald Warwick,

> L'Inde a été le terrain d'expérimentation de la limitation des naissances. Presque toutes les innovations, depuis les primes pour les femmes qui travaillaient dans les plantations de thé jusqu'à l'installation de cabines de stérilisation dans les gares, ont été tentées, applaudies et rejetées. Le pays fut alternativement le favori et le délaissé des donateurs, tour à tour modèle à imiter, modèle à proscrire... Pourtant, en dépit des énormes investissements consentis et des innombrables politiques expérimentées, la planification familiale n'a pas pris en Inde[37].

On continue à offrir des primes aux femmes qui travaillent sur les plantations de thé et dans de nombreuses entreprises privées. Les ouvrières de Glendale, Bengorm et Parkside sont payées 5 roupies de plus par mois lorsqu'elles ne sont pas enceintes ; 90 % des femmes participèrent au projet, mais sur 919, 505 n'utilisèrent aucune méthode de contraception préconisée par les responsables. Les trois quarts des femmes qui acceptèrent une méthode moderne choisirent la stérilisation[38].

Que les femmes motivées des plantations de thé du sud de l'Inde n'aient eu nul besoin de méthodes modernes pour limiter leur fécondité et aient préféré s'en passer renforce l'opinion exprimée par R. S. Dheer dans *The Economic Weekly* en 1967 : « Dans un groupe motivé, n'importe quelle méthode fera l'affaire. » En Inde, on a toujours favorisé l'approche « libre-service », qui offre à l'éventuelle intéressée plusieurs façons de limiter sa fécondité. Un énorme effort et une part importante du budget de l'Etat ont été consacrés à des projets éducatifs dans les villages. Chaque enfant sait aujourd'hui qu'à la question « Combien d'enfants aurez-vous lorsque vous serez grand ? » il faut répondre « Deux », mais reste à savoir si le bourrage de crâne a vraiment changé les attitudes. Après des siècles de domination étrangère, les Indiens sont passés maîtres en matière de simulation. Les enfants ne mentent pas, ils vous disent simplement ce que vous avez envie d'entendre. Eux-mêmes n'ont pas encore formulé de désir ; lorsqu'ils le feront, ce sera simplement pour répondre à l'attente de tout le groupe parental. S'ils acceptent l'idée de l'intervalle entre les naissances ou de la stérilisation, le choix dépendra plus de la famille que de la politique gouvernementale.

Les campagnes éducatives des années 60 ont entraîné une augmentation du nombre de candidats, mais le taux de natalité continua à grimper et chaque naissance évitée coûtait beaucoup trop cher. Trop souvent, les méthodes modernes étaient simplement remplacées par les méthodes traditionnelles comme l'abstinence post-partum ou l'allaitement prolongé, deux pratiques quasi universelles en Inde. Dans quelques cas, les méthodes modernes s'ajoutèrent simplement aux anciennes. En 1965, le gouvernement indien alloua 65 millions de roupies au planning familial ; en 1966, 120 millions ; pour le quatrième plan quinquennal, le budget annuel du planning familial devait être de l'ordre de 600 millions de roupies, mais la population continua à croître régulièrement. Même de modestes « améliorations » (chutes du taux de natalité) restèrent hors d'atteinte des 70 000 employés à plein temps du mouvement de la limitation des naissances en Inde.

L'attitude des donateurs se mit à changer. En 1967, Kingsley Davis fit remarquer, dans un article souvent cité, publié dans *Science*, que la diffusion des méthodes modernes de contraception n'était pas suffisante, et peut-être même pas nécessaire pour un contrôle efficace de la fécondité. L'expérience d'un quart de siècle l'avait convaincu que certains parents avaient besoin de leurs enfants et que le besoin était sincère. La seule façon d'éviter la catastrophe aurait été de ne pas tenir compte de leurs désirs, d'ignorer leur notions du bonheur, du bien-être et de la sécurité qui rendent la vie agréable.

> Ce qui paraît rationnel pour un couple peut sembler totalement irrationnel du point de vue du bien-être de la société[39].

Bernard Berelson s'appropria la remarque de Davis pour le compte du Population Council, dans « Beyond Family Planning » ; comme il était président du Council, ses suggestions devenaient une règle pour les apparatchiks de l'organisation. Le programme intensif fut basé sur huit objectifs : extension des services de la limitation volontaire de la fécondité, création de services de la limitation « involontaire » (jargon des démographes pour « forcée »), campagnes intensives d'éducation (c'est-à-dire de propagande), primes, allocations, avantages fiscaux et sanctions pénales, changements d'orientation des institutions sociales et économiques, utilisation des organisations politiques pour le recrutement, avec l'augmentation des efforts de recherche au dernier rang[40]. Visiblement, le climat de l'opinion libérale changeait sous le déluge de propagande démographique qui continuait à l'assaillir. Au IIe Séminaire sur la croissance de la population à Kuala Lumpur en mars 1970, le sociologue Lyle Saunders fit une distinction entre le planning familial privé, qui cherche « à aider les couples à régler le nombre de leurs enfants et l'intervalle des naissances, et les programmes gouvenementaux, dans lesquels « procurer un service individuel n'est pas un but mais un moyen de réduire la fécondité de la population[41] ».

Pour Saunders, comme pour la Fondation Ford qui réédita sa communication pendant des années, il n'existe pas de gouvernement désireux d'accroître la fécondité, ni même de la maintenir. Conseiller des programmes de la Fondation à Bangkok, il met en avant la limitation volontaire, du moins au début, mais le propos de son discours était de montrer que la promotion du bonheur conjugal n'était certainement pas suffisante et sans doute même pas applicable.

> Des sociologues sérieux laissent entendre que le planning familial seul ne parviendrait pas à réduire la fécondité à un niveau suffisant car les couples, même s'ils expriment le désir d'avoir moins d'enfants qu'ils n'en ont, semblent en désirer plus que le nombre requis pour une progression démographique stable ou lente[42].

Donc Saunders prend le beurre et l'argent du beurre ; les études du CAP (Connaissance-Attitude-Pratique), institution généralement peu encline à la sensibilité, font état de *besoins non satisfaits* en matière de contraception, mais on ne gagnera pas grand-chose à les satisfaire, aussi devrions-nous prendre directement des mesures coercitives. Incapables de limiter leur fécondité selon leurs penchants, les pauvres devront passer directement à la stérilité, qu'ils le désirent ou non. C'est ainsi que John Lewis, directeur de l'agence indienne de l'USAID, annonça qu'il « forcerait le gouvernement indien à accepter les subventions, qu'il le veuille ou non[43] ». Saunders proposait des méthodes conservatrices ; il préconisait les primes, suggérait quelques mesures dissuasives, et louait le système indien de distribution de masse de condoms établi en 1968, le précurseur des projets de distribution communautaire mis en place par l'USAID et l'IPPF en 1973. Même un observateur aussi froid que Malcom Potts fut frappé par l'insensibilité qui régnait à cette époque et il le resta longtemps après que la révolte du Sud eut perturbé la Conférence de l'Année de la population qui se tenait à Bucarest :

> Le compromis politique résultant de la Conférence de Bucarest mettant l'accent sur le développement « intégré » est le plus récent exemple de changement d'affectation de fonds de leur objet naturel. C'est un jargon, qui en termes d'organisation a autant de sens que tenter d'assembler des voitures dans une gare de chemin de fer sous prétexte que les deux sont des moyens de transport[44].

Les responsables du planning familial dans les pays comme l'Inde savent trop qu'ils doivent vaincre la réticence des bénéficiaires en leur montrant qu'ils peuvent et veulent le faire. Potts se montre particulièrement sévère sur les projets intégrés de santé maternelle et infantile et du planning familial, mais dans la pratique il est évident qu'une femme sera moins souvent enceinte si ses enfants ont davantage de chances de survie, et qu'elle respectera plus vraisemblablement l'opinion de quelqu'un qui s'est occupé d'elle et de ses enfants. Il faut la brutalité sophistiquée de l'aide occidentale pour introduire de force une technologie contraceptive coûteuse dans un village dont les habitants se sentiraient beaucoup mieux et produiraient plus si l'on dépensait quelque argent pour supprimer les parasites qui les infestent. Il faut un Oriental comme Chojiro Kunii pour contourner toute la rhétorique « au-delà du planning familial » :

> Traditionnellement — et aujourd'hui encore dans de nombreux pays — l'approche du planning familial se préoccupe de la croissance démographique, et non de la psychologie des individus.
> Les gens sont très réalistes. Ils comprennent seulement ce qu'ils peuvent toucher et voir. Pour développer une stratégie de persuasion, il faut leur proposer des choses visibles, palpables et profitables.
> Dans certains pays d'Asie, le planning familial dépend d'une organisation spéciale, et non du ministère de la Santé. La santé et le planning familial ne devraient pas être séparés. C'est une erreur[45].

Sous la direction de Kunii, la JOICFP (Japanese Organisation for International Cooperation in Family Planning) a mis sur pied des programmes intégrés de planning familial, de nutrition, et de lutte contre les parasites, en Corée, Thaïlande, Philippines, Taiwan, Indonésie, Malaisie, Bangladesh, Nepal, Sri Lanka, Brésil, Colombie et Mexique. Le traitement des maladies parasitaires provoque généralement une amélioration spectaculaire en très peu de temps : c'est autant une stratégie de persuasion qu'une attitude humanitaire qui justifie la démarche de la JOICFP. Nombreux sont les membres du planning familial qui partagent les priorités de Kunii, mais peu d'entre eux ont son pouvoir.

Tandis que se durcissait l'attitude du cartel démographique international, le gouvernement indien et une foule d'organisations non gouvernementales cherchaient à faire chuter le taux de natalité, but qui leur échappait constamment. D'une part, ils étaient encombrés de projets comme l'Etude Narangwal[46], qui prit fin opportunément lorsque le gouvernement indien ferma l'agence de l'USAID à Delhi pour protester contre le soutien des Etats-Unis au Pakistan pendant la guerre en 1972, soutien exprimé par des moyens aussi discrets que l'envoi de la sixième flotte dans la baie du Bengale. Les sarcasmes de John Lewis, ex-directeur de la mission USAID en Inde, n'améliorent pas la situation : en 1970, commentant l'analyse faite par les Nations unies du programme indien, il écrivit :

> Etant donné son étonnante ressemblance avec un système qui, selon ses dires, marchait relativement bien mais qui de fait était en train de totalement rater son but, il est d'autant plus surprenant que l'équipe des Nations unies soit restée tellement attachée au principe du programme indien[47].

L'USAID était l'une des principales sources de financement du programme indien ; le changement de politique demandé par Lewis ne pouvait être ignoré. Une partie des 3 788 millions de roupies de l'USAID était réservée aux camps de stérilisation. Dans un village près de Meerut, John Marshall fait remarquer qu'aucun des employés du gouvernement, ni les deux instituteurs, ni le percepteur, ni le responsable du Community Development Programme, ni la sage-femme auxiliaire, « une citadine célibataire qui avait un profond mépris et une certaine crainte de la vie au village », ni l'assistante sociale ne levaient le petit doigt pour inciter à l'acceptation de la vasectomie dans le village. Ce fut l'infortuné secrétaire du Panchayat qui, en 1967, « fut chargé de recruter pour la vasectomie quarante hommes dans cinq villages sous peine de perdre son poste ». Il trouva six hommes à Bunkipur. Cinq étaient veufs ; le sixième, âgé de 35 ans et qui appartenait à la caste des chamars, souffrit de séquelles très douloureuses[48]. Tous les risques de l'incitation déléguée sont clairement démontrés dans cet exemple, mais le gouvernement avait peu de choix. Après tout, la stérilisation n'était pas une telle catastrophe ; un jour les stérilisés remercieraient les autorités bienveillantes de les avoir soulagés du fardeau de leur fertilité.

En voyant le succès phénoménal des camps dans le district d'Ernakulam au Kerala en 1970 et 1971, la confiance envers la stérilisation de masse revint. Le district était divisé en sections, et on établissait dans chacune la liste de tous les hommes qui devaient se rendre un jour donné au camp. Deux semaines avant, on lançait une campagne d'information dans la section, qui atteignait son point culminant la veille du jour de la stérilisation, lorsque les villageois partaient pour la gloire. Malheureusement tous les médecins n'étaient pas des spécialistes, les conditions sanitaires n'étaient pas satisfaisantes et le retour à pied au village n'était pas excellent pour le scrotum des patients. Pourtant, 15 005 vasectomies auraient dû éviter quelques naissances, même si l'âge moyen des hommes était de 38,9 années, sans probablement atteindre l'objectif de deux par homme que l'étude de faisabilité du programme avait prévu. L'année suivante, une autre campagne fut lancée, cette fois pendant la mousson, et on pratiqua 62 913 vasectomies et 505 ligatures des trompes. L'année d'après, l'effort fut réparti, les camps établis dans sept régions ; on ajouta le Copper-T et des préservatifs aux services proposés[49].

Entre-temps, l'Etat de Gujerat, avec ses 27 millions d'habitants, allait damer le pion au Kerala en pratiquant 150 000 vasectomies dans 1 000 camps disséminés dans la région. Des objectifs étaient fixés pour tous les Etats de l'Union ; la stérilisation était gratuite dans tous les centres médico-sociaux. On offrit de petites primes, à peine suffisantes pour couvrir le prix de voyage et rembourser les jours de travail perdus. En instituant le système des camps, le gouvernement de Gujerat et le planning familial réalisèrent 160 % de leur quota annuel en un peu moins deux mois[50]. Ce fut un effort héroïque, mais la conséquence inévitable d'un tel succès est qu'il devait être répété et amélioré chaque année, alors que normalement les premiers résultats sont les meilleurs car le recrutement devient plus difficile lorsqu'il s'adresse à des hommes plus jeunes et à des femmes qui ont moins d'enfants. Le coût par stérilisation montait en flèche, les camps avec leur ambiance de carnaval, leur propagande, leur nourriture et leurs divertissements gratuits ne pouvaient continuer indéfiniment. Il n'y eut qu'un aspect durable dans le Gujerat : les journaux avaient publié un tableau qui montrait quelles régions venaient en tête ; le planning était devenu un sport. Il ne fait aucun doute qu'il y eut aussi des paris. Le rythme s'accéléra ; les chemins de fer, les chambres de commerce, le Rotary Club rivalisèrent pour créer des camps, les industriels distribuèrent des échantillons gratuits. Tant que l'euphorie persista, l'attitude envers l'opération demeura positive et les effets secondaires furent bien tolérés, mais en fait tout le monde marchait sur une corde raide.

La résistance de Mme Gandhi à l'adoption de solutions plus draconiennes demeura inchangée, tout au moins jusqu'en 1972. Le ton de l'interview accordée à l'ex-rédacteur en chef de l'*Hindustan Times* démontre l'attitude de l'élite « libérale » cultivée vis-à-vis du conservatisme démographique.

« Ne pensez-vous pas que notre échec dans le contrôle démographique est notre plus grand point faible ? lui demandai-je.

— Non, je ne pense pas, répliqua-t-elle avec assurance. Nous avons fait beaucoup pour limiter la taille des familles ; nous aurions pu faire plus, mais je ne considère pas le problème démographique avec trop d'inquiétude. »

Je fus consterné de voir que tout comme mon père, elle sous-estimait l'importance du contrôle d'une natalité explosive. Je lui fis voir un graphique qui montrait qu'à ce rythme nous aurions à la fin du siècle dépassé la Chine pour devenir le pays le plus pauvre et le plus surpeuplé du monde.

Elle ne fut pas impressionnée. « Je ne sous-estime pas l'importance du planning familial ; mais ce n'est qu'un parmi les nombreux problèmes que nous avons à régler. Pendant l'occupation britannique, de larges secteurs d'activité sont restés dans l'ombre. Nous travaillons sur une plus grande échelle et à des niveaux plus nombreux. Je ne suis pas pessimiste ni exagérément inquiète quand je considère notre rythme de progression dans ce domaine. »

Je ne renonçai pas. « Ne pensez-vous pas qu'une certaine coercition serait justifiée ? Renvoyer les fonctionnaires qui ont plus de trois enfants, priver de leurs droits électoraux ceux... »

Elle m'interrompit sèchement. « Des mesures de coercition ? Dans une démocratie ?

— Disons une coercition légale, par exemple l'âge du mariage par une loi parlementaire.

— A quoi sert une législation que vous ne pouvez faire respecter ? La loi Sarda fut votée il y a cinquante ans, et les mariages entre enfants ont toujours lieu[51]. »

Kushwant Singh (car c'était lui) revendique volontiers l'honneur d'avoir institué le système de « coersuasion » qui bénéficia de l'expérience des camps de vasectomie. En fait, il tient le discours orthodoxe de l'école

« Au-delà du planning familial » ; il partageait ses opinions avec un nombre considérable de fonctionnaires qui, comme Nehru l'avait fait remarquer, étaient mal choisis pour jeter les bases de changements sociaux étant donné leur orientation anglo-indienne et leur manque de compassion à l'égard des pauvres. Leur leader spirituel était le fils de Mme Gandhi, Sanjay.

Le ministre de la Santé et du Planning familial, Karan Singh, poète, ex-régent de Jammu et du Cachemire, fervent adepte du socialisme démocratique, commença par réduire à un niveau acceptable le rythme auquel devait tomber le taux de croissance démographique. En contrepartie, il fallait atteindre ce nouveau niveau réaliste et, pour cela, il lierait les subventions du gouvernement central aux administrations des Etats à leurs performances en matière de planning familial.

> Les travailleurs sur le terrain doivent être remplis d'un zèle missionnaire : il est essentiel que nous soyons capables d'assurer une surveillance efficace et que nous sachions adopter avec imagination les stratégies aux besoins locaux[52].

Les gouvernements des Etats à leur tour déléguèrent leurs responsabilités aux chefs des districts et des régions qui les transférèrent aux administrations des villages. On avait pris pour modèle Haryana où le pavement des routes d'accès aux villages et le raccordement électrique entraient dans les fonctions du planning familial[53]. Tels furent les débuts de la coercition ; si l'Etat fait quelque chose pour les citoyens, il semblerait raisonnable que les citoyens lui rendent la pareille, mais il ne faut pas oublier que l'Etat est au service du peuple, qui contribue déjà à son fonctionnement en payant des impôts. Si la politique proposée est favorable au peuple, il devrait être possible de le prouver ; si elle ne l'est pas, elle ne devrait pas être appliquée. Un homme qui a besoin d'électricité pour actionner sa pompe ou son moulin ne devrait pas avoir à subir une vasectomie pour obtenir ce qui lui est nécessaire, spécialement si l'extension de sa famille est la motivation qui le pousse à faire fonctionner sa pompe et son moulin. En l'absence d'un système d'aide sociale, il se peut qu'on lui demande d'abandonner la sécurité dans son vieil âge afin d'obtenir l'électricité. Dans les faits, il ne sera pas vasectomisé en échange d'électricité, il trouvera un homme encore plus pauvre que lui avec encore moins de choix et le présentera pour la stérilisation à sa place.

Malini Khanduri décrit dans l'*Indian Express* un exemple typique de la perversion d'un tel système. L'administrateur adjoint de Madurai dans le Tamil Nadu voulait gagner la récompense pour la meilleure performance de planning familial. Il chargea ses subalternes de trouver des candidats pour la stérilisation sous peine de perdre leur poste. Ces derniers à leur tour firent pression sur les administrateurs de district, qui agirent sur les collecteurs des impôts de chaque village, qui s'en remirent au chef du village.

Chaque chef de village avait convoqué les villageois et demandé des volontaires. Aucun. Alors le chef du village demanda à Bihari : « Dis donc, Bihari, ton histoire de propriété n'a pas encore été réglée, n'est-ce pas ? » Silence. Au bout d'un instant, Bihari interrogea : « Si je… ? — Ah ! tu es un brave homme ! Dieu te récompensera pour ta sagesse; tu es un homme selon mon cœur[54]. »

L'enquête sur les candidats à la stérilisation de Madurai révéla que les dernières grossesses de leurs femmes dataient en moyenne de cinq à sept ans. Autrement dit, la stérilisation ne changeait pas le taux de natalité puisque la plupart des hommes prenaient déjà des mesures plus ou moins réussies de contraception, probablement l'abstinence. L'histoire ne dit pas si ces hommes et leurs femmes profitèrent d'une stérilité chirurgicalement garantie. Par contre, un quart des hommes stérilisés signalèrent des effets secondaires à l'opération. Dans un district de Madurai, les conséquences du programme se faisaient encore ressentir en 1979.

Les trois premiers candidats à la planification familiale dans le village furent vasectomisés. L'un d'entre eux souffrit d'hypertrophie du scrotum, d'affaiblissement général de l'organisme et de difficulté à marcher. Cette expérience rendit la vasectomie impopulaire dans le village, à tel point que depuis plus personne n'a accepté de méthode de planification familiale[55].

Pour beaucoup, déléguer la responsabilité de la planification familiale aux panchayats ou aux organisations locales devait mener aux abus et à l'injustice. Selon eux, si l'Inde devait recourir à la pression économique et sociale pour faire accepter la stérilisation, l'unique solution dans une démocratie serait la stérilisation générale et obligatoire après la naissance du troisième enfant. Même en y consacrant le budget entier de la santé, un tel effort dépassait les moyens du système médical indien ; qui plus est, en 1974, le paludisme toucha plus de deux millions et demi d'habitants[56]. La lutte contre l'épidémie occupa le premier plan. Il ne pouvait pas y avoir de stérilisation générale pendant que des enfants mouraient du paludisme. Singh rejeta le projet gouvernemental de stérilisation générale, mais laissa aux gouvernements des Etats le choix d'établir leur propre législation en tenant compte de la fiabilité de leurs services médicaux[57]. En d'autres termes, le gouvernement de l'Union refusait de prendre la responsabilité du contrôle démographique, tout en demeurant l'architecte et le financier du projet. Karan Singh était peut-être de bonne foi lorsqu'il expliqua à Walter Schwartz de l'*Observer*, qui lui demandait si le gouvernement avait renoncé aux camps de vasectomie :

Les Etats peuvent encore en instituer s'ils le désirent, mais le gouvernement central y a renoncé. Pour ma part, les camps appartiennent à l'ancienne approche de la planification familiale. La vasectomie, la stérilisation, l'avortement et les méthodes définitives feront encore partie du programme, mais pas les camps de masse...

Dans le contexte du plan quinquennal, le préservatif prend la première place... La production sera de 330 millions pour la première année et plus par la suite[58].

Si le gouvernement maintint en apparence son engagement à l'approche « libre-service » du planning familial, les Etats furent saisis par une sorte de manie de la stérilisation. De leur propre initiative, les administrateurs provinciaux convoquaient leurs fonctionnaires, leur demandaient combien parmi eux avaient trois enfants ou plus, dont un garçon de cinq ans ou plus, et désignaient les candidats à la stérilisation. Un membre du gouvernement du Maharashtra me racontait avec fierté en 1981 qu'il donnait trois semaines aux fonctionnaires de sa province susceptibles d'être stérilisés pour subir l'opération sous peine d'être renvoyés. « Comment auraient-ils pu inciter des hommes à la stérilisation s'ils la refusaient eux-mêmes ? » disait-il.

En moins de quelques mois, l'entreprise privée et les gouvernements des Etats s'étaient engouffrés dans la brèche. En décembre 1974, un camp dirigé par la Corporation of Madras et le Rotary Club pratiqua 2 006 interventions en deux semaines ; les candidats avaient droit à six jours de congés payés et à des vêtements. A l'époque, cinq centres sanitaires contrôlaient des mini-camps en Himachal Pradesh ; ils atteignirent 153 % de leur objectif. En mars 1975, les Chemins de fer indiens annonçaient fièrement :

> Grâce aux actions collectives des Chemins de fer indiens dans le programme du planning familial, on estime à 251 000 le nombre des naissances qui ont pu être évitées depuis 1952... et à dix millions de roupies les économies en termes de services de santé et d'assistance publique[59].

Vers avril, la manie de la stérilisation atteignit son apogée, stimulée par l'organe du Central Family Planning Institute, le *Centre Calling*, qui consacrait ses colonnes à certaines déclarations, telle celle d'Aurelio Peccei, du .Club de Rome, à propos des devoirs des nations « immatures », qui fut publiée dans le numéro de mars 1975.

> ... chaque individu aura des responsabilités envers la société. Il ne peut trop engendrer, surcharger la société de sa progéniture au-delà de certaines limites fixées par la loi... le droit de donner naissance dans cette société ne sera plus un droit inconditionnel comme beaucoup semblent le croire aujourd'hui. Les règlements dans ce sens, dictés dans l'intérêt de la communauté, ne paraîtront plus des obstacles à la liberté individuelle, puisqu'ils exprimeront la compréhension générale de ce qu'est le bien commun et l'obligation morale de chacun[60].

Le numéro suivant de *Centre Calling* annonçait que « trois Etats, Haryana, Gujerat et Maharashtra, sont à égalité dans la course à la meilleure performance de l'année[61] ». L'Etat d'Haryana donnait la priorité aux contraceptifs et aux DIU et avait obtenu un taux d'acceptation quatre fois supérieur à celui du Maharashtra et du Gujerat. Dans un camp à Mehsana dans l'Etat de Gujerat, on avait enregistré plus de 500 candidats pour la stérilisation dès le premier jour. Le responsable du développement régional lui-même dégagea un budget exceptionnel pour 500 candidats supplémentaires. Un an avant le lancement de la nouvelle politique démographique, l'impulsion était donnée. A Bihar, tous les employés du ministère de la Santé et du Planning familial devaient motiver un certain nombre de candidats à la stérilisation sous peine de blâme, de diminution de salaire ou de renvoi. Tous les instituteurs dans les écoles publiques devaient fournir six candidats par an, ainsi que les employés du Panchayat, et les responsables de chaque service administratif. S'ils n'avaient pas plus de trois enfants, les fonctionnaires avaient droit à certains privilèges, cartes de réduction sur les transports, aides à la scolarité, remboursement des dépenses médicales, et tous les prétendants pour des postes gouvernementaux devaient s'engager par écrit à accepter la stérilisation ou à cesser de procréer après deux enfants. Les incitations aux couples stérilisés comprenaient la priorité dans la répartition de voitures et de scooters, des terrains à bâtir, des logements et des prêts[62].

En juin, la Cour suprême annula l'élection de Mme Gandhi. Au lieu de s'incliner, elle déclara l'état d'urgence qui eut pour effet de suspendre les libertés individuelles et de permettre la détention sans jugement des éléments subversifs. Le rythme du programme démographique s'accéléra, toujours sans intervention directe du gouvernement de l'Union. Les objectifs de 1975-76 furent publiés en juillet. Il allait y avoir 2 521 000 stérilisations, 904 400 insertions de DIU, et 4 086 100 nouveaux utilisateurs ou utilisatrices de la contraception en Inde. Le Maharashtra monta son quota de 318 300 stérilisations à 568 000 et en pratiqua 611 000. L'Assam doubla son quota. Les Etats du Cachemire, Kerala, Meghalaya, Orissa, Pendjab, Tamil Nadu, Tripura, Bengale-Occidental, les îles Andaman et Nicobar, Delhi, Laksha Dvipa, Mysore et Pondichéry dépassèrent tous leur quota. Les plus mauvais résultats furent enregistrés dans les Etats principaux de Bihar, Gujerat, Haryana, Madhya Pradesh, Rajasthan et Uttar Pradesh[63]. La forte proportion de musulmans dans ces derniers Etats explique en partie cette différence ; d'après les données statistiques, les musulmans qui formaient 11,2 % de la population, représentaient 5,6 % des stérilisations et 6,8 % des insertions de DIU. L'hostilité entre les communes atteignit vite son paroxysme ; de toute évidence, l'acceptation de la vasectomie était un sujet de discorde. Les hindous ne pratiquant aucune forme de mutilation corporelle, on pouvait penser que la vasectomie était pour eux un plus grand traumatisme que pour ceux qui pratiquent la circoncision rituelle. Voir la population musulmane augmenter son importance numérique en se dérobant à ses devoirs civiques entraîna de violentes réactions. Prêts à se défendre contre les persécutions, les musulmans commencèrent à s'élever contre l'état d'urgence. La seule opposition parlementaire à la nouvelle politique démographique, annoncée en avril 1976, vint d'un dirigeant musulman.

Parmi les seize mesures préconisées, on trouvait des primes collectives pour les institutions publiques, y compris les coopératives et les syndicats, le blocage de la représentation électorale sur la base de la répartition démographique de 1971 jusqu'en 2001, l'allocation de subventions du gouvernement de l'Union pour maintenir les proportions de 1971 jusqu'en 2001, 8 % de financement gouvernemental pour le fonctionnement du planning familial dans les Etats, la majoration de l'âge minime du mariage à 18 ans pour les femmes et 21 ans pour les hommes, et l'offre de primes relativement généreuses aux candidats à la stérilisation qui avaient peu d'enfants. 150 roupies pour deux enfants, 100 roupies pour trois.

Les nouveaux objectifs en matière de stérilisation doublèrent par rapport à l'année précédente, mais plusieurs Etats placèrent la barre encore plus haut. L'Andhra Pradesh, par exemple, qui avait atteint un peu plus de la moitié de son quota de 294 200 stérilisations en 1975-76, non seulement accepta un quota de 400 000 pour 1976-77, mais l'éleva à 600 000 et en pratiqua 741 713. Le planning familial fut la première disposition du programme en cinq points de Sanjay Gandhi, voté en même temps que le programme économique en vingt points de sa mère. Les gouvernements des Etats qui cherchèrent par tous les moyens à marquer leur soutien au Youth Congress Party pouvaient croire qu'ils travaillaient pour leur propre avenir ; ils se laissèrent également prendre au monde quasi hollywoodien dans lequel ils croyaient que vivaient les hommes de Sanjay Gandhi, et se mirent à mépriser leurs propres traditions locales. Cependant les politiciens « sophistiqués » se déchargeaient de leurs responsabilités sur des gens qu'ils considéraient comme des rustres, les traitant avec la dureté qu'à leur tour ces derniers allaient montrer envers leurs subalternes. Il ne manquait pas de partis pour faire opposition à la politique démographique, mais l'état d'urgence donnait aux auteurs de cette politique une étrange sensation de sécurité. Avec un tel système, les autorités des Etats transformèrent les 4 255 500 stérilisations demandées par le GOI en 8 132 209.

Lorsque le gouvernement du Congrès de l'Uttar Pradesh reçut l'ordre d'exécuter le programme intensif de Sanjay Gandhi, le premier secrétaire fit parvenir le télégramme suivant au trésorier général, à tous les secrétaires administratifs, à tous les chefs de département, à tous les responsables de division et à tous les juges de district :

> Le gouvernement attache la plus grande importance à la réalisation des objectifs de la planification familiale. Nous présumons que vous avez déjà fixé des objectifs pour chaque district et pour chaque responsable divisionnaire. Laissez entendre que ceux qui ne parviennent pas à réaliser ces objectifs non seulement ne recevront plus leur salaire, mais seront renvoyés

avec des peines sévères. Galvanisez tous les membres de l'administration immédiatement, je répète immédiatement, et continuez à me rendre compte ainsi qu'au Premier ministre de l'avancement journalier du programme[64].

Dans la frénésie qui suivit, il y eut 837 000 stérilisations, un peu plus de la moitié de l'objectif de 1,5 million. 201 stérilisés moururent de complications postopératoires. Au Rajasthan, il y eut 217 morts sur 364 760 stérilisations. Dans toute l'Union on compta 1 774 morts des suites directes de l'opération. L'authenticité de ces chiffres fut vérifiée lorsque le gouvernement qui remplaça Gandhi en 1978 ordonna à tous les Etats de contrôler les réclamations et de payer *ex gratia* 5 000 roupies aux familles qui avaient perdu leur soutien à cause de la stérilisation. En fait, il y eut deux fois plus de demandes d'indemnités que de paiements. Tous les Etats ne signalèrent pas le nombre de personnes célibataires stérilisées, mais on obtient un chiffre de 548. En Andhra Pradesh, 21 653 hommes stérilisés avaient moins de deux enfants ; en Orissa, 19 237 ; au Pendjab, 19 838 ; dans l'Etat de Gujerat, 7 834. Au Maharashatra, 6 958 avaient moins de deux enfants, 368 avaient plus de 55 ans et il y eut 151 morts ; à Sholapur, on stérilisa deux lépreux de force et huit hommes furent « stérilisés » pour la deuxième fois.

Pour l'Occident, l'Inde tout entière, pendant l'état d'urgence, vit des jeunes gens soumis à la force brutale et stérilisés, et des hommes, menottes aux poignets, conduits jour et nuit dans des camps en camions pour en repartir stériles. Il est vrai qu'en Haryana :

> Les autocars étaient détournés vers les camps et les passagers stérilisés. On ramassait des hommes dans les villages, aux arrêts des autobus, et dans les gares pour les stériliser dans des camps de planification familiale[65].

Avec un total de 222 000 stérilisations, le taux de mortalité de l'Haryana (132) est l'un des plus élevés ; la proportion de célibataires (105) et d'hommes âgés (179) stérilisés est probablement la plus élevée de toute l'Union. L'histoire de l'Haryana est particulièrement triste, car l'État avait investi largement dans un programme de DIU qui, vers 1977, avait remporté un franc succès : presque un demi-million d'insertions malgré l'échec de la première campagne pour la boucle de Lippes. En 1976-77, on avait inséré 27 609 Copper-T, deux fois plus que l'année précédente, et l'Etat avait demandé que son quota de stérilisation fût réduit en conséquence. On compta 3,51 millions d'utilisateurs ou utilisatrices de la contraception et un programme de distribution de condoms fut établie. La stérilisation de masse ne faisait pas partie de l'effort de planification familiale de l'Etat[66].

Le matin du 6 novembre 1976, le village d'Uttawar, dans le district de Gurgaon de l'Haryana, vit arriver 700 policiers qui rassemblèrent 550 hommes. Les villageois, qui comptaient 8 000 musulmans, avaient refusé l'entrée du village à tout responsable de la planification familiale, défi qui prenait des allures d'exemple pour les autres musulmans. L'inspecteur général de la police responsable de l'opération prétendit qu'il s'agissait d'une mesure de sécurité nécessaire, les villageois étant soupçonnés d'avoir des liens avec le Pakistan. Ils furent emmenés et interrogés à Hathin. Cent furent incarcérés pour avoir attaqué un patwari, 180 furent envoyés dans les centres de planification familiale à Nuh et à Mandkola où on les stérilisa.

> Shri Abdul Rehman *alias* Lelha, fils de Shri Shai Khan, 25 ans, a déclaré qu'après la rafle du 6 novembre 1976 il fut emmené avec d'autres au centre médico-chirurgical de Mandkola le 7 novembre et stérilisé de force, bien qu'il ait affirmé n'avoir qu'un seul enfant, une fille. Il déclara également que le médecin fut contraint d'opérer par la police[67].

Dans les premiers programmes de stérilisation, le pourcentage de médecins qui refusèrent de pratiquer la stérilisation atteignit parfois 50% ; s'ils avaient stérilisé tous les candidats qui se présentèrent durant l'état d'urgence, le nombre des stérilisations aurait été beaucoup plus élevé. Dans sa brutalité, l'exemple d'Uttawar fait plutôt figure d'exception. En Inde, la politique ressembla davantage au type de manipulation implacable qui s'était développé depuis des siècles. Dans une autre société, on l'aurait regardé comme une pression émanant du groupe. Toutefois, il est probable, d'après les observations faites au cours d'autres programmes de stérilisation, que le choix portait sur ceux qui avaient le moins à perdre, les pères de familles nombreuses, les impotents, les handicapés. Le chiffre de 8 millions et plus nous paraît énorme mais il faut se rappeler qu'il ne représente qu'une minuscule fraction du nombre total d'individus susceptibles d'être stérilisés dans une population de 711 millions d'habitants. Le plus triste, c'est de penser que de chacun des villages où moururent un total de 1 774 hommes émanera une vague de crainte, crainte à l'égard de l'une des méthodes les plus sûres et fiables de limitation des naissances, résultat de la hâte et de la peur qui ont dominé les débuts d'un mouvement de masse. Et avec ceux qui sont à jamais silencieux, un nombre beaucoup plus élevé de vivants atteints de séquelles douloureuses dénonceront la vasectomie jusqu'au jour de leur mort.

Il semble cependant que le gouvernement central commençait à s'alarmer des excès des programmes mis en œuvre par les Etats. En 1976, Karan Singh écrivit à tous les principaux ministres pour les féliciter de leur performance, mais il leur demanda de s'assurer que seuls les candidats valables fussent incités et qu'on leur offrît des soins postopératoires. Une évaluation du programme faite par le bureau des renseignements rapporta « certaines réactions hostiles dans... l'Uttar Pradesh et à un niveau moindre dans le Bihar, le Bengale-Occidental et le Maharashtra. Une analyse des différentes causes de ces réactions, qui ont parfois provoqué des violations de l'ordre public, démontre la responsabilité des agences gouvernementales et celle d'éléments obscurantistes ». Bien que plusieurs représentants du gouvernement aient prétendu après la défaite du parti du Congrès aux élections de 1978 qu'eux aussi estimaient les objectifs des

Etats trop élevés, aucun d'entre eux ne dissuada alors les Etats de poursuivre leurs efforts.

Alors que l'euphorie de la stérilisation atteignait son apogée, Tara ali Baig, chef de la délégation indienne à la Conférence mondiale de la population à Bucarest, président de l'Indian Council of Child Welfare, dans un article intitulé « Mieux vaut prévenir que guérir », exprima des convictions qui auraient été rejetées quarante ans auparavant.

> La stérilisation d'un partenaire doit être rendue impérative lorsqu'un homme ou une femme souffre de folie héréditaire, de débilité mentale, ou de maladies vénériennes congénitales ; la loi doit les empêcher de procréer. Cela aurait dû être imposé depuis des dizaines d'années.
>
> Si nous voulons protéger la vie et l'avenir des enfants, la stérilisation obligatoire est nécessaire pour plusieurs raisons. Il existe des milliers d'hommes qui n'ont jamais gagné leur vie, mais qui se marient et font des enfants.
>
> Après tout, si l'on considère les crimes contre les enfants commis par des parents irresponsables, la stérilisation obligatoire dans certain cas n'est guère punitive... la stérilisation des inaptes se fait attendre depuis longtemps[68].

Ceux qui ne tirent pas la leçon de l'histoire répètent ses erreurs ; alors que 41 % des individus vasectomisés signalèrent des formes de complications après l'opération, et que 19 % furent frappés par la mort d'un enfant d'après une étude faite par un analyste du Delhi Institute of Economic Growth[69], le Dr A. S. Gupta menait sa propre enquête à l'université de médecine de Udaipur pour démontrer que la vasectomie « conduit à la virilité » et « accroît le désir sexuel[70] ». La naïveté et l'analphabétisme politique des champions de la vasectomie de masse auraient fini par discréditer leur campagne si la hâte et l'ignorance ne l'avaient déjà anéantie. Une partie de l'opinion publique semble ne pas avoir tiré de leçons des aberrations de l'état d'urgence. Kushwant Singh, promu à la Chambre Haute après le retour de Mme Gandhi au pouvoir, présenta un projet de loi sur les stérilisations visant les citoyens ayant plus de deux enfants, et selon lequel les couples ayant plus de trois enfants perdraient leur droit de vote[71]. Son projet ne reçut qu'un faible soutien en 1980. Mais, comme les projets d'amendements concernant les lois libéralisant l'avortement, il réapparaîtra sporadiquement.

Alors que le pays était encore choqué par la révélation des événements qui s'étaient déroulés durant l'état d'urgence, un groupe du National Institute of Health and Family Welfare réalisa un sondage d'opinion sur les méthodes d'assistance familiale les plus efficaces. Sur un échantillon de 7 000 personnes, 78 % se déclarèrent favorables à la stérilisation obligatoire dictée par la loi et non par la pression administrative. Le gouvernement britannique continua à envoyer 3 000 000 de livres par an pour équiper 325 hôpitaux régionaux et 1 000 centres médico-sociaux. Les candidats avaient toujours droit à 15 roupies par vasectomie et 10 roupies pour les ligatures des trompes. Entre avril 1979 et février 1980, on inséra 532 375 Copper-T et plus d'un million et demi d'individus furent stérilisés.

Lorsque le parti Janata vint au pouvoir en 1979, le ministère de la Planification familiale du gouvernement central prit le nom de ministère de la Famille ; son objectif principal fut le développement et l'amélioration des soins grâce à des centres médicaux principaux. Un vaste programme fut mis en œuvre pour former un million d'accoucheurs traditionnels. Le gouvernement prit le pas sur les associations volontaires. On ne parla plus officiellement de limitation démographique, mais de services de santé maternels et infantiles. Sans doute les partisans les plus acharnés du contrôle démographique méprisèrent-ils cette lâcheté. « Le temps presse », disaient-ils, tandis que Mme Gandhi aimait à dire : « Nous ne disposons pas d'un temps illimité. » Les travailleurs sur le terrain ont toujours su qu'on ne pouvait pas changer la structure de la famille, surtout si la motivation est d'abord de réduire la souffrance humaine. Un médecin qui passe sa vie dans un centre isolé et mal équipé pour un salaire de misère ne restera qu'à la condition de se sentir utile. Savoir si la population s'accroît ou diminue importe peu.

Pendant l'état d'urgence, on continua à améliorer la santé et à élever le niveau de vie. A Dehu, dans le district de Pune, par exemple, le Dr S. V. Mapuskar entreprit de faire de son centre médical le centre même du village et d'intéresser les habitants à sa construction. A son instigation les villageois y ajoutèrent un jardin, une canalisation d'eau, des latrines, une installation de gaz Gobar. Pour prouver sa compréhension de leurs véritables besoins, le Dr Mapuskar soigna 1 910 couples stériles[72]. Après l'état d'urgence, le traitement de la stérilité fut inclus dans le programme familial, mais il est peu probable que l'intervention connut assez de succès pour faire oublier leurs traumatismes et leurs souffrances aux quelques patients qui acceptèrent de passer à nouveau sur le billard.

Lorsque je me rendis à Dehu en 1981, le Dr Mapuskar avait été remplacé par le Dr Shete, qui me parut rayonner d'un bonheur insolite pour un médecin sous-payé et surmené. Lorsqu'il se rendit compte que je n'allais pas juger sa performance sur le nombre de naissances qu'il avait évitées, il se détendit et répondit franchement à mes questions. Oui, il pratiquait des stérilisations, utilisant la technique modifiée de Pomeroy, avec la seule aide des villageois, et sans anesthésie. Il avait stérilisé presque toutes les femmes susceptibles de l'être dans sa région, et le taux de complications restait peu élevé. Sans anesthésie, la section devait intervenir très rapidement et avec un soin extrême pour éviter le risque d'interruption de l'apport sanguin aux ovaires. (Le Dr Ambedkar, à l'hôpital le plus proche, avouait un taux de complications de 20 %.) Non, il n'avait pas inséré de DIU depuis deux ans après avoir diagnostiqué des mycoses provoquant des cas de leucorrhée et de cervicite chez les porteuses de DIU. De plus, il préconisait la pilule à contrecœur, surveillant de près les signes d'œdème. Sans aucun doute l'intérêt qu'il portait à la santé des femmes pauvres était sincère ; la qualité des soins qu'il prodiguait n'aurait pas été meilleure en

Occident, même s'il manquait des médicaments et des vaccins essentiels.

Les changements dans le style de vie de Dehu sont le reflet du système de valeurs des habitants. Ils ont été réalisés avec peu d'argent et un énorme investissement émotionnel. Si les individus prennent conscience d'une fécondité excessive comme ils ressentaient la maladie et la misère, ils s'y attaqueront sans perdre leur dignité, contrairement à ce qui se passe si quelqu'un d'autre s'empare du problème et fait d'eux les instruments d'une solution illusoire.

Comparées aux plaines poussiéreuses de Dehu, les collines de Nilgiri sont un paradis. L'hôpital, situé sur la plantation de thé de Craigmoor, est superbe comparé à l'établissement du Dr Shete, et plus grand que je n'aurais pensé. « Oh, nous avons besoin de tous les lits », sourit le jeune médecin qui me reçut. L'été, il y a des épidémies, des grippes, des fièvres paratyphoïdes (fièvres entériques)... Les gens couchent dans les couloirs, dehors. »

L'hôpital était bien équipé, bien que les lits, comme toujours en Inde, fussent pleins de taches. Je ne vis que deux patientes, deux jeunes femmes qui semblaient à peine plus âgées que des adolescentes. Leurs bébés dans les lits voisins étaient minuscules. Il y avait quelque chose de terrible dans le regard qu'elles tournaient vers moi, mais le jeune docteur ne sembla pas le remarquer. « Ah oui, dit-il, certain que je l'approuverais, les patrons donnent des primes intéressantes, une chaîne en or de 2 000 roupies. » Pour les planteurs, deux mille roupies assurent la productivité continue de la femme qui travaille sur la plantation et réduit les dépenses consacrées à la santé et l'éducation, mais pour la femme ? Ses fils lui auraient peut-être épargné le triste destin d'avoir à cueillir des feuilles de thé jusqu'à la fin de ses jours. Qu'arrive-t-il à la femme stérilisée dont le bébé meurt ? Son mari la rejette. Pendant l'état d'urgence, le moins pauvre opprimait le plus pauvre et acquérait par préemption le contrôle de sa fécondité ; de nos jours, le pauvre peut opprimer la femme de la même façon et les autorités l'y aideront.

En fait, bien que la stérilisation féminine soit un procédé plus délicat et plus dangereux que la vasectomie, l'obligation de l'hospitalisation a un aspect positif : permettre un examen de la santé générale de la femme et lui apporter l'aide nécessaire tant sur les questions d'hygiène que sur la nutrition infantile. Certains des médecins que j'ai rencontrés ne manquaient pas de garder les femmes dans leurs services jusqu'à ce qu'elles fussent totalement remises sur pied.

Par contraste avec les absurdités de la lutte indienne pour stopper la croissance démographique dans l'intérêt de la santé et de la prospérité de la population, nous avons l'exemple de réussite des Chinois. Le séminaire interrégional qui se tint dans le canton de Yexian, dans la province de Shandong, en juin 1982, définit cinq raisons qui expliquent le succès du programme de la santé pour tous, but loin d'être encore en vue pour l'Inde ou le Bangladesh. Puisque la planification familiale entre dans le domaine de la santé, ces cinq raisons s'appliquent aussi au programme démographique. La première raison est ainsi exprimée :

> La Chine a montré une formidable volonté politique pour changer la qualité de la vie, et surtout en ce qui concerne la population rurale.

Les mots « volonté politique » font partie des clichés utilisés par l'aide internationale. Ils signifient généralement un engagement de la part du gouvernement, mais dans le cas chinois, cette signification est différente. La lutte révolutionnaire avec ses atrocités n'était justifiée qu'à la condition que les citoyens de la République populaire s'avèrent capables de construire une vie meilleure ; le niveau de vie était si bas qu'une amélioration fut rapidement visible, surtout une fois l'opposition réduite au silence.

> La réorganisation de la structure sociale et économique de la société, fondée sur la décentralisation, a rendu possible l'inclusion de la politique de santé dans le programme général de développement et permis aux Chinois de participer à la gestion de leur santé.

Nous donnerions sans doute un nom différent à ce qui est appelé ici décentralisation. Il s'agit en fait d'un système de délégation de l'autorité des groupes dirigeants par l'intermédiaire des brigades et des communes jusqu'au niveau du peuple. Dans le cas de la planification familiale, les cadres étaient chargés de faire accepter aux citoyens des quotas de naissance, et de calculer qui pouvait être candidat à la maternité. La collectivité décidait. Mais ces décisions représentaient l'expression locale de la politique centrale. Les raisons qui permirent d'inclure la limitation des naissances dans l'amélioration de la qualité de la vie étaient toutes excellentes : protéger la santé de la femme, faciliter la participation des femmes à la production, permettre les études, le travail et le progrès politique. Le féminisme avait joué un rôle important dans la politique révolutionnaire. Alors que les hommes se battaient dans l'armée révolutionnaire, les femmes avaient institué les premières réformes agraires. Contrairement à d'autres leaders révolutionnaires, Mao ne renvoya pas les femmes à la maison après la phase militaire de la lutte ; beaucoup d'entre elles étaient plus politisées que les hommes et plus avides de s'instruire. Apprendre aux hommes à travailler avec les femmes sur un pied d'égalité découla d'une véritable action de propagande. La limitation de la fécondité fit partie intégrante de l'émancipation de la femme chinoise.

> Des efforts concertés dans de nombreux domaines, logement, vêtements et surtout la disponibilité des denrées essentielles et de la planification familiale ont contribué à l'amélioration de la santé.

La mise à la disposition de tous des vivres essentiels reposa sur une planification économique totalement incompatible avec toute forme d'entreprise privée. Rendre cette planification efficace en l'absence de facilités de stockage et de distribution était difficile, mais cette nécessité dans un pays régulièrement frappé par la famine depuis des siècles fut en général acceptée. Pour la rendre possible, il fallait également planifier le nombre d'individus à nourrir. Mao Tsé-toung parvint à étendre l'attitude adoptée par les paysans à l'égard du contrôle de leur fécondité à une nation de 600 millions d'habitants, réussite étonnante en elle-même et hors de portée de toute société qui n'est pas prête à établir un système politique monolithique. Cette volonté commune devait se traduire par le bien-être de chaque unité élémentaire ; comme les directives étaient largement diffusées, elles furent en fin de compte mises en œuvre sous la pression de chaque groupe concerné.

La participation de la population à la diffusion des services sanitaires et à l'organisation du système médical fut peut-être le facteur le plus important de la réussite du programme de santé.

La nouveauté fut de s'opposer à la formation d'une élite de médecins professionnels, contrairement au modèle occidental si mal adapté aux communautés rurales en voie de développement. Au contraire, les étudiants furent obligés de travailler en usine et les ouvriers d'étudier afin de resserrer les liens entre les services médicaux et les patients. Etant donné la grande pauvreté de la Chine, il n'était pas possible de former un important corps d'allopathes et on créa le système des « médecins aux pieds nus ». Membres de la communauté pour laquelle ils travaillaient à égalité avec leurs patients, ces travailleurs ne représentaient aucune autorité centrale.

L'utilisation de techniques appropriées permit un très large accès à l'organisation médicale malgré des ressources traditionnelles limitées[73].

Le système chinois, qui consista à mêler la médecine traditionnelle et des techniques telles que l'acupuncture à la chirurgie moderne et à la médecine allopathique, suscite à juste titre l'admiration. Son isolement mettait la Chine à l'abri de la commercialisation des médicaments qui afflige le reste du monde en voie de développement et lui permettait de s'en tenir à des systèmes de santé que des programmes financés par l'étranger auraient en d'autres circonstances balayés. Toutefois, en ce qui concerne le contrôle de la fécondité, peu de méthodes traditionnelles ont survécu. Lors de la campagne de 1954 pour stabiliser la croissance démographique, il était impossible de trouver le moindre contraceptif, si bien qu'en 1957 on leva toutes les restrictions sur l'avortement. On limita les autorisations de mariage ; les étudiants n'avaient pas le droit de se marier ; les fonctionnaires perdaient leur place en se mariant sans autorisation et les responsables de l'état civil décourageaient les paysans de se marier. Après le Grand Bond en avant, une campagne de limitation des naissances lancée dans l'intérêt de la santé de la femme préconisa la vasectomie de préférence à l'avortement. L'idéologie du mariage tardif et des naissances retardées fut acceptée par la quasi-totalité de la population, à l'exception des minorités tribales qu'un taux de mortalité stable gardait à l'abri des problèmes démographiques.

Le préservatif fut la méthode de contraception privilégiée en Chine dans les années 60, suivi du diaphragme, du DIU, de la méthode des températures et de l'allaitement prolongé. Nous ignorons les épreuves et les erreurs qui accompagnèrent le développement du DIU en Chine et nous ne les connaîtrons sans doute jamais ; l'absence de presse libre avait l'avantage d'empêcher la diffusion de nouvelles alarmantes, même si les Chinois savent aussi bien que toute population rurale faire circuler les rumeurs. Le nombre d'avortements semble s'être accru pendant cette période ainsi que certaines mesures coercitives dans le cas de la naissance d'un troisième enfant et de mariages précoces.

Après la Révolution culturelle, la campagne pour la planification familiale reprit. Cette fois l'effort se porta sur les contraceptifs oraux. Après quelques faux départs, les Chinois parvinrent à développer leurs propres pilules faiblement dosées. Dès 1968, les contraceptifs étaient prêts à être distribués en masse par les médecins aux pieds nus. Dès 1972, la Chine pouvait afficher ses succès en matière de planification familiale. Julia Henderson et T. Katagiri organisèrent une conférence de presse à leur retour en Angleterre en mai 1972, annonçant que 85 à 90 % des couples en Chine utilisaient une forme de limitation des naissances avec l'aide d'un million de médecins et de leurs trois millions d'infirmières[74].

De retour aux Etats-Unis, les membres d'une équipe médicale, auxquels s'étaient joints Carl Djerassi et le général Draper, parlèrent de prodiges, du taux zéro d'accroissement de la population à Shanghai, Nankin et Canton, des contraceptifs distribués comme des timbres, des avortements pratiqués avec l'acupuncture et ainsi de suite[75]. Comparée à ce qui se passait dans les autres pays asiatiques, la réussite chinoise était prodigieuse. La propreté des rues, la moralité évidente des habitants portaient les visiteurs à croire tout ce qu'on leur disait. Les étrangers se mirent à spéculer sur la taille de la population chinoise. La commission des Affaires étrangères de la Chambre des représentants demanda au service des recherches du Congrès un rapport car, selon l'enquête :

> Après avoir été ignorée pendant plusieurs années, la Chine donne l'impression d'avoir trouvé la solution aux problèmes qui ont assailli tous les programmes de planification familiale dans les autres pays en voie de développement... et nous pouvons en conclure que la fierté de la Chine est justifiée et mérite l'attention des étrangers[76].

Pour les idéologues de la planification familiale, persuadés que la limitation de la fécondité est un droit naturel et non un complot de l'extrême droite, et qu'il est nécessaire de freiner la natalité croissante avant d'élever le niveau de vie, la Chine devint un modèle exemplaire. Malheureusement, les Chinois refusèrent d'adopter le dogme des projections démographiques et du contrôle de la population. Ils savaient parfaitement que le reste du monde les voyait comme une horde indifférenciée, choqué qu'un enfant sur cinq fût chinois ; pour les délégués chinois aux conférences internationales, il était plus important de répéter la ligne du parti.

A la Conférence de Bucarest, le chef de la délégation chinoise nia que la « surpopulation » fût en elle-même la cause du chômage, de la pauvreté, de la famine, du taux élevé de mortalité et de la guerre, mais concéda que l'accroissement rapide de la population pose de graves problèmes pour le développement économique, social et culturel[77].

Les mesures destinées à réduire la croissance démographique se poursuivirent pendant les années suivantes et le taux de natalité diminua progressivement. En 1978, on compta 8 millions de nouveau-nés de moins qu'en 1971 ; à Pékin, Shanghai et Tianjin, le taux de croissance atteignit moins de 1 %. En février 1978, Hua Guofeng inclut une déclaration dans son discours au Ve Congrès national du peuple :

> Le contrôle organisé de la croissance démographique va dans l'intérêt du développement de l'économie nationale et de la protection de la santé maternelle et infantile. Il doit être abordé sérieusement et de façon continue. Il faut s'efforcer de réduire le taux de croissance naturelle de la population dans notre pays à 10 pour mille en trois ans[78].

La planification familiale fut inscrite dans la Constitution adoptée par le même congrès. La déclaration du président révéla en premier lieu que la liberté de la reproduction ne figurait pas parmi les changements attendus après la chute de la Bande des Quatre et en deuxième lieu que les priorités avaient changé. Une transition démographique si rapide ne peut avoir été aussi indolore et bien acceptée que n'étaient poussés à le croire les étrangers. L'importance nouvelle donnée à l'accroissement de la productivité individuelle et l'augmentation des terres destinées à l'exploitation privée avaient entraîné une croissance immédiate du taux de natalité. La montée était de mauvais augure. En raison de la structure des âges de la population, les nouveaux dirigeants savaient qu'une poussée du taux de natalité, avec une pression correspondante sur les secteurs faibles de l'économie (l'éducation, l'emploi et le logement), était inévitable, même si le faible taux actuel était maintenu. Pour certains observateurs, le fléchissement de la production de céréales figurait parmi les causes d'inquiétude. L'influence occidentale sur la Chine entraîna des changements dans le comportement des citadines ; les revendications en faveur de la liberté sexuelle n'allaient pas tarder à accompagner celles des soutiens-gorge et du rouge à lèvres.

Bien que le gouvernement l'eût déconseillée officiellement, la coercition fit son apparition. Dans la province de Sichuan, les parents avec un seul enfant obtenaient une augmentation de salaire de 10 %, le droit au même logement qu'une famille de quatre personnes, l'admission prioritaire dans les écoles et les usines, et une ration adulte de blé pour l'enfant[79]. Au Yunnan, des pénalisations d'ordre économique furent imposées aux parents de plus de deux enfants. A Guzhon, on promulgua des quotas de stérilisation. La compagnie chimique de Lanzhou promit des récompenses aux employés qui s'engageaient à n'avoir qu'un enfant[80]. En juin, l'agence de presse de Xinhua annonça que l'objectif démographique avait été modifié. Dès lors, le but était une croissance démographique de 0,5 % dès 1985[81]. Le démographe Ma Yinchu fut réhabilité et avec lui l'idée que la Chine était déjà surpeuplée[82]. L'objectif à long terme fut énoncé : réduire la population chinoise à 650 ou 700 millions au milieu du vingt et unième siècle. Après avoir refusé l'aide étrangère pendant des décennies, la Chine, avec un revenu de 152 dollars par personne par an, s'ouvrit à l'aide étrangère à la consternation de l'Inde et du Bangladesh[83].

En juillet 1980, on vit apparaître dans la presse chinoise des articles préconisant l'interdiction du mariage pour les individus souffrant de malformations génétiques, y compris le daltonisme[81]. En février 1981, l'hôpital de Pékin ouvrit un service de consultation prémaritale, familiale, sexuelle et génétique[85]. En janvier 1981, le *Daily Telegraph* fit état d'un projet sur l'euthanasie pour tous les nouveau-nés mongoliens[86].

Dès mars 1980, cinq millions de couples avaient signé l'engagement de n'avoir qu'un seul enfant[87]. En septembre, Hua Guofeng proposa un programme intensif pour réduire le taux de natalité d'une manière qui ressemblait étrangement au programme en cinq points de Sanjay Gandhi[88]. En janvier 1981, dix millions de couples avaient signé l'engagement de n'avoir qu'un seul enfant, mais si l'on comptait que 160 millions seraient en âge de se marier dans les cinq années suivantes, la proportion était encore beaucoup trop faible[89]. En août, on évoqua l'idée de légaliser la famille avec un enfant unique, mais l'opposition fut trop forte et l'idée rejetée. Les revirements foudroyants de la politique chinoise pendant la courte durée de la République populaire avaient rendu la population méfiante envers les idées trop extrêmes. De plus, la Chine n'offrait aucun substitut à la famille pour s'occuper des couples âgés, qui vivaient de plus en plus vieux. Depuis des années, les Chinois cherchaient à réduire les désavantages des familles sans filles, en persuadant les gendres de venir habiter dans la famille de leur femme. Restait à les convaincre qu'une fille valait un fils ; il n'était que trop évident pour eux que la moitié des parents d'enfants uniques resteraient sans soutien dans leur vieillesse. D'autre part, si le système communautaire fut une réussite en Chine, c'est en partie dû au fait que le peuple chinois privilégie la famille et non l'individu. Les Chinois supportèrent des années de pauvreté et de souffrances parce que « l'Orient était rouge » ; limiter l'avenir à un seul enfant leur ôtait la plus grande partie de leur motivation. En termes statistiques, une transition démographique a peut-être eu lieu, mais dans la réalité, la Chine est encore une société centrée autour de l'enfant.

La résistance exprimée par les grossesses illégitimes provoqua la répression. Les paysans s'élevèrent contre le fait de devoir payer un « dépôt par bébé » de 200 yuans qui était conservé si l'enfant naissait[91]. Wian Liancheng, secrétaire général adjoint de la nouvelle association du planning familial, prétendit qu'il y eut entre six et sept millions de stérilisations en 1979, et cinq millions d'avortements, quelques-uns « involontaires »[92]. Les médecins illégaux pratiquaient des stérilisations et des retraits de DIU[93].

Dans les provinces comme Liaoning, le taux de natalité « grimpait en flèche ». A Guangdong, 47 000 femmes furent enceintes illégalement. Le taux de natalité pour 1980 fut estimé à 1,2, et en 1982, 1,3, toujours le plus bas de tous les pays en voie de développement. S'il est relativement facile d'imposer la norme d'un enfant par famille dans les grandes villes, l'opposition dans les campagnes peut ruiner le programme tout entier. Tant que les paysans appliquaient la politique gouvernementale parce qu'ils jugeaient qu'elle allait dans leur intérêt, même si elle entraînait privation et soumission, la république populaire de Chine resta le premier pays au monde à fonctionner suivant le modèle de société communiste. S'ils persistent à résister à la limitation rigoureuse de la fécondité préconisée par le parti, on assistera inévitablement à une purge des éléments rebelles du même style que l'extermination des koulaks. Alors que la Chine était prise en exemple grâce au succès des services intégrés, en acceptant les projections démographiques et en inversant ses priorités (les chiffres avant les hommes), elle figure aujourd'hui un avenir plein de menaces.

« De tout ce qui compose le monde, les individus sont ce qu'il y a de plus précieux », avait dit Mao, et plusieurs délégués à la Conférence de Bucarest se réjouirent d'entendre à nouveau énoncer ce principe. Après dix ans d'application d'une politique qui faisait peu de place aux besoins des communautés tels qu'elles les percevaient elles-mêmes, l'expérience chinoise permit de dégager un schéma de services intégrés. Les délégués des nations les plus pauvres osèrent admettre devant leurs donateurs qu'ils s'étaient trompés ; ils n'avaient pas su intégrer la population dans leurs projets, avaient renié les traditions, ignoré les besoins fondamentaux tels que la nutrition infantile et le contrôle parasitaire, dépensé plusieurs fois l'équivalent du programme chinois sans rien accomplir de comparable.

Opposés à l'idée même d'un plan mondial, les Chinois conçurent plutôt un protocole qui limitait l'utilisation de l'aide internationale dans la planification familiale. La structure même des programmes changea. La formation paramédicale, l'incorporation de l'obstétrique traditionnelle, la répartition de l'organisation entre les groupes locaux, associations de femmes et de jeunes, tous ces systèmes s'inspirèrent du succès chinois. Toutefois, il est difficile de considérer ces changements structurels comme une amélioration. L'intégration entraînait la prolifération d'organisations aux objectifs imprécis et de systèmes de contrôle de plus en plus compliqués. Les motifs du financement des programmes restaient cependant inchangés ; seule une réduction du nombre de nouveau-nés justifiait l'introduction de la planification familiale dans les projets de développement. Si, à la fin d'un projet, le nombre des naissances avait augmenté par rapport à ce qu'il aurait été en l'absence de plans d'alimentation infantile et de contrôle parasitaire, il était de peu d'importance que l'usage de la contraception s'étendît.

Les fanatiques des programmes démographiques renoncèrent à vouloir influencer une bureaucratie plus rigide et religieuse que jamais et se lancèrent dans les projets de distribution à l'échelon de la communauté. Ceux qui mouraient de faim auraient droit à des contraceptifs oraux et à des préservatifs, les mendiants à des vasectomies. Ravenholt et sa suite, fervents admirateurs du système chinois, mirent l'accent sur le profit des petits commerçants. Il est peu probable qu'ils aient vraiment cru que les colporteurs au Bangladesh interrogeaient les femmes sur les contre-indications des stéroïdes oraux, pour la bonne raison que ce sont les hommes qui font les achats. Ravenholt, Potts et compagnie auraient dû savoir que les tests de dépistage étaient inexistants. Les Etats-Unis, qui ont tout intérêt à démontrer que l'entreprise privée est le meilleur agent des changements sociaux, ne cherchent pas à savoir ce qui s'est passé et se passe encore en matière de commercialisation des produits pharmaceutiques dans le tiers monde. Upjohn, Syntex et les autres ne financent pas des enquêtes sur les décès et les maladies que provoquent leurs stratégies commerciales.

En général, à l'exception de la Chine qui semble sur le point d'apporter une preuve supplémentaire de cette règle, les gouvernements ont peu d'influence sur la fécondité humaine. La formulation d'une politique démographique en des termes compatibles avec l'idéologie dominante est difficile, et même les Etats les moins démocratiques ne peuvent forcer la fécondité humaine à s'adapter à des normes imposées de l'extérieur. La Chine et l'Inde sont deux nations socialistes, mais peu de systèmes politiques ont des positions aussi contrastées sur ce sujet. Toutes deux investirent énormément dans la limitation des naissances, l'Inde avec des résultats politiquement catastrophiques et négligeables sur le plan économique et démographique, la Chine avec un succès indéniable, jugé cependant insuffisant et qui s'avéra temporaire.

Les pays de l'Est ont un problème démographique inverse et encore plus grave. Sauf en Albanie, le taux de natalité y baissa de façon spectaculaire après la guerre. La théorie malthusienne est contraire à l'analyse marxiste traditionnelle et les pays communistes ont toujours été pronatalistes. Pourtant le taux de natalité continue à baisser. La limitation de la fécondité n'est pas encouragée, les contraceptifs sont pratiquement introuvables, et les naissances tant désirées n'arrivent pas. Si l'on tient compte du fait que deux guerres mondiales, la guerre civile, le collectivisme, la famine et la Grande Purge ont coûté quelque 80 millions de vies à l'U.R.S.S., une natalité faible entraîne automatiquement un manque cruel de main-d'œuvre qui rend nécessaire la participation des femmes aux travaux pénibles et au travail de force. Bien que leur travail soit mal rémunéré et les primes de natalité généreuses, les femmes russes, hongroises, bulgares et tchèques préfèrent subir un avortement (même sans anesthésie) plutôt que d'avoir un enfant. La proportion des avortements dans les pays de l'Est est souvent supérieure à celle des naissances.

Les vicissitudes de la loi sur l'avortement dans les pays de l'Est reflètent une situation dramatique. En 1936, l'U.R.S.S. déclara l'avortement illégal pour le libéraliser à nouveau en 1955 à cause d'une crise d'ordre épidémique[94]. Il n'y eut ni débat public sur la question ni presse d'opposition pour que le nombre d'avortements criminels devînt une *cause célèbre* ; il est à supposer que la situation était catastrophique, plus préjudiciable sans doute à la structure de la population que la diminution des naissances provoquée par la libéralisation de l'avortement. Cette infécondité volontaire et cette résistance cachent une crise morale. La combinaison du collectivisme, du travail pénible dans une économie stagnante, du manque de crèches et des mauvaises conditions de logement semble avoir supprimé efficacement toute la joie qu'il y a à mettre des enfants au monde. Pourtant, avant la Première Guerre mondiale, le taux de natalité des pays de l'Est était l'un des plus élevés d'Europe. Le taux actuel a porté à son paroxysme le manque de main-d'œuvre. Dans le cas de l'U.R.S.S., le taux de natalité plus élevé des musulmans et le chômage qui frappe le Caucase et l'Asie centrale comportent un risque pour la minorité russe. Personne ne sait combien de temps les Russes pourront jouer le suremploi de l'Europe soviétique contre le chômage et le mécontentement de l'Asie soviétique.

Face à ces problèmes, les gouvernements ont peu d'options. Ils peuvent interdire la vente des contraceptifs, mais les populations d'Europe centrale pratiquent traditionnellement le coït interrompu. En cas d'échec, les femmes ont recours à l'avortement, légal ou illégal. L'exemple hongrois est typique du destin des politiques pronatalistes. Enceintes, les ouvrières hongroises continuent à travailler. Elles touchent leur plein salaire sans perdre leur ancienneté pendant la période des couches et ensuite pendant cinq mois, plus une allocation pour l'enfant jusqu'à l'âge de trois ans, et bénéficient de facilités d'inscription dans les crèches. Si les incitations à la naissance sont considérables, l'avortement de son côté a été limité aux femmes seules, veuves ou divorcées, ou souffrant de complications dues à une grossesse précédente. En conséquence, le nombre d'avortements a diminué d'environ 40% ; le taux baissa de 1,024 avortement pour chaque naissance en 1973 à 0,514 en 1974 ; le taux de reproduction par contre passa de 0,94 en 1973 à 1,12 en 1974, pour diminuer aussitôt[95]. Les mesures destinées à lutter contre l'avortement ont eu pour effet principal et alarmant de forcer un nombre considérable de Hongroises à devenir mères contre leur gré. En tout cas, le taux de croissance naturelle en Hongrie n'est pas plus élevé qu'en Angleterre, en Belgique, au Danemark et en Suisse, c'est-à-dire qu'il atteint le taux de remplacement. L'Autriche, le Luxembourg et les deux Allemagnes n'atteignent même pas ce niveau malgré les encouragements sous forme de rémunération offerts aux mères en puissance en Allemagne de l'Est.

Les pays qui restent en dessous de la barre fatidique nécessaire au renouvellement ne s'inquiètent pas forcément de la situation. La plupart des pays occidentaux ne cherchent pas à élever leur taux de croissance démographique, mais en France, en Grèce et au Luxembourg, on perçoit un désir avoué d'élever le taux de natalité. Un groupe de démographes français dirigé par Alfred Sauvy s'est inquiété du *refus de la vie* manifesté par les Français depuis plus de cent ans[96]. Chaque pays sous-fécond doit recruter sa main-d'œuvre à l'étranger. En R.F.A., deux millions d'Autrichiens, Grecs, Italiens, Portugais, Espagnols, Turcs, Nord-Africains et Yougoslaves entre autres fournissent une main-d'œuvre indispensable. Les sociobiologistes considèrent peut-être le phénomène comme une colonisation réussie, mais l'exploitation et l'oppression de ces réfugiés des pays pauvres n'ont rien de satisfaisant. 25 % des enfants turcs en âge de scolarisation qui vivent en Allemagne de l'Ouest souffrent d'effets de malnutrition que l'on ne retrouve pas chez leurs semblables en Turquie[97].

De par leur structure bureaucratique, les gouvernements ne peuvent ni planifier les familles, ni influencer leur formation, ni même les maintenir unies. Plus l'Etat s'immisce dans la vie familiale, plus il l'affaiblit. Les prestations ne jouent pas le rôle de mesures natalistes, car les gouvernements les fixent généralement à un niveau que les chômeurs seuls jugent attractif et personne ne désire des enfants de chômeurs. La plupart des femmes refusent d'avoir des enfants non parce qu'ils ne leur rapportent pas d'argent, mais parce qu'elles n'en retirent aucune satisfaction, ce qu'aucun gouvernement ne peut fournir. En matière de limitation des naissances, les directives des autorités officielles sont maladroites et arbitraires. Les méthodes mises en œuvre par la collectivité peuvent par contre se montrer rapidement efficaces. Imposés par l'autorité centrale, encouragements et freins peuvent avoir des résultats positifs, mais uniquement dans des pays où existent des centres urbains surpeuplés, comme Singapour. Il est inquiétant de penser, dans ces conditions, que tous les gouvernements adopteront bientôt une politique démographique.

13
L'avenir de la reproduction

> Je me demande parfois pourquoi tant de conseillers étrangers nous poussent avec autant d'insistance à mettre en œuvre des programmes censés effacer le temps et apporter des résultats immédiats.
>
> ARY BORDES[1]
>
> Le temps nous est compté.
>
> MALCOLM POTTS[2]

Les prédictions en matière démographique sont pour le moins affaire hasardeuse. En premier lieu, il est difficile de déceler les tendances, car il en existe de contradictoires dont certaines sont significatives alors que d'autres ne le sont pas. A partir d'une hypothèse d'évolution, établir une projection est délicat, la tendance elle-même se transformant en variable dans un véritable océan de variables. L'explosion démographique, comme le terme l'implique, est un phénomène de courte durée, car l'humanité ne s'est développée au taux de 3 % par an que depuis peu. Si la thèse générale de cet ouvrage est correcte, et que l'humanité a toujours tendu naturellement à équilibrer la population en fonction de ses ressources, alors cette explosion est un phénomène temporaire. Elle restera une sorte de cloche dans la courbe de la population, aussi longtemps que l'on pourra persuader les êtres humains qu'il est raisonnable de garder un équilibre entre la population et les ressources disponibles. Les planificateurs forment souvent le vœu pieux que les peuples pauvres et féconds puissent être conduits à cette prise de conscience, qui d'après eux existerait déjà chez nous, riches et inféconds. C'est cette position que cet ouvrage entend contredire ; le déclin de la fécondité dans le monde développé n'a rien à voir avec la conscience d'une responsabilité globale, et tout à voir avec des freins culturels tendant à la réduction des naissances. Les chiffres des naissances ne diminueront pas dans le monde avant que ces freins ne se fassent partout sentir.

Aucune autre société dans l'histoire n'a atteint le niveau de contrôle sur la mortalité que nous connaissons aujourd'hui ; nous pouvons seulement supposer le prix dont devra être payé en fin de compte ce succès, mais une chose est sûre, ce prix ne sera pas payé par nous. Comme le souligne Alva Myrdal en parlant de l'infécondité en Suède en 1941 :

> La génération actuelle, composée des groupes d'âge fertiles, s'inscrira dans l'histoire comme la plus avide de toutes. Elle a augmenté la consommation par tête en faisant passer son taux de reproduction en dessous de l'unité. Par ailleurs, grâce à l'assurance volontaire et à la législation sociale, elle a injustement acquis des droits à une vieillesse sans travail. Les annuités qui devront être payées le seront par les revenus des éléments productifs de la nation, qui n'auront pas été engendrés en nombre suffisant par les consommateurs âgés... Cela est l'interprétation en termes d'incidence sur les individus du fait abstrait suivant : une augmentation temporaire du niveau de vie peut être atteinte par les familles individuelles au point d'inversion entre tendances progressives et régressives des chiffres de la population[3].

Myrdal explique que la charge créée par les plus âgés, exprimée en taux d'imposition dans les pays sociaux-démocrates, rend le renversement de cette tendance de plus en plus difficile, empêchant la classe productive d'avoir plus d'enfants tout en assumant l'ensemble de ces charges. En dépit de toutes les structures complexes qui ont été édifiées au détriment de la famille, la vérité ancienne subsiste : nous dépendons de nos enfants. Dans les régimes bureaucratiques avancés, cela signifie dépendre du surplus de revenus qu'ils produisent, destiné d'abord à entretenir une administration disparate et inefficace avant l'arrivée du moindre morceau de pain sur le plateau du pensionnaire de l'asile de vieillards. La famille était plus efficace dans cette tâche, sans compter l'environnement plus chaleureux qu'elle fournissait, comparée à la solitude qui est le lot de ces pensionnaires. La recette de Myrdal repose sur une prospérité permanente ; en temps de crise, un système inefficace fonctionne encore moins bien. De plus, comme beaucoup à son époque, Myrdal ne se rend pas compte que l'apogée du bien-être capitaliste a été atteinte au détriment des peuples du monde entier. Quel que soit son dénuement, la femme titulaire d'une pension fait agir nos relations impérialistes avec les nations clientes chaque fois qu'elle prépare une tasse de thé. Si nous développons avec noblesse une conscience globale dans les esprits de millions de paysans pour qu'ils réduisent le nombre des utilisateurs de ressources que nous leur retirons avec tant d'irresponsabilité, peut-être devrions-nous nous imprégner de cette conscience globale et nous suicider.

Les vieilles nations, empêtrées dans leur confort, inquiètes du changement, accrochées à un trésor qui va s'amenuisant, sont de toute façon en train de se suicider. Il semble que la vie n'est supportable qu'accompagnée de légères améliorations du niveau de vie, ou peut-être que l'espoir de ces améliorations suffit à pousser les hommes à combattre et entreprendre.

C'est en pensant à leurs descendants que les gens prennent des risques, continuent à s'acharner quotidiennement au travail, mettent au monde leurs enfants dans la douleur. Mais par ailleurs, il semble qu'un imminent déclin du niveau de vie déclenche une crise morale qui s'exprime dans une hésitation à procréer. Tel fut le destin de pratiquement toutes les élites ; au fur et à mesure que leurs exigences augmentaient, leur viabilité s'est vue menacée jusqu'à ce qu'elles soient balayées par des groupes plus durs et plus dynamiques. L'histoire fourmille d'exemples de ce genre de processus ; relativement proche de nous, il y a celui des parsis en Inde.

Les parsis ont été la communauté choisie par les Anglais pour leur servir d'agents en Inde. Lorsque la Compagnie des Indes orientales devint l'empire de la reine Victoria, les parsis se développèrent dans son sillage. Ils n'étaient pas seulement l'élite commerçante de Bombay ; en 1881, ils avaient le taux de reproduction le plus élevé de l'Inde. Ce phénomène s'explique sans doute par une nette augmentation du différentiel entre le taux de natalité et le taux de mortalité. En effet, outre une meilleure alimentation et de meilleures conditions de logement, les parsis bénéficiaient des avantages d'un système de sécurité sociale qui apportait un climat d'optimisme dans une économie en expansion favorable à l'augmentation des naissances. Le déclin survint bien avant le départ des Anglais ; dès 1951 un faible taux de natalité était devenu la règle. De 1951 à 1961, la population totale de l'Inde avait augmenté de 21,5 %, mais la communauté parsie s'était réduite à 9,9 %. Ce déclin de 1 % l'an s'est prolongé pendant les dix années suivantes, et s'observe encore aujourd'hui. Depuis 1955, le taux de mortalité a toujours été supérieur au taux de natalité.

> ... Ce n'est pas seulement le déclin de la population qui est inquiétant, mais l'appauvrissement de la classe moyenne, sa dépendance accrue envers les organisations d'assistance, le chômage, la décadence morale et physique, et le nombre de suicides plus élevé que la moyenne[4].

Cette situation marque le point de départ d'une transition démographique obligée ; le style de vie des parsis a changé exactement comme Bernard Berelson le décrit, résumant fidèlement la théorie de la transition démographique que nous avons tirée de notre expérience européenne.

> Comment, en théorie, l'Inde peut-elle réduire de moitié son taux de natalité ? — attirer la majorité de la population active dans l'industrie, et ainsi augmenter radicalement le standard de vie, promouvoir l'urbanisation, donner à chaque enfant, y compris aux filles, six à huit ans de scolarité, interdire le travail des enfants, ramener la mortalité infantile en dessous de 25 %, élever l'âge du mariage pour les femmes à 25 ans environ, établir la famille nucléaire dans des résidences séparées, employer 35 à 40 % des femmes en âge de procréer et mettre en place un système efficace de sécurité sociale[5]...

Les parsis appliquèrent plus ou moins ce programme ; leur système d'assurance instaura en Inde un Etat-providence qui dure encore aujourd'hui ; leur système d'éducation est satisfaisant, et ils sont venus à la famille nucléaire dès le début du siècle. Les mariages sont célébrés à un âge de plus en plus tardif, les logements suffisamment confortables pour les descendants de l'élite commerçante se faisant rares à Bombay. Certains voient dans la pression démographique urbaine de Bombay une des causes du déclin des parsis ; d'autres disent que leur déclin a accompagné celui de leurs maîtres britanniques. Quelle que soit l'explication politico-économique, le phénomène est celui d'une population âgée, impliquant tous les problèmes liés à une grande longévité, par exemple l'ostéoporose chez les femmes, inconnue dans le reste de l'Inde où elles n'atteignent pas un âge suffisant. Parfaitement conscients de leur déclin, les plus jeunes (ou suffisamment jeunes) ne paraissent pas en souffrir. Cultivés, raffinés, ils semblent plutôt fiers d'appartenir à un club exclusif qui va en diminuant. Les femmes qui se marient en dehors de leur caste ne sont plus des parsies ; les hommes sont peu nombreux à se marier. Ceux qui épousent des étrangères peuvent les appeler parsies ainsi que leurs enfants, s'ils ne sont pas pris dans la vague de divorces, fréquente dans les mariages intercommunautaires. Ce sont généralement des couples sans enfants. De la courageuse troupe des disciples de Zoroastre qui émigra d'Iran au neuvième siècle, il reste moins de 80 000 individus. Tous les monuments dédiés aux grandes familles parsies n'empêcheront pas leurs gènes de disparaître.

La gloire et la chute des parsis représente peut-être notre prospérité et préfigure notre chute. Notre déclin démographique, de par notre nombre, n'a pas atteint celui des parsis, mais de même que les populations s'accroissent exponentiellement, elles diminuent à un rythme toujours accéléré. Les populations âgées requièrent des systèmes de santé coûteux et perfectionnés, et ne procurent que peu ou pas de contrepartie. Pour beaucoup, la longévité actuelle pose des problèmes plus angoissants que la mort elle-même, mais un nombre croissant d'hommes dans le monde développé va connaître l'humiliation de la dépendance, la confusion mentale, les maladies chroniques et la dépression. Nous ne nous reconnaissons peut-être pas dans la femme parsie qui vit seule avec son fils célibataire, mais nous n'avons fait qu'institutionnaliser cette image. Les problèmes d'une société encombrée de personnes âgées et dépendantes sont clairs ; plus subtils encore sont ceux que crée une population âgée et valide.

La surreprésentation des couches âgées n'aura pas seulement un effet économique direct. L'attitude psychologique de la population deviendra différente. Il est possible que la tendance expansionniste de la dernière moitié du siècle disparaisse. Les vieux ne sont pas les investisseurs ou les administrateurs les plus dynamiques. Cependant ils contrôleront la richesse et tiendront les postes de commande. C'est une situation que nous connaissons déjà, mais elle va devenir plus pesante avec l'augmentation du pourcentage des personnes âgées... L'environnement culturel deviendra plus statique... Les problèmes se règlent moins facilement d'eux-mêmes dans le cadre d'une population qui régresse... il est difficile de ne pas arriver à la conclusion que la vie pour les jeunes deviendra plus difficile dans une société contrôlée par les vieux[6]...

Les prévisions pessimistes de Myrdal peuvent nous amener à nous interroger sur l'apparente immobilité de certaines structures et le développement de l'esprit conservateur à notre époque, et sur leurs rapports avec l'accroissement relatif de l'âge des populations occidentales. La stabilité de nos systèmes politiques n'est peut-être qu'une perte de dynamisme, qui conduit à un état statique, lui-même lié à notre taux de natalité. On soutient volontiers la thèse inverse, suivant laquelle l'expansion des taux de natalité conduit à la révolution, souvent décrite comme « bolchevique », système gérontomorphique s'il en est.

Le manque d'énergie qui caractérise les populations vieillissantes est particulièrement bien illustré dans l'échec des groupes âgés à améliorer leur situation collective. Une gérontocratie peut contrôler l'argent et le pouvoir, mais elle ne les contrôle pas dans l'intérêt de son groupe, mais avec cet individualisme égoïste qui caractérise la personnalité sclérosée. Nos sociétés sont à présent moralement obligées de se préoccuper du sort des personnes âgées et ont graduellement admis que cette responsabilité ne peut retomber sur des célibataires soumis à l'influence parentale. La bureaucratie a pris en charge une grande partie de ces responsabilités ; il est néanmoins difficile de prétendre qu'elle s'acquitte bien de cette tâche.

Plus encore, et cela est lourd de conséquences pour l'avenir, nous ne pouvons prendre en charge les personnes âgées sans le recrutement des travailleurs immigrés, qui se situent au plus bas de l'échelle de cette catégorie de personnel exploitée depuis toujours, le personnel de santé. Alors que nous gaspillons des quantités considérables d'argent et de temps dans des techniques de transplantation d'organes qui bénéficient à des êtres humains complètement usés, nous laissons des personnes âgées mourir d'hypothermie, ou des suites d'une chute. Traditionnellement, les vieux s'ingéniaient à garder un lien avec les jeunes, faisant jouer l'affection ou même l'intérêt ; en l'absence de tels liens, les jeunes en vieillissant ne sauront prendre soin des vieux. Les scléroses au niveau du cerveau humain engendrent irritabilité, soupçon, méchanceté et perversion. Les scléroses au niveau de la société engendrent la bombe à neutrons.

L'espérance de vie dans le monde développé a probablement atteint ses limites, et pourrait même régresser, alors que le profil des maladies se transforme avec la détérioration de l'environnement. L'incroyable prolifération de maladies qui échappent aux mécanismes d'immunité, l'utilisation des médicaments, légaux ou illégaux, les conséquences d'une permissivité sexuelle largement répandue et l'accroissement des tensions peuvent conduire à une augmentation du taux de mortalité qui s'élèverait à nouveau au lieu de diminuer. La recrudescence du paludisme peut également avoir des conséquences démographiques, mais surtout dans des pays qui connaissent déjà un taux de mortalité élevé. Les démographes estiment généralement que la stabilisation du taux de mortalité entraîne la stabilisation du taux de natalité. C'est convaincant, mais il n'en existe pas de preuve. Si le taux de mortalité est aujourd'hui relativement immuable, le taux de natalité est encore capable de chuter sans fin. La stabilité qui marquait les sociétés humaines dans le passé était le résultat d'une démarche délibérée. Bien qu'il soit admis que le contrôle des naissances fut pratiqué par tous les moyens que nous avons exposés, il ne faut pas oublier que l'encouragement des naissances était également rigoureux : les femmes étaient constamment entraînées dans le processus de la reproduction au risque de leur vie, par toutes les pressions idéologiques et sociales existantes. Si nous oubliions le caractère délibéré et total de ces actions, nous éliminerions un des éléments fondamentaux de la compréhension de la dynamique de la reproduction.

Ce point de vue est exprimé avec une remarquable clarté par Clellan Stearns Ford :

> La reproduction humaine s'effectue à travers des processus biologiques aidés par des comportements acquis. Les coutumes qui viennent ainsi compenser les imperfections du processus biologique ont leur origine dans le désir d'avoir des enfants. Ce souhait d'une descendance n'est pas une composante innée de la nature humaine ; il ne s'agit pas d'un instinct fondamental. Au contraire, c'est une motivation acquise, constamment renforcée par des récompenses ou des sanctions d'ordre social. La garantie de la sécurité, l'approbation des autres, le prestige encouragent le désir d'avoir des enfants ; la menace de l'insécurité, la réprobation et le ridicule refoulent le désir d'éviter les craintes et les douleurs de la naissance et de la parenté[7].

Mon intention a été de soutenir cette affirmation en montrant comment de véritables systèmes idéologiques ont été construits autour de l'accomplissement de la parenté et comment la naissance peut être motivée dans les sociétés familiales traditionnelles. Je comprends parfaitement que ceux qui détiennent le pouvoir aujourd'hui considèrent cette motivation comme antiproductive, et par conséquent tendent délibérément à la détruire par diverses incitations, même dans des sociétés où l'absence d'enfants atteignant l'âge adulte signifie dégradation et pauvreté. Bien que j'espère voir leurs efforts voués à l'échec, car les peuples soumis agiront dans leur propre intérêt chaque fois qu'ils le pourront, il faut admettre que les mécanismes culturels qui assurent la survie du groupe sont plus fragiles qu'il n'y paraît. Une fois détruits, ils ne peuvent être remplacés par des aides financières, de meilleures crèches, ou encore par l'interdiction de l'avortement et la distribution de contraceptifs. Les gouvernements ont utilisé les deux méthodes, et le résultat a été d'augmenter le nombre de femmes et d'enfants malheureux, conséquence cruciale sur le plan humain, et négligeable en termes statistiques. Voici encore comment Stearns Ford s'en explique :

> D'autres motifs entrent en conflit avec le désir d'avoir des enfants. La

femme enceinte se voit chaque jour davantage handicapée et frustrée. Elle craint la douleur de l'accouchement, de mettre au monde un enfant anormal ou mort-né, ou de mourir elle-même. Elle sait qu'après la naissance elle devra consacrer la plus grande partie de son temps à son bébé. Ce sont ces frustrations et ces craintes qui conduisent au désir d'éviter la conception, la grossesse et l'accouchement. Si la reproduction doit se perpétuer, la vie sociale doit offrir des compensations à la mise au monde des enfants, qui fassent davantage que contrebalancer les contraintes et les maux attachés à la procréation[8].

Les encouragements à la naissance sont nombreux et variés dans les sociétés traditionnelles ; seul un échantillon limité et choisi au hasard a été cité dans cet ouvrage. La société occidentale, au contraire, a chargé la parenté d'inconvénients. S'il est vrai que les risques de mortalité au cours de l'accouchement sont très réduits, ce fait ne peut être considéré comme un encouragement à la procréation. Nous montrons moins de répugnance à risquer notre vie qu'à la laisser devenir insupportable. Ce n'est pas en rendant grâce à ceux qui ont supprimé les risques pour les remplacer par le stress et la confusion que nous aurons des enfants. Les inconvénients de la grossesse et de la maternité sont exacerbés dans notre société. Le rôle de mère est marginalisé socialement. Le rôle de parents est fait de responsabilité, sans contrepartie. Le rôle de l'enfant n'est pas moins difficile à remplir.

La question est alors posée : se pourrait-il que l'*Homo occidentalis* cesse complètement de se reproduire ? Certains diront que l'instinct nous forcera à nous reproduire contre notre volonté ; mes propres remarques concernant un mécanisme biologique qui aboutit à l'échec des méthodes contraceptives pourraient renforcer leur espoir ; mais ce mécanisme est fragile ; il conduit à la grossesse plutôt qu'à la naissance, tout au moins dans cet exemple particulier. Si nous acceptons le point de vue d'Ashley Montagu suivant lequel

A l'exception des réactions instinctives du nouveau-né à l'interruption soudaine de son environnement et aux bruits violents, l'être humain n'est pas un être instinctif[9].

nous ne survivrons pas malgré nous. Si l'on admet l'hypothèse freudienne d'un désir de mort, il n'y a pas de discussion. Il nous faudra apprendre à mourir de meilleure grâce que nous ne le faisons actuellement, et ce ne sera peut-être pas une telle calamité si l'*Homo occidentalis*, trop souvent visiblement inadapté, devait connaître le sort du dinosaure. Il est certain que ceux qui ne se soucient pas de se reproduire n'attachent pas d'importance au fait de survivre ou non, bien qu'ils montrent un certain degré d'indignation quand on les qualifie de « génétiquement morts ». Sur ces bases, le désespoir des démographes français face au long déclin de la population française n'a aucun sens. Les individus meurent, les groupes meurent, les espèces meurent, chacun à sa propre époque. Les hommes doivent accepter de quitter le monde comme ils ont accepté d'y venir. La tragédie du *Roi Lear* pourrait être avec profit utilisée comme parabole sociobiologique pour nous enseigner qu'à un moment donné nous devons nous résigner à cet abandon.

Dans *Problems of Population*, Charles Darwin a mis en valeur une prémisse qui conduit aux mêmes conclusions.

> Supposons par exemple que la moitié du monde choisisse le confort et la limitation de sa population, et que l'autre fasse le choix contraire. Au bout d'une génération ou deux, les proportions ne seraient plus 50 %, mais 1/3 et 2/3 ; après deux siècles, les tenants du confort représenteraient un nombre insignifiant par rapport au reste. La nature met en jeu automatiquement des pouvoirs d'équilibre extraordinairement puissants, et rien si ce n'est un pouvoir contraire aussi puissant ne peut arrêter cette tendance... Je doute que l'homme par une action consciente ait les moyens de réaliser ce changement[10].

La nature par elle-même est évidemment aussi dénuée d'intelligence qu'une bombe à hydrogène : l'intelligence, et c'est déplorable, a peu de rapports avec tout cela. En estimant les amateurs de confort à 50 % de la population mondiale, Darwin leur conférait un avantage qu'ils ne possèdent pas ; ils ne représentent à l'heure actuelle qu'un quart du total. Si nous prenons pour exemple les juifs d'Amérique, étant donné leur taux actuel de fécondité de 1,5 enfant par femme, leur nombre devrait décroître de moitié en quatre-vingts ans environ.

> Il y a aujourd'hui deux fois plus de juifs que de mormons. A la fin du siècle prochain, en tablant sur les taux actuels, il y aura douze fois autant de mormons que de juifs, soit 24 millions contre 2 millions...
>
> Aujourd'hui, pour une personne appartenant aux pays développés, il y en a trois dans les pays moins développés. Même en tenant compte de la baisse des taux constatée dans les pays du tiers monde, une prévision des Nations unies indique que, en 2100, le rapport ne sera plus de trois à un, mais de dix-huit à un.
>
> Et par conséquent, l'équilibre du pouvoir sera sans doute modifié. Les démocraties perdront leur relative puissance économique. Elles perdront leur poids politique. Elles perdront leur influence... le monde va sans doute changer d'une manière impossible à prévoir[11].

En contrepartie, les gérontocraties prendront des mesures pour conserver leur suprématie ; elles deviendront plus autoritaires, plus secrètes, plus militaristes. Une élite militaro-industrielle cherchera à contrôler cette masse remuante d'humanité car elle a tout à perdre. Et elle perdra l'humanité qui n'a rien à perdre. Pour Darwin, cette perspective est inexprimablement triste ; il imagine un futur dans lequel un professeur africain explique la révolution scientifique à ses étudiants :

La série des grandes découvertes scientifiques qui la rendirent possible furent dues, pour la plus grande part, à la race blanche dont l'habitat régional était l'Europe occidentale. Cependant, cette race ne sut pas se montrer égale à sa grandeur. Le succès mina ses énergies, et détruisit son esprit d'entre-prise. Elle ne pouvait imaginer qu'un monde plus dur, tel que nous le connaissons, serait tolérable. Elle ne pouvait imaginer, comme nous le savons aujourd'hui, que le bonheur a peu de rapports avec le confort et le luxe. En conséquence, elle commença à limiter le nombre de ses familles dans l'espoir vain de réduire la multiplication de l'espèce humaine. Elle se mit à décroître, d'abord relativement aux autres races, et ensuite en valeur absolue. Ses peuples perdirent de l'importance, et aujourd'hui, cette race autrefois si grande survit avec difficulté dans quelques parties les moins accessibles du monde[12].

Si nous disparaissons aujourd'hui, nous aurons laissé des monuments bien plus importants que les grandes pyramides. Les survivants apprendront nos noms à l'école. Les universités entreprendront de reconstituer notre existence. Le plus horrible est de détruire tout ce que nous avons su accomplir de grand par un déploiement final de nos capacités surhumaines, l'holocauste nucléaire. Si nous laissons derrière nous une planète empoisonnée et des enfants contaminés, le professeur africain ne sera pas obligé d'enseigner à ses étudiants qui nous étions, car nos noms survivront comme la malédiction de l'humanité. Le bien que nous avons accompli sera enterré avec nos ossements, alors que le mal que nous avons causé survivra dans un monde souffrant et déformé.

Darwin avait un remède pour le déclin des amateurs de confort ; c'était l'utilisation « forcée » dans le monde entier de la « contraception ». Comme les amateurs de confort ne dirigent pas le monde *de jure*, mais seulement *de facto*, ils ne peuvent rien imposer sur une base légale dans le monde entier. Si les autorités locales doivent être amenées à prescrire obligatoirement le contrôle des naissances, il est préférable de dissimuler que notre aide dans ce domaine a pour but de perpétuer notre propre suprématie, et c'est ce que nous faisons. Très peu de partisans du contrôle démographique s'exprimeraient si crûment de nos jours. Notre désir de domination s'exerce principalement par le soutien que nous apportons à ceux qui utilisent la coercition pour leur propre compte par des méthodes que nos constitutions de pays « démocratiques » nous dénient.

Certains législateurs échouent dans leurs tentatives de faire passer des lois permettant la stérilisation « involontaire » des mères assistées, des retardés mentaux ou des chômeurs, à cause de l'influence des lobbies soutenant les minorités ; mais nos organismes publics récompensent les nations qui imposent ces pratiques non seulement en leur fournissant matériel et savoir-faire pour détruire la fertilité à une échelle massive, mais aussi à travers une aide militaire et financière sans cesse accrue. Les mêmes lobbies qui empêchent ces lois autoritaires d'être adoptées dans nos propres pays s'opposeront à ce que les aides publiques aux pays étrangers puissent favoriser l'avortement, mais paieront sans sourciller 95 % des dépenses de stérilisation. Un autre groupe se manifestera pour empêcher la fourniture de produits injectables, pour d'autres raisons, mais avec le même souci ethnocentrique. De telles tactiques augmenteront les chances d'adoption de la stérilisation forcée en limitant les possibilités de recours à d'autres options.

La difficulté en ce qui concerne l'utilisation du Depo-Provera vient de ce que c'est une injection comme les autres, pouvant être administrée par des individus ou des autorités dénués de scrupules, sans le consentement du sujet. C'est un des avantages que lui trouve l'utilisatrice qui ne désire pas se laisser convaincre par les autres qu'elle doit faire son choix librement. Les femmes qui s'occupent de leurs semblables devraient réaliser l'importance d'un tel pouvoir dans le processus d'émancipation, et cependant il est controversé. A cause de cette polémique, qui a son origine dans les doutes concernant les effets du produit dans les pays occidentaux où d'autres méthodes sont tout aussi disponibles, et où l'alternative ne représente pas un danger pour l'accouchement, cette discussion est devenue affaire de mode et échappe à tout contrôle, au grand dam d'Upjohn qui fabrique le produit. Les Occidentales ne font pas davantage confiance aux médecins du tiers monde qu'aux leurs quant à l'utilisation du Depo, et elles ont sans doute raison, mais vont-elles s'opposer à ce que leurs gouvernements s'abstiennent de fournir un soutien moral et matériel à la Chine ?

Il est certain que la récente vague de mesures coercitives en Chine a développé l'infanticide et l'avortement provoqué ; les Chinois passent leur temps à nous parler des infanticides, crimes commis par des individus pervers, peut-être parce que nous sommes suffisamment conditionnés pour accepter cette masse de mesures autoritaires, plus cruelles que tout ce que nous pouvons imaginer. Les avortements forcés sont des crimes perpétrés par les représentants de l'Etat ; quiconque révèle une telle pratique risque d'être lui-même démis immédiatement par ces mêmes institutions, prétendus bastions de la liberté académique, qui l'ont accréditée en premier lieu[14]. Nous ne voulons pas entendre parler de cette brutalité chinoise, dans le désir de nous rassurer et de croire qu'il n'est point besoin de s'y opposer. Nous souhaitons que le nombre de Chinois diminue avec plus d'ardeur que Hua Guofeng lui-même. Notre soutien à cette politique est probablement sans grand effet sur son application. Mais une chose est grave, c'est que nous sommes contaminés par association et que notre sens de la démocratie s'en trouve émoussé. Si nous ne laissons sur terre que notre réputation, elle sera peut-être entachée au-delà de toute rédemption. Même les Chinois pourront nous mépriser pour notre action, lorsque la terrible histoire des années 1980 en Chine sera connue. Les Japonais, je le crains, nous méprisent déjà pour cette raison.

Quand les groupes humains s'éteignent, et sont remplacés par d'autres groupes humains, leurs langages et leurs systèmes sociaux disparaissent avec eux. Chacun représente une somme unique d'efforts à jamais balayée.

Certains spécialistes s'efforcent de reconstituer des histoires qui compensent en partie un tel gâchis, mais lorsque les tombeaux l'emportent sur les lits, les cultures disparues l'emportent sur celles qui continuent d'exister et menacent de se fondre en une seule monoculture à base de chaussures en plastique, de soutiens-gorge, de blue-jeans et de musique en cassettes. Monoculture qui à son tour se ramifiera sans doute en des formes plus variées — du moins peut-on l'espérer. Il y a encore peu d'indications que les diverses populations de l'Inde soient lassées du cinéma hindi, ou que les Africains s'opposent à porter les mêmes sandales en plastique que les habitants de la Mélanésie ou du Sud-Est asiatique.

Parmi les peuples nantis, certains étudient avec passion les royaumes anciens, se cassent la tête à parler des langages qui n'ont aucune ressemblance avec les sons qu'ils profèrent et scrutent des hiéroglyphes, espérant les déchiffrer comme des puzzles, alors que la réalité qu'ils tentent de reconstituer a cessé d'exister, et que les relations sémantiques qui nous y relient peuvent au mieux être devinées. Si nous nous intéressons aux Sumériens, aux Assyriens, aux Phéniciens, aux Egyptiens, aux Grecs et aux Romains, c'est qu'ils ont laissé des monuments qui préfigurent notre propre culture, du moins l'espérons-nous dans notre désir de revendiquer les ancêtres les plus nobles, et que leurs trésors sont enfouis dans l'énorme édifice de notre propre organisation culturelle. Les vastes royaumes d'Afrique centrale nous intéressent bien moins que la civilisation d'une petite île comme la Crète, car notre culture ne procède pas des Africains. Et nous nous préoccupons encore moins des peuples primitifs qui ont disparu avec leurs propres modes de vie. Ces peuples qui n'ont rien laissé à piller, qui n'ont aucune trace permanente sur l'écologie, nous leur offrons en récompense un oubli total.

Les Watusis des sources du Nil qui, poussant vers le sud, ont déplacé les pygmées twas et asservi leurs maîtres les Bahutus, eurent la fâcheuse idée d'attaquer le gouvernement colonial en 1963 ; leurs serfs, les voyant battus et le mythe de leur suprématie anéanti, s'emploient à les annihiler depuis lors. Dans le Burundi voisin, la population hutue, gouvernée par une minorité de Tutsis, cherche refuge en Tanzanie. Les soubresauts mortels de la civilisation féodale des Watusis sont le reflet de notre civilisation constamment régénérée par les échelons inférieurs[15]. Nous aussi, nous devons être servis par les ilotes étrangers dans les industries primaires essentielles, sur notre territoire et à l'extérieur. Nos armées elles-mêmes sont composées de ces mêmes ilotes et de leurs descendants. Les aristocratiques Touaregs sont également en train de mourir, car combattre et asservir ne conduit pas aujourd'hui à une position dominante, et la culture touareg n'est pas adaptée à des tâches plus humbles. Installés aux abords des bidonvilles, ils voient leur nombre s'accroître à nouveau, mais leurs membres qui s'accrochent à leur mode de vie traditionnel sont ballottés par la désertification et la guerre. Pour eux, il n'est pas de futur[16]. La syphilis qu'ils ont contractée il y a des siècles a pris le dessus.

Dans son introduction à l'ouvrage d'Elmer Pendell, *Population on the*

Loose, Walter B. Pitkin développe une curieuse théorie selon laquelle la population mondiale se divise entre nations bon marché et nations chères :

> Bien entendu, le monde n'est pas divisé de manière stricte entre humanité bon marché et humanité chère, il y a une zone intermédiaire... Les hommes deviennent meilleur marché lorsque nous nous déplaçons vers l'est à partir du Rhin. La Russie est le grand Etat de l'esclavage, et au-delà nous entrons dans la zone des taudis, où l'humanité devient de meilleur en meilleur marché, jusqu'à zéro et peut-être au-dessous.
>
> Nous Américains avons à notre disposition 22 796 tonnes de charbon par tête. Les Italiens ont seulement 1/8 de tonne par tête.
>
> Comment s'étonner que les Italiens soient bon marché et que nous soyons chers ? Ou que les Italiens essayent de s'implanter chez nous ?
>
> Nous avons à peu près 60 fois plus de fer et 200 fois plus de charbon que les Japonais. Il est normal que les Japonais soient bon marché[17].

Le raisonnement exagéré contient un germe de vérité, surtout si nous employons le terme coûteux au lieu de cher. L'Américain va utiliser ses tonnes de charbon à produire de l'électricité, et il lui en faudra toujours davantage pour maintenir le style de vie auquel il est habitué. La question est de savoir si le monde peut le supporter, lui et ses semblables européens. D'autres peuples, les nomades à économie de chasse, d'élevage et de cueillette, se sont révélés trop coûteux, et des paysans moins exigeants ont envahi leurs territoires ou élu des gouvernements qui ont sanctionné leurs raids. Nous voyons peut-être avec mélancolie les Masaïs aujourd'hui confinés dans une réserve, mais ils coûtaient trop cher en terme d'espace. Une superbe civilisation est en train de disparaître, mais dans un monde encombré, le besoin d'espace constitue une inadaptation[18]. Les peuples qui ont besoin d'espace montrent les réactions d'un animal en cage lorsqu'ils en sont privés : ils refusent de se reproduire. Après des siècles pendant lesquels leur nombre est resté en équilibre avec les ressources de l'habitat, l'arrivée d'étrangers détenant un nouveau pouvoir détruit la cohérence de leur système qui se désintègre. Certains gènes du groupe peuvent survivre, habituellement par l'intermédiaire des femmes prises comme épouses ou concubines par les nouveaux venus. Certains sociologues estiment ce degré suffisant.

La population des Indiens américains est en ces termes plus nombreuse qu'elle ne le fut jamais, mais des 400 différentes tribus aborigènes d'Asie et de leurs 55 familles de langage, il ne reste que peu de traces. Les Indiens des Grandes Plaines, les Chumash de Californie, les tribus Gabrielino, Fernandeno et Juaneno n'ont laissé personne pour les pleurer. Les Navajos, les Sioux et les Cherokees sont peut-être plus nombreux qu'ils ne l'étaient au seizième siècle, mais leurs ancêtres ne les reconnaîtraient sans doute pas. La Confédération des Iroquois des Cinq Nations vit dans sept réserves. Les aborigènes sont partout en train de disparaître, quand ils n'ont pas disparu, qu'il s'agisse des Aïnous et des Bouriates, derniers survivants des populations paléo-sibériennes, des Batwas, des Bushmen ou des Australiens, dont le nombre augmente mais dont la plupart des langages sont oubliés, les territoires dévastés par le tourisme et l'élevage, et le sang appauvri par l'homme blanc incapable de laisser les femmes aborigènes en paix.

Le paradigme du suicide racial a toujours été donné par Rome et par la Grèce, plutôt que par les primitifs et les non-Caucasiens, pour des raisons évidentes. Les populations développées sous-fécondes refusent de se reproduire pour les mêmes raisons qui affectèrent les classes dirigeantes de la Grèce et de Rome, facteurs qui interviennent aussi chez les parsis et dans le cercle limité des marchands du Danube décrits par Geza Roheim[19]. Ceux qui exigent trop de leur environnement sont aisément persuadés de ne pas se reproduire par la chute ou la menace d'une chute dans leur standard. Comme le dinosaure, ils dépassent simplement leurs ressources de base.

Les populations des nations riches ont absolument besoin d'un certain type d'habitat. Les quantités d'espace, de lumière et d'air considérées comme essentielles pour un enfant européen des classes moyennes n'existent tout simplement pas dans les centres urbains où vivent les parents. S'ils décident de s'établir dans une banlieue, ils doivent faire face à des problèmes de transport et d'allongement de la journée de travail. La classe moyenne est amèrement consciente de ce surpeuplement, qu'elle voit comme la conséquence du comportement reproductif de ses rivaux. La conscience subjective de la surpopulation est une des causes de la baisse de la fécondité. La civilisation occidentale est trop vaste pour disparaître, comme la Grèce et Rome, mais il est inévitable que la composition génétique du groupe dominant subisse des modifications, comme cela fut toujours le cas, par apport de sang venant des classes inférieures. Une telle situation n'alarme qu'une certaine sorte de racistes, car les gens qui ne se reproduisent pas ne sont ni ne peuvent être concernés. La question est purement académique, mais l'ethnocentrisme est tellement présent chez les universitaires qu'ils sont au désespoir en imaginant un futur où eux et leurs semblables n'ont pas de place.

D'un point de vue général, c'est l'étonnante expansion de la race blanche qui s'est révélée désastreuse au plan écologique : pour beaucoup, sa régression sera tenue pour une bénédiction. Derrière les faibles taux de naissance constatés en France, en Allemagne et en Grande-Bretagne, sont cachés les taux élevés caractérisant les immigrés qui représenteront une part plus élevée de la population totale car les indigènes sont aussi responsables du nombre élevé d'individus sans enfants dans les statistiques globales. Cela n'a rien de surprenant. Les élites européennes ont toujours été florissantes pendant plusieurs générations pour ensuite disparaître, remplacées par des membres des couches inférieures plus dynamiques[20]. Lorsque le développement de l'Empire fit des Anglais l'élite du monde, toute leur économie bénéficia de leurs conquêtes ; chaque sujet britannique devint ainsi un maharajah. Aujourd'hui, où les peuples spoliés n'ont plus rien à offrir, l'aristocratie du monde est en train de mourir.

Il nous paraît inconvenant de demander qui met les enfants au monde en

Angleterre, mais certains extrémistes veulent voir une Angleterre anglaise, et non une Angleterre indo-irlando-portugo-maghrébine, et proclament à tout vent que les immigrants vont submerger les Anglais d'origine. Là n'est pas l'important, car même les immigrants attachés à leur mode de vie et convaincus qu'il est supérieur à ce qu'ils ont découvert dans leur patrie d'adoption ne peuvent transformer une culture anti-enfant en une culture pro-enfant. Ils ne peuvent ignorer les contraintes qui freinent la création d'une famille, spécialement s'ils sont les premiers à les ressentir. Employés dans les secteurs les moins rémunérés, maris et femmes doivent tous deux travailler ; comme les garderies et crèches sont totalement inadaptées, ils doivent se procurer l'argent nécessaire pour faire garder l'enfant ou l'abandonner à lui-même. Souffrant de problèmes particuliers d'insertion et de langue, les enfants ont besoin d'une attention particulière que les parents ne peuvent leur donner. Ils deviennent de plus en plus difficiles à contrôler, et leurs parents se lamentent de les avoir mis au monde. Avant peu, les plus philoprogénistes des immigrants adopteront les normes de leur pays d'adoption. Les femmes appartenant à des familles élargies, obligées d'élever des enfants sans l'aide d'autres femmes, s'aperçoivent très vite de la difficulté de cette tâche. Lorsque la limitation de la taille des familles leur est présentée comme un des progrès attachés au système économique dont elles veulent devenir membres à part entière, elles acceptent la norme de la famille réduite.

La part revenant aux immigrants dans la fécondité de l'Europe du Nord est une excroissance cachée dans la pyramide de la population. Lorsqu'elle diminuera, la décroissance apparaîtra s'accélérant. Si nous soustrayons le nombre de naissances illégitimes dans les pays développés, nous constatons que le nombre d'enfants par femme mariée est encore moins élevé qu'on ne pourrait le penser. En 1979, aux Etats-Unis, on compta 597 000 naissances illégitimes, soit 17 % du total[21]. La totalité n'était pas des enfants non désirés, de même que tous les enfants légitimes n'étaient pas désirés. Sans ces naissances forcées, le taux de natalité aux Etats-Unis serait très inférieur aux taux de renouvellement ; il en est de même en Angleterre, où le taux de croissance est encore plus bas.

La race caucasienne touche à la fin d'une phase d'expansion sans pareille. En 1923, l'eugéniste Edward Murray East disait à son propos :

> Elle a le contrôle politique des neuf dixièmes des terres habitables... L'hémisphère occidental est totalement sous sa domination, et la population blanche peut profiter de la plupart de ses ressources... la zone noire est pratiquement sans aucun poids. Les noirs, même au contact des blancs, sont incapables de lutter contre l'expansionnisme de ces derniers. Les divers éléments de la race noire peuvent en vérité rejeter le noyau politique blanc... Leur effort sera sans conséquence. Une propagande effrénée marquera le début et la fin de toute l'affaire[22].

Bien peu partageraient l'optimisme d'East soixante ans plus tard, mais ses remarques restent intéressantes. Le Canada comme les Etats-Unis ont des taux de croissance relativement bas, de 1,5 et 1 %. Dans cette zone, les taux les plus élevés sont enregistrés aux Honduras (3,4 %), Venezuela (3,3 %), Nicaragua (3,3 %), en Equateur (3,1 %) et au Paraguay (3 %). Seul le Nicaragua juge son taux trop élevé. Les pays pronatalistes sont, outre l'Uruguay avec un taux d'accroissement extrêmement bas (0,7 %), l'Argentine, la Bolivie et le Chili. Le taux le plus bas dans l'hémisphère est celui de Cuba (0,6 %)[23]. Il est probable que la prochaine poussée la plus importante de la race blanche aura pour théâtre l'Amérique du Sud, lorsque les Européens du Sud reproduiront le miracle américain, tel qu'il a été réalisé par les Européens du Nord — si toutefois les multinationales que ces derniers ont créées leur en laissent la possibilité. L'expansion de la race blanche se fit à l'origine par immigration vers le Nouveau Monde et vers les civilisations décadentes de l'Asie ; l'invasion de l'Amérique du Nord par les hybrides sud-européens indiens est déjà entamée. La difficulté est d'imaginer les Mexicains et les Porto-Ricains prenant le dessus sur leurs hôtes, car si l'expansionnisme nord-européen est sans précédent, sa puissance militaire l'est également. Aujourd'hui, il est absurde d'imaginer un tel renversement, mais cette situation est plus probable que l'extinction, et peut-être encore plus probable que la stabilisation de l'accroissement de la population mondiale avec les mêmes proportions de groupes ethniques réparties sur les bases actuelles.

En ce qui concerne l'avenir de la reproduction, il est vraisemblable que le déclin du taux de natalité de l'Ouest va continuer, car plus la proportion de ménages sans enfants s'accroît, plus l'enfant fait figure d'inconnu. La morale courante considère aujourd'hui la procréation comme une aberration ; il n'est aucune bonne raison pour laisser libre cours à sa propre fécondité. On a pu écrire dans un ouvrage sur la stérilisation :

> La fécondité comme moyen d'exprimer son pouvoir est devenue évidente chez ceux qui se sentent privés de pouvoir ou peu sûrs d'eux-mêmes, soit parce qu'ils sont pauvres, qu'ils appartiennent à des minorités ethniques, ou qu'ils ont des difficultés d'ordre psychologique. De même qu'un homme peut vouloir prouver sa virilité en rendant une femme enceinte, une femme peut ressentir sa fécondité comme un pouvoir et ne pas accepter que l'on y porte atteinte, même si elle ne désire pas avoir d'enfant. Le monde actuel en constante transformation, avec ses liens familiaux qui se relâchent, ses changements de rôles et la crainte de la solitude, peut aussi entraîner un besoin puissant et souvent inconscient de procréer.
>
> Le désir d'être enceinte comme preuve de sa propre importance n'est pas inhabituel chez les femmes. On le retrouve chez des jeunes filles en compétition avec leurs mères, chez les femmes désabusées ou déprimées qui recherchent un moyen de s'accomplir, ou chez celles qui ont une triste image d'elles-mêmes[24].

Les étudiants qui lisent ces lignes sont déjà prédisposés à croire que le désir de procréer a peu à voir avec un réel enrichissement personnel. Ils ont déjà peu de respect pour le droit à la reproduction des pauvres, des minorités ou des peuples opprimés. La plupart croient au mythe de la surpopulation ; ils retirent de ce type d'affirmation pseudo-scientifique que même s'il existe des raisons pour avoir des enfants, ce sont de mauvaises raisons qui ne méritent pas d'être respectées, surtout lorsque le médecin constate par lui-même qu'il s'agit de gens pauvres et de couleur.

Avec cet état d'esprit, nous ne pouvons espérer voir se développer rapidement ni être appliqués efficacement des moyens de contrôle de la fécondité réellement nuancés. Toutes les considérations tendent au développement des pratiques actuelles de stérilisation. La première, dans le contexte de l'action des gouvernements en matière de santé, est l'indéniable rentabilité de la stérilisation en terme de coût lorsqu'elle est appliquée à des patients jeunes ayant peu d'enfants. Il n'est pas nécessaire d'exercer des contraintes sur les individus plus âgés, dont la famille a atteint une taille suffisante ; ils acceptent la stérilisation à cause du peu d'efficacité des méthodes contraceptives. Malgré l'idée souvent exprimée que le volontarisme en matière de planning familial est folie, une campagne tendant à faire accepter la stérilisation aux couches les plus jeunes n'est pas encore admise dans nos sociétés, mais elle le deviendra.

En attendant, il existe un nombre important de jeunes qui, pour des raisons diverses, réclament la stérilisation. Tout indique que les médecins accèdent de plus en plus facilement à leurs demandes ; en fait, il semble que leur résistance à l'idée de stériliser des patients jeunes et sans enfant ait été exagérée, à en juger par le nombre de très jeunes individus stérilisés. Dans les pays où il existe trop de médecins désireux de conserver un niveau de vie très élevé, comme aux Etats-Unis, il s'en trouve toujours pour pratiquer n'importe quelle intervention sophistiquée à la demande de leurs patients. La stérilisation se justifie beaucoup plus aisément que les interventions qui ont pour but le changement de sexe. Et de plus, la plupart des citoyens de Grande-Bretagne ou des Etats-Unis croient à tort que la stérilisation est aujourd'hui réversible.

En 1981, le Centre pour le contrôle des maladies à Atlanta rapportait :

> Durant les années 1976-1978, 1,9 million de femmes ont subi des stérilisations tubaires durant des séjours hospitaliers de courte durée aux Etats-Unis ; un peu plus de la moitié de ces interventions étaient sans rapport avec un accouchement ou un avortement[25].

La syntaxe est habile ; un commentateur adoptant un point de vue différent aurait pu écrire : « Presque la moitié de ces interventions étaient liées à des accouchements ou à des avortements. » Nous pouvons imaginer chez ces patientes un taux de regret ultérieur plutôt élevé, mais une opération chirurgicale suivie d'une intervention supplémentaire, surtout aussi coûteuse que la réanastomose, est un bon investissement. Le moins qu'on puisse dire, c'est que l'association de la stérilisation à l'accouchement ou à l'avortement est inquiétante. Pourquoi cette hâte dans un pays aussi riche que les Etats-Unis où abondent des méthodes permettant une stérilité temporaire ? Dans le tiers monde, on stérilise les femmes à l'occasion de l'accouchement ou de l'avortement, prétextant qu'il sera difficile de les faire revenir à l'hôpital par la suite. C'est un faux problème, car on peut envisager une organisation ambulatoire de soins médicaux permettant d'apporter la stérilisation aux individus plutôt que l'inverse ; mais invoquer ce genre d'argument en Amérique est totalement ridicule. Le fait est que les femmes acceptent plus facilement la stérilisation lorsqu'elles sont sous le choc d'un accouchement ou d'un avortement accompagnés de complications.

> L'accroissement le plus significatif dans les taux de stérilisations tubaires entre 1975 et 1978 s'observe dans les groupes d'âge les moins élevés et les plus élevés ; chez femmes de 15 à 24 ans, il est de 31 %, chez celles de 35 à 44 ans, de 20 %, alors que dans le groupe d'âge 25 à 34 ans, il reste pratiquement inchangé[26].

La pression en faveur de la stérilisation sur les individus artificiellement réceptifs a fondamentalement changé la nature des pratiques antinatalistes ; de nos jours, un spécialiste de la stérilité porte l'essentiel de ses efforts sur la réversibilité d'une fécondité sciemment détruite, et cela à une époque où les cas de stérilité involontaires vont augmentant. Les solutions à ces problèmes sont essentiellement au nombre de deux. Soit les chirurgiens déclarent l'intervention irréversible et refusent d'opérer quoi qu'il arrive, auquel cas l'information doit être améliorée et une période d'attente fortement conseillée, deux éventualités improbables car des patientes déterminées trouvent toujours un chirurgien. Soit la stérilisation s'accompagne du stockage du matériau germinal. Les problèmes dans ce cas deviennent considérables ; cette possibilité devrait être offerte aux hommes comme aux femmes, mais la récupération des ovules est infiniment plus compliquée que celle du sperme. Le stockage en est coûteux et compliqué, relativement facile à organiser en Occident, où la mort infantile est rare, et où les enfants ne contribuent pas à l'économie familiale, mais hors d'atteinte dans une civilisation rurale où une seconde chance en matière de naissance peut être une question de vie ou de mort. Il est vraisemblable que les stérilisations tout comme les inutiles tentatives de réanastomoses deviendront de plus en plus fréquentes. Les techniques de stérilisation deviendront de plus en plus faciles. C'est ce qui fut démontré au Congrès international sur les méthodes non chirurgicales d'occlusions tubaires, qui s'est tenu à Chicago en juin 1982.

> Les méthodes les plus intéressantes et les moins connues, développées en Chine populaire, furent décrites par deux médecins : Shueh-Ping Tien et Hui-Guo Zheng. Les deux techniques utilisent une colle épaisse à base de phénol. Extrêmement caustique, le phénol, ou acide carbolique, une fois

injecté dans les trompes de Fallope, sclérose le tissu épithélial. Après exposition prolongée au phénol, les trompes sont totalement oblitérées par du tissu cicatriciel[27].

Pour permettre au phénol de pénétrer dans les trompes, on explore l'utérus à l'aide d'une sonde de façon à déterminer la position des trompes et à présenter la canule face aux orifices tubaires. On injecte alors une solution sodée pour vérifier le reflux. Au cas où le reflux n'a pas lieu, on injecte une quantité minime de saccharine. Si la patiente signale une douleur, la saccharine est passée dans la trompe et on peut injecter la colle. Celle-ci contient également un produit opaque aux rayons X, et de l'atabrine, qui provoque « des effets irréversibles empêchant toute recanalisation ». Il n'est pas question de réversibilité avec cette méthode ; les risques de lésions ovariennes provoquées par la pénétration éventuelle du produit dans le péritoine n'ont pas été évoqués. Certaines femmes ont mentionné une transpiration abondante et des vertiges immédiatement après l'intervention ; on peut se demander si les dangers de traumatisme important ou d'embolie ont bien été pris en considération.

> L'ostium tubaire est très étroit, 1 à 2 mm de diamètre, et plusieurs participants au congrès montrèrent leur surprise devant l'habileté technique nécessaire pour placer les canules dans de si petits orifices sans les voir... Tien prétendit toutefois que la technique n'est pas difficile à acquérir et il indiqua que des docteurs, infirmières et sages-femmes étaient formés à la pratiquer... la période de formation ne prend pas plus de deux semaines[28].

Il ne fait aucun doute que l'honneur de posséder un glorieux certificat d'enfant unique est une sérieuse compensation, mais expérimenter l'occlusion tubaire pratiquée par un médecin aux pieds nus n'a rien de très rassurant. Deux cents centres médicaux dans vingt-huit provinces chinoises possèdent au moins un de leurs membres capable d'appliquer cette méthode, qui est en cours d'amélioration ; les Chinois n'ont jusqu'à présent mentionné que de très petits échantillons. Les grossesses postopératoires sont de l'ordre de 1 à 1,5 % dans une enquête ; le taux de grossesses ectopiques fut de deux sur quinze, ce qui paraît normal dans le cas d'une technique qui produit les mêmes effets internes que le gonocoque ou ses semblables. Cette méthode a certains avantages. Elle est peu coûteuse et n'interrompt pas l'apport de flux sanguin aux ovaires ; mais les patientes se plaignirent d'une « gêne » pendant deux semaines, qu'il faut traduire par *douleur*. La douleur indique une lésion et deux semaines constituent une durée trop longue. Il est possible, et même probable, que les femmes traitées par cette méthode présenteront des lésions importantes de la région pelvienne, avec de multiples adhérences. Des troubles de la menstruation ont été notés, mais ils avaient apparemment disparu après quatre mois.

La version occidentale de la stérilisation utilise la quinacrine.

La quinacrine peut occasionner des douleurs si elle s'infiltre dans la cavité péritonique ; elle peut également affecter le système nerveux central si elle pénètre en quantité importante dans le circuit sanguin, créant des troubles psychiques passagers[29].

Les recherches concernant ce produit sont actuellement entreprises au Chili, citadelle bien connue des droits de l'homme, par le Dr Zipper, et bien entendu en Inde. Dans les autres pays, les femmes ne sont pas menacées, car son injection n'est pas totalement au point et les taux de grossesses sont trop élevés. En Europe, les recherches ont été abandonnées. Le seul moyen de progresser dans le domaine de la stérilisation non chirurgicale est de poursuivre l'expérimentation sur une population féminine en améliorant le procédé au coup par coup. En discuter avec les patientes n'est pas recommandé, étant donné que leur attitude doit autant que possible rester neutre. Si elles éprouvent des soupçons, elles reporteront des réactions négatives ; si elles ont été endoctrinées, elles se montreront exagérément enthousiastes et attribueront à d'autres causes des symtômes bien réels. La façon dont les techniques non chirurgicales se sont développées est exactement celle utilisée pour toutes les procédures médicales ; dans le cas de la stérilisation non chirurgicale cependant, la demande a émané des professionnels en faveur d'une méthode de stérilisation permanente, plus simple et moins coûteuse[30].

Pour certains, la banalisation de la destruction de la fécondité a aujourd'hui atteint son sommet ; pour d'autres, les méthodes actuelles sont trop incertaines et coûteuses pour être appliquées sur une large échelle. Il ne s'agit pas seulement d'expérimentation sur les femmes du tiers monde ; les Occidentales ont participé à toutes sortes de tests des techniques de stérilisation. Actuellement, on expérimente en Angleterre, aux États-Unis et en Belgique une méthode qui consiste à bloquer les trompes avec un anneau de silicone. Au Canada et en Norvège, on utilise des injections de méthyl-cyano-acrylate, ainsi qu'au Brésil, en Inde, aux Philippines et au Venezuela. Ces deux méthodes nécessitent l'emploi d'un hystéroscope, appareil trop coûteux pour être largement utilisé dans les pays pauvres ; les résultats moyens enregistrés jettent une ombre sur la véracité des rapports chinois quant au succès de leur méthode transutérine aveugle.

L'autre voie de développement à laquelle on a jusqu'ici consacré beaucoup d'argent, de temps et d'énergie est celle du vaccin contraceptif.

Ses avantages potentiels sont la simplicité d'administration. L'emploi de personnel paramédical, et la réaction généralement positive du public à la vaccination... Un travail expérimental considérable a été effectué dans ce domaine sur des animaux, et nous avons maintenant plusieurs voies ouvertes[31].

Les femmes peuvent être sensibilisées au sperme de leur mari et leur réponse immunitaire immobiliser et tuer le spermatozoïde ; certains cas d'infécondité sont ainsi provoqués[32]. Un problème d'éthique est soulevé si cette réponse n'est causée que par le sperme d'un seul homme. La recherche dans le domaine des vaccins contraceptifs s'est jusqu'ici concentrée sur les anticorps de la femme qui attaquent l'une des protéines essentielles à la continuation de la grossesse. Cette recherche, financée en particulier par le Population Council, permet de produire des anticorps monoclones pouvant être administrés, mais certains problèmes retardent la mise sur le marché d'un vaccin utilisable indéfiniment. Les humains sont de loin le groupe expérimental le plus nombreux et le moins coûteux, spécialement si le processus devant être modifié est spécifique à l'espèce, auquel cas seuls les chimpanzés peuvent leur être substitués. La réponse auto-immunitaire est déclenchée relativement facilement chez les chimpanzés et chez les autres singes ; c'est pourquoi la constatation de malaises consécutifs à la vasectomie n'est pas prise au sérieux. De toute manière, la réponse immunitaire est très variable chez les membres d'une même espèce. Les chercheurs doivent s'attaquer non seulement à de formidables problèmes de dosage, mais ils doivent aussi faire face à la difficulté de fixer la période d'infécondité immunogène également très variable. Le vaccin est actuellement dans sa deuxième phase d'expérimentation, portant sur un nombre important d'animaux qui sont observés ensuite pendant une période d'une année. Bien qu'un vaccin contraceptif ait été utilisé dans les tests cliniques au Brésil, en Finlande et en Suède, il faudra des années avant que son administration à des humains puisse être envisagée.

> ... il faut savoir que la mise au point d'un vaccin contre la grossesse n'est pas une tâche simple, rapide et peu coûteuse. Néanmoins, l'impact potentiel de cette méthode sur le planning familial dans le monde entier est d'une telle portée qu'aucun scientifique intéressé par les problèmes démographiques ne peut négliger cette approche dans le développement d'une nouvelle méthode[33].

Djerassi notait que la vaccination pourrait être pratiquée par du personnel paramédical et que le public montrait des réactions positives à la vaccination. Le public des pays développés est devenu méfiant au sujet de la vaccination ; le public du tiers monde lui préfère l'injection. Le mythe de l'injection est si puissant que des piqûres de placebo doivent parfois accompagner l'usage de médicaments plus conventionnels. L'une des raisons de l'acceptation du Depo-Provera est qu'il s'agit d'une injection. On développe d'autres types d'injections à effet retard dans l'espoir de circonvenir la controverse qui fait rage au sujet de l'acétate de médroxyprogestérone. Le tiers monde a sa politique d'injection et continuera sans doute à la soutenir en dépit des groupes de pression du monde occidental. Le point fort du vaccin contraceptif n'est pas qu'il est administré par injection, mais qu'il est encore plus simple d'usage. Comme John Platt, professeur de biophysique du Mental Health Research Institute de l'université du Michigan, l'a écrit à Carl Djerassi :

> Imposer une méthode dictatoriale au monde ne m'intéresse pas ; je suis très préoccupé par les effets secondaires et à long terme de l'utilisation massive de composés chimiques par les populations. Mais je suis également préoccupé par notre incapacité à endiguer l'explosion démographique avec nos méthodes actuelles. Nous avons refusé d'envisager les possibilités d'acceptation et l'énorme gain en efficacité qui serait obtenu si nous pouvions incorporer des contraceptifs au sel ou à d'autres denrées alimentaires, utilisées volontairement[34].

Djerassi lui-même avait longuement réfléchi à la possibilité d'incorporer un stérilisant au système d'adduction d'eau, comme on l'a fait pour le fluor. Le meilleur choix pour un tel usage serait le vaccin, car exposer à un dosage incontrôlé de stéroïdes les enfants, les vieillards, les animaux et la tante Mathilde produirait des effets épouvantables en très peu de temps. Le vaccin leur donnera peut-être des boutons et des démangeaisons, mais pas des seins, des œdèmes ou des tumeurs. Avec un malin plaisir, on pourrait les encourager à aller de l'avant, car cette méthode n'est applicable que dans les pays où il existe un réseau d'adduction d'eau, c'est-à-dire dans les pays développés. L'empoisonnement des puits est un des crimes les plus haïs de l'histoire ; il est plutôt amusant d'imaginer ce qui se passerait si les séides de l'USAID entreprenaient de déverser le vaccin dans les puits de l'Inde et de l'Afrique ; les substances se dissiperaient dans les nappes aquifères, ou seraient filtrées par le sol, mais auparavant un nombre considérable de travailleurs pour la paix (Peace Corps) auraient été menacés. Le reste d'entre nous boirait de l'eau de pluie.

Le plus divertissant dans la communication de Platt est qu'elle dénote un stade avancé de confusion mentale, ce qui n'est pas surprenant chez un dirigeant d'une institution psychiatrique. Les gens qui désirent être inféconds peuvent utiliser certaines méthodes pour arriver à leurs fins ; mais ils n'ont pas besoin qu'elles soient camouflées sous forme de sel. Pour Platt, « volontaire » signifie sans mesure d'intimidation. Incorporer un contraceptif au sel pourrait sauver le monde pour les aborigènes qui n'utilisent jamais le sel. Ce serait aussi une excellente façon de réduire la consommation de chlorure de sodium ; c'est pourquoi il faut l'encourager dans ses illusions. Naturellement, la cible de Platt se trouve être l'Inde :

> S'il existait un contraceptif efficace et inoffensif qui puisse être incorporé au sel, il pourrait être fabriqué dans un petit nombre d'usines réparties sur le territoire indien. L'opération serait contrôlée par des biochimistes, de même qu'aux Etats-Unis, l'on contrôle l'addition de fluor à l'eau, de vitamine D au lait ou d'iode au sel.
>
> Cela signifie que cette méthode serait particulièrement peu coûteuse, comparée aux procédés contraceptifs actuels, qui impliquent surveillance,

prescription et administration individuelles. L'examen individuel de la population aux fins de contrôle des naissances pour un pays comme l'Inde, c'est-à-dire de plus de 100 millions de femmes en âge de procréer, nécessiterait la formation et l'emploi d'un personnel paramédical d'environ 100 000 membres. Pour ce fait, il faudrait plusieurs centaines de centres de formation, des centaines ou des milliers de médecins, eux-mêmes préalablement formés[35].

Il existe 180 000 médecins en Inde formés, comme le dit Platt, préalablement. Plus de 15 000 de ces médecins travaillent en Angleterre ou aux Etats-Unis. Si le professeur Platt avait eu l'occasion de discuter avec l'un d'entre eux, il aurait appris qu'il y a plutôt trop que pas assez de médecins en Inde[36]. Si le niveau de salaire de ces médecins servait de référence pour les coûts de développement de ces nouvelles méthodes contraceptives, le problème du professeur Platt se résoudrait assez vite de lui-même. L'Inde n'est pas en mesure de se payer une quantité de spécialistes de la stérilité ; il y a peu de demande pour cela, mais il existe par contre une demande considérable pour des services de santé qui traitent le paludisme, les parasitoses, les brûlures, les blessures, la déshydratation (ce qui devrait faire un trou dans les stocks de sel). Le professeur Platt et le professeur Djerassi ne peuvent être grandement intéressés par ce qui arriverait si la formation des médecins en Inde était complètement remise en cause, pour les adapter à une économie rurale au lieu de leur donner l'habitude des standards techniques et financiers des pays riches, ou si l'argent dépensé en recherches inutiles était réinjecté dans les finances indiennes afin de les rétribuer. Leurs « si » sont de nature différente. Peut-être un certain infantilisme va-t-il de pair avec le génie inventif ; peut-être Djerassi n'a-t-il jamais très bien compris que les individus sont davantage qu'une collection de molécules.

Dans le monde développé, l'individu pensant continuera de juger les méthodes modernes contraceptives plus difficiles, je présume, que le coït interrompu. Il (ou elle) ne peut apprendre simplement comment la régulation de la fécondité est obtenue, car il n'y a pas unanimité à ce sujet. La myriade de méthodes, chacune avec ses problèmes annexes, n'est pas une nouveauté pour les utilisateurs, car il ou, plus probablement, elle n'a pas pu se tenir au courant de la masse d'informations publiée chaque mois par le monde de la biochimie. Savez-vous, cher lecteur (lectrice), lequel des produits suivants vous utilisez : l'acétate de chlormadinone, le diéthylstilbestrol, la diméthistérone, le diacétate d'éthynodiol, l'ethinylœstradiol, le norgestrel, la noréthistérone, le lynestrénol, l'acétate de médroxyprogestérone, l'acétate de mégestrol, le mestranol, le noréthynodrel, le norgestrel, la norgestriénone ? Pourquoi n'utilisez-vous pas le noréthynodrel ou le lynestrénol ? Devriez-vous leur préférer le mégestrol ? Les Chinois devraient-ils utiliser la 17-hydroxyprogestérone ?

Les utilisatrices de stéroïdes devraient peut-être conserver un échantillon des emballages de tous les produits qu'elles ont utilisés au cas où elles auraient besoin de cette information dans le futur. Suggérer que tout n'est pas encore résolu au sujet des contraceptifs oraux ne sert qu'à inquiéter, ce qui est inutile ; l'idée est au contraire de diminuer l'angoisse. Une fois votre passé reproductif reconstitué, vous aurez au moins pris une précaution, pas nécessairement pour votre bénéfice, mais pour celui de vos enfants. Il y a toutefois une différence entre faire preuve d'esprit critique et accepter la théorie d'une conspiration. Notre ennemi n'est pas tellement le sexisme, bien qu'il existe, que la stupidité sous le masque du professionnalisme. Les stéroïdes contraceptifs ont changé durant leur période d'emploi par une seule génération. Il est bon de savoir pourquoi ces changements ont été jugés nécessaires. Toutes les données, ou presque, ont été publiées sur ce sujet. La difficulté d'interprétation ne réside pas dans le fond, mais dans la manière dont les arguments sont présentés.

L'approche légaliste de la cause, dans le cas du DIU par exemple, requiert une démonstration concrète et positive du mécanisme produisant l'affection. Dans le cas des inflammations pelviennes, la cause paraît entendue. Le chercheur va mettre en avant d'autres facteurs, tabagisme, exposition à l'infection, contacts sexuels multiples, antécédents, etc. Pourtant, chaque interne, devant une femme admise en urgence avec de sérieuses douleurs abdominales, lui demandera en premier lieu si elle porte un DIU. Des études récentes portant sur le degré de connaissance des méthodes contraceptives dans notre société évoluée ont montré que les interviewées ne savaient pas avec précision le type de méthode qu'elles employaient. Le seul moyen de ne pas être affecté par les controverses est de les ignorer et de faire confiance à son médecin, ce qui présente dans le meilleur des cas un certain risque. La composition de la pilule a changé en vingt ans ; si des séquelles à long terme venaient à apparaître pour un de ces dosages aujourd'hui abandonné, il n'y a aujourd'hui aucun moyen de retrouver les utilisatrices de ces pilules ou leurs enfants. Penser que nous avons servi de cobayes dans les pays développés pour les stéroïdes oraux peut être consolant, si ce n'est que les fabricants ont utilisé leurs stocks de produits périmés pour alimenter des programmes massifs de contrôle des naissances dans le tiers monde.

Les recherches pour de meilleures méthodes d'obturateurs se poursuivent, mais les résultats semblent décevants. Une étude récente sur la cape Prentif, par exemple, a démontré un très faible taux d'utilisation prolongée, 50 % seulement sur une période d'un an[37]. Deux tiers des utilisatrices se sont plaintes de l'odeur, un cinquième des femmes l'avait abandonnée pour cette unique raison. La cape était disponible dans quatre dimensions, devait être remplie de spermicide et laissée en place pendant sept jours au maximum. Un dixième de l'échantillon de 350 utilisatrices s'est plaint de son déplacement ; on a enregistré 28 grossesses. Un cinquième à un tiers des femmes se sont plaintes de difficultés de mise en place ou de retrait.

Seul un effort vigoureux de promotion de la part de femmes énergiques et imaginatives permettrait de promouvoir à nouveau les méthodes d'obturation. L'essai clinique devrait tendre à la comparabilité, et toutes les patientes être informées de la même façon. Les variantes de la cape cervicale sont nombreuses et il en existe toujours une qui convient si l'on dispose de la série complète. La réaction de la matière dont est faite la cape doit être également soigneusement prise en compte ; le problème d'odeur y est probablement lié en grande partie. L'establishment médical n'a rien à gagner à remettre au goût du jour les méthodes d'obturation ; il n'existe pas de subventions intéressantes offertes par les fabricants, ni de gloire associée aux découvertes, et encore moins l'illusion d'un pouvoir sans limite qui accompagne le développement d'un vaccin que l'on peut mélanger au sel.

De mauvais tests en clinique rendront illégale la distribution de la cape cervicale dans les pays où le test est obligatoire. L'illégalité n'est pas un désavantage fonctionnel pour un contraceptif, et peut même renforcer son acceptation culturelle parmi certains groupes, particulièrement les dissidents qui mettent en doute les méthodes institutionnalisées. De même que les punks se percent les oreilles, et même le nez, ils pourraient adopter la cape cervicale en or ou en argent, utilisable comme un bijou lorsqu'elle n'est pas *in situ*, par exemple. Les femmes qui n'ont pas le goût d'épater les esprits faibles pourraient prétendre qu'il s'agit d'un échantillon d'art zoomorphique (ce qui serait exact), et garder le secret de son usage. Celles qui désirent une méthode pratique d'obturation plutôt qu'un diaphragme ramolli doivent décider par elles-mêmes. La cape cervicale est une contraception de guérilla ; c'est une solution simple, élégante et économique, et elle peut être remise à l'ordre du jour.

L'avenir de la reproduction embrasse le contrôle de la fécondité de l'adolescence et de ses maladies vénériennes, pour lesquelles il faut trouver une réponse unique, l'extension de l'usage du condom. En principe le problème est simple, et la réponse claire, en comparaison du problème de la contraception en Inde, par exemple. Et pourtant nous ne pouvons pas le résoudre. Nous ignorons comment faire acheter des condoms aux jeunes, particulièrement à nos propres jeunes. Une mère pourrait placer des préservatifs dans l'armoire à pharmacie à l'usage de son fils, mais il existe une foule de raisons culturelles qui l'en empêchent. Mechai, le prodige du planning familial en Thaïlande, offre aux passants ou aux diplomates en visite des condoms joliment décorés. C'est un vieux truc du lobby du contrôle des naissances qui ne marche pas avec les jeunes, même s'il a réussi en Thaïlande. Du point de vue de la motivation, il est plus facile d'inciter nos enfants à utiliser le condom qu'à convaincre une femme élevée dans l'idéologie de la maternité d'utiliser les contraceptifs, mais nous n'y parvenons pas. Et pour cette raison, un sur dix de nos adolescents sera stérile et un sur cinq des bébés qui voient le jour sera l'enfant d'une enfant. Et comme nous l'avons fait avec tous nos problèmes, nous les avons introduits dans toutes les nations anciennement soumises. C'est un problème réel, sérieux et immédiat, et dont les conséquences douloureuses se manifestent dans le monde entier, et qu'il revient à notre génie immature de résoudre. Nous préférons les prévisions globales et des stérilisants dans le sel.

La méthode « mâle » de contraception tant attendue n'est pas plus proche de nous aujourd'hui qu'hier. Le Gossypol, ou extrait de l'huile de graine de coton, qui a été expérimenté en Chine, paraît trop toxique pour un usage quotidien.

> Actuellement, seulement deux techniques sont disponibles pour le contrôle de la fécondité mâle sur une grande échelle : les condoms et la vasectomie. Parmi les nombreuses méthodes hormonales qui ont été évaluées, le seul composé efficace qui semble pouvoir être disponible dans un avenir proche est la testostérone, seule ou combinée à l'acétate de médroxy-progestérone. Cependant, la nécessité d'une administration parentérale, l'impossibilité de supprimer totalement la spermatogenèse chez tous les hommes et le délai important nécessaire à la suppression puis à la récupération sont autant de facteurs négatifs liés à ces futures méthodes[38].

Le point essentiel de toutes ces observations est le suivant : si la notion universelle de la famille de deux enfants est le sujet classique des conversations de salon sur la population, elle n'est pas près de disparaître. Elle ne disparaîtra pas, parce qu'il y a trop de cas de stérilité, trop de mères célibataires adolescentes, trop de divorces ; ce sont des catégories déjà importantes de la population, et la tendance est à la hausse. Davantage de familles avec un seul parent signifie davantage d'enfants à la charge de l'Etat, ce qui signifie également plus d'interférence officielle sur ce qui subsiste de la vie familiale.

Il ne s'agit pas de prédire le chaos. Si vous entreprenez de calculer la taille moyenne de la famille et la structure typique qui caractérisent notre entourage, vous découvrirez que nous vivons déjà dans le chaos. Nous avons les moyens d'organiser ce chaos. Dans une certaine mesure, nous le faisons déjà. Mais au fur et à mesure de l'augmentation des dépenses publiques consacrées à la santé et à l'enfance, on verra un effort délibéré pour éviter les malformations avant qu'elles n'apparaissent à la naissance. On instituera dans les hôpitaux des tests de vérification de toutes les grossesses et de tous les nouveau-nés. Ils existent déjà dans certains cas. La justification en est l'étude de l'épidémiologie ; il faut connaître le coût des maladies et des infirmités de manière à le budgétiser, en théorie. En pratique, nous dépensons plus pour les maladies rares que pour les plus courantes. De même y aura-t-il plus de stérilisations volontaires et « involontaires », probablement moins d'avortements, et certainement davantage de demandes pour les réversibilités de stérilisation. Et les gouvernements vont organiser des banques de sperme lorsqu'il deviendra évident que les mutagènes sont en train de l'emporter. Le cancer et les maladies auto-immunes proliféreront, mais pas l'*Homo occidentalis*.

14

Le mythe de la surpopulation

> « Dans le sens précis auquel la théorie moderne tend à
> le limiter, le terme de surpopulation est si peu utile dans
> le contexte actuel que même les auteurs réputés l'utili-
> sent dans un sens plus extensif. Plus près de la réalité des
> choses, nous trouvons l'usage franchement erroné qu'en
> font les journalistes, qui défie tout raisonnement sensé.
> Dans son sens exact, il s'agit d'un terme d'économie
> statique, qui dénote un état de fait suivant lequel une
> réduction du nombre d'habitants du territoire considéré,
> tous les autres facteurs y compris la distribution par âge
> restant inchangés, conduirait à une augmentation du
> revenu par tête. »
>
> SIR WILLIAM BEVERIDGE

Le 19 mai 1926, Durga Dass Kapur écrivit à Marie Stopes depuis Amrit-
sar, l'assurant de son attachement indéfectible à la nouvelle foi :

> Je réalise très précisément que misère, douleur, dettes, mélancolie, mala-
> dies, saleté, prostitution, guerre, sous-alimentation, pauvreté, mortalité
> infantile, tourments, incompréhension, etc., tout cela sans aucune hésitation
> est causé par la surpopulation[1].

Quelqu'un doué d'un sens de l'humour plus évident que l'angélique
docteur aurait pu penser qu'il s'agissait d'une plaisanterie. Dans un sens, le
jugement est parfaitement correct — ceux qui n'ont pas vu le jour ne seront
pas mélancoliques et ils ne contracteront pas de dettes. La théorie de
Malthus est une épée qui tranche le nœud gordien de la misère humaine
grandissante, et ils sont beaucoup à demander une explication aussi simple,
étonnés et blessés par le spectacle de ces malheurs. Les pauvres sont
pauvres par leur faute. Ils ont dépassé leur quota de nourriture. Sade fut le

premier à donner une expression littéraire à ce que chacun sait, à savoir que la pression du nombre sur les ressources disponibles est constante, et que la vie est plus facile pour les marquises de notre planète si la reproduction est éliminée ; sa solution était la dépravation et la spoliation de l'humanité par des pratiques sexuelles destructrices. Malthus arriva à la conclusion contraire, à savoir que la retenue et la chasteté devaient être promues à l'intention des masses, et si possible imposées. Il pensait que celles-ci ne verraient pas l'utilité de la régulation volontaire, en partie parce qu'il adhérait à l'idée générale d'une sexualité virtuellement incontrôlable, et partageait la naïveté de la classe moyenne concernant les moyens de tromper la nature.

Il aurait sans doute été atterré de savoir que ses idées inspirèrent une politique qui consista à refuser des secours à l'Inde au cours de la famine de 1870. A cette époque, la population de l'Inde était de 290 millions d'habitants ; elle est aujourd'hui de 712 millions. En d'autres termes, la famine de 1870 ne fut pas causée par un déséquilibre entre la population et son niveau de ressources. La pression sur les ressources est constante ; peu importe le nombre de gens qui furent stérilisés par la sous-alimentation durant cette famine, la pression sur les ressources aurait persisté. Elle peut même s'intensifier du fait de la diminution du nombre d'individus producteurs, bien que ceux qui disparaissent soient en principe les moins productifs, c'est-à-dire les enfants, les vieux, les artisans, etc.

Le monde est-il surpeuplé ? Si je dois prendre position sur ce point, elle reflétera un compromis. J'ai visité l'ancienne Delhi, tout comme Paul Ehrlich, mais apparemment je n'ai pas vu la même réalité des choses. Voici la vision apocalyptique de Paul Ehrlich, exposée dès la première page de son best-seller, sous le titre « The Problem ».

> Je connais de manière intellectuelle le problème de la population depuis longtemps. Je l'ai compris émotionnellement par une nuit torride à Delhi il y a quelques années. Ma femme, ma fille et moi retournions à notre hôtel dans un vieux taxi. Les sièges étaient remplis de puces. La seule vitesse qui fonctionnait était la troisième. Alors que nous avancions lentement dans la ville, nous pénétrâmes dans un quartier de taudis. Il faisait plus de 42°, l'air n'était que poussière et fumée. Des gens mangeaient, se lavaient, dormaient ; d'autres se disputaient, criaient ; certains mendiaient par la fenêtre du taxi ; d'autres encore déféquaient et urinaient. Ils s'accrochaient aux autobus, conduisaient du bétail ; des gens, des gens, des gens. Nous progressions lentement et à coups de klaxon à travers la foule. La scène avait un aspect hallucinant, avec la poussière, le bruit, la chaleur et les feux de cuisine. Arriverions-nous jamais jusqu'à notre hôtel ? Nous étions, il faut l'avouer, tous trois effrayés. N'importe quoi semblait pouvoir se produire. Mais, naturellement, il n'en fut rien. Les vieux habitués de l'Inde riront à notre réaction. Nous étions des touristes hyperprivilégiés, non habitués aux images et aux sons de l'Inde. Cela est vrai, mais depuis cette soirée, j'ai su ce qu'était la surpopulation[2].

Et c'est là le problème qu'Ehrlich, ses commettants et un public naïf s'attellent à résoudre. Apparemment, la chaleur y tient la première place. Il fait chaud dans certaines parties du monde, et ce n'est pas parce qu'elles seront moins peuplées qu'il y fera moins chaud. Si le climat pose un problème à des gens comme le Dr Ehrlich, ils n'ont qu'à s'en tenir éloignés. Le plus inquiétant dans cette histoire est peut-être le taxi. Le fait que virtuellement toutes les automobiles mises en circulation en Inde fonctionnent encore peut être intolérable pour ceux qui appartiennent à une nation de producteurs de voitures ; pour certains, l'astuce déployée par les Indiens à ce sujet est admirable. Peut-être le chauffeur de taxi restait-il en troisième pour économiser l'essence. L'Inde l'importe en effet à un prix élevé. Si le Dr Ehrlich et ses compatriotes étaient en fait moins affectés par de petites variations de température et ne gaspillaient pas le pétrole en utilisant sans rime ni raison chauffage et climatisation, leur chauffeur aurait sans doute pu conduire son taxi de manière plus orthodoxe et l'entretenir un peu mieux.

En dehors de la température et du taxi, il nous reste les gens, les gens, les gens. L'endroit est étrange car nous y voyons des autobus et des vaches ; il est donc probable qu'Ehrlich n'a pas visité un véritable bidonville, où il n'y a de place ni pour les taxis, ni pour les autobus, ni pour le bétail. Ce qu'il a vu ressemble plutôt à un quartier pauvre. Manhattan est en fait aussi encombré à trois heures de l'après-midi un jour de semaine. A la différence qu'à Delhi tout le monde est au niveau de la rue. S'ils étaient gentiment enfermés dans des tours, Ehrlich ne s'en serait pas préoccupé, même s'il avait appris qu'ils étaient tous en train de se shooter à l'héroïne. Il n'a pas rencontré d'ivrognes, de dérangés mentaux ni d'obèses. Ou alors il n'en dit mot. Il ne raconte pas avoir vu des gens qui riaient, des femmes et des hommes qui jouaient avec leurs bébés. S'il avait été moins inhibé, il serait descendu du taxi pour parler à ces gens (qui parlent mieux sa langue qu'il ne parle la leur), il aurait pu découvrir leur histoire.

Mais non. La compréhension intellectuelle fait barrière à l'investigation. S'il avait pénétré dans les masures, il aurait été surpris par la propreté des sols de terre battue, par la façon dont les biens de la famille étaient arrangés avec soin sur des étagères étroites ou suspendus à des perches, les ustensiles en cuivre brillant dans l'obscurité, polis avec de la terre. Il ne remarqua pas que les gens faisaient leur lessive sans détergent. La poussière et la fumée des feux de bouse de vache sont pénibles pour les sinus, moins cependant que les fumées industrielles et les échappements des voitures que le Dr Ehrlich semble préférer. Il ne s'aperçut pas de l'absence de la production n° 1 des Etats-Unis, les détritus. Le plus grand affront à nos théories, s'agissant de ces gens qui vivent coude à coude, l'expression même du cauchemar des planificateurs de la population, c'est qu'ils survivent avec si peu. Un pouvoir d'achat aussi faible est une malédiction pour Ehrlich et son espèce. Il ne nous dit pas comment il a traité les mendiants, dont la présence indique qu'il n'est pas sorti des itinéraires classiques.

S'il avait parcouru certains quartiers de Delhi en 1970, il aurait découvert des jeunes Américains en train de mendier pour de la drogue, tout
comme ils le font aux Etats-Unis. Cependant, on peut s'apitoyer sur son
sort, car ce bon docteur s'est fait stériliser après la naissance de sa fille. Le
fait a été rendu public, sans doute afin de démontrer sa totale sincérité
lorsqu'il prêche la croissance zéro de la population, alors qu'en fin de
compte il en est réduit à contempler l'horrible vision d'un monde submergé
par des individus maigres et basanés qui mangent, se lavent, défèquent et
s'accrochent aux autobus pour lui montrer leur antagonisme.

Pour bien ressentir la réalité de la surpopulation, Ehrlich se crut obligé
d'aller en Inde. D'autres la ressentent plus fortement lorsqu'ils trouvent de
vieilles boîtes de bière dans un endroit sauvage. Si nous estimons que le
monde est surpeuplé, nous devons décider ce que nous désignons par ce
terme et en quoi consiste ce phénomène. Un Paul Ehrlich indien pourrait
considérer l'accroissement exponentiel et soudain de la population mondiale comme étant le résultat d'un désastre écologique vieux de cinq
siècles, c'est-à-dire l'explosion de l'Europe. Celle-ci ne fut pas provoquée
par la pression de la population, bien qu'elle se fût manifestée à l'époque,
et se manifestera toujours, mais par les exigences d'une économie européenne fondée sur le commerce international.

Ce qui arriva lorsque les Européens risquèrent leur vie dans des aventu-
res périlleuses vers des pays inconnus fut une réaction en chaîne causée par
l'impact culturel d'un peuple brillant (mais pas un peuple sage), doué de
grands talents, mais de peu de scrupules. Ils découvrirent des populations
stables, vivant dans des communautés fermées, appliquant des stratégies
de reproduction mises au point depuis plus de mille ans. Rebutés par celles-
ci, ils les prohibèrent, ou plus radicalement les détruisirent par les catas-
trophes démographiques qui suivirent leur contact, les épidémies, la
guerre, l'esclavage, et son équivalent moderne, l'émigration. Ces désastres, qui frappent les populations stables ou stagnantes du Sud, n'auraient
pas pu être évités même par le paternalisme le mieux intentionné de la part
des envahisseurs ; de nos jours, on donne aux chasseurs-cueilleurs des
subsides provenant des universités qui veulent les prendre pour sujets
d'étude. Une telle mort est sans doute plus aisée, mais aussi plus ignomi-
nieuse. Après les premiers chocs, et l'annihilation systématique par les
armes, la maladie et le poison, et spécialement l'alcool, les populations du
Nouveau Monde, avec une nouvelle base hybride, ont commencé à développer leur potentiel d'expansion sur le modèle de leurs classes dirigeantes
métissées ; voilà la vraie revanche de Montezuma.

En d'autres termes, la surpopulation n'est pas quelque chose de sus-
pendu au-dessus de nos têtes, comme l'holocauste nucléaire. C'est quelque
chose qui a débuté en Eurasie occidentale il y a cinq cents ans et s'est
développé comme un virus. En lisant le récit, tel *Red Gold* de John
Hemming, de la création d'un Etat comme le Brésil, on est frappé sans
cesse par l'inefficacité d'un système qui a fait arracher des milliers de
campêchers, les a fait haler jusqu'au rivage par des milliers d'Indiens,

d'abord avides d'obtenir des haches en récompense, puis contraints, menés par la peur, car ils avaient toutes les haches qu'ils pouvaient désirer. Mais l'homme blanc n'avait jamais assez de ces campêchers pour enrichir une poignée de marchands et obtenir un produit en aucune manière essentiel.

Nous avons gaspillé les ressources humaines avant qu'il n'y ait un surplus, les achetant et les vendant à bas prix, les dilapidant pour une bouchée de pain, et nous disant à nous-mêmes ce que les eugénistes disaient des travailleurs pauvres, qu'ils n'étaient pas réellement humains. Nous avons utilisé des tests d'intelligence ad hoc : les gens qui n'avaient pas de langue écrite, pas de monnaie, pas d'artisanat, ces gens qui ne pouvaient apprendre à nous haïr étaient des non-humains et pouvaient être enterrés sous les fondations de notre empire.

Les bottes de caoutchouc, inventées par les Indiens d'Amazonie qui moulaient le latex à la forme de leurs pieds, avaient été introduites au Etats-Unis au début du dix-neuvième siècle. Mais ce fut l'apparition de la voiture et la demande de pneumatiques, chambres à air et autres produits de caoutchouc qui provoquèrent cette débauche d'avidité et d'inhumanité sans loi auprès de laquelle d'autres épisodes terribles de l'histoire paraissent bien pâles. A la lecture du rapport de Roger Casement, consul de Grande-Bretagne à Rio de Janeiro, sur ces atrocités, James Bryce, ambassadeur d'Angleterre aux Etats-Unis et chroniqueur de renom pour les questions sociales, déclara que « les méthodes employées pour la collecte du caoutchouc dépassent en horreur tout ce qui a été révélé dans le monde civilisé durant le siècle dernier ». D'après le rapport de Casement, la production de Putamayo en caoutchouc, c'est-à-dire 4 000 tonnes entre 1900 et 1911, fut la cause directe de la mort de 40 000 Indiens. La population totale de cette zone passa durant cette période de 50 000 à 7 000 personnes. On estime que chaque tonne produite dans la vallée de l'Amazone — récoltée principalement par des firmes anglaises et américaines — avait coûté deux vies humaines[3].

Quel rapport cela a-t-il avec l'explosion de la population ? Les gens qui ont souffert pour que nous ayons des pneus à nos voitures ont été exterminés. Nous n'aurons rien fait pour réparer le mal qui leur a été fait si nous laissons les habitants actuels de leur territoire se reproduire *ad libitum*, c'est certain. Simplement, lorsque nous voyons l'aspect irrémédiable de ces taudis ou barrios, nous voyons les derniers stades d'une maladie épidémique qui est devenue endémique dans ses dernières manifestations. C'est la malédiction du colonialisme qui a rabaissé la valeur de la vie humaine, qui a réduit à rien la dignité humaine, qui a montré aux peuples des pays tropicaux que leur destinée n'était plus entre leurs mains.

Aussi longtemps que cette situation persiste, aussi longtemps qu'ils ne détiendront pas leurs propres moyens de subsister, aussi longtemps qu'ils seront le jouet des économies étrangères, ils n'auront pas de raison de souhaiter voir leur nombre diminuer. Ils pourront souhaiter échapper aux affres de l'accouchement, ils pourront souhaiter ne plus connaître l'angoisse de la mort de leurs jeunes enfants, mais ils ne souhaiteront pas être moins nombreux. Il y a un monde de différence entre la limitation de la population entreprise pour des raisons positives, et celle qui est subie à cause du désespoir. Si la seconde raison l'emporte, il ne vaudra pas la peine de vivre dans le monde, quel que soit le faible nombre de ses habitants.

Il semble peut-être que ces réflexions n'ont rien à voir avec, par exemple, la stérilisation obligatoire après la naissance du troisième enfant. Dès que nous commençons à réfléchir aux différences d'impact que ce type de mesure aurait dans les pays du Nord et dans ceux du Sud, toute l'histoire des relations entre les deux groupes est mise en cause. Dans le Nord, son application passerait en grande partie inaperçue, car peu de gens ont trois enfants et encore moins en ont quatre (et moins encore en désiraient quatre). Cependant, cela signifierait qu'une minorité, dont la religion interdit une telle mutilation, serait obligée de limiter sa famille à deux enfants. Le système pourrait être attrayant pour certains, qui y verraient un moyen d'exterminer les catholiques. On parlerait de persécution religieuse. Dans le Nord, pratiquement tous les enfants atteignent l'âge adulte, et même si ce n'est pas le cas, les parents ne s'attendent pas à être entretenus par leurs enfants lorsqu'ils deviennent âgés, sauf sous la forme de retraites publiques et de sécurité sociale. L'existence d'enfants que nous avons engendrés n'est pas fondamentale pour notre bien-être. La stérilisation à partir du troisième enfant ferait peu de différence en ce qui concerne notre taux de natalité, et mettrait simplement à la charge du gouvernement le coût de la stérilisation que les particuliers auraient payé de toute façon. Il n'est pas utile de rendre obligatoires des opérations qui sont déjà considérées comme souhaitables. Le poids des organisations religieuses interdirait probablement l'adoption d'une telle loi si l'on se trouvait au pied du mur.

D'un autre côté, si une conscience globale doit être développée, peut-être devrions-nous donner l'exemple. Nous passons notre temps à dire à l'homme du Sud que le monde est trop peuplé. Nous devrions être les premiers à franchir le pas et suivre l'exemple de notre prophète, le Dr Ehrlich. Peut-être ceux d'entre nous qui n'ont pas d'enfant — et nous sommes nombreux dans ce cas — devraient-ils porter un insigne proclamant nos services rendus à l'écosphère, mais nous ne méritons sans doute pas un certificat à la gloire des sans-enfants, ou un blason qui dirait « une raison de moins d'encombrer l'écosphère ». Personne ne croit véritablement que l'on n'a pas d'enfant par altruisme.

De toute manière, l'idée n'est pas de réduire la population, mais de la maintenir à son niveau actuel. En fait, la notion de croissance zéro de la population peut être interprétée de diverses façons plutôt déprimantes. L'interdiction des naissances imposée par les Thaïlandais aux réfugiés cambodgiens est aussi appelée croissance zéro de la population. Vue par les simples d'esprit comme la famille universelle de deux enfants, ce serait également le changement zéro de la population, car le différentiel de fécondité est le mécanisme principal de la sélection naturelle ; le différentiel de mortalité n'a d'effet comme différentiel de fécondité que si les gens meurent avant de se reproduire. En réalité, le taux élevé de familles sans enfants protégera le mécanisme jusqu'à un certain point, bien que les Nordiques puissent trouver que cette protection fonctionne dans le mauvais sens, en réduisant le nombre de leurs gènes dans la population. Il est intéressant de noter que dès la régulation obligatoire de la fécondité admise en tant que principe, des notions d'eugénique positive y ont été associées. Les gens qui auront davantage de possibilités de reproduction sont ceux qui ont réussi, c'est-à-dire les classes dirigeantes. Tout cela est sans doute aussi satisfaisant que l'infanticide des filles ou la chasse des têtes comme moyen de stabiliser la population ; mais en fait, ce n'est pas tellement supérieur. Le succès en tant que chasseur de têtes est peut-être un meilleur indicateur de la capacité à s'adapter, plus démocratique que la sélection des candidats en fonction de leur succès dans le commerce ou la politique.

Si nous nous tournons vers les régions du Sud, nous voyons immédiatement l'impact extrême que pourrait avoir une politique de stérilisation obligatoire, et pas seulement sur le taux de natalité. Elle aurait une incidence sur un grand nombre d'individus, beaucoup plus jeunes qu'en Europe ou en Amérique — un si grand nombre en fait que l'ensemble des services de santé y consacrerait ses efforts. Beaucoup d'enfants meurent déjà avant d'avoir atteint l'âge adulte ; si tous les membres des services de santé sont affectés aux opérations de stérilisation, ce nombre augmentera encore. Dans ces pays, les personnes âgées dépendent totalement des plus jeunes pour leur survie ; le taux de souffrance qui affecte le citoyen moyen augmentera. Et pour les plus pauvres, il sera encore plus élevé. Penser que tout cela n'a pas grande importance, c'est perpétuer la mentalité qui plaçait la valeur du caoutchouc au-dessus de celle d'une vie humaine.

En outre, l'exemple de la Chine prouve un point : une fois admis le principe de la stérilisation forcée, il n'y a pas de limites à son application. Une majorité de familles à trois enfants, même avec un taux élevé de mortalité, n'est pas un résultat suffisant ; après quelques mois, le chiffre pourrait être ramené à deux, et même à un, *car la prospérité ne serait pas apparue*. Il est clair que la croissance économique dans le Sud ne suit pas l'accroissement de la population, mais il n'a pas été prouvé que c'est l'accroissement de la population qui réduit les effets de cette croissance. Les pays pauvres deviennent plus pauvres, et les pauvres dans ces pays le deviennent encore plus. Leur part dans le commerce mondial diminue, et non pas parce que leur population consomme leur minerai de fer, leur bauxite, leurs bananes ou leur sucre. Plus ils orientent leur agriculture vers des cultures de produits exportables, plus leur main-d'œuvre est absorbée par les mines et les usines, plus ils deviennent pauvres, car nous continuons à les dépouiller. De notre point de vue, il n'y a rien d'autre à faire ; nous ne pouvons payer le prix que coûteraient, disons des vêtements, à moins qu'ils ne soient fabriqués dans les ateliers à main-d'œuvre bon marché des antipodes, et nous n'allons pas accepter de porter une paire de jeans venant de Taiwan jusqu'à ce qu'elle tombe en lambeaux. Nous n'allons pas travailler pendant six mois pour acheter un pantalon comme le font les ouvriers des plantations. Nous allons utiliser de l'énergie, des détergents et des quantités d'eau considérables pour garder nos jeans en bon état chaque fois que nous les portons ; tel est, après tout, notre standard de vie. Nous ne pouvons ni l'abandonner, ni le modifier, ni le réduire, car nos économies dépendent de cette consommation extravagante. Quand nos vêtements ne nous plaisent plus, nous les donnons à une institution et nous nous jugeons avisés et charitables.

Parce que les débats sur la population sont menés en termes extrêmement simples, j'essaye de réduire la réfutation économique de la croissance zéro de la population à des termes également simples. La position des il-y-a-trop-d'habitants, qui est soutenue par les spécialistes dans les dîners en ville, consiste à dire que si, par exemple en Italie, il y avait moins de gens, chacun aurait un peu plus de tout à sa disposition. Lorsqu'on regarde les collines abandonnées de la Toscane et de l'Ombrie, on se demande de quel « tout » il s'agit. Pas plus d'huile d'olive, car il s'agit d'une production qui demande beaucoup de main-d'œuvre. Seuls les vieux s'y adonnent encore, courant le risque séculaire de tomber du haut d'un arbre. La plupart des propriétaires du val d'Esse donnent gratuitement leurs olives à qui s'occupera de tailler, labourer, fumer et récolter, car bien que le prix de l'huile vierge atteigne 6 000 lires le litre, ce n'est pas suffisant pour payer un travailleur qualifié à son taux le plus bas. Ceux qui prennent encore cette peine le font parce que le parfum de cette huile fait partie de ce qui donne sa raison d'être à la vie dans ces collines. On en asperge le pain, autrefois assez nourrissant pour fournir la nourriture de base ; on l'utilise pour assaisonner les salades, qui sont un aliment essentiel, et les légumes, qui font partie de l'alimentation quotidienne. Mais de plus en plus de jeunes adoptent les huiles de tournesol, de maïs, ou d'arachide, dépourvues de saveur. L'huile à la teinte verte ira rejoindre un jour le *peccorino*, les cerises noires et les racines d'iris dans le néant. A l'euroveau et à l'europoulet, on ajoutera de l'eurosalade assaisonnée à l'eurosauce. Un mode de vie a disparu dans les collines où les rares fils de paysans qui sont restés ne peuvent trouver d'épouses. L'ancienne terminologie fait que ces hommes de cinquante et soixante ans sont appelés *ragazzi*, garçons.

Moins d'habitants ne signifie pas nécessairement plus de choses disponibles pour chacun. Plus d'habitants ne veut pas dire nécessairement moins de choses disponibles, car d'abord nous ne sommes pas encore convaincus qu'il faut les rendre disponibles, à moins de vivre en Chine, où chacun a son carnet de rations. Cela n'a pas de sens de raisonner comme s'il y avait un gouvernement mondial totalitaire qui émettrait des carnets de rations pour chacun d'entre nous à notre naissance. Tous les fermiers du monde n'utilisent pas un vaste système de stockage destiné à combattre la disette où les produits seraient répartis également, et nous serions horrifiés si un tel plan était mis en application. La plupart des tentatives faites dans ce sens pour garantir aux populations menacées de famine une distribution équitable de nourriture ont eu pour résultat une chute de la production. Le fermier se lèvera à l'aube et travaillera jusqu'à sa mort pour sa famille, semble-t-il, mais pas pour l'Etat.

Le système de castes, qui remplit d'horreur les Anglais démocrates, était un moyen d'assurer la distribution de nourriture à ceux qui n'en produisaient pas, qu'ils aient de quoi payer ou non. Si le fermier désirait les services d'un laveur ou d'un coiffeur, il devait nourrir le laveur et le coiffeur. Les obligations religieuses et l'association de chaque activité à des groupes particuliers signifiaient que le fermier ne pouvait pas fabriquer ses propres chaussures, ou couper les cheveux de ses enfants, ou assister sa femme pendant l'accouchement. Aujourd'hui, les fonctions économiques associées au système des castes ont été abolies ; seule la partie la moins acceptable, l'attitude mentale de discrimination hiérarchique, a été conservée. Les affamés de l'Inde seront nourris s'ils peuvent payer pour leurs aliments. Si le prix de la nourriture augmente et que le prix de la coupe de cheveux diminue, le coiffeur souffrira de la faim. Après des siècles de relations codifiées entre le travail et le paiement en nature, le travailleur indien est à la merci de violentes fluctuations.

La production alimentaire a augmenté en Inde beaucoup plus vite que la population mais le surplus provenant des grands établissements agricoles n'est pas immédiatement redistribué, pour être engrangé tel quel dans les greniers familiaux, nettoyé par les femmes, moulu sur place et transformé en nourriture riche en protéines et en fibres. Aujourd'hui, les denrées sont conservées dans des silos, où une partie sert à favoriser l'explosion de la population des rats. Pour amener le surplus de grain jusque dans le ventre des gens, l'Inde doit pouvoir le transporter à faible coût depuis le lieu de production jusqu'au lieu de son éventuelle distribution, mais les routes et les voies ferrées conduisent à la côte, à l'Angleterre. Le ciment destiné à la construction de silos à l'épreuve des rats est rationné dans toute l'Inde ; il est en grande partie acheté et vendu au marché noir par des spéculateurs. Le carburant nécessaire aux camions et aux trains est extraordinairement cher. La famine en Inde ne provenait pas d'un manque de nourriture en valeur absolue, ou d'un excédent de bouches à nourrir. Elle fut causée par la pauvreté.

Aussi longtemps que le souvenir de la famine subsiste dans l'esprit des gens, ceux-ci ne vont pas mettre en péril leurs chances de survie en limitant le nombre de leurs enfants, qui peuvent chercher de la nourriture par tous les moyens, des enfants qui peuvent mourir. Un enfant n'est jamais un fardeau pour un mendiant ; si notre système est la cause de la paupérisation d'un grand nombre, il est aussi la cause de leur prolifération. Quand les paysans avaient payé le cordonnier en blé pour les sandales qu'il avait fournies à leur familles, il savait exactement ce qui restait pour nourrir les siens. Le principal problème du cordonnier était de garder sa femme et ses enfants en vie ; cependant, même si le problème d'un trop grand nombre d'enfants vivants se posait rarement, ils se rendaient tous compte de ce que cela signifiait.

Une telle économie est incompatible avec le capitalisme. Nous l'appe-

lons stagnante. Il n'y a pas d'ouverture pour le développement ; la production de casseroles, de chaussures, de saris, de lits n'augmentait pas. Le
capitalisme signifie expansion. La richesse était présente, mais allait aux
rajahs et aux temples. On considérait cela comme de la tyrannie et de la
superstition. Il semblait insupportable que certains puissent être nés couverts de joyaux et d'or, ou restent à méditer, croulant sous les offrandes de
gens qui n'avaient ni meubles ni plancher dans leurs maisons, ni argent dans
leurs poches. On disait qu'il existait un contraste extrême entre les riches et
les pauvres, et les officiers britanniques critiquaient violemment cette
situation. Leur attitude envers l'économie indienne conduisit à l'apparition
d'un nouveau groupe social, le prolétariat industriel, d'une classe de ren-
tiers qui priva de terres une foule de gens, et d'une industrie d'exportation
qui, au lieu d'enrichir les maharajahs et les nababs, enrichit une petite île
de l'Atlantique Nord. On avait connu des famines en Inde avant l'arrivée
des Britanniques, et les dirigeants y avaient fait face — de façon souvent
désastreuse, il est vrai. L'époque anglaise fut accompagnée par des famines
d'une ampleur jamais vue, pendant lesquelles on continua à exporter du
blé.

Sans vouloir nier l'évidence, à savoir que si le nombre d'humains atteint
un point tel qu'il dépasse les capacités de production de nourriture de la
planète, il y aura des gens qui mourront de faim, je veux simplement
souligner que nous n'en sommes pas encore à ce point et qu'il y a déjà des
gens qui meurent de faim. On entretient l'illusion à l'étranger suivant
laquelle des pays riches tentent de rétablir l'équilibre en partageant leur
surplus avec les affamés. Beaucoup de gens au cœur généreux croient
sincèrement que chaque gramme de blé produit par les fermiers de leur
pays et qui n'est pas nécessaire à leur propre subsistance est mis à la
disposition des déshérités des pays équatoriaux. Il est encore des mères qui
poussent leurs enfants à manger la croûte de leur pain en leur disant :
« Pense à tous les enfants qui meurent de faim en Inde. »

Cette injonction n'est pas plus déplacée que l'idée suivant laquelle
l'agriculture des pays développés est organisée pour nourrir les pauvres des
autres pays. Les gouvernements soutiennent le prix des denrées de base
dans leur propre pays grâce à des subventions et à l'achat des surplus
existants. C'est une attitude simplement normale vis-à-vis des agriculteurs.
Le surplus est calculé seulement après que les habitants ont consommé le
maximum de quantités produites, dont la plus grande part est en fait
gâchée. Quatre cinquièmes des céréales américaines sont utilisées pour
l'élevage du bœuf : et seuls les morceaux de choix de ces énormes carcasses
sont jugées dignes d'être consommés. Si les Indiens devaient abattre leurs
vaches, et les manger comme le font les Américains, on ne ferait pas plus de
quatre à cinq repas avec une seule. Les Américains qui se préoccupent de
savoir comment l'économie indienne peut entretenir ces fournisseurs de
nourriture et de chaleur devraient plutôt se demander combien d'hectares
de céréales sont incorporés dans la consommation de viande d'une seule
famille par semaine. (Vingt millions de tonnes de protéines provenant des

céréales donnent deux millions de tonnes de protéines animales.) La plupart des habitants du monde développé, même s'ils gâchent la plus grande partie de leurs produits alimentaires, mangent beaucoup trop, certainement beaucoup plus que le nécessaire pour se maintenir en vie et en bonne santé. La plus grande partie du surplus est consommée ou gâchée au cours d'une transformation quelconque ; reste disponible pour la distribution à l'étranger ce qui ne peut être utilisé d'aucune autre manière. Et même alors, nous ne le donnons pas gratuitement.

Les produits alimentaires sont généralement vendus, et en monnaie forte. Cette situation est admirablement résumée par Susan George dans *How the Other Half Dies* :

> Le titre IV fut ajouté au PL 480 en 1959. Il se rapporte aux contrats à long terme entre les Etats-Unis et le bénéficiaire ; d'après ses termes, les produits alimentaires devaient être payés en dollars ou en devises convertibles sur une période de vingt ans et avec intérêt. En 1966, le PL 480 fut modifié de manière à transformer toutes les ventes du titre I (devises locales) en ventes en devises fortes ; cette transformation fut achevée en 1971, bien que le Sud-Viêt-nam en restât excepté. « Titre I » est le terme encore utilisé, mais il signifie aujourd'hui ventes en devises fortes, les seules possibles, et le titre IV a cessé d'exister. La spécification des paiements en dollars est devenue nécessaire et logique, d'abord à cause du déficit de la balance des paiements des Etats-Unis en raison de la guerre du Viêt-nam ; en second lieu parce que le PL 480 avait eu dans les faits pour résultat de développer des marchés commerciaux à l'exportation et les surplus n'étaient plus un sujet de préoccupation parce qu'ils étaient achetés. Durant les dix premières années de Food for Peace, « les nations dans le besoin nous faisaient presque une faveur en nous laissant leur donner ou vendre à des conditions très favorables nos surplus agricoles », suivant une déclaration du sénateur McGovern. De fait, durant cette période, les envois dans le cadre du PL 480 représentèrent un bon quart de toutes les exportations de produits alimentaires des Etats-Unis. Mais le programme permettait d'atteindre progressivement et sans bruit un de ses objectifs principaux : l'établissement de futurs marchés commerciaux. Au cours de l'année fiscale 1975, la proportion de l'aide alimentaire à la totalité des exportations agricoles était tombée à 3 % seulement[4].

L'importance de ce fait apparaît lorsque l'on considère l'ensemble des exportations américaines où seul le secteur agricole présente un surplus. Le Japon, qui au début reçut 400 millions de dollars d'aide, avait acheté plus de 20 milliards de dollars de produits alimentaires en 1975. Lorsque les produits étaient vendus en contrepartie de devises locales, et que ces capitaux ne pouvaient être rapatriés, ils furent utilisés par la suite pour la promotion de produits américains. La plus grande part de ces exportations agricoles n'est pas destinée à l'alimentation humaine, mais à l'alimentation pour le bétail. L'exportation des méthodes américaines d'alimentation apportera en fin de compte aux pays pauvres une alimentation moins économique, limitée à un plus petit nombre, et à un prix plus élevé. Les clauses du PL 480 permettent d'accorder des prêts aux compagnies américaines qui s'établissent à l'étranger, sur des fonds de compensation.

En 1966, quand le concept de « surplus » fut abandonné en faveur d'une conversion progressive à des ventes libellées en dollars, la loi ajouta un certain nombre de clauses décrites comme des mesures « d'aide réciproque » auxquelles les gouvernements des pays bénéficiaires devaient adhérer quand ils souscrivaient un contrat d'aide dans ce cadre. Ces mesures varient de pays à pays, mais incluent toujours « la création d'un environnement favorable à l'entreprise privée et aux investissements », le « développement des industries d'équipement, machines agricoles et produits chimiques, ainsi que les transports », et l'utilisation « du savoir-faire technique », comme des programmes de contrôle démographique[5].

Il y a bien sûr des gens qui ont faim dans le monde. Il y en a qui travaillent jusqu'à la tombée du jour et se couchent le ventre vide pour se relever le lendemain matin avec à peine la force nécessaire pour continuer. Leurs visages sont creusés, non seulement par la fatigue, mais par l'anxiété, car la situation les dépasse totalement. Les problèmes causés par les pluies de mousson insuffisantes, les inondations, la sécheresse et toutes les catastrophes naturelles étaient déjà terribles, mais l'instabilité des économies postcoloniales est encore plus insupportable, car elle ne fonctionne que dans un seul sens. Ce que les producteurs primaires font pousser se vend de moins en moins cher, et ce qu'ils doivent acheter devient de plus en plus coûteux. C'est la loi d'airain du commerce international qui affecte même des pays riches comme l'Australie, dont la population réduite est assise sur un trésor de richesses minérales qu'elle est trop paresseuse ou trop peu entreprenante pour exploiter elle-même.

Si l'Australie ressentait la pression de sa population, la pénétration de l'arrière-pays serait entreprise. La population suivrait les entrepreneurs, et graduellement une infrastructure apparaîtrait, puis le développement économique. C'est une pression de cette nature qui conduisit des Européens comme mes grands-parents à s'établir en Australie vers 1860, et qui causa le développement de villes comme Melbourne, qui compte aujourd'hui plus de trois millions d'habitants. Aujourd'hui, cette grande poussée est retombée à un niveau relativement bas. Les immigrants ne sont plus affamés, et ne s'attachent pas à la terre. Tout tend à faire de l'Australie un vaste parc de jeux ; les écologistes ont voix prépondérante. L'état sauvage doit être recréé. Malheureusement pour eux, ils n'ont pas compris les procédés des aborigènes, qui brûlaient régulièrement la végétation basse, et continuent de le faire sur les terres qui ont été transformées en pâturages depuis une centaine d'années. En février 1983, des incendies ravagèrent la côte sud-est, impossibles à maîtriser à cause de règlements qui interdisent de nettoyer le « bush » sur une bande côtière profonde d'un mile.

Les tribus à économie de chasse et de cueillette faisaient partie de l'écologie australienne. Elles maintenaient à un niveau acceptable la végétation parasite pour permettre aux arbres de pousser sur leurs terrains de chasse, et l'ont fait pendant si longtemps que le feu est partie intégrante du cycle de vie de nombreux arbres locaux. Les Européens les ont tués, ont fait abattre les arbres, et installé leurs fermes. Puis, reconnaissant leurs erreurs, ils ont essayé de réinstaurer l'état précédent, qu'ils ont confondu avec l'état sauvage. On nous parle sans cesse des forêts détruites pour devenir du bois à brûler ; on ne nous parle pas des cultures en terrasses abandonnées, des fossés comblés et de la terre emportée par les pluies. Nous avons fait la guerre au petit paysan pendant des générations, nous ne pourrons pas le remplacer lorsqu'il aura disparu.

Pour le paysan comme pour le chasseur-cueilleur, la terre n'était pas la sphère de notre conscience globale, une balle avec laquelle on joue, mais la matrice qui donne naissance à toute chose. Tandis qu'ils nettoyaient par le feu leur territoire, ou qu'ils transportaient les pierres ramassées dans les champs pour construire murs et terrasses et retenir la terre cultivable, ils maintenaient la cohésion de leur univers, non seulement pour eux-mêmes, mais pour ceux qui leur succéderaient. Les premières bureaucraties se sont établies grâce aux impôts levés sur les paysans ; plus ils travaillaient, plus les bureaucraties proliféraient. Quand la sueur des paysans ne suffit plus à entretenir cette armée, il lui faut alors davantage de *Lebensraum*. Ce qui perturbe le paysan, c'est de perdre le droit aux fruits de son travail. De même, l'ouvrier n'est pas appauvri par son comportement reproductif, mais par la perte de ses droits sur les biens et les richesses qu'il a contribué à créer. Lorsqu'il se sent démuni dans ce domaine, il abandonne le contrôle conscient de sa fécondité, car il ne lui apporte plus rien, si ce n'est les désagréments d'une contrainte volontaire. Cela peut paraître une description simpliste de ce qui a causé l'explosion démographique car on ne peut décrier ce phénomène, mais la thèse de la croissance zéro de la population est encore plus stupide.

Ceux qui sont ainsi totalement exploités voient chaque jour de leurs propres yeux la démonstration de leur incapacité à contrôler leur destin. Ils meurent de faim à côté de projets de développement agricole qui produiront des denrées pour l'exportation. Ils contreviennent à des lois dont ils ignorent l'existence ; ils sont expropriés de manière frauduleuse, ou parce qu'ils ont gagé leur terre pour payer leurs dettes. Dès qu'ils ont rassemblé leurs maigres ressources pour faire face à une crise, une autre apparaît et la remplace. Tant qu'ils considèrent la vie comme un bienfait, ils peuvent continuer ; dès qu'ils ont adopté le point de vue matérialiste de leurs oppresseurs, ils sont perdus. Même s'ils se débrouillent pour remplir leurs estomacs, leurs cœurs sont vides. Peut-être un exemple aidera-t-il à rendre ce point de vue visionnaire plus compréhensible.

En mars 1981, je me rendis à une fête du « bébé bien portant » dans un village près de Bangalore. Le village était composé d'un petit groupe de maisons de torchis blanchies à la chaux, chacune avec sa cour et son tas de fumier. Dans la salle, une cinquantaine de personnes, la plupart des enfants accompagnés de leurs grandes sœurs, attendaient d'être jugés d'après leur bonne forme. Les enfants les mieux portants appartenaient à des familles où les mères travaillaient aux champs car ils se nourrissaient de fruits frais et de cacahuètes, étant donné qu'il n'y avait personne à la maison pour faire cuire le riz et le dal ; mais ils n'obtinrent pas de prix car ils n'avaient pas eu leurs injections. La plupart des autres bébés n'étaient pas en très bonne forme, mais les organisateurs de la manifestation n'avaient pas les moyens de mesurer le véritable état des choses. Il était impossible de demander aux castes moyennes et supérieures de prendre exemple sur les intouchables qui donnaient à leurs enfants des aliments crus. Comme toujours en Inde, il semblait totalement déplacé de demander aux mères pourquoi elles avaient un si grand nombre d'enfants. Tout d'abord, ce nombre n'était pas disproportionné. Ensuite, tous n'étaient pas assurés de survivre. Enfin apparut une femme qui semblait représenter la candidate type à la contraception. Elle portait son fils d'un seul bras valide, et elle boitait. Elle avait été frappée par la polio. Elle était enceinte. Sur ma prière, le médecin complètement démoralisé se décida à lui demander si elle accepterait un moyen de contraception après la naissance de son nouvel enfant.

La femme nous regarda avec un air de douce surprise. « Ce n'est pas nécessaire, nous dit-elle. Mes belles-sœurs m'aident et nous avons de la terre. » Elle leva un peu son bébé dans son bras, et nous adressa un sourire de reine. Il était sa victoire sur l'infirmité. Lui seul pouvait annihiler toutes les souffrances et la lassitude de son combat pour vivre avec un seul bras et une seule jambe valides. Elle avait gagné parce qu'elle était devenue cette femme bénie, une épouse féconde. Presque chaque habitant du village avait été victime de la faim ou de la maladie, ou encore d'un accident. Mais leurs enfants étaient sains, promesses intactes du futur, et cependant si fragiles que l'on retenait son souffle en leur présence. J'avais toujours su que l'on devait fournir une assistance médicale aux mères et aux enfants avant que la limitation de la fécondité puisse avoir un sens, mais ce jour-là je n'eus plus le moindre doute.

Si les planificateurs de la famille pouvaient garantir un avenir aux enfants qui voient le jour, ils pourraient persuader les pauvres de détruire leur fécondité, mais ils ne le peuvent pas. Ils peuvent le prétendre, sans tromper personne. Nous ne savons pas combien d'hommes et de femmes ont perdu leurs enfants parmi les millions qui ont été stérilisés en Inde ; chacun d'entre eux est une catastrophe pour le planning familial de ce pays. Les gens peuvent dire que la mort de leur enfant a été une punition pour le sacrilège que représente la mutilation du corps ; la métaphore est très proche de la réalité cachée. Si tous les bébés indiens sont désirés, qu'ils soient nus, sales et affamés, alors nous sommes près de notre perte. Maints voyageurs *faringhi*, faisant la queue au guichet de l'immigration derrière 300 Indiens, pensent que la fin est proche. Nous pouvons penser qu'il n'est plus possible d'attendre que les paysans exploités du monde entier abandonnent comme par enchantement leurs illusions, se mettent à croire qu'il existe pour eux et leurs familles un futur, mais en fait nous n'avons pas le choix.

Notre perception d'un monde surpeuplé ou non dépend en partie du mode de vie que nous choisissons pour modèle. Si nous autres Occidentaux pensons que la seule vie qui vaille la peine d'être vécue est celle que nous menons, le volume de la population que la terre peut nourrir devra naturellement être limité. Le monde pourrait devenir un vaste hôtel de luxe, avec des zones de loisir où nous pourrions chasser, skier, et nous adonner à l'alpinisme, mais n'oublions pas que ce style de vie requiert un nombre considérable d'ilotes, qu'on ne peut payer suffisamment pour qu'ils puissent être logés dans le même hôtel. Tout comme Ricardo, nous aimerions que le nombre de ces ilotes demeure constant, suffisamment élevé pour que nous ne nous occupions pas des poubelles nous-mêmes, mais pas au point que nous nous mettions à trembler dans la crainte d'une insurrection. L'idéologie officielle veut que les pensionnaires de l'hôtel soient à l'origine de la création de toute richesse ; seule leur remarquable efficacité permet aux autres de survivre en s'éreintant dans les cuisines, les toilettes publiques ou les jardins maraîchers. Sans y consacrer beaucoup d'efforts, le pensionnaire de l'hôtel crée les richesses qui leur sont distribuées pour remplir ces tâches inférieures, mais indispensables.

Si c'est le cas, si le système capitaliste est réellement le meilleur jamais conçu pour créer cette richesse, peut-être pourrait-il devenir moins spectaculairement injuste ? Par exemple, la culture de produits non essentiels, que nous considérons comme tels et que nous payons à un prix totalement disproportionné avec la quantité de travail qu'elle absorbe, devrait être rendue illégale. Peut-être faudrait-il appliquer les mêmes interdictions que celles que nous imposons dans le cas de l'héroïne à la consommation de sucre, de tabac et de thé, de manière que les populations exploitées par ce type de productions puissent se consacrer aux cultures vivrières. Peut-être faudrait-il rendre illégale la spéculation sur les matières premières qui est un étrange moyen de maintenir un prix « juste » sur les marchés. Lorsque les producteurs tentent de pratiquer une spéculation limitée pour leur propre compte, nous décidons que cette pratique est injuste ; c'est ce qui arriva lorsque le marché de l'étain de Londres fut fermé en réponse à une politique d'achats déclenchée par le gouvernement de la Malaisie.

J'ignore le nombre d'habitants que la terre peut nourrir, et je ne pense pas que quiconque le connaisse ; elle peut sûrement en nourrir davantage sur la base d'un faible nombre de calories, mais comme le monde ne peut être assimilé à une vaste usine à soupe, cela est sans importance. Il est très probable que le monde est surpeuplé, et l'a été depuis un certain temps, mais rien ne sert d'entrer en transes à ce sujet. Rien de bon ne peut sortir de cette angoisse. Notre imagination se bloque si nous sommes convaincus que la catastrophe est pour demain. Peut-être devons-nous nous y adapter ou disparaître. Peut-être sommes-nous programmés pour survivre au milieu des catastrophes. Il est étrange de constater que ceux qui vivent précairement sont plus concernés par la continuité de leur lignage que ceux qui vivent dans l'abondance. Si nous voulons trouver des solutions harmonieuses aux problèmes de population, il faut cesser de nous plonger dans des situations que nous ne parvenons pas à saisir. Dans le passé, nous avons essayé d'y remédier en entreprenant toutes sortes d'études qui ont coûté beaucoup plus que le prix d'une aide concrète et dont les conclusions étaient inutilisables. A quoi bon savoir que lorsque l'on applique diverses corrections statistiques à l'histoire de la reproduction d'un petit nombre de femmes égyptiennes, la mort d'un enfant est sans effet sur le schéma reproductif général, ne conduit pas à une réduction des intervalles entre les naissances, etc. ? Comme nous n'avons pas de programme pour éliminer les bébés égyptiens, ou les garder en vie, cette information est sans utilité.

Cet ouvrage a tenté de montrer comment les raisonnements erronés et l'absence d'ouverture d'esprit ont gravement perturbé un aspect important des affaires humaines. Je crois profondément que nos erreurs grossières dans les programmes de planification familiale, particulièrement en Inde, ont en fait retardé la venue du nouveau Sauveur, la norme de la famille réduite, comme on l'appelle dans les milieux du planning familial. Je crois aussi que des enfants non désirés sont nés à cause d'une approche stupide du planning familial, et que des gens y ont laissé la vie. Dans le contexte global de cruauté et d'ineptie qui nous entoure, les crimes du planning familial sont de peu d'importance. Les budgets qui y sont consacrés, qui représentent davantage que le budget d'aide internationale à la santé dans son entier, sont une broutille comparés aux milliards affectés aux programmes de « défense ». Mais l'inadéquation des programmes de planning familial a son importance, parce que tant de gens bien intentionnés y ont travaillé d'arrache-pied. Il est cruel de les former insuffisamment, de les opposer à ceux qui devraient être leurs collègues, de les humilier en leur livrant des trains entiers de boucles de Lippes (non stérilisées) et des camions entiers de pilules surdosées. Il est injuste qu'ils soient les instruments d'une politique de droite mal pensée, car leurs motivations sont généralement fort différentes.

Les statistiques si ingénieusement concoctées par les riches organismes de recherche ne sont d'aucune aide sur le terrain, où l'abstraction des chiffres n'a plus de relation avec le dynamisme des êtres humains. Chaque travailleur sur le terrain se rend compte que ce n'est pas à nous de définir et de résoudre le problème de la surpopulation, et qu'il peut y avoir d'autres définitions et d'autres solutions, qui émanent directement de la communauté avec laquelle il travaille. Cette conviction aveugle qu'il nous faut intervenir dans le comportement reproductif d'autres peuples, avec ou sans leur assentiment, provient de ce que nous considérons que le monde nous appartient, à nous qui l'avons pillé de manière si experte, et non à eux, qui ne l'ont pas appauvri. Vu sous cet angle, le concept de croissance zéro de la population est totalement antilibéral, mais pourtant certains libéraux, si ce n'est la plupart, y adhèrent plus ou moins.

La seule motivation cohérente qui doive soutenir le planning familial dans l'ensemble du monde est le désir d'aider les peuples, les familles, les individus à faire ce qu'ils désirent, non ce que nous pensons qu'ils désirent. Si les bénéficiaires définissaient eux-mêmes leurs besoins, nous économiserions les millions de dollars que nous gaspillons à le faire nous-mêmes. Il est peu satisfaisant de travailler à éviter des naissances, en partie parce que nous ne sommes jamais sûrs du résultat. Il est beaucoup plus satisfaisant de maintenir en vie ceux qui sont nés, d'améliorer la santé de leurs mères et leurs conditions de vie. Il l'est encore plus d'apprendre au contact des gens à quel point les êtres humains sont merveilleux, pleins de grâce, de force, de gaieté et aussi de tristesse.

Abandonnons donc la théorie de la crise, car nous sommes nous-mêmes la crise. Ne gaspillons pas notre énergie à nous angoisser pour un monde bourré d'individus et à compter les bébés qui naissent chaque minute (un sur cinq étant chinois, et presque tous étrangers), et utilisons notre imagination pour comprendre les causes de la pauvreté et de sa persistance. Regardons-la de près, pour faire cesser notre phobie des pauvres. Si nous devons avoir une raison de crainte, c'est la peur que l'homme, ce désastre écologique, ne trouve plus aujourd'hui d'autre ennemi que lui-même. Plutôt que de craindre les faibles, ayons peur des nations puissantes et stériles, qui, à l'Est comme à l'Ouest, n'ont plus de rôle d'avenir. La mort de chaque enfant non désiré est une tragédie, pour lui et pour ses parents, mais en dépit de tous les efforts déployés, il naît plus d'enfants non désirés chez nous, les riches, que chez eux, les pauvres. Cela peut sembler paradoxal, mais le temps en a donné la preuve.

Notes

1. Un bébé est né

1. John F. Besemeres, *Socialist Population Politics* (New York 1980), p. 271, 272.

2. Christopher Driver (ed.), *The Good Food Guide* (Londres 1979), p. 82.

3. ABC notes. Interview menée par Bob Clark, 13 juillet 1978.

4. « Ethics and the Use of Drugs during Pregnancy », *Science*, vol. 202, 3 novembre 1978, p. 540-541.

5. Robert Coughlan, *The Wine of Genius* (Londres 1952), p. 58.

6. « Femmes battues », *UTA Magazine*, vol. 5, n° 1, septembre 1982, p. 15.

7. « Obstetrical Medication and Infant Outcome, A Review of the Literature » tiré de *The Effects of Obstetrical Medication on Fetus and Infant* (monographie de la Society for Research in Child Development, n° 35, p. 3-23).

8. Sheryl Burt Ruzek, *The Women's Health Movement. Feminist Alternatives to Medical Control* (New York 1978), p. 59-60.

9. Judith Randall, « Trop de césariennes ? » *Parents' Magazine*, novembre 1978.

10. R. Beard, M. Brundenell, P. Dunn et D. Fairweather (eds), *The Management of Labour* (Londres 1975), p. 218-234 ; — Brigitte Jordan, *Birth in Four Cultures ; a Cross-Cultural Investigation or Childbirth in Yucatan, Holland, Sweden and the United States* (Montréal 1980), p. 94-95.

11. *Maternity in Britain : a Survey of Social and Economic Aspects of Pregnancy and Childbirth undertaken by a Joint Committee of the Royal College of Obstetricians and Gynaecologists and the Population Investigation Committee* (Oxford 1948), p. 72.

12. Sheila Kitzinger, *Women as Mothers* (Glasgow 1978), p. 195.

13. Joss Shawyer, « Death by Adoption », texte dactylographié, 1977.

14. Susan Borg et Judith Lasker, *When Pregnancy Fails* (Boston 1981), *passim*.

15. C. P. McCormick, « Santé, fécondité et naissance dans le Moyamba, Sierra Leone », *in Ethnography of Fertility and Birth*, ed. C. P. McCormick (Londres 1982), p. 122.

16. Parmi les rares textes anthropologiques sur la grossesse et la naissance dans les cultures traditionnelles : H.H. Ploss et M. et P. Bartels, *Woman*, trad. E. Dingwall (Londres 1935), vol. 2, *passim* ; — K. E. Mershon, *Seven plus Seven : Mysterious Life-Rituals in Bali* (New York 1971) — Richard Hessney, *Eastern Archaeologist*, XXIV, 2 (mai-août 1971) ; — Jean Lois Davitz, *R. N. Magazine*, 4 mars 1972 ; — F. Landa Jocano, *Asian Studies*, VIII, décembre 1970 ; — « Rites

de la Naissance », *France-Asie*, XII, mars-mai 1956 ; — Helen Gideon, *American Anthropology*, LXIV, p. 1220-1234.

17. Lire par exemple, Kusum Nair, *Blossoms in the Dust ; the Human Factor in Indian Development* (New York 1962).

18. Hamed Ammar, *Growing up in an Egyptian Village : Silwa, Province of Aswan* (Londres 1954), p. 90.

19. B. Jordan, *op. cit.*, p. 26-27.

20. Stephen A. Richardson et Alan F. Guttmacher (eds), *Childbearing : its Social and Psychological Aspects* (Baltimore 1967), p. 170-171.

21. Sally Inch, *Birthrights* (Londres 1982) ; — Janet et Arthur Balaskas, *Active Birth* (Londres 1983) ; — Sheila Kitzinger, *Good Birth Guide* (Londres 1983).

22. Exemple tiré d'un film projeté au Kennedy International Symposium au Centre Kennedy à Washington le 6 octobre 1971.

23. Sheila Kitzinger et John A. Davis (eds), *The Place of Birth* (Londres 1978).

24. J. C. Caldwell, « The Economic Rationality of High Fertility ; an Investigation Illustrated with Nigerian Survey Data », in *Population Studies*, vol. XXXI, n° 1 (1976), p. 5-6.

25. Brij Raj Chauhan, *A Rajasthan Village* (Delhi 1967), p. 213.

26. Amrit Wilson, *Finding a Voice ; Asian Women in Britain* (Londres 1978), p. 22.

27. *Ibid.*, p. 25.

28. *Ibid.*, p. 22.

29. H. Ammar, *op. cit.*, p. 99.

30. Jessi Bernard, *The Future of Motherhood* (New York 1975), p. 286-302 *passim*.

31. Elizabeth Warnock Fernea, *Behind The Veil*.

32. *Ibid*.

33. Ian Young, *The Private Life of Islam* (Londres 1974), *passim*.

34. E. R. Leach, *Pul Eliya, a Village in Ceylon* (Cambridge 1971), p. 27.

35. B. Jordan, *op. cit.*, p. 21-22.

36. Oscar Lewis, *Life in a Mexican Village : Tepoztlan Restudied* (Urbana 1963), p. 356.

37. Robert Redfield, *Tepoztlan, a Mexican Village* (Chicago 1930).

38. Témoignage personnel, Karnataka, mars 1981.

39. S. C. Dube, *India's Changing Villages : Human Factors in Community Development* (Cornell UP 1958), p. 75 et suiv. ; — Ayinipalli Aiyappan, *Social Revolution in a Kerala Village : a Study in a Kerala Village ; a Study in Culture Change* (New York 1965), p. 101.

40. M. Verderese et L. M. Turnbull, *The Traditional Birth Attendant in Maternal and Child Health and Family Planning. A Guide to her Training and Utilisation* (WHO 1975) ; — J. Y. Peng *et al.*, « Role of the Traditional Birth Attendants in Family Planning », in *Proceedings of the International Seminar in Bangkok and Kuala Lumpur 19-26 juillet 1974* ; — S. N. Otoo, « The Traditional Management of Puberty and Childbirth among the Ga People, Ghana », *Tropical and Geographical Medicine*, XXV (1973), p. 88-94 ; — Diana Scully, *Men Who Control Women's Health* (Boston 1980), p. 136.

41. S. Kitzinger, *op. cit.*, p. 109.

2. L'importance de la fécondité

1. *Sunday Express*, 3 février 1980, p. 7.

2. Julian Pitt-Rivers, « Honneur et Statut social », *Anthropologie de l'honneur*.

3. J. K. Campbell, « Honour. The Devil », *ibid*, p. 146 ; *cf.* Pierre Bourdieu, *Esquisse d'une théorie de la pratique*, Droz (Paris 1972).

4. P. Bourdieu, *op. cit.*, p. 35.

5. Nancy Friday, *My Secret Garden : Women's Sexual Fantasies* (Londres 1975) et *Men in Love : Men's Sexual Fantasies ; the Triumph of Love over Rage* (Londres 1980).

6. John B. Vickery, *The Literary Impact of « The Golden Bough »* (Princeton 1973), p. 71.

7. Lucy Mair, *An Introduction to Social Anthropology* (Oxford 1965), p. 22.

8. Sir J. G. Frazer, « The Myth of Adonis », *The Illustrated Golden Bough*, ed. Mary Douglas (Londres 1978), p. 123.

9. Frieda Fordham, *Introduction à la psychologie de Jung*, éd. Imago, p. 17.

10. W. B. Yeats, « Byzance », in *Yeats, Poèmes choisis*, Aubier.

11. J. M. C. Crum, « Love is come again », *The Oxford Book of Carols*, eds. Percy Dearmer, R. Vaughan Williams et Martin Shaw (Londres 1964), p. 306-307.

12. Clive James, « A Question of Quality », *The Observer*, 3 février 1980.

13. Paul H. Gebhard, « Situational Factors Affecting Human Sexual Behaviour », in *Sex and Behaviour*, ed. Frank A. Beach (New York 1965), p. 486.

14. F. A. Beach, *Hormones and Behaviour* (New York 1948), p. 238.

15. Desmond Morris, *The Human Zoo* (Londres 1969), p. 83.

16. *Ibid.* ; p. 86.

17. Niko Tinbergen, *Etude de l'instinct* (1953).

18. Mary D. Salter Ainsworth (ed.), *Animal Models in Human Psychobiology* (New York 1976), p. 42 ; — R. A. Hinde, *Biological Bases of Human Social Behavior* (New York 1976), p. 24-25.

19. Seymour S. Kety, « The Inner World of Man : Biochemical Substrates of Affect and Memory », in *The Interface between Psychology and Antrhopology*, ed. Iago Galdston (New York 1971), p. 130.

20. Alex Comfort, *Nature and Human Nature* (Londres 1966), p. 28.

21. *Ibid.*, p. 3.

22. Niko Tinbergen, « Ethology in a Changing World », in *Growing Points in Ethology*, ed. P. P. G. Bateson et R. A. Hinde (Cambridge 1976), p. 510.

23. *Ibid.*, p. 250.

24. G. Serban, « The Significance of Ethology for Psychiatry », in Ainsworth, *op. cit.*, p. 280.

25. Ilse Blignault et L. B. Brown, « Locus of Control and Contraceptive Knowledge, Attitudes and Practice », in *British Journal of Medical Psychology*, vol. L II (1979), p. 343.

26. Alan Sweezy « United Kingdom Policy », in *Population Perspective 1972*, ed. Harrison Brown et Alan Sweezy (San Francisco 1972), p. 23.

27. Melvin Zelnik et John F. Kantner, « Contraceptive Patterns and Pre-marital Pregnancy among Women aged 15-19 in 1976 », in *Family Planning Perspectives*, vol. X, n° 3 (mai-juin 1978), p. 135.

28. Blignault et Brown, *op. cit.*, p. 339-340.

29. Hans Lehfeldt, « Wilful Exposure to Unwanted Pregnancy », in *American Journal of Obstetrics and Gynecology*, vol. 78, septembre 1959, p. 662.

30. Ainsworth, *op. cit.*, p. 86.

31. Edward O. Wilson, *Sociobiology, the New Synthesis* (Cambridge 1975), p. 3.

32. Pierre Teilhard de Chardin, *L'Avenir de l'homme*, éd. du Seuil (Paris 1959), p. 300-301.

33. A. Comfort, *op. cit.*, p. 32.

34. Gertrude E. Dole, « The Marriages of Pacha : a Woman's Life among the Amahuaca », in *Many Sisters : Women in Cross-Cultural Perspective*, ed. Carolyn J. Matthiasson (New York 1976), p. 17.

35. Magaret Mead, *L'un et l'autre sexe*, éd. Denoël Gonthier (Paris 1966), p. 211.

36. *Ibid.*, p. 215.

37. George Gilder, *Sexual Suicide* (New York 1973), p. 6, 105-106 ; — Hugh

Carter et Paul C. Glick, *Marriage and Divorce, a Social and Economic Study* (Cambridge, Mass., 1970), p. 410. — C. Lévi-Strauss, *Structures élémentaires de lu parenté* (Paris, 1949), p. 39 ; — Robin Fox, « Sexual Selection and Human Kinship Systems », in *Sexual Selection and the Descent of Man 1871-1971* (Chicago 1972), p. 299.

38. Raymond C. Kelly, « Witchcraft and Social Relations », in *Man and Woman in the New Guinea Highlands,* ed. Paula Brown et Georgeda Buchbinder (Washington 1976), p. 45 ; *cf.* Alan P. Merriam, « Aspects of Sexual Behaviour among the Bala (Basongye) », in *Human Sexual Behaviour : Variations in the Ethnographic Spectrum,* ed. Donald Marshall et Robert C. Suggs (New York 1970), p. 85.

39. M. Mead, *op. cit.,* p. 220.

3. La malédiction de la stérilité

1. Elizabeth Warnock Fernea et Basima Qattan Bezirgan, *Middle Eastern Muslim Women Speak* (Austin et Londres 1977).

2. Genèse, XXX, 1.

3. V. Ebin, « Interpretations of Infertility : the Aowin of Western Ghana », in *Ethnography of Fertility and Birth,* ed. C. P. McCormick (Londres 1982), p. 144. Sur la détresse des femmes stériles yorubas : T. A. Lambo, « Neuropsychiatric Observations in the Western Region of Nigeria », in *British Medical Journal,* p. 1388-1394 et J. B. Lawson et D. B. Stewart, *Obstetrics and Gynaecology in the Tropics and Developing Countries* (Londres 1967).

4. Vincent Crapanzano, *The Hamadsha : a Study in Ethnopsychiatry* (Berkeley 1977), p. 198.

5. Margaret Mead, *L'un et l'autre sexe,* p. 212.

6. H. Ammar, *op. cit.,* p. 94 ; — Meyer Fortes, « A Demographic Field Study in Ashanti », in *Culture and Human Fertility,* ed. Frank Lorimer (UNESCO 1954), p. 226.

7. Elizabeth Warnock Fernea, *op. cit.*

8. *Ibid.*

9. Témoignage personnel, février-mars 1981.

10. Indumati Parikh, *An Experiment in Community Involvement in Family Planning in a Metropolitan Slum* (Bombay 1978), p. 5-6.

11. S. P. Reyna, *Population and Social Organisation,* ed. Moni Nag (Yale 1962).

12. A. Romaniuk, *la Fécondité des femmes congolaises* (Paris-La Haye 1967), p. 63 ; — A. T. Ring et R. A. Scragg, « A Demographic andSocial Study of Fertility in Rural New Guinea », in *Journal of Biosocial Science,* vol. V, n° 89 (1972) ; — H. Moutsinga, « La stérilité féminine au Gabon en consultation gynécologique journalière », in *Médecine dans l'Afrique noire,* vol. XX, n° 63 (1973) ; — Anne Retel-Laurentin, *Infécondité et maladies chez les Nzakaras, République centrafricaine* (Paris 1974) ; — F. Merle et P. Puech-Lestrade, « Gonococcie et stérilité au Cameroun », *Médecine tropicale,* vol. XX (1960), p. 735 ; — E. S. Grecg *et al.,* « Epidemiological Aspects of Acute Pelvic Inflammatory Disease in Uganda », *in Tropical Doctor,* vol. III (1970), p. 123 ; — B. K. Adadevoh (ed.), *Subfertility and Infertility in Africa* (Ibadan 1974) ; — Mark A. Belsey, « Epidémiologie de la stérilité », in *Bulletin de l'Organisation mondiale de la santé,* vol. LIV, 1975, p. 319-340 ; — Hilde Thurnwald, « Women's Status in Buin Society », in *Oceania 5* (2) 1934, p. 161 ; — Ray Pinney, *Vanishing Tribes* (Londres 1968), *passim* ; — William A. Lessa, « The Depopulation of Ulithi », in *Human Biology,* n° 27, p. 161-183 ; — Edward E. Hunt, N. R. Kidder, D. M. Schneider et W. D. Stevens, *The Micronesians of Yap and their Depopulation* (New York 1949).

13. S. Kaul et Anita Kala, « Fertility and Family Planning in a Remote Hill Area in Himachal Pradesh », *Journal of Family Welfare*, vol. XXIII (1977), n° 3.

14. Andrew Collver, « The Family Cycle in India and the United States », in *American Sociological Review*, vol. XXVIII (1963), p. 89-96.

15. Ranajit Dutta, « Relation of Blood Groups with Fertility and Infertility : a Study in Rural India », in *International Journal of Fertility*, vol. XXII, p. 243-246.

16. S. J. Behrman et Robert W. Kistner, « A Rational Approach to the Evaluation of Infertility », in *Progress in Infertility*, ed. S. J. Behrman et R. W. Kistner (Boston 1975), p. 1.

17. G. Bettendorf, *Infertility : Diagnosis and Treatment of Functional Infertility* (Berlin 1978), p. IX.

18. Melvin L. Taymor, *Infertility* (New York 1978), p. 29.

19. Ray Pinney, *Vanishing Tribes* (Londres 1968), p. 124.

20. Rose E. Frisch, « Population, Food Intake and Fertility », in *Science*, n° 199, 6 janvier 1978, p. 22 et suiv. ; — A. Keys, J. Brozek, A. Henschel, O. Mickelsen et H. L. Taylor, *The Biology of Human Starvation* (Minneapolis 1950), chap. XXXV, *passim*.

21. Melvin M. Taymor et Ellen Bresnick, « Emotional Stress and Infertility », in *Infertility*, vol. II, n° 1 (1979), p. 34-37.

22. M. Taymor, *op. cit.* (1978), p. 13.

23. Carl J. Paverstein et Carlton A. Eddy, « The Role of the Oviduct in Reproduction ; our Knowledge and our Ignorance », in *Journal of Reproduction and Fertility*, n° 55, p. 223-229.

24. « The Sexually Transmitted Diseases : a Challenge to Health Education », in *International Journal of Health Education*, supplément au vol. XVIII, juillet-septembre 1975, *passim*.

25. Communication personnelle du Dr R. D. Catterall, James Pringle House, Middlesex Hospital de Londres ; — Mike Muller, *The Health of Nations : a North-South Investigation* (Londres 1983), p. 98-99.

26. F. Gary Cunningham et Abe Mickal, « Pelvic infections », in *Current Obstetric Diagnosis and Treatment*, ed. R.C. Benson (Los Altos 1982), p. 315-360 ; — Edmund R. Novak et J. Donald Woodruff, *Gynecologic and Obstetric Pathology with Clinical and Endocrine Relations* (Londres et Philadelphie 1967), p. 245-251.

27. J. Oriel, A. L. Johnson, D. Barlow, *et al.* « Infection of the Uterine Cervix with *Chlamydia trachomatis* », in *Journal of Infectious Diseases*, vol. 137, n° 4 (1978), p. 443-451 ; — J. Schachter, « Chlamydial Infections », in *New England Journal of Medicine*, vol. XXIX, n° 8 (1978), p. 428-435 ; — S. Paavonen, P. Saikku, R. Vesterinen et K. Aho, « *Chlamydia trachomatis* in Acute Salpingitis », in *British Journal of Venereal Diseases*, vol. LV, n° 3 (juin 1979), p. 203-206 ; — J. Schachter, G. Causse et M. L. Tarizzo, « Chlamydia, agents des maladies sexuellement transmissibles » in *Bulletin de l'Organisation mondiale de la santé*, vol. LIV (1976), p. 245-251.

28. D. A. Eschenbach, « Polymicrobial Etiology of Acute Pelvic Inflammatory Disease », in *New England Journal of Medicine*, vol. 293, n° 4 (juillet 1975), p. 166-171.

29. W. B. Hager et B. Majumdar, « Pelvic Actinomycosis in Women Using Intrauterine Contraceptive Devices », *American Journal of Obstetrics and Gynecology*, vol. 133 (1979), n° 8, p. 60.

30. H. Ian Hogbin, *Social Change : Josian Mason Lectures delivered at the University of Birmingham* (Londres 1958), p. 18.

31. Lidio Cipriani, *The Andaman Islanders* (Londres 1966), p. 62-65.

32. A. P. Elkin, *Social Anthropology in Melanesia : a Review of Research* (Londres 1953), p. 159-160.

33. *Ibid.*, p. 77.

34. Lewis Cotlow, *The Twilight of the Primitive* (Londres 1973), p. 16-17.

35. *Ibid.*, p.65-66 ; *cf.* Edwin Brooks, René Fuerst, John Hemmings et Francis Huxley, *Tribes of the Amazon Basin in Brazil, 1972* (Londres 1972), p. 37.

36. L. Cotlow, *ibid.*, p. 17.

37. *Ibid.*, p. 14.

38. *Ibid.*, p. 50.

39. *Ibid.*, p. 57.

40. Claude Lévi-Strauss, *Tristes Tropiques*, Plon (Paris 1955), p. 309.

41. L. Cotlow, *op. cit.*, p. 160-161.

42. *Bulletin de l'Organisation mondiale de la santé*, vol. LIV (1975).

43. O. A. Ladipo et A. O. Osoba, « T. mycoplasma and Reproductive Failure », in *Infertility*, vol. II, n° 2 (1979), p. 135.

44. W. O. Chukudubelu, « The Male Factor in Infertility — the Nigerian Experience », in *International Journal of Fertility*, vol. XXIII (1978), p. 238-239.

45. Wilson I. B. Onuigbo, « Tubal Pregnancy in Nigerian Igbos », *International Journal of Fertility*, vol. XXI (1976), p. 186.

46. Samar Khalaf, *Prostitution in a Changing Society : a Sociological Survey of Prostitution in Beirut* (Beyrouth 1965).

47. *Ibid.*, p. 21.

48. I. Schapera, *Married Life in an African Tribe* (Londres 1940), p. 197.

49. *Ibid.*, p. 229.

50. *Ibid.*, p. 230.

51. A. T. Bryant, « Zulu Medicine and Medicine Men », in *Annals of the Natal Museum* (Londres 1916), p. 15 ; — Colin Turnbull, *The Lonely African* (Londres 1963), p. 21, 132.

52. R. Farley, « Recent Changes in Negro Fertility », *Demography*, vol. III, p. 188-203 ; — J. A. McFalls Jr., « Impact of Venereal Disease on the Fertility of the US Black Population 1880-1950 », in *Social Biology*, vol. II (1973), p. 19 ; — Verrier Elwin, *The Tribal World of Verrier Elwin* (Oxford 1964), p. 108-109.

53. Amir Ansari, « Diagnostic Procedures for Assessment of Tubal Patency », *Fertility and Sterility*, vol.XXXI, n° 5, mai 1979.

54. Jean Cohen, « Results of Repeat Surgery in Tubal Sterility », in *Infertility*, vol. II, n° 1 (1979), p. 13.

55. Gina Bari Kolata, « In Vitro Fertilization : Is it Safe and Repeatable ? » in *Science*, vol. 201 (25 mai 1978), p. 698-699.

56. Karin G. B. Edström, *Bulletin de l'Organisation mondiale de la santé*, vol. 52 (1975), p. 141-148.

57. Victor Gomel, « Profile of Women Requesting Reversal of Sterilisation », *Fertility and Sterility*, vol. XXX, n° 1, juillet 1978, p. 39-41.

58. Rochelle D. Shain, « Acceptability of Reversible Versus Permanent Tubal Sterilisation : an Analysis of Preliminary Data », in *Fertility and Sterility*, vol. XXXI, n° 1, janvier 1979, p. 13-17.

59. Bernard Cantor et Frank C. Riggall, « The Choice of Sterilising Procedure According to its Potential Reversibility with Microsurgery », in *Fertility and Sterility*, vol. XXXI, n° 1, janvier 1979, p. 9-12.

60. Richard Stock, « Evaluation of Sequelae of Tubal Ligation », in *Fertility and Sterility*, vol. XXIX, n° 2, février 1978, p. 169-174.

61. J. R. Neil *et al.*, « Late Complications of Sterilisation by Laparoscopy and Tubal Ligation », in *The Lancet*, 11 octobre 1975, p. 699 ; — A. D. Noble, « Sterilisation, Laparoscopy or Laparotomy », in *British Medical Journal*, 25 octobre 1975, p. 227.

62. Sir Maurice Kendall, « The World Fertility Survey : Current Status and Findings », *Population Report*, série M, n° 3, juillet 1979, table 17.

63. Stanwood S. Schmidt, « Spermatic Granuloma : an Often Painful Lesion », in *Fertility and Sterility*, vol. XXXI, n° 2, février 1979, p. 178-181.

64. Nancy J. Alexander et Deborah J. Anderson, « Vasectomy : Consequences

of Auto-Immunity to Sperm Antigens », in *Fertility and Sterility*, vol. XXXII, n° 2, septembre 1979, p. 253, 257.

65. Cf. David et Helen Wolfers, *Vasectomy and Vasectomania* (Londres 1974), *passim*.

66. Cf. Dorothy L. Nortmann, *Sterilisation and the Birth-Rate* (New York 1980).

4. La chasteté est une forme de contraception

1. C. G. Hartmann, « On the Relative Sterility of the Adolescent Organism », in *Science*, vol. 74 (1931), p. 226-227 ; — Bronislaw Malinowski, *la Sexualité et sa répression dans les sociétés primitives*, Payo (Paris 1932) ; — C. G. Seligman, *The Melanesians of British New Guinea* (Cambridge 1910), p. 500 ; — H. I. Hobgin, « The Native Culture of Wogeo », in *Oceania*, vol. V (1935), p. 320 ; — R. F. Barton, *Philippine Pagans* (Londres 1938), p. 11.

2. Résumé de l'enseignement catholique de la virginité, voir J.-M. Perrin, *Virginity* (Londres 1956), *passim*.

3. J. C. Russel, « The Clerical Population of Mediaeval England », in *Traditio*, vol. II (1944), p. 177-212.

4. Dr Ba Han, « The Burmese Complex : its Roots », in *Journal of the Burma Research Society*, vol. 46, n° 1 (juin 1963), p. 7.

5. U Sein Tu, « The Psychodynamics of Burmese Personality, in *Journal of the Burma Research Society*, vol. 47, part II, décembre 1974, p. 263.

6. J. Stuart, « Why is Burma Sparsely Peopled », in *Journal of The Burma Research Society*, vol. IV, 1914, p. 1-6.

7. Maung Ba Aung, « Why Burma is sparsely Populated : a Suggestion », in *Journal of the Burma Research Society*, vol. IV, 1914, p. 224-225.

8. J. Hajnal, « European Marriage Patterns in Perspective », in *Population in History* (Londres 1965).

9. Peter Laslett, *The World We Have Lost* (Londres 1965), p. 128-130, 140-141.

10. *Ibid.*, p. 2-3.

11. Karl G. Heider, « Dani Sexuality : a Low-Energy System », in *Man*, vol. II, n° 2, p. 188.

12. Cotlow, *op. cit.*, p. 61.

13. Georgeda Buchbinder et Roy A. Rapaport, « Fertility and Death among the Maring », in *Mun and Woman in the Guinea Highlands*, p. 20.

14. Richard Scaglion, « Seasonal Births in an Eastern Abelam Village », in *Human Biology*, vol. L (1978), n° 3, p. 316.

15. Shirley Lindenbaum, « A Wife is the Hand of Man », et Brown et Buchbinder, *op. cit.* , p. 58.

16. J. C. Caldwell et Pat Caldwell, « The Role of Marital Sexual Abstinence in Determining Fertility ; a Study of the Yoruba in Nigeria », in *Population Studies*, vol. XXXI, n° 2, p. 195-196 *et passim*.

17. Walter H. Sangree, « The Bantu Tiriki of Western Kenya (Kanmondo) » in *Peoples of Africa* (New York 1965), p. 60.

18. Nag, *op. cit.*, p. 37.

19. Caldwell et Caldwell, *op. cit.*, p. 203.

20. Il n'existe jusqu'à aujourd'hui aucune étude sur les effets de la clitoridectomie sur la fécondité. Des Soudanaises m'ont raconté que la clitoridectomie pharaonique n'altérait pas le plaisir sexuel, mais qu'elle provoquait des effets secondaires pendant l'accouchement, élevant le taux de mortalité de la mère et de l'enfant.

21. Ian Whitaker, « The Patrilineal Kin-Group in Northern Albania », *Honour and Shame : the Values of Mediterranean Society*, ed. J. G. Perestiany (Londres et Chicago 1966), p. 199.

22. J. D. Campbell, « Honour — the Devil », *in* Perestiany, *op. cit.*, p. 156.
23. W. S. Mann, *The Operas of Mozart* (Londres 1977), p. 451.
24. D. B. McGilvray, « Sexual Power and Fertility in Sri Lanka : Batticoloa Tamils and Moors », in *Ethnography of Fertility and Birth*, ed. Carol P. McCormack (Londres 1982), p. 31.
25. Susan B. Wadley (ed.), *The Powers of Tamil Women* (Syracuse 1980).
26. Amnon Orent, « Cultural Factors Inhibiting Population Growth Among the Kafa of South-Western Ethiopia », *in* Nag, *op. cit.*, p. 78.
27. *The Collected Works of Mahatma Gandhi* (Ahmedabad 1975), vol. L, p. 289.
28. *Ibid.*, vol. LXII, p. 233.
29. *Ibid.*, vol. LXI, p. 310.
30. *Ibid.*, vol. LXII, p. 262.
31. *Ibid.*, vol. LXII, p. 310.
32. *Ibid.*, vol. LXI, p. 417 (Harijan, 14 septembre 1935).
33. Mary Douglas, *Natural Symbols : Explorations in Cosmology* (Londres 1978), p. 93.
34. Lois Paul, « Work and Sex in a Guatemalan Village », in *Women, Culture and Society*, ed. Michelle Zimbalist Rosaldo et Louise Lamphère (Stanford 1975), p. 297.
35. M. Douglas, *op. cit.*, p. 113.
36. R. V. Short, « The Evolution of Human Reproduction », *Proceedings of the Royal Society of London*, B, vol. 195 (1976), p. 17.
37. Carol P. McCormick, « Adaptation in Human Fertility and Birth », in *Ethnography of Fertility and Birth*, ed. C. P. McCormick (Londres 1982), p. 9.
38. Melvin Konner et Carol Worthman, « Nursing Frequency, Gonadal Function and Birth Spacing Among Kung Hunter-Gatherers », *Science*, vol. 207, 15 février 1980, p. 788-791.
39. John Marshall, *Planning for a Family* (Londres 1965), *passim*.

5. Polymorphie des perversions

1. Richard Carlisle, *Every Woman's Book or What is Love ?* (Londres 1838) ; — Robert Dale Owen, *Moral Physiology or A Brief and Plain Treatise on the Population Question* (New York 1831) ; — Charles Knowlton, *Fruits of Philosophy or The Private Companion of Young Married People* (Londres 1841).
2. George Drysdale, *Physical, Sexual and Natural Religion* (Londres 1855), p. 349.
3. Eliza Bisbee Duffy, *What Women Should Know* (Philadelphie 1873), p. 134-135.
4. Alice Stockham, *Karezza* (Chicago 1986), p. VI, 24 *et passim*, et *Tokology : a Book of Maternity* (Toronto 1916), p. 325.
5. Edward M. Brecher, *The Sex Researchers* (Londres 1970), p. 66.
6. Clive Wood et Beryl Suitters, *The Fight for Acceptance : a History of Contraception* (Aylesbury 1970), p. 27.
7. C. H.R. Routh, *The Moral and Physical Evils Likely to Follow if Practices Intended to Act as Checks to Population Be not Strongly Discouraged* (Londres 1879), p. 11-12.
8. *Proceedings of the Fifth International Neo-Malthusian Conference* (Londres 1922), p. 247, *cf.* p. 271, 284-285.
9. C. V. Ford, « Psychological Factors Influencing the Choice of Contraceptive Method », *Aspects of Human Sexuality*, vol. XII, n° 1 (1978), p. 91.
10. Helen Singer Kaplan, *The New Sex Therapy : Active Treatment of Sexual Dysfunctions* (Londres 1978), ch. V, *passim*.

11. Ruth et Edward Brecher, « The Work of Masters and Johnson », *An Analysis of Human Sexual Response* (Londres 1968), p. 100.

12. John Peel et Malcolm Potts, *Textbook of Contraceptive Practice* (Cambridge 1970), p. 50-51.

13. *Report of the Royal Commission on Population* (Londres 1949).

14. M. Shirley Emerson, « The Personal Factor in Fertility Control », *Journal of Biosocial Science*, vol. I, p. 309.

15. Lella Secor Florence, *Progress Report of Birth Control* (Londres 1956), p. 83-84, 110 *et passim*.

16. D'après l'étude de Ruth Hall sur la correspondance de Stopes pour *Dear D' Stopes : Sex in the 1920's* (Londres 1978).

17. Enid Charles, *The Practice of Birth Control* (Londres 1934), p. 26, 39, 52.

18. *Family Planning Handbook for Doctors*, ed. Ronald F. Kleinman pour le Comité médical de l'IPPF (Londres 1974), p. 18-19.

19. *Ibid.*, p. 19.

20. B. D. Misra, « Correlates of Males' Attitudes to Family Planning », in *Sociological Contributions to Family Planning Research*, ed. D. J. Bogue (Chicago 1967) ; — John Kantner, « The Place of Conventional Methods in Family Planning Programs », in *Family Planning and Population Programs*, ed. B. Berelson (Chicago 1966), p. 403-409 ; — Sheldon W. Segal et Christopher Tietze, « Contraceptive Technology . Current and Prospective Methods », *Reports on Population and Family Planning*, The Population Council (New York 1971).

21. Kaplan, *op. cit.*, p. 239.

22. Charles Tilly (ed.), *Historical Studies of Changing Fertility* (Princeton 1978), Introduction, p. 17, 19, 22, 38.

23. Gosta Carlsson, « The Decline of Fertility : Innovation or Adjustment Process ? » in *Population Studies*, vol. XX (1967), p. 149-174.

24. Raymond Firth, *We the Tikopia* (Londres 1936), p. 490-491.

25. Hilda Kuper, « The Swazi of Swaziland », in *Peoples of Africa*, ed. J. L. Gibbs Jr. (New York 1965), p. 491.

26. J. Clyde Mitchell, « An Estimate of Fertility in Some Yao Hamlets in Luwanda District of Southern Nyasaland », in *Africa*, vol. XIX, n° 4 (1949), p. 293-308.

27. John B. Wyon et John E. Gordon, *The Khanna Study* (Harvard 1971), p. 141.

28. Shirley Green, *The Curious History of Contraception* (Londres 1971), p. 126-127.

29. *Chinese Approaches to Family Planning*, trad. Robert Dunn, ed. Leo A. Orleans (New York et Londres 1979), p. 171-172.

30. Peter Fryer, *The Birth-Controllers* (Londres 1967), p. 21, 303.

31. Raymond C. Kelly, « Witchcraft and Social Relations », *Man and Woman in the New Guinea Highlands* (Washington 1976), p. 40-41.

32. *Ibid.*, p. 43.

33. *Ibid.*, p. 45.

34. Marie Carmichael Stopes, *Married Love ; a New Contribution to the Solution of Sex Difficulties* (Londres 1918), p. 54.

35. Ruth Hall (ed.), *Dear D' Stopes : Sex in the 1920's* (Londres 1978), p. 69.

36. Kate Millet, *En vol*, Stock (Paris 1975), p. 525.

37. Havelock Ellis, « Sexual Inversion », in *Studies in the Psychology of Sex*, vol. II (New York 1936), p. 23.

38. British Society for the Study of Sexual Psychology, *The Social Problem of Sexual Inversion* (Londres 1915), p. 11.

39. Clifford Allen, « Sexual Perversions », in *Encyclopedia of Sex*, ed. A. Ellis, et A. Abarbanel (Londres 1961).

40. *Dubbii amorosi, altri dubbii, e sonetti lussuriosi di Pietro Aretino* (Venise), p. 57, 68.

41. *La Philosophie dans le boudoir.*

6. *Bref historique de la contraception*

1. Information : Barbara Rogers, *The Domestication of Women : Discrimination in Developing Societies* (Londres 1980) ; notes : Sam Keeny, « View from the Village », *Populi*, vol. IV, n° 1, 1977, p. 7-13.

1 *bis.* S. Green, *op. cit.*, p. 97.

2. Carl Djerassi, *The Politics of Contraception : Birth Control in the Year 2001* (Stanford 1979), p. 17 ; — P. D. Harvey, « Condoms — a New Look », in *Family Planning Perspectives*, vol. IV, n° 4 (1972), p. 28-29.

3. Préface de Peter Huntingford pour *The Case for the Condom* (Londres 1979).

4. Les pessaires vaginaux, crèmes, gels, etc., sont aussi répandus que les condoms. Aucun n'est totalement efficace et aucun n'accroît le plaisir sexuel, mais des quantités de composés chimiques ont été utilisés en tant que spermicides. Un ovule soluble, le Néosampoon, a été récemment testé à Sri Lanka et en république Dominicaine.

5. C. Djerassi, *op. cit.*, p. 19.

6. Barbara Seaman, *Women and The Crisis in Sex Hormones* (New York 1977), p. 190-191.

7. Shirley Green, *op. cit.*, illustration p. 73.

8. Les lettres de M. Stopes peuvent être consultées à la British Library à Londres.

9. Ruth Hall, *Marie Stopes : a Biography* (Londres 1977), p. 149.

10. *Ibid.*, p. 176-177.

11. *Ibid.*, p. 199.

12. *Ibid.*, p. 229.

13. Muriel Box (ed.), *The Trial of Marie Stopes* (Londres 1967), p. 64-65.

14. R. Hall, *op. cit.*, p. 268.

15. C. Tietze, H. Lehfeldt et H. Liebmann, « The Effectiveness of the Cervical Cap as a Contraceptive Method », in *American Journal of Obstetrics and Gynecology*, vol. 66 (1955), p. 904-908.

16. C. Djerassi, *op. cit.*, « Author's Postscript ; the Chemical History of the Pill », p. 227-256 *et passim.*

17. *Ibid.*, p. 249.

18. *Ibid.*, p. 248.

19. Paul Vaughan, *The Pill on Trial* (Londres 1970), p. 31.

20. *Ibid*, p. 39.

21. *Ibid*, p. 33-34.

22. J. Hammerstein et al., « Clinical Pharmacology of Contraceptive Steroids », in *Contraception*, vol. 20, numéro de septembre 1979, p. 193.

23. *Ibid.*, p. 114.

24. C. Djerassi, *op. cit.*, chap. IV, « The Fear of Cancer », p. 51-66, *et passim.*

25. D. G. Jongmans et H. J. M. Claessen, *The Neglected Factor : Family Planning and Perception at the Base* (Assen 1974), p. 46.

26. M. Bibbo, M. Al-Naqeeb, I. Baccarini, W. Gill, M. Newton, K. M. Sleeper, M. Sonek et G. L. Wied, « Follow-up Study of Male and Female Offspring of DES Treated Mothers. A Preliminary Report », in *Journal of Reproductive Medicine*, vol. XV, n° 29, 1975 ; — Alvin Siegler, Chun Fu Wang et Jan Friberg, « Fertility of the Diethylstilboestrol-Exposed Offspring », in *Fertility and Sterility*, vol. XXX, n° 6, juin 1979, p. 604.

27. Carol A. Lorber, Suzanne B. Cassidy et Eric Engel, « Is there an Embryo-

Fetal Exogenous Sex Steroid Exposure Syndrome (EFESSES) ? », in *Fertility and Sterility*, vol. XXXI, n° 1, janvier 1979, p. 23-24.

28. *The Sunday Times*, 23 avril 1978, p. 6.

29. Susan Harlap et A. Michael Davies, *The Pill and Births : the Jerusalem Study* (mimeo, Jerusalem 1978), p. 2, 118-119.

30. P. Petersen, *Deutsche Arztelblätter*, vol. 75, n° 18 (1978), p. 1075-1085. *Cf.* J. Santamaria Martinez, « *Ginecologia y Obstetrica Mexicana*, vol. 42, n° 250 (1977), p. 97-108 ; — E. Ebranti, *Sessuologia*, vol. XIV, n° 2 (1973), p. 16 ; — D. Grounds *et al.*, *British Journal of Psychiatry*, vol. 116 (1970), p. 169 ; — A. A. Haspels, *Congrès international de sexologie médicale*, Paris (1974).

31. B. Seaman, *op. cit.*, p. 107-133.

32. C. Djerassi, *op. cit.*, p.68.

33. Jean Cohen, « Les effets des contraceptifs oraux sur le comportement sexuel ; progrès en sexologie », in *Selected Papers from the Proceedings of the 1976 International Congress of Sexology*, ed. Robert Gemme et Connie Christine Wheeler (New York et Londres 1977), p. 377.

34. K. S. Moghissi, « The Effect of Steroidal Contraceptives on the Reproductive System », in *Human Reproduction : Conception and Contraception*, ed. E. S. E. Hafez et T. N. Evans (New York 1979), p. 530-532 ; — M. Toppozada, *Contraception*, vol. XX, n° 2, août 1979 ; — J. L. Jackson et W. T. Spain, *American Journal of Obstetrics and Gynecology*, vol. 101 (1968), p. 1134 ; — D. A. Evans, *British Medical Journal*, vol. I, 19 janvier 1980, p. 152.

35. J. Cohen, *op. cit.*, p. 377.

36. *Ibid.*, p. 382.

37. Anne Diddle *et al.*, « Oral Contraception and Vulvo-Vaginal Candidiasis », in *Obstetrics and Gynaecology*, vol. XXXIV (1969), p. 373.

38. A. L. Hilton *et al.*, « Chlamydia A in the Female Genital Tract », in *British Journal of Venereal Disease*, vol. L (1974), p. 1-10.

39. Stephen Minkin, « Bangladesh : The Pop Con Game », in *Health Right*, vol. V (1979), p. 3-4, 14-15.

40. Dianna Melrose, *Bitter Pills : Medicines and the Third World Poor* (Londres 1982), p. 78-79.

41. Saroja Remaswamy et Tony Smith, *Practical Contraception* (Londres 1976), p. 52-53.

42. *Family Planning Perspectives*, vol. XIII, n° 1, janvier-février 1981, p. 35-39.

43. D'après un article publié dans *Science for the People : a Socialist View of Science, Technology and Medicine*, « Depo-Provera ; a Clear-Cut Case ? » par Sarah Barefoot.

44. Lettre du Dr Colin McCord à Bernard Kervin, le 30 avril 1980.

45. Lettre du Dr Colin McCord à M. A. Satar, ministre de la Santé et du Contrôle démographique, Dacca, 31 août 1979. Réf. BGD/79/PO 4.

46. Gonoshastaya Kendra, *Progress Report*, n° 7, août 1985, p. 5.

47. Mémorandum aux coordinateurs médicaux de l'UNHCR des centres de Kamput et de Meirut du Dr A. G. Rangaraj, coordinateur régional, Bangkok, 17 juin 1980, p. 2.

48. Comité international de la Croix-Rouge, rapport hebdomadaire n° 5, coordinateur médical de Kamput, S. Rye, 10 avril 1980, p. 1.

49. Rapport de la Conférence sur le planning familial en Thaïlande, 29 août 1980.

50. Exemplaire du tract joint au mémorandum, cf. note 47.

51. Cf. note 47.

52. UNFPA, *Population Programmes and Projects vol. 2, Inventory of Population Projects in Developing Countries around the World, 1980-81*, p. 128.

53. Mike Muller, *The Health of Nations : a North-South Investigation* (Londres 1982), p. 17-61.

54. R. V. Short, « The Evolution of Human Reproduction », in *Proceedings of the Royal Society of London*, B, vol. 195 (1976), p. 20.

7. *Avortement et infanticide*

1. Malcolm Potts et Peter Selman, *Society and Fertility* (Londres 1979), p. 19-20.

2. *Ibid.*, p. 20.

3. E. Albermann et M. R. Creasy, « Factors affecting Chromosome Abnormalities in Human Conceptions », in *Chromosome Variations in Human Evolution*, Symposia of the Society for the Study of Human Biology, n° 14, ed. A. J. Boyce, p. 83-95.

4. H. Lehfeldt, C. Tietze et I. F. Gorstein, « Ovarian Pregnancy and the Intrauterine Device », in *American Journal of Obstetrics and Gynecology*, vol. 108 (1970), p. 1005-1009.

5. J. T. Wu et M. C. Chang, « The Physiology of Implantation and its Inhibition by some Agents », in *Recent Advances in Fertility Regulation*, ed. Chang Chai Fen and David Griffin (Genève 1981), p. 184.

6. V. Beral, *British Journal of Obstetrics and Gynaecology*, vol. 82 (1975), p. 775-782 ; — M. Vessey, R. Doll, R. Peto, B. Johnson et P. Wiggins, *Journal of Biosocial Science*, vol. VIII (1976), n° 4, p. 342-427 ; — C. A. D. Ringrose, *Journal of Reproductive Fertility*, vol. LV, n° 2, mars 1979, p. 252-257 ; — J. D. Steven et I. S. Fraser, *Journal of Obstetrics and Gynaecology of the British Commonwealth*, vol. 81 (1974), p. 282-284 ; — H. S. Kahn et C. W. Tyler, *Journal of the American Medical Association*, vol. 234 (1975), p. 57-59.

7. Consulter par exemple R. Snowden, « Pelvic Inflammation, Perforation and Pregnancy Outcome Associated with the Use of Intrauterine Devices », The Family Planning Research Unit, université d'Exeter (1974).

8. X. Tacla, M. Mitra et R. Baeza, « Post-Abortion Insertions of the Pleated Membrane », in *International Journal of Gynaecology and Obstetrics*, vol. XV (1977), n° 3, p. 275-278.

9. Indumati Parikh, *An Experiment in Community Involvement in Family Planning in a Metropolitan Slum* (Centre for the Study of Social Change, Bombay, 1978), p. 23, cf. p. 83-84.

10. *Ibid.*, p. 111-112.

11. W. Parker Mauldin, Dorothy Nortman et Frederick F. Stephan, « Retention of IUDs : an International Comparison », *Studies in Family Planning*, n° 18, p. 1-12.

12. E. D. B. Johansen, « Advantages and Disadvantages of the Intrauterine Device and the Hormone Implant », in *Proceedings of the Royal Society*, vol. 194 (1976), p. 83.

13. Terence et Valerie Hull, « Fiji : a Study of Ethnic Plurality and Family Planning », in *Politics of Family Planning*, ed. T. E. Smith (Londres 1973), p. 190.

14. *Ibid.*, p. 190-191. Voir aussi ci-dessous.

15. David Nowlan, « Dangers of Evangelism », in *People*, vol. VIII (1981), n° 2, p. 18.

16. R. T. Burkman, *Obstetrics and Gynaecology*, vol. 57 (1981), p. 269 ; — L. Weström *et al.*, *The Lancet 2* (1976), p. 221-224 ; — Faulkner et Ory, *Journal of the American Medical Association*, vol. 235 (1976), p. 1851-1853 ; — B. A. Eschenbach, *Clinics in Obstetrics and Gynecology*, vol. XIX (1976), p. 147-169 ; — I. Thaler, E. Paldi et D. Steiner, *International Journal of Fertility*, vol. XXIII (1978), n° 1, p. 69-72.

17. W. D. Hager et B. Majumdar, *American Journal of Obstetrics and Gynecology*, vol. 133 (1979), n° 8, p. 60.

18. M. P. Vessey et sir Richard Doll, « Evaluation of Existing Methods : is "the Pill" Safe Enough to Continue Using », in *Proceedings of the Royal Society*, vol. 195 (1976), p. 73.

19. *FDA Consumer*, novembre 1978, p.21 ; — *Family Planning Perspectives*, vol. III, n° 4, juillet-août 1981 ; — M. P. Vessey, D. Yeates, R. Flavell et K. McPherson, *British Medical Journal*, vol. 282 (1981), p. 855.

20. Stanley Johnson, *Life Without Birth : a Journey through the Third World in Search of the Population Explosion* (Londres 1970), p. 89-90.

21. *Ibid.*, p. 104.

22. *Ibid.*, p. 120.

23. Mark Dowie et Tracy Johnson, « A Case of Corporate Malpractice », in *Mother Jones*, novembre 1976, p. 36-50.

24. *Second Report on Intrauterine Contraceptive Devices* (Washington 1978), p. 7.

25. Potts et Selman, *op. cit.*, p. 130-131.

26. « Questions and Answers of Family Planning », ed. Han Hsiang-yang, People's Health Press, in *Chinese Approaches to Family Planning*, trad. Robert Dunn, ed. Leo A. Orleans (New York et Londres 1979), p. 150.

27. *The Observer*, 24 avril 1980, p. 48.

28. « Postcoital Pill Legal "in Emergency" », *The Times*, 21 mars 1983.

29. Potts et Selman, *op. cit.*, p. 129.

30. M. A. Klingberg et C. Papier, « Teratoepidemiology », in *Journal of Biosocial Science*, vol. 11 (1979), p. 237-239.

31. E. Weiner, A. A. Berg et I. Johansson, « Copper Intrauterine Contraceptive Devices in Adolescent Nulliparae », in *British Journal of Obstetrics and Gynaecology*, vol. 83 (1976), p. 204.

32. *Fertility and Contraception in America : Adolescent and Pre-Adolescent Pregnancy ; Hearing before the Select Committee on Population 95th Congress*, 28 février, 1ᵉʳ et 2 mars 1978 (n° 3), vol. II, p. 1.

33. *Ibid.*, p. 62-63.

34. G. M. Filshie, « Medical and Surgical Methods of Early Termination of Pregnancy », in *Proceedings of the Royal Society*, B, vol. 195, p. 115-127. et D. A. - Grimes et W. Cates Jr., « Abortion : Methods and Complications », in *Human Reproduction : Conception and Contraception*, ed. Hafez (New York 1979), p. 796-799.

35. C. Djerassi, *op. cit.*, p. 77.

36. *Ibid.*, p. 27-28.

37. *People*, vol. 6 (1979), n° 3, p. 31.

38. Shushum Bhatia et Lado T. Ruzicka, « Menstrual Regulation Clients in a Village-Based Family Planning Programme », in *Journal of Biosocial Science*, vol. XII (1980), p. 31.

39. N. R. Farnsworth *et al.*, « Potential Value of Plants as Sources of New Anti-Fertility Agents », in *Journal of Pharmaceutical Sciences*, vol. 64 (1975), p. 535.

40. James C. Mohr, *Abortion in America : the Origins and Evolution of National Policy, 1800-1900* (Oxford 1978), p. 147.

41. J. F. Dastur, *Medical Plants of India and Pakistan* (Bombay 1977), p. 181 *et passim*.

42. M. N. Lowenthal, I. G. Jones et V. Mohelsky, « Acute Renal Failure in Zambian Women using Traditional Herbal Remedies », in *Journal of Tropical Medicine and Hygiene*, vol. 77 (1974), n° 8, p. 190-192.

43. Karin B. Edstrom, *Bulletin de l'O.M.S.*, vol. LII (1975), p. 123.

44. G. M. Filshie, « Medical and Surgical Methods of Early Termination of Pregnancy », in *Proceedings of the Royal Society*, B, vol. 195, p. 116-118.

45. *Ibid.*, p. 118.

46. *Ibid.*

47. Témoignage personnel.

48. C. Brewer, « Induced Abortion after Feeling Foetal Movements : its Causes and Emotional Consequences », in *Journal of Biosocial Science*, vol. X (1978), n° 2, p. 203-208.

49. Thomas Szasz, « The Ethics of Abortion », in *Humanist*, octobre 1966, p. 148.

50. Tongplaew Narkarvonkit, « Massage Abortion in Thailand », in *People*, vol. VI (1979), n° 3, p. 30.

51. T. Szasz, *ibid.*

52. « Psychiatric Considerations in Fertility Inhibition », in L. P. Tourkow, R. Lidz et B. L. Rosenfeld. ed. Hafez, *op. cit.*, p. 862.

53. Napoleon Chagnon, *Yanomamö : The Fierce People* (New York 1977), p. 15, 74-75.

54. Doranne Jocobson, *Women of India*, ed. Tara Ali Beg (Delhi 1958).

55. J. Birdsell, *Man the Hunter* (Chicago 1968), p. 229-249.

56. Marvin Harris, *Cannibals and Kings : the Origins of Culture* (Londres 1978), p. 5 ; — Barbara Thompson, « Infant Feeding and Child Care in a West African Village », in *Journal of Tropical Paediatrics*, vol. XIII (1967), n° 3.

57. C. P. McCormick, « Health, Fertility and Birth in Sierra Leone », in *Ethnography of Fertility and Birth* (Londres 1982), p. 129 ; — C. M. Field, *Religion and the Ga People* (Londres 1937), p. 169-170, 177-178 ; — W. Lloyd Warner, *A Black Civilisation* (New York 1937), p. XX ; — I. Schapera, *The Khoisan Peoples of South Africa* (Londres 1930), p. 262-263, 266 ; — George M. Foster et Gabriel Ospina, *Empire's Children : the People of Tzintzuntzan* (Mexico 1948), p. 227-230.

58. Mary Ellison, *The Black Experience : American Blacks since 1865* (Londres 1974), p. 18-19.

59. B. Abbott Seagraves, *Malnutrition, Behaviour and Social Organisation*, ed. Lawrence S. Greene (New York 1977), p. 184.

60. Margaret Hewitt, *Wives and Mothers in Victorian Industry* (Londres 1958), *passim.*

61. *Report of the Interdepartmental Committee on Physical Deterioration* (Londres 1903), p. 44-45.

62. *The Malthusian*, juillet 1921 (vol. 45, n° 7).

63. S. Chandrasekhar, *Infant Mortality, Population Growth and Family Planning in India* (Londres 1972), p. 146.

64. Garrett Hardin, *Population, Evolution and Birth Control* (San Francisco 1969), p. 279.

65. Raymond Illsley et Marion H. Hall, *Bulletin de l'O.M.S*, vol. LIII (1976).

66. Ann Cartwright, *The Dignity of Labour ? A Study of Childbirth and Induction* (Londres 1979), chap. III, *passim.*

67. Victoria Greenwood et Jock Young, *Abortion in Demand* (Londres 1976), p. 127-128.

68. Vasile Ghetau, « l'Evolution et la Fécondité en Roumanie », in *Population*, vol. XXXIII (2), mars-avril 1978, p. 525-539.

8. *Concepts de la sexualité*

1. Michel Foucault, *Histoire de la sexualité*, vol. I : *la Volonté de savoir*, N.R.F. Gallimard (Paris 1976).

2. Wilhelm Reich, *la Fonction de l'orgasme.*

3. Paul Robinson, *The Sexual Radicals* (Londres 1973), p. 62.

4. M. Foucault, *op. cit.*, p. 141.

5. Robin McKie, « Men of Science Have Tiff over Sex », in *The Observer*, 4 mars 1982.

6. Richard P. Michael et Doris Zumpe, « Potency in Male Rhesus Monkeys : Effects of Continuously Receptive Females », in *Science*, vol. 200 (28 avril 1978), p. 451.

7. *Ibid.*, p. 453.

8. John Bale, *The Actes of Englysh Votaryes Comprehendynge their Unchast Practyses and Exemples by all Ages* (Londres 1546), *passim*.

9. John Gagnon et William Simon, *Sexual Conduct : the Sources of Human Sexuality* (Chicago 1973).

10. Donald S. Marshall et Robert C. Suggs, *Human Sexual Behaviour : Variations in the Ethnographic Spectrum* (New York, 1970).

11. *Vide supra*, p. 123-133.

12. George Frankl, *The Failure of the Sexual Revolution* (Londres 1974), p. 54.

13. *Ibid.*, p. 36.

14. M. Foucault, *op. cit.*, p. 28-49.

15. Wilhelm Reich, *la Révolution sexuelle. Pour une autonomie caractérielle de l'homme*, Ch. Bourgois éd. (Paris 1982), p. 135.

16. Melvin Konner et Carol Worthman, « Nursing Frequency, Gonadal Function and Birth Spacing among Kung Hunter-Gatherers », in *Science*, vol. 207 (15 février 1980), p. 788-791.

17. Témoignage personnel.

18. E. Elkan, « Evolution of Female Orgastic Ability : a Biological Survey », in *International Journal of Sexology*, vol. II, 1948, p. 1-13, 84-93.

19. Daniel G. Brown, « Female Orgasm and Sexual Inadequacy », in *An Analysis of Human Sexual Response*, ed. R. et E. Brecher (Londres 1968), p. 153.

20. Eustace Chesser, *The Sexual, Marital and Family Relationships of the English Woman* (Londres 1956), p. 421.

21. Mary S. Calderone, « Human Sexuality — Battleground or Peaceground ? », in *Progress in Sexology : Selected Papers from the Proceedings of the 1976 International Congress of Sexology*, ed. Robert Gemme et Connie Christine Wheeler (New York et Londres 1977), p. 588.

22. Joseph Josy Levy, « Programme de sexologie à l'université du Québec à Montréal », in *Progress in Sexology, op. cit.*, p. 566-570.

23. *Human Loving : Sexuality in Intimacy ; Multidisciplinary Holistic Approach* (Stanford 1978).

24. M. S. Calderone, *op. cit.*, p. 589.

25. Commentaires dans la presse britannique au sujet des lois sur l'enseignement, 1980.

26. Anne Scott, « New Approach to Teenage Problems in Panama, in *People*, vol. VIII (1981), n° 2, p. 27.

27. P. Robinson, *op. cit.*, p. 25.

28. Emmanuel Le Roy Ladurie, *Montaillou, village occitan, de 1294 à 1324*, éd. Gallimard (Paris 1975), p. 59.

9. Le destin de la Famille

1. Nafis Sadik, « Simplify, Simplify », in *People*, vol. VIII (1981), n° 2, p. 8.

2. Ferdinand Mount, *The Subversive Family* (Londres 1981), p. 54.

3. Friedrich Engels, *l'Origine de la famille, de la propriété privée et de l'État*.

4. F. Mount, *op. cit.*, p. 26.

5. *Ibid.*, p. 16.

6. *Ibid.*, cf. chap. XII, « The Recovery of Divorce », *passim*.

7. Peter Laslett, « Introduction : the History of the Family », in *Household and Family in Past Time*, ed. P. Laslett (Cambridge 1972), *passim*.

8. Robert Suggs, « Sex and Personality in the Marquesas », *in* Marshall et Suggs, *op. cit.*, p. 165.

9. P. Laslett, *op. cit.*, p. 1.

10. E. A. Hammel, « The Zadruga as Process », *in* P. Laslett, *op. cit.*, p. 335-375.

11. P. Laslett, *op. cit.*, Preface, p. IX.

12. *Ibid.*

13. Jack Goody, « The Evolution of the Family », *in* P. Laslett, *op. cit.*, p. 104.

14. *Ibid.*, p. 110.

15. Frances Moore Lappe, Joseph Collins et David Kinley, *Aid as Obstacle : Twenty Questions about our Foreign Aid to the Hungry* (San Francisco 1980), p. 113-114.

16. Jane Morton, « How far do family ties go ? The Indian answer », in *The Times*, 12 mai 1982.

17. *Ibid.*

18. *Ibid.*

19. John Demos, « Demography and Psychology in the Historical Study of Family Life : a Personal Report », in P. Laslett, *op. cit.*, p. 562.

20. J. Goody, *op. cit.*, p. 103-104.

21. Peter Laslett, *Family Life and Illicit Love in Earlier Generations : Essays in Historical Sociology* (Cambridge 1977), p. 60.

22. W. J. Goode, *World Revolution and Family Patterns* (New York 1963), p. 7.

23. Robin Fox, *Kinship and Marriage : an Anthopologica Perspective* (Londres 1981), p. 13-14.

24. David Cooper, *The Death of the Family* (Londres 1980), p. 74.

25. E. R. Leach, *A Runaway World* (Londres 1968), p. 44-45.

10. Eugénique

1. Jane Hume Clapperton, *Scientific Meliorism* (Londres 1885), p. 342 ; lettre datée du 20 novembre 1878.

2. Matthew Arnold, *Culture and Anarchy* (Londres 1869), p. 245-246.

3. J. H. Clapperton, *op. cit.*, p. 88.

4. D'après A. R. Wallace, *The Action of Natural Selection on Man*.

5. *Ibid.*, p. 373.

6. W. R. Greg, *Enigmas of Life* (Londres 1872), p. 105.

7. Arthur Keith, « Galton's Place among Anthropologists », in *Eugenics Review*, vol. XII (1920-21), n° 1, p. 20.

8. Francis Galton, *Sociological Papers* (Londres 1905), p. 47.

9. F. Galton, *Memories of my Life* (Londres 1908).

10. Cité par C. P. Blacker dans *Eugenics : Galton and After* (Londres 1956), p. 104.

11. F. Galton, *Memories of My Life op. cit.*, p. 323.

12. Karl Pearson, *Drapers Company Research Memoirs*.

13. K. Pearson, *Eugenics Laboratory Memoirs*, vol. XVIII (1913).

14. K. Pearson et Margaret Moul, *Annals of Eugenics*, vol. I (1925).

15. Leon F. Whitney, *The Case for Sterilisation* (New York 1934), p. 126.

16. *Eugenics Review*, vol. XIV (1912), p. 204-205.

17. E. S. Gosney et Paul Popenoe, *Collected Papers on Human Sterilisation in California* (Pasadena 1930) ; — *Journal of Criminal Law and Criminology*, août 1918 ; — J. H. Landman, *The History of Human Sterilisation in the United States*

(New York 1929) ; — Paul Popenoe et Roswell Hill Johnson, *Applied Eugenics* (New York 1918), p. 192 ; — Donald K. Pickens, *Eugenics and The Progressives* (Nashville 1968), p. 82.

18. « The life of the Commonwealth takes precedence over the right of reproduction of the individual », in *Proceedings of the World Population Conference*, ed. Margaret Sanger (New York 1927), p. 242.

19. H. H. Laughlin, *Eugenical Sterilisation in the United States : Eugenics Record Office Report n° 1* (New York 1913), p. 20.

20. H. H. Laughlin, *A Report of the Special Committee on Immigration and the Alien Insane submitting a Study on Immigration Control by H. H. L.* (New York 1934), p. 7.

21. Nils von Hofsten, « Sterilisation in Sweden », in *Journal of Heredity*, vol. 40, n° 9 (sept. 1949), p. 243-247.

22. George Bernard Shaw, *Sociological Papers* (Londres 1904), p. 74-75.

23. Arabella Kenealy, *Eugenics Review*, vol. III, n° 1, p. 39-43.

24. Anna Martin, *The Married Working Woman* (Londres 1911), p. 47.

25. A. Martin, *The Mother and Social Reform* (Londres 1913), p. 3.

26. Sidney Webb, « Eugenics and the Poor Law : the Minority Report » (1909), réédité dans *Eugenics Review*, vol. LX (1968), p. 75.

27. Bertrand Russel, « Marriage and the Population Question », in *International Journal of Ethics*, vol. XXVI, n° 4 (juillet 1916), p. 461.

28. L. Burlingame, *Heredity and Social Problems* (New York 1940), p. 278.

29. C. P. Blacker, *Birth Control and the State. A Plea and a Forecast* (Londres 1926), p. 37-38.

30. E. W. McBride, *Eugenics Review*, vol. XII (1920-21), n° 1, p. 43.

31. E. W. McBride, *Problems of Population and Parenthood*, ed. sir James Marchant, in *Eugenics Review*, vol. XII (1920-21), n° 3, p. 221.

32. Dans un article pour *Nature*, cité par J. B. S. Haldane, *Heredity and Politics* (Londres 1938), p. 170-171.

33. *Better Unborn*, Eugenics Society pamphlet.

34. L. S. Penrose, *Mental Defect* (Londres 1933), p. 170-171.

35. R. B. Cattell, *The Fight for our National Intelligence* (Londres 1937), p. 127.

36. *Ibid.*, Introduction.

37. *Ibid.*, p. 141.

38. J. B. S. Haldane, *Heredity and Politics* (Londres 1938), p. 7.

39. *Ibid.*, p. 86-87.

40. *Ibid.*, p. 120.

41. C. L. Burt, *Intelligence and Fertility* (Londres 1946), p. 5.

42. Voir L. S. Hearnshaw, *Cyril Burt, Psychologist* (Londres 1979), *passim.*

43. Buck *vs.* Bell (1926).

44. *Ibid.*, p. 202.

45. Gunnar Dahlberg, *Race, Reason and Rubbish* (New York 1943), p. 235.

46. E. S. Gosney et Paul Popenoe, *Sterilisation for Human Betterment : a Summary of Results of 6 000 Operations in California 1909-1929* (New York 1929), p. 6.

47. Moya Woodside, *Sterilisation in North Carolina : a Sociological and Psychological Study*.

48. *Ibid.*, p. 6.

49. L. F. Whitney, *op. cit.*, p. 137.

50. *Ibid.*, p. 147.

51. M. Woodside, *op. cit.*, p. 10-11.

52. *Ibid.*, p. 16-17.

53. *Ibid.*, p. 17.

54. *Ibid.*, p. 17-18.

55. C. B. Davenport et Lt. Col. A. G. Lane, « Defects of Drafted Men », in *Scientific Monthly*, février 1920.

56. M. Woodside, *op. cit.*

57. Faith Schenk et A. S. Parkes, « The Activities of the Eugenics Society », in *Eugenics Review*, vol. LX (1968), p. 154.
58. *Ibid*, p. 155.
59. *Vide infra re*, les activités de la Fondation Marie Stopes.
60. Claudia Dreifus (ed.), *Seizing Our Bodies : the Politics of Women's Health* (New York 1977) ; — Barbara Caress, *Health/PAC Bulletin 62*, janvier-février 1975, p. 1-6, 10-12 ; — Judith Coburn, *Science*, vol. 183, mars 1974, p. 935-939 ; — Judith Herman, *Sister Courage*, janvier 1976 ; — Jeanie Rosoff, *Memorandum : DHEW Proposed Regulations on Sterilisation*, PP/WP Washington 1974.
61. Cité dans Thomas B. Littlewood, *The Politics of Population Control* (Notre Dame 1977), p. 126-128.
62. *Ibid.*, p. 125.
63. Baker, *op. cit.*, p. 79-84.
64. *Family Planning Digest*, vol. I (janvier 1972), p. XX.
65. Eugenics Society, *Schedule for Pre-Marital Investigation* (Londres).
66. Marcus A. Klingberg et Cheri M. Papier, « Teratoepidemiology », in *Journal of Biosocial Science*, vol. XI (1979), p. 233.
67. G. A. Maching et J. A. Criolla, *Humangenetik*, vol. XXIII (1974), n° 3, p. 183-198 ; — Charles R. Scriver, *Science*, vol. 200 (1978), p. 946-952 ; — L. F. Hinman III, *Clinics in Obstetrics and Gynecology*, vol. XIX (1976), n° 4, p. 965-972 ; — S. L. B. Duncans, *Journal of Biosocial Science*, vol. X (1978), n° 2, p. 141-146.
68. *Vide supra*, p. 9-12.
69. Hermann J. Muller, *Out of the Night : a Biologist's View of the Future* (Londres 1936).
70. C. von Ehrenfels, *Archive für Rassen- und Gesellschaftsbiologie*, vol. V, n° 5 et 6 (septembre-octobre et novembre-décembre 1907), p. 615-651 et 803-830.
71. Schenk et Parkes, *op. cit.*, p. 152-153.
72. Gordon Wolstenholme (ed.), *Man and His Future : a Ciba Foundation Volume* (Londres 1963), p. 17.
73. *Ibid.*, p. 18.
74. *Ibid.*
75. Hermann J. Muller, *Birth Control Review*, vol. XVI, n° 6 (octobre 1932).
76. G. Wolstenholme, *op. cit.*, p. 259.
77. *Ibid.*, p. 274-275.
78. *Ibid.*, p. 281.
79. *Ibid.*, p. 282.
80. Robert K. Graham, *The Future of Man* (North Quincey 1970), p. 134.
81. *Ibid.*, p. 158.

11. Le lobby démographique

1. Dr Waters (pseud.), *Every Woman's Book ; or What is Love* (Londres 1838).
2. *Ibid.*, p. 23.
3. *Ibid.*, p. 25.
4. *Ibid.*, p. 41.
5. *Ibid.*, p. 38.
6. *Ibid.*, p. 25.
7. Charles Knowlton, *The Fruits of Philosophy or the Private Companion of Young Married People* (Londres 1841), p. 30-33.
8. Annie Besant, *An Autobiography* (Londres 1893), p. 205-214.
9. G. M. Williams, *The Passionate Pilgrim* (Londres), p. 91.

10. Annie Besant, *The Law of Population : its Consequences and its Bearing upon Human Conduct and Morals* (Londres), p. 33-35.

11. Edith How-Martyn et Mary Breed, *The Birth Control Movement in England* (Londres 1930), p. 10-11.

12. Victor Robinson, *Pioneers of Birth Control in England and America* (New York 1919), p. 55.

13. How-Martyn et Breed, *op. cit.*, p. 13.

14. H. A. Allbutt, *The Wife's Handbook* (2ᵉ édition, révisée, Londres 1886), p. 47.

15. *Ibid.*

16. *Ibid.*, p. 48.

17. *Ibid.*

18. C. P. Gerritsen, lettre au *The Malthusian*, vol. II, n° 1, mars 1879.

19. H. De Vries, *Proceedings of the Fifth International Neo-Malthusian and Birth Control Conference*, ed. Raymond Pierpoint (Londres 1922).

20. Margaret Sanger, *An Autobiography* (Londres 1939), p. 145.

21. Comité médical de la Commission nationale sur le taux de natalité, *Medical Aspects of Contraception* (Londres 1927), p. 51.

22. *The Malthusian*, vol. XLIV, n° 10, p. 74.

23. *The Malthusian*, vol. XLIV, n° 11, p. 85, lettre datée du 15 novembre 1920.

24. M. Sanger, *An Autobiography, op. cit.*, p. 109.

25. M. Sanger, *An Autobiography, op. cit.*, p. 28.

26. M. Sanger, *The Pivot of Civilization* (New York 1921), p. 123.

27. *Birth Control Review*, octobre 1926.

28. M. Sanger, *An Autobiography, op. cit.*, p. 366.

29. V. Robinson, *op. cit.*, p. 79.

30. Guy Aldred, *No Traitor's Gait* (Londres 1955-1963), vol. II, n° 5 (1959), p. 401 et 406, et vol. III, n° 1, *passim*.

31. Consulter Madeleine Gray, *Margaret Sanger : a Biography of the Champion of Birth Control* (New York 1979), et David M. Kennedy, *Birth Control in America : the Career of Margaret Sanger* (New Haven et Londres 1970), *passim*. (Mon jugement personnel est plus sévère que celui de Gray et de Kennedy.)

32. M. Sanger, *My Fight for Birth Control* (Londres 1932), p. 101.

33. Lettre provenant de la British Library Collection, citée par Ruth Hall, *Marie Stopes : a Biography* (Londres 1977), p. 120.

34. Edward Carpenter, *Love's Coming of Age* (Londres 1902), p. 22-23.

35. Marie Stopes, *Married Love : a New Contribution to the Solution of Sex Difficulties* (cinquième édition, Londres 1918), p. 90.

36. *Ibid.*, p. 20.

37. *Ibid.*, p. 51-52.

38. *Vide supra*, 119-122.

39. *Daily Mail*, 13 juin 1919.

40. Questionnaire du Parlement, 8 novembre 1922, British Library.

41. Marie Stopes au Rev. Alfred Smith, 10 octobre 1924, British Library Collection.

42. Muriel Segal, *Australian Women's Weekly*, 19 avril 1934.

43. Lettre du 30 décembre 1949, à « May », British Library Collection.

44. Schenk et Parkes, *op. cit.*, p. 153-154.

45. Anne Hardy, « Stopes to Conquer », *Guardian*, 31 mars 1976, p. 11. *Observer*, 3 août 1980. *News of the World*, 31 août 1980. *Pulse*, 29 novembre 1980.

46. Norman Haire, *Birth Control Methods* (Londres 1937) ; — Courtenay Beale, *Wise Wedlock* (Londres 1930).

47. Muriel Box, *The Trial of Marie Stopes* (Londres 1967), p. 105-107.

48. Marie Stopes, *A New Gospel to All Peoples. A Revelation of God Uniting Physiology and the Religions of Man* (juin 1920).

49. *The Malthusian*, vol. XLIV, n° 6, 15 juin 1920.

50. *The Malthusian*, vol. XLV, 4 avril 1921.

51. Consulter la lettre de Mary Ware Dennet au D' Robinson, datée du 29 mai 1929, et la réponse de Robinson de juin 1931, British Library Collection.

52. Hall, *op. cit.*, p. 246.

53. M. Stopes, *A Letter to Working Mothers* (Londres 1927), p. 11.

54. M. Box, *op. cit.*, p. 64-65.

55. M. Box, *op. cit.*, p. 101-102, 147-148, 167-168, etc.

56. On trouve de nombreux exemples dans la correspondance de Stopes, non publiée à ce jour, conservée à la British Library.

57. M. Stopes, *The First Five Thousand. Being the First Report of the First Birth Control Clinic in the British Empire, « The Mothers' Clinic for Constructive Birth Control » at 61 Marlborough Road, Holloway, London, N.19* (Londres 1925).

58. M. Box, *op. cit.*, p. 292-294.

59. Lettre de M. C. S. à Shaw Desmond, 8 novembre 1946, British Library Collection.

60. *Birth Control News*, vol. 3, juillet 1922.

61. Bertrand Russel à Marie Stopes, 30 janvier 1923, British Library Collection.

62. Marie Stopes à F. A. E. Crew, 22 février 1927, British Library Collection.

63. *Medical Aspects of Contraception : Report and Evidence* (Londres 1927), p. 54-56.

64. Helena Wright, « Fifty Years of Family Planning », in *Family Planning*, vol. XX, n° 4 (janvier 1972), p. 76.

65. Lettre de Ernest Thurtle, 18 octobre 1927, British Library Collection.

66. Lettres à R. A. Morton, 1er juin 1942, et au Capitaine Jaggard, 25 juin 1942, British Library Collection.

67. Hall, *op. cit.*, p. 203.

68. H. Wright, *op. cit.*, p. 77.

69. Linda Gordon, *Woman's Body, Woman's Right : a Social History of Birth Control in America* (New York 1976), p. 284.

70. UNFPA, *Population Programmes and Projects. Vol. I. Guide to Sources of International Population Assistance 1982* (New York 1982), p. 247.

71. *Ibid.*, p. 244.

72. Lawrence Lader, *Breeding Ourselves to Death* (New York 1971), p. 109-111.

73. *Ibid.*, p. 3.

74. Paul Ehrlich, *The Population Bomb* (Londres 1971).

75. L. Lader, *op. cit.*, p. 55.

76. *Ibid.*, p. 3.

77. M. Gray, *op. cit.*, p. 428, photographie dans Lader, *op. cit.*, p. 8.

78. Thomas B. Littlewood, *The Politics of Population Control* (Notre Dame 1977), p. 51.

79. Philip Hauser, « America's Population Crisis », in *Look*, 21 novembre 1961, p. 30-31. Consulter également Littlewood, *op. cit.*, p. 41.

80. T. B. Littlewood, *op. cit.*, p. 42.

81. *Ibid.*, p. 79-80.

82. Donald P. Warwick, *Bitter Pills : Population Policies and their Implementation in Eight Developing Countries* (Cambridge 1982), p. 46.

83. D'après une interview dans le *St Louis Post-Dispatch*, 22 avril 1977, et Warwick, *op. cit.*, p. 46-51.

84. UNFPA, *op. cit.*, p. 124-126.

85. Lader, *op. cit.*, p. 64.

10

12. Gouvernements, planificateurs de la famille

1. T. B. Littlewood, *The Politics of Population Control* (Notre Dame 1977), p. 45.
2. Données tirées de *People*, « Fertility and Family Planning » (juillet 1982).
3. *Sunday Nation* du Kenya (12 octobre 1980).
4. UNFPA, *Population Programmes and Projects. Vol. II. Inventory of Population Projects in Developing Countries around the World 1980-1981*, p. 52.
5. Rapport annuel de l'O.M.S. 1982.
6. Egon Diczfalusy et Britt Marie Landgren, « New Delivery Systems : Vaginal Devices », in *Recent Advances in Fertility Regulation*, ed. Chang Chai Fen et David Griffin (New York 1981), p. 60-66.
7. JOICFP (Japan Organisation for Co-operation in Family Planning), *Bird's Eye View of Family Planning in Japan* (Tokyo 1982), p. 10.
8. *Ibid.*, p. 21.
9. JOICFP, *Where there's a Will : the Story of a Countryside Health Nurse* (Tokyo 1981), p. 5.
10. *Ibid.*, p. 6, 14-15, 21.
11. *Ibid.*, p. 19.
12. JOICFP, *Bird's Eye View, op. cit.*, p. 38-43.
13. *International Herald Tribune*, 7 février 1978.
14. Pour plus ample information, consulter Y. Scott Matsumoto, *Demographic Research in Japan 1955-1970 : a Survey and a Selected Bibliography*, *Papers of the East-West Population Institute*, n° 30, avril 1974.
15. UNFPA, *op. cit.*, vol. I : *Guide to Sources of International Population Assistance*, 1982, p. 221.
16. Littlewood, *op. cit.*, p. 55.
17. Donald P. Warwick, *Bitter Pills : Population Policies and their Implementation in Eight Developing Countries* (Cambridge 1982), p. 52.
18. Gouvernement indien, ministère du Planning familial, *Centre Calling*, vol. X, n° 9, septembre 1975, p. 14.
19. M. Sanger, *An Autobiography* (Londres 1939), p. 458-461.
20. Gray, *op. cit.*, p. 422-423.
21. Consulter aussi Vasant P. Pethe, *Population Policy and Compulsion in Family Planning* (Poona 1981), p. 22-23 et D. M. Potts, « The Implementation of Family Planning Programmes », *Proceedings of the Royal Society*, B, vol. 195 (1976), p. 214.
22. Amram Scheinfeld, *The New You and Heredity* (New York 1956), p. 543.
23. Suitters, *op. cit.*, p. 161-162, 197-199.
24. UNFPA, *op. cit.*, vol. I, p. 207.
25. UNFPA, *op. cit.*, vol. II, p. 180-181.
26. Roberto Cuca et Catherine S. Pierce, *Experiments in Family Planning : Lessons from the Developing World* (Washington 1977), p. 132.
27. *Vide supra*, p. 119-120.
28. Population Council, « India : The Singur Study », in *Studies in Family Planning*, vol. I (1963), p. 1-4.
29. Suitters, *op. cit.*, 63-64.
30. Robert Repetto, « A Case Study of the Madras Vasectomy Program », in *Studies in Family Planning*, n° 31 (mai 1968), p. 8-16.
31. V. Dutt, Mullick, L. V. Phatak, A. K. Jaine et R. Chabra, *Preliminary Report on the Field Trials of Copper-T (T Cu 200) Devices* (Delhi 1974). Cf. *Centre Calling*, vol. III (1968), n° 4, p. 2 et vol. IV (1969), n° 5, p. 6.
32. Carol Vlassoff, « Fertility Control without Modernisation : Evidence from a Rural Indian Community », in *Journal of Biosocial Science*, vol. XI (1979), p. 326.

33. *Ibid.*, p. 330.
34. Warwick, *op. cit.*, p. 61.
35. *Centre Calling*, vol. II (1967), n° 9, p. 5.
36. Karan Singh, *Population, Poverty and the Future of India* (Delhi 1975), p. 117.
37. Warwick, *op. cit.*, p. 28.
38. Cuca et Pierce, *op. cit.*, p. 143-145.
39. Kingsley Davis, « Population Policy : Will Current Programs Succeed ? », in *Science*, vol. 158, p. 730-739, 10 novembre 1967.
40. Bernard Berelson, « Beyond Family Planning », in *Studies in Family Planning*, n° 38 (New York 1969).
41. Lyle Saunders, *Beyond Family Planning : a Ford Foundation Reprint* SR/44, s. d., p. 3.
42. *Ibid.*, p. 10.
43. Meredith Minkler, « Consultants or Colleagues : the Role of the US Population Advisers in India », in *Population and Development Review*, décembre 1971.
44. D. M. Potts, « The Implementation of Family Planning Programmes », in *Proceedings of the Royal Society*, B, vol. 195 (1976), p. 218.
45. John Rowley, « Chojiro Kunii : Man and Message », in *People*, vol. IX (1982), n° 3, p. 23.
46. *The Narangwal Population Study : Integrated Health and Family Planning Services* (Narangwal 1975).
47. David G. Mandelbaum, *Human Fertility in India : Social Components and Policy Perspectives* (Berkeley 1974), p. 9.
48. John Marshall, « Culture and Contraception : Response Determinants to a Family Planning Program in a North Indian Village », thèse de doctorat, non publiée, université de Hawaii, 1972.
49. Gouvernement de Kerala, *l'Histoire de l'expérience Ernakulam dans la planification fam.iliale* (Cochin 1971).
50. V. H. Thakor et Vinod M. Patel, « The Gujurat States' Massive Vasectomy Campaign », in *Studies in Family Planning*, vol. III (1972), n° 8, p. 186-192.
51. Interview pour le numéro de l'Independence Day du *Illustrated Weekly*, 1972, réédité dans *Mrs. Gandhis' Returns*, de Kushwant Singh (New Delhi 1979), p. 45-46.
52. K. Singh, *op. cit.*, p. 81.
53. Nancy S. Henley et Sagar C. Jain, *Family Planning in Haryana : Evaluation of a State Program in India* (Chapel Hill 1977), p. 13.
54. Cité par Mandelbaum, *op. cit.*, p. 79.
55. M. E. Khan et C. V. S. Prasad, *Fertility Control in India* (New Delhi, 1980).
56. K. Singh, *op. cit.*, p. 84.
57. *Ibid.*, discours au Lokh Sabha, 1er août 1975, lors du débat pour le Nouveau Programme économique.
58. *Ibid.*, p. 116.
59. *Centre Calling*, vol. X (1975), n° 3, p. 8.
60. *Ibid.*, p. 16.
61. *Centre Calling*, vol. X (1975), n° 4, p. 1.
62. V. A. Pai Pandaniker, R. N. Bishnoi et O. P. Sharma, *Family Planning Under the Emergency : Policy Implications of Incentives and Disincentives* (New Delhi 1979).
63. *Shah Commission of Enquiry Third and Final Report*, 6 août 1978, p. 207, « Sterilisation Targets and Achievement ».
64. Shah Commission, *op. cit.*, p. 165.
65. Shah Commission, *op. cit.*, p. 178.
66. Satya Prakash et Kuldeepak Sharma, *Administering Family Planning* (Rohtak 1979), *passim*.
67. Shah Commission, *op. cit.*, p. 31.

68. *Centre Calling*, vol. X (1975), n° 11, p. 3.

69. S. R. Grover, « After-Effects of Vasectomy », in *Journal of Family Welfare*, vol. XXXIII (1977), n° 4, p. 51, 54.

70. *Centre Calling*, vol. X (1975), n° 10, p. 7.

71. *Guardian*, 15 juillet 1980 ; *Indian Express*, 30 août 1980 ; *Pioneer* (Lucknow), 13 septembre 1980.

72. *Centre Calling*, vol. XI (1976), n° 3, p. 2.

73. Séminaire interrégional consacré aux soins primaires de santé, Yexian, province de Shandong, 26 juin 1982. Rapport de l'UNICEF, 14 juillet 1982.

74. International Planned Parenthood Federation, « Family Planning in the People's Republic of China : Report on the First IPPF Visit » (juin 1972).

75. *Population and Family Planning in the People's Republic of China* (Washington 1971).

76. *China's Experience in Population Control : the Elusive Model*, préparé à l'intention de la commission des Affaires étrangères de la Chambre des représentants par le service des recherches de la Bibliothèque du Congrès, septembre 1974, p. 3.

77. Pi-Chao Chen, « The Chinese Experience », in *People*, vol. VI (1979), n° 2, p. 17.

78. *Ibid.*

79. *New York Times*, 24 avril 1979.

80. *People's Daily*, 19 mai 1979.

81. Agence de presse de Xinhua, juin 1979.

82. *New York Times*, 27 juillet 1979.

83. *International Herald Tribune*, 26 février 1981.

84. *International Herald Tribune*, 22 juillet 1980.

85. Agence de presse de Xinhua, 18 février 1981.

86. *Daily Telegraph*, 6 janvier 1981.

87. *International Herald Tribune*, 7 mars 1980.

88. *Guardian*, 8 septembre 1980.

89. Agence de presse de Xinhua, 27 janvier 1981.

90. *International Herald Tribune*, 31 août 1981.

91. *Daily Telegraph*, 27 août 1980.

92. *Population Bulletin* (Population Information Centre, Sri Lanka).

93. *The Times*, 4 septembre 1980.

94. Mark G. Field, « The Re-Legalisation of Abortion in Soviet Russia », in *New England Journal of Medicine*, vol. 255, n° 9, p. 42 et suiv.

95 Maggie Jones, « State Attempts to Stem Decline », in *People*, vol. VII (1980), n° 1, p. 19-20.

96. P. Chaunu, G.F. Dumont, J. Le Grand et A. Sauvy, *La France ridée* (Paris 1979), p. 42.

97. Nusret H. Fisek, « Social Problems of Migrant Labour », in Milos Macura, *The Effect of Current Demographic Change in Europe on Social Structure* (Belgrade 1979), p. 69.

13. L'avenir de la reproduction

1. *People*, vol. VIII (1981), n° 2, p. 5.

2. D. M. Potts, « The Implementation of Family Planning Programmes », in *Proceedings of the Royal Society*, B, n° 195 (1976), p. 220.

3. Alva Myrdal, *Nation and Family* (New York et Londres 1941), p. 87-88.

4. Eckehard Kulke, *The Parsees in India : a Minority as Agent of Social Change* (New Delhi 1978), p. 41.

5. Bernard Berelson, « An Evaluation of the Effects of Population Control Programs », in *Studies in Family Planning*, vol. V, n° 1, 1974, p. 2-12.

6. A. Myrdal, *op. cit.*, p. 88-89.

7. Clellan Stearns Ford, *A Comparative Study of Human Reproduction* (Yale 1945), p. 86.

8. *Ibid.*, p. 87.

9. Ashley Montagu, *Man and Aggression* (New York 1968), p. 11.

10. Sir Charles Darwin, *Problems of World Population* (Londres 1958), p. 19.

11. Ben Wattenberg, « The Tale of Two Birthrates », in *International Herald Tribune*, 3 mars 1983.

12. C. Darwin, *op. cit.*, p. 40-41.

13. Thomas B. Littlewood, *The Politics of Population Control* (Notre Dame 1977), p. 12.

14. Voir le compte-rendu du cas de Stephen Mosher de l'université Stanford dans *New Scientist*, vol. 97 (3 mars 1983), p. 567.

15. *The Times*, 9 septembre 1961, p. 7 et 30 octobre 1963, p. 11.

16. Jeremy Keenan, *The Tuareg : People of Ahaggar* (Londres 1977), p. 4-5, et *passim.*

17. Walter Pitkin et Elmer Pendell, *Population on the Loose* (New York 1951), p. XII.

18. Soloman Ole Saibull et Rachel Carr, *Herd and Spear : the Masai of East Africa* (Londres 1981), *passim.*

19. Rudolf Andorka, *Determinants of Fertility in Advanced Societies* (Londres 1978), p. 93-98, et Geza Roheim, *Psychoanalysis and Anthropology* (New York 1950), p. 496.

20. Étienne Van Der Walle, « The View from the Past : Population Change and Group Survival », in *Zero Population Growth for Whom ? Differential Fertility and Minority Group Survival*, ed. Milton Himmelfarb et Victor Baras (Westport 1979), p. 6-25.

21. United States Bureau of the Census, *Monthly Vital Statistics Reports*, vol. XXX (1981), n° 6, supplément 2.

22. Edward Murray East, *Mankind at the Crossroads* (New York 1923), p. 116-117.

23. Chiffres communiqués par *World Population Prospects as Assessed in 1980*, Département de l'économie internationale et des affaires sociales de l'O.N.U. (*Population Studies* n° 78.)

24. L. P. Tourkow, R. Lidz et B. L. Rosenfeld, « Psychiatric Considerations in Fertility Inhibition », in *Human Reproduction : Conception and Contraception*, ed. E.S.E. Hafez (New York 1979), p. 857-858.

25. « Surgical Sterilisation Surveillance : Tubal Sterilisation 1976-1978 », in *International Family Planning Perspectives*, vol. XIII (1981), n° 5, p. 236.

26. *Ibid.*

27. Michael Klitsch, « Sterilisation without Surgery », in *International Family Planning Perspectives*, vol. VIII, n° 3, septembre 1982, p. 101.

28. *Ibid.*, p. 102.

29. *Ibid.*

30. Elton Kessel et Stephen Mumford, « Potential Demand for Voluntary Female Sterilisation in the 1980s : the Compelling Need for a Non-Surgical Method », in *Fertility and Sterility*, juin 1982.

31. Carl Djerassi, *The Politics of Contraception : Birth Control in the Year 2001* (Stanford 1979), p. 161.

32. Barry Boettcher, « Immunity to Spermatozoa », in *Clinics in Obstetrics and Gynecology*, vol. VI, n° 3, décembre 1979.

33. Vernon C. Stevens, « Vaccines against Pregnancy », in *Recent Advances in Fertility Regulation*, ed. Chang Chai Fen et David Griffin (O.M.S., 1981), p. 213.

34. C. Djerassi, *op. cit.*, p. 177-178.

35. C. Djerassi, *op. cit.*, p. 178-179.
36. Compte-rendu du rapport de l'O.M.S. in *International Herald Tribune*, 23 juin 1980.
37. J. P. Koch, « The Prentif Contraceptive Cervical Cap : a Contemporary Study of its Clinic Safety and Effectiveness », in *Contraception*, vol. XXV, 1982, p. 135, et « The Prentif Contraceptive Cervical Cap : Acceptability Aspects and their Implications for Future Cap Design », in *Contraception*, vol. XXV, 1982, p. 161.
38. D. M. De Kretser, « Fertility Regulation in the Male ; Recent Developments », Fen et Griffin, *op. cit.*, p. 119.

14. Le mythe de la surpopulation

1. British Library Collection.
2. Paul Ehrlich, *The Population Bomb* (Londres 1971).
3. Lewis Cotlow, *The Twilight of the Primitive* (Londres 1973), p. 16-17.
4. Susan George, *How the Other Half Dies* (Londres 1977), p. 196.
5. *Ibid.*, p. 203.

TABLE

Remerciements de l'auteur 9

Avant-propos 11

1. Un bébé est né 13

2. L'importance de la fécondité 43

3. La malédiction de la stérilité 63

4. La chasteté est une forme de contraception 93

5. Polymorphie des perversions 121

6. Bref historique de la contraception 143

7. Avortement et infanticide 173

8. Concepts de la sexualité 211

9. Le destin de la Famille 235

10. Eugénique 265

11. Le lobby démographique 303

12. Gouvernements, planificateurs de la famille 333

13. L'avenir de la reproduction 375

14. Le mythe de la surpopulation 401

Notes *419*

Cet ouvrage a été réalisé sur
Système Cameron
par la SOCIÉTÉ NOUVELLE FIRMIN-DIDOT
Mesnil-sur-l'Estrée
pour le compte des Éditions Grasset
le 21 février 1986

Imprimé en France
Dépôt légal : février 1986
Nº d'édition : 6936 – Nº d'impression : 3780
I.S.B.N. 2-246-34611-8